力学丛书·典藏版 24

有限元法

下册

〔英〕O. C. 监凯维奇 著

尹泽勇 柴家振 译

唐立民 刘迎曦 校

科学出版社

1985

内 容 简 介

本书论述有限元的一般理论，介绍有限元法在工程技术各个领域中的应用，并有专章说明有限元法如何在计算机上实现.

本书下册包括原书的第十七章至第二十四章，以及六个附录. 它讨论有限元法在几何及材料非线性问题、热传导、电磁位势、流体流动等稳态和瞬态场问题，以及断裂力学问题中的应用，并说明有限元法的程序设计.

本书可供高等院校有关专业师生及有关的科技工作者参考.

图书在版编目 (CIP) 数据

有限元法. 下册 / (英) 监凯维奇 (Zienkiewicz, O. C.) 著 ; 尹泽勇，柴家振译. —北京 : 科学出版社，2016.1

(力学名著译丛)

书名原文 : The finite element methods

ISBN 978-7-03-046975-5

I. ①有… II. ①监… ②尹… ③柴… III. ①有限元法 IV. ① 0241.82

中国版本图书馆 CIP 数据核字 (2016) 第 006912 号

O.C. Zienkiewicz

The Finite Element Method (third edition)

McGraw-Hill, 1977

力学名著译丛

有 限 元 法

下册

〔英〕 O. C. 监凯维奇 著

尹泽勇 柴家振 译

唐立民 刘迎曦 校

责任编辑 魏茂乐

科 学 出 版 社 出 版

北京东黄城根北街 16 号

北京京华虎彩印刷有限公司印刷

新华书店北京发行所发行 各地新华书店经售

*

1985 年第一版 开本 : 850×1168 1/32

2016 年印刷 印张 : 12 1/8

插页 : 精 2

字数 : 323,000

定价: 98.00元

目　　录

第 十 七 章

稳态场问题——热传导、电势及磁势、流体流动等

17.1 引言

虽然前面大部分章节详细处理的是弹性连续体问题，但其一般方法可以应用于各种物理问题．其实，在第三章中已经指出过一些这样的可能性，这里将对于其中一类特殊而又具有一定普遍性的问题进行较详细的考察．

首先，我们将处理可以归结为一般“拟调和”方程的问题，其特殊情况就是熟知的拉普拉斯方程及泊松方程[1-6]． 属于这一范畴的物理问题的范围很广．这里仅列出工程实际中经常遇到的几个问题，它们是

热传导，
通过多孔介质的渗流，
理想流体的无旋流动，
电(或磁)势的分布，
棱柱形轴的扭转，
棱柱形梁的弯曲等，
油膜轴承的润滑．

本章中建立的公式系统同样适用于所有的问题，因此几乎没有涉及实际的物理量．可以同样容易地处理各向同性或各向异性区域．

在本章第一部分中讨论二维问题．随后推广到三维问题．将

会看到，这里仍然遇到与前面弹性力学问题的二维或三维公式系统中所用相同的 C_0“形状函数”。主要差别是，空间中每点处现在只有一个未知标量（未知函数）。以前，要寻求用位移向量来表示的几个未知量。

在第三章中，我们简述了适用于拉普拉斯方程及泊松方程的“弱形式”及变分原理（参见 3.3 节及 3.10.1 节）。在以下各节中，我们将把这些方法推广于一般的拟调和方程，并表明一个统一方法的应用范围，应用这个方法，一个计算机程序就可求解各种各样的物理问题。

17.2 一般拟调和方程

17.2.1 一般表达形式 在许多物理情况下，我们牵涉到象热量、质量或化学量等这样一些量的扩散或流动。在这种问题中，每单位面积的传递率 $\mathbf{q}$ 可以通过其笛卡儿分量写成

$$\mathbf{q}^{\mathrm{T}} = [q_x, q_y, q_z]. \tag{17.1}$$

如果每单位体积中产生（或除去）有关量的速率是 Q，对于稳态流动，平衡或连续性要求给出

$$\frac{\partial q_x}{\partial x} + \frac{\partial q_y}{\partial y} + \frac{\partial q_z}{\partial z} = Q. \tag{17.2}$$

引入梯度算子

$$\boldsymbol{\nabla} = \begin{Bmatrix} \dfrac{\partial}{\partial x} \\ \dfrac{\partial}{\partial y} \\ \dfrac{\partial}{\partial z} \end{Bmatrix}, \tag{17.3}$$

我们还可以把式（17.2）写成

$$\boldsymbol{\nabla}^{\mathrm{T}}\mathbf{q} - Q = 0. \tag{17.4}$$

通常，流动速率将会与某一位势量 ϕ 的梯度联系起来。例如，在热量流动的情况下，这一位势量可以是温度。我们有如下形式的很一般的关系：

$$\mathbf{q}=\begin{Bmatrix}q_x\\q_y\\q_z\end{Bmatrix}=-\mathbf{k}\begin{Bmatrix}\dfrac{\partial\phi}{\partial x}\\\dfrac{\partial\phi}{\partial y}\\\dfrac{\partial\phi}{\partial z}\end{Bmatrix}=-\mathbf{k}\nabla\phi, \tag{17.5}$$

式中 $\mathbf{k}$ 是一个 3×3 的矩阵．由于能量方面的理由，这通常是对称的形式．

通过把式(17.5)代入式(17.4)来得到关于"位势"ϕ的最终控制方程，这导出

$$\nabla^{\mathrm{T}}\mathbf{k}\nabla\phi+Q=0, \tag{17.6}$$

上式必须在域 Ω 中求解．在这一区域的边界上，我们通常将遇到如下条件：

(a) 在 Γ_ϕ 上，

$$\phi=\bar{\Phi}, \tag{17.7a}$$

即给定位势；

(b) 在 Γ_q 上，法向流动分量 q_n 被给定为

$$q_n=\bar{q}+\alpha\phi, \tag{17.7b}$$

式中 α 是传递系数或辐射系数．

因为

$$q_n=\mathbf{q}^{\mathrm{T}}\mathbf{n};\quad \mathbf{n}^{\mathrm{T}}=[n_x,n_y,n_z],$$

式中 $\mathbf{n}$ 是表面法线的方向余弦向量，我们马上可把式(17.7b)改写成

$$-(\mathbf{k}\nabla\phi)^{\mathrm{T}}\mathbf{n}-\bar{q}-\alpha\phi=0, \tag{17.7c}$$

式中 $\bar{q}$ 及 α 是给定的．

17.2.2 特殊形式　如果我们认为式(17.5)的一般表达形式是对于任意一组坐标轴 x，y，z 确定的，我们将看到，总是可以局部地确定另一组坐标轴 x'，y'，z'，关于它的矩阵 $\mathbf{k}'$ 变成对角矩阵．对于这样的坐标轴，我们有

$$\mathbf{k}' = \begin{bmatrix} k'_x & 0 & 0 \\ 0 & k'_y & 0 \\ 0 & 0 & k'_z \end{bmatrix}, \tag{17.8}$$

而控制方程(式(17.6))可以写成(这里省去了撇号)

$$\frac{\partial}{\partial x}\left(k_x \frac{\partial \phi}{\partial x}\right) + \frac{\partial}{\partial y}\left(k_y \frac{\partial \phi}{\partial y}\right) + \frac{\partial}{\partial z}\left(k_z \frac{\partial \phi}{\partial z}\right) + Q = 0, \tag{17.9}$$

同时适当改变边界条件.

最后,对于各向同性材料,我们可以写出

$$\mathbf{k} = k\boldsymbol{I}, \tag{17.10}$$

式中 $\boldsymbol{I}$ 是一个单位矩阵. 这导致第三章中详细讨论过的式(3.10)那种简单形式.

17.2.3 一般拟调和方程(式(17.6))的弱形式 遵照第三章 3.2 节的原理,我们可以对于在 Γ_ϕ 上为零的所有函数 v 写出

$$\int_\Omega v[\boldsymbol{\nabla}^{\mathrm{T}}\mathbf{k}\boldsymbol{\nabla}\phi + Q]\mathrm{d}\Omega - \int_{\Gamma_q} v[(\mathbf{k}\boldsymbol{\nabla}\phi)^{\mathrm{T}}\mathbf{n} + \bar{q} + \alpha\phi]\mathrm{d}\Gamma = 0, \tag{17.11}$$

由此得到式(17.6)的弱形式.

通过分部积分(见附录 3)将会得到如下弱表达形式:

$$\int_\Omega \boldsymbol{\nabla}^{\mathrm{T}} v\mathbf{k}\boldsymbol{\nabla}\phi\mathrm{d}\Omega - \int_\Omega vQ\mathrm{d}\Omega - \int_{\Gamma_q} v(\alpha\phi + \bar{q})\mathrm{d}\Gamma = 0, \tag{17.12}$$

它相当于满足控制方程及自然边界条件(17.7b). 强迫边界条件(17.7a)仍然需要强行给定.

17.2.4 变分原理 试验证,泛函

$$\Pi = \frac{1}{2}\int_\Omega (\boldsymbol{\nabla}\phi)^{\mathrm{T}}\mathbf{k}\boldsymbol{\nabla}\phi\mathrm{d}\Omega - \int_\Omega Q\phi\mathrm{d}\Omega - \frac{1}{2}\int_{\Gamma_q}\alpha\phi^2\mathrm{d}\Gamma - \int_{\Gamma_q}\bar{q}\phi\mathrm{d}\Gamma \tag{17.13}$$

通过极小化(承受式(17.7a)的约束)使式(17.6)及(17.7)所规定的原始问题得到满足. 我们把这留给读者作为一个练习.

验证上述原理所需的代数处理完全遵照第三章 3.10 节的方法，可作为练习完成。

17.3 有限元离散化

现在，利用式(17.12)的弱表达形式或者式(17.13)的变分表达形式，可根据如下试探函数展开假设进行有限元离散化：

$$\phi = \Sigma N_i a_i = \mathbf{N}\mathbf{a}. \tag{17.14}$$

首先，如果我们依照伽辽金原理取

$$v = N_i, \tag{17.15}$$

则将得到与由变分原理的极小化所得一样的形式。

于是，把式(17.15)代入式(17.12)，我们有如下典型的表达形式：

$$\left[\int_\Omega \boldsymbol{\nabla}^{\mathrm{T}} N_i \mathbf{k} \boldsymbol{\nabla} \mathbf{N} \mathrm{d}\Omega - \int_{\Gamma_q} N_i \alpha \mathbf{N} \mathrm{d}\Gamma\right] \mathbf{a} - \int_\Omega N_i Q \mathrm{d}\Omega$$
$$- \int_{\Gamma_q} N_i \bar{q} \mathrm{d}\Gamma = 0, \ (i = 1, \cdots, n), \tag{17.16}$$

或者是如下形式的一组标准离散方程：

$$\mathbf{H}\mathbf{a} + \mathbf{f} = \mathbf{0} \tag{17.17}$$

式中

$$H_{ij} = \int_\Omega \boldsymbol{\nabla}^{\mathrm{T}} N_i \mathbf{k} \boldsymbol{\nabla} N_j \mathrm{d}\Omega - \int_{\Gamma_q} N_i \alpha N_j \mathrm{d}\Gamma,$$
$$f_i = -\int_\Omega N_i Q \mathrm{d}\Omega - \int_{\Gamma_q} N_i \bar{q} \mathrm{d}\Gamma,$$

对于这组方程，在边界 Γ_ϕ 上必须强加给定的 $\bar{\phi}$ 值。

我们现在注意到，在规定辐射常数 α 的边界上贡献了附加的“刚度”，但另一方面，存在着与弹性结构力学问题的完全相似性。

实际上，在一个计算机程序中，将进行相同的标准运算，甚至包括计算与应力类似的量。显然，这些量就是流动速率

$$\mathbf{q} = -\mathbf{k}\boldsymbol{\nabla}\phi = -(\mathbf{k}\boldsymbol{\nabla}\mathbf{N})\mathbf{a}, \tag{17.18}$$

而依照第十一章中所述，这种计算应当根据所用展开式的阶次在最优(积分)点处进行。

第七章及第八章中给出的任何一种 C_0 展开式及等参数变换等仍然可以采用.

17.4 一些计算上经济的特殊情况

17.4.1 各向异性及非均匀介质　显然,由矩阵 $\mathbf{k}$ 所确定的材料性质可以按不连续的方式随单元不同而不同. 在问题的弱表达形式及变分表达形式中都默许这一点.

通常只知道关于主(或对称)轴的材料性质, 如果主方向在单元中不变,那末在建立公式系统时,采用在每个单元中规定的局部坐标轴(如图 17.1 所示)是方便的.

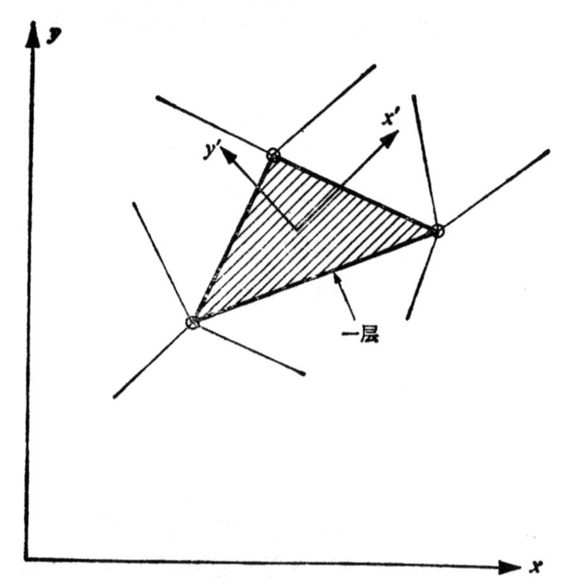

图 17.1　各向异性材料. 局部坐标与层内的主方向一致

对于这种坐标轴, 只需规定三个系数 k_x, k_y 及 k_z, 并确实得到很大的计算上的经济性,因为在计算矩阵 $\mathbf{H}$ 的系数(式(17.17))时只需要用一个对角矩阵作乘法.

指出这样一点是重要的: 当参数 $\mathbf{a}$ 相应于标量值时, 不必在集合总矩阵之前对于在局部坐标系中算出的矩阵进行变换.

因此，在大部分计算机程序中，只采用对角型的矩阵 **k**.

17.4.2 二维问题 在二维情况下，在局部坐标系中写出的一般控制方程(17.9)变成

$$\frac{\partial}{\partial x}\left(k_x\frac{\partial\phi}{\partial x}\right)+\frac{\partial}{\partial y}\left(k_y\frac{\partial\phi}{\partial y}\right)+Q=0. \tag{17.19}$$

通过式(17.17)进行离散化，现在会看到，矩阵 **H** 的形式有所简化. 略去含 α 及 $\bar{q}$ 的项，我们可以写出

$$H_{ij}^e=\int_{V^e}\left(k_x\frac{\partial N_i}{\partial x}\frac{\partial N_i}{\partial x}+k_y\frac{\partial N_i}{\partial y}\frac{\partial N_i}{\partial y}\right)\mathrm{d}x\mathrm{d}y. \tag{17.20}$$

看来，不必对此作进一步的讨论. 然而，或许值得在这里特别考察一下最简单而又非常有用的三角形单元(图 17.2).

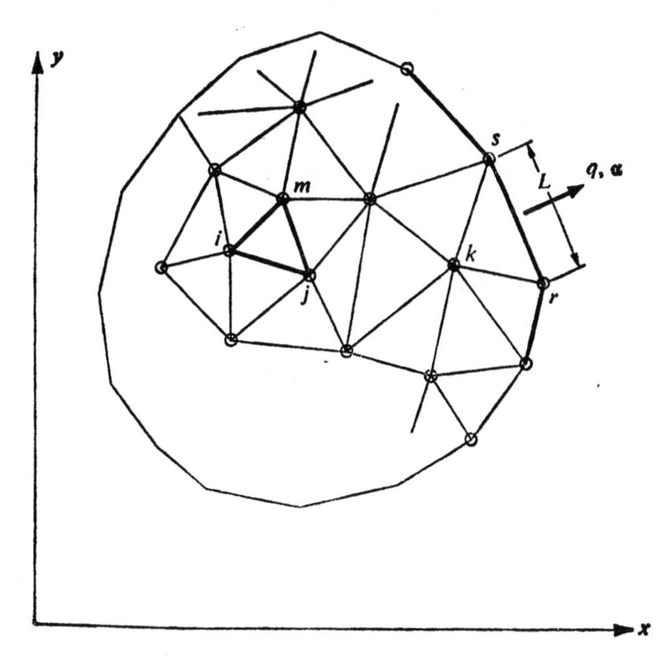

图 17.2 一个二维区域剖分成三角形单元

如同第四章式(4.8)那样，采用

$$N_i=(a_i+b_ix+c_iy)/2\Delta,$$

我们可以把单元"刚度"矩阵写出如下：

$$\mathbf{H}^e = \frac{k_x}{4\Delta}\begin{bmatrix} b_ib_i & b_ib_j & b_ib_m \\ & b_jb_j & b_jb_m \\ \text{对称} & & b_mb_m \end{bmatrix} + \frac{k_y}{4\Delta}\begin{bmatrix} c_ic_i & c_ic_j & c_ic_m \\ & c_jc_j & c_jc_m \\ \text{对称} & & c_mc_m \end{bmatrix}. \quad (17.21)$$

载荷矩阵遵照类似的简单方式得到；例如，读者可以证明，对于 Q，我们有如下非常简单的(几乎是"显然的")结果：

$$\mathbf{f}^e = -\frac{Q\Delta}{3}\begin{Bmatrix} 1 \\ 1 \\ 1 \end{Bmatrix}. \quad (17.22)$$

另外，可以对于圆柱坐标写方程，并用来求解轴对称问题．现在，该微分方程是

$$\frac{\partial}{\partial r}\left(k_r r\frac{\partial \phi}{\partial r}\right) + \frac{\partial}{\partial z}\left(k_z\frac{\partial \phi}{\partial z}\right) + Q = 0. \quad (17.23)$$

变分原理现在也可适当地进行变换，但是比较简单的作法是：把值 $(k_r r)$ 及 $(k_z r)$ 作为修正了的"传导系数"代入，直接利用前面的表达式．如同第五章相应问题中那样，现在最好用数值方法进行积分*．

17.5 例子——精度的评价

很容易证明，对于图 17.3(a) 所示"规则"网格，把算出的三角形单元的"刚度"明显地集合起来，所得离散方程与可由熟知的有限差分法导出的方程一样[7]．

显然，由这两种方法得到的解答是一样的，因此近似的阶次也是一样的[1]．

如果采用基于节点按正方形排列的"不规则"网格（图 17.3(b)），两种方法的差别将是明显的．这一差别限于"载荷"向量 $\mathbf{f}^e$．集合方程的"载荷"与由有限差分表达式得到的"载荷"在节点处的值有些不同，但它们的和量仍然相等．因此，两种解答仅在局部上

* 请见第五章 5.2.5 节的脚注．——译者注

1) 在仅规定边界值 $\bar{\phi}$ 的情况下，这才是真实的．

不同，但给出相同的平均值.

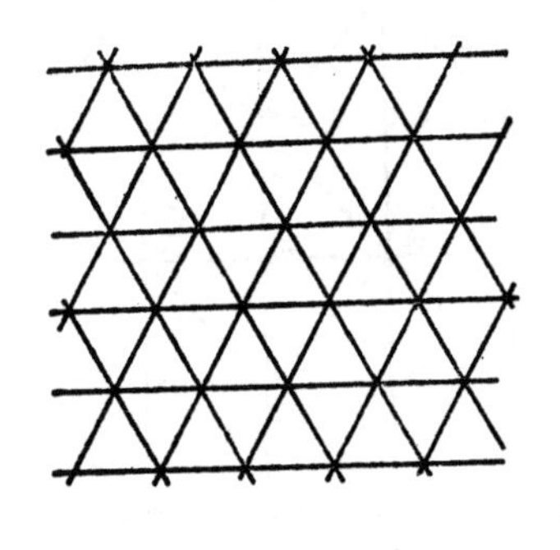

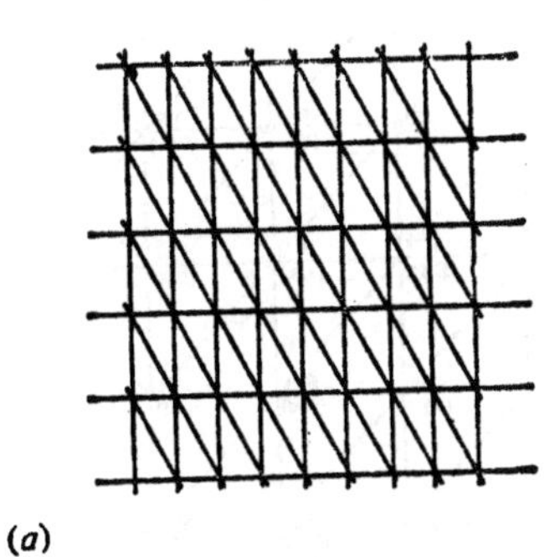

(a)

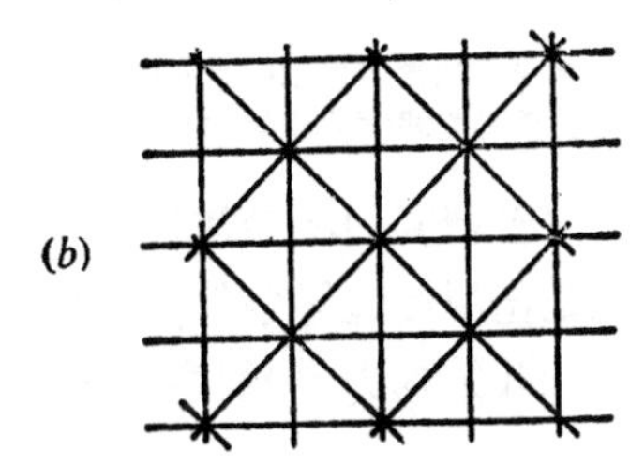

(b)

图 17.3 “规则”及“不规则”剖分方式

在图 17.4 中，把根据“不规则”网格得到的结果同最低阶有限差分近似的松弛解作了比较. 确实如同所料，两种方法给出精度相似的结果. 然而可以证明，在一维问题中，有限元算法在节点处给出精确答案，而有限差分法一般作不到这一点. 因此一般说来，用有限元法离散化可以得到很好的精度. 此外，有限元解法的优点还有

(a) 可以简单地处理非均质及各向 性情况（特别是各向异性的方向变化时）.

(b) 单元可以在形状及尺寸上分类，以模拟任意边界并用于所寻求的函数急剧变化的区域.

(c) 自然地引入给定的梯度或“辐射”边界条件，并具有比标准有限差分法更好的精度.

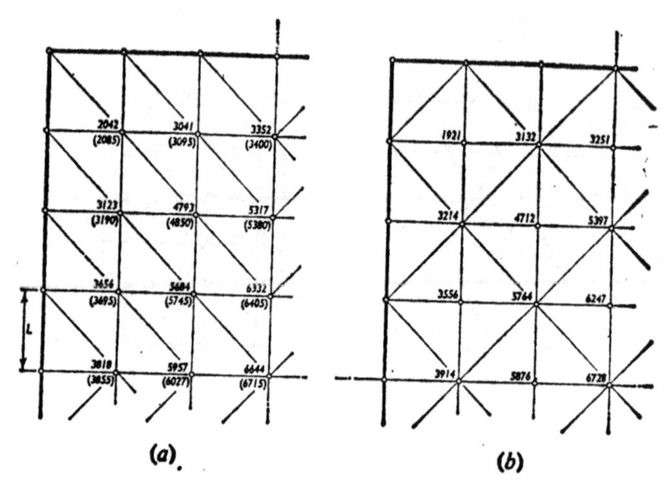

图 17.4 矩形轴的扭转．括号中的数字表示由索斯威尔用 12 × 16 网格得到的更精确的解（$\phi/G\theta L^2$ 的值）

(d) 容易用高阶元来改善精度而不会使边界条件复杂化，采用高阶有限差分近似时总是出现使边界条件复杂化这一困难．

(e) 最后，可以用标准的（结构力学）程序来进行集合及求解，

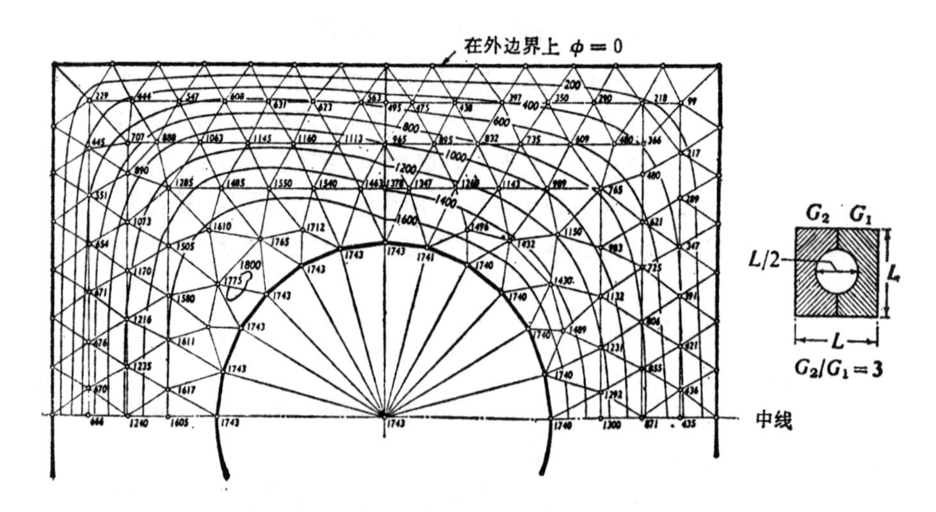

图 17.5 空心双材料轴的扭转．$\phi/G\theta L^2 \times 10^4$

这在计算机时代是相当重要的.

下面给出两个更复杂的例子，以说明在实际中所能达到的精度. 第一个例子是图 17.5 所示非均质轴的纯扭问题. 在这里，基本微分方程是

$$\frac{\partial}{\partial x}\left(\frac{1}{G}\frac{\partial \phi}{\partial x}\right)+\frac{\partial}{\partial y}\left(\frac{1}{G}\frac{\partial \phi}{\partial y}\right)+2\theta=0, \tag{17.24}$$

式中 ϕ 是应力函数，G 是剪切模量，θ 是每单位长度轴的扭角.

在所给出的有限元解中，空心处用与其它地方处材料相比 G 值的量级为 10^{-3} 的材料来表示[1]. 该结果与由精确的有限差分解[8]导出的等值线很一致.

在图 17.6 中，示出了一个关于通过各向异性多孔基础的流动的例子.

在这里，控制方程是

$$\frac{\partial}{\partial x}\left(k_x\frac{\partial H}{\partial x}\right)+\frac{\partial}{\partial y}\left(k_y\frac{\partial H}{\partial y}\right)=0, \tag{17.25}$$

式中 k_x 及 k_y 表示（倾斜的）主轴方向的渗透系数. 在这里，把答案同由精确解导出的等值线作了比较. 在这个例子中，采用分等尺寸剖分的可能性是显而易见的.

17.6 一些实际应用

17.6.1 各向异性渗流 第一个问题处理的是通过很不均匀的各向异性扭曲地层的流动. 基本控制方程仍然是式(17.25). 然而，在计算机程序中必须加进允许主方向 x' 及 y' 在单元间变化这样一个特点.

计算上没有什么困难，在图 17.7 中给出了这个问题及其解答[3].

17.6.2 轴对称热流 如果不发热，轴对称热流方程可按标准形式写成

---

1) 这样作是为了避免区域的“多连通性”造成的困难，也是为了能利用标准程序.

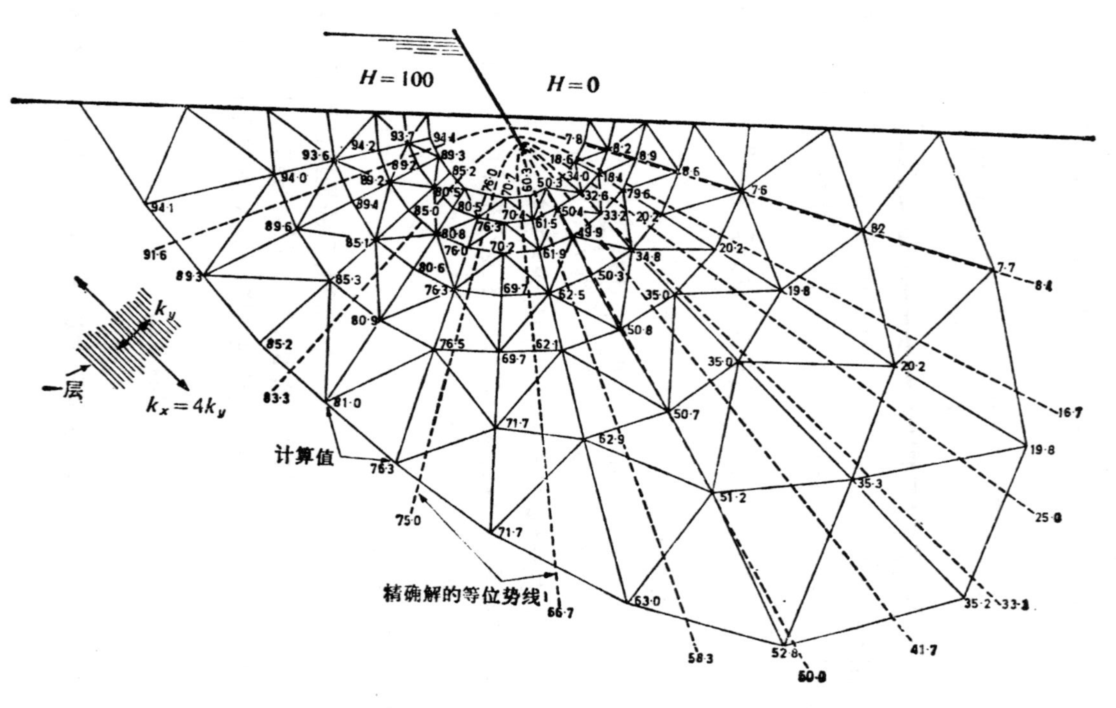

图 17.6 层状基础中斜桩墙下的流动．未示出桩尖端附近的细网格．用等值线给出与精确解的比较

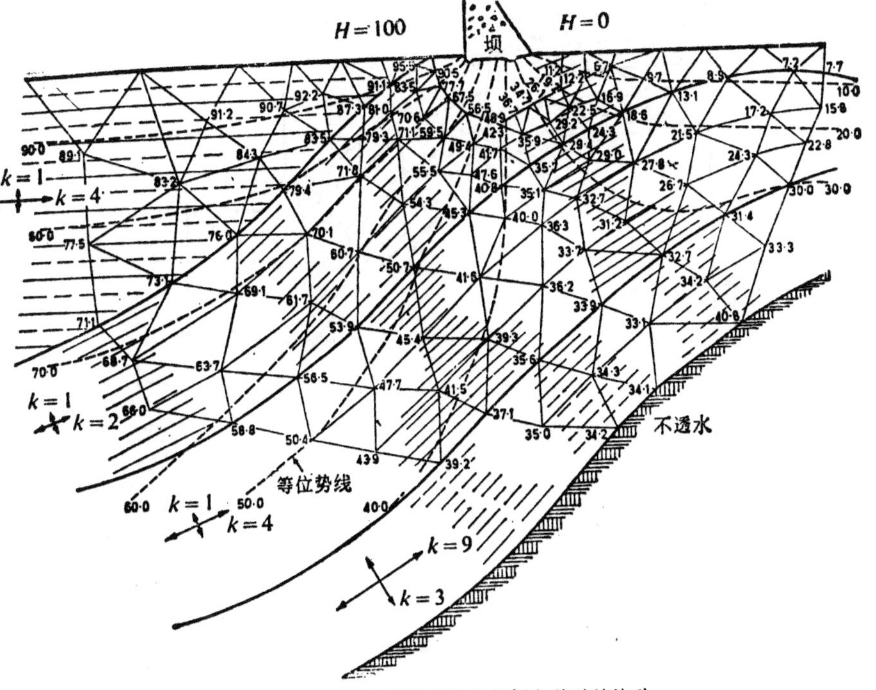

图 17.7 通过坝下很不均匀的扭曲基础的流动

$$\frac{\partial}{\partial r}\left(rk\frac{\partial T}{\partial r}\right)+\frac{\partial}{\partial z}\left(rk\frac{\partial T}{\partial z}\right)=0. \tag{17.26}$$

在上式中，T 是温度，而 k 是传导系数. 现在用径向及轴向坐标 r，z 代替坐标 x，y.

在图 17.8 中示出了一个核反应堆压力容器[1]当内壁温度均匀升高时的温度分布，求解是按稳态热传导问题进行的.

17.6.3 运动表面上的动压力 如果一个沉浸在流体中的表面以规定的加速度作小幅度运动，则可证明，在忽略压缩性时，所产生的附加压力服从拉普拉斯方程(见第二十章 20.3 节)

$$\nabla^2 p = 0.$$

在运动(或静止)边界上，边界条件是(b)类(见式(17.7 b))，它由下式给出:

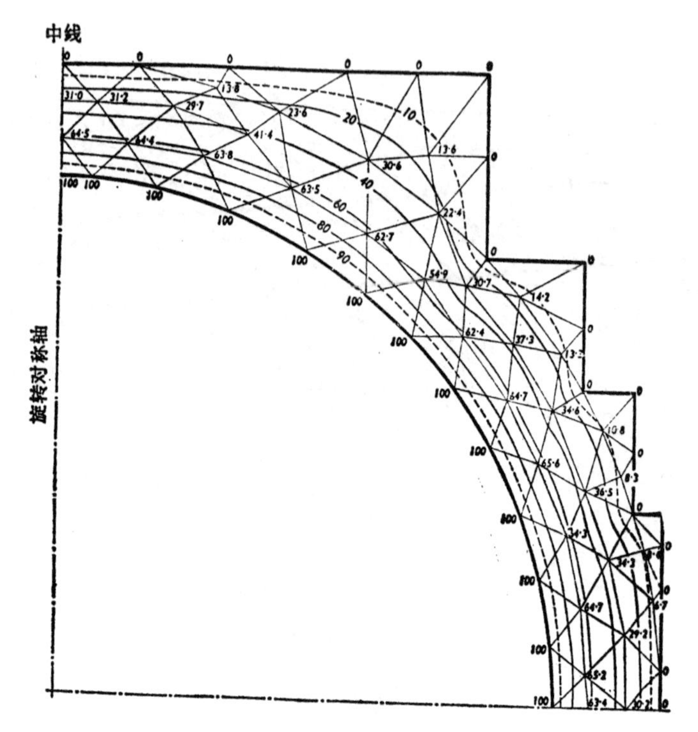

图 17.8 轴对称压力容器在稳态热传导情况下的温度分布

$$\frac{\partial p}{\partial n}=-\rho a_n, \tag{17.27}$$

式中 ρ 是流体密度，而 a_n 是边界加速度的法向分量。

在自由表面上，边界条件就是(如果忽略表面波)

$$p=0. \tag{17.28}$$

因此，这个问题显然属于本章所讨论问题的范畴。

作为一个例子，让我们考察图 17.9 所示水池中垂直壁的情况，并在边界点 1 至 7 按规定运动的情况下确定壁表面各点及水池底上各点的压力分布。

示出了该区域的单元剖分（共 42 个单元）．这里采用的是四边形单元．为了使结果对于任何加速度系统均有效，求解了七个独立的问题．我们顺次使与所考虑点相邻的边界部分有单位加速

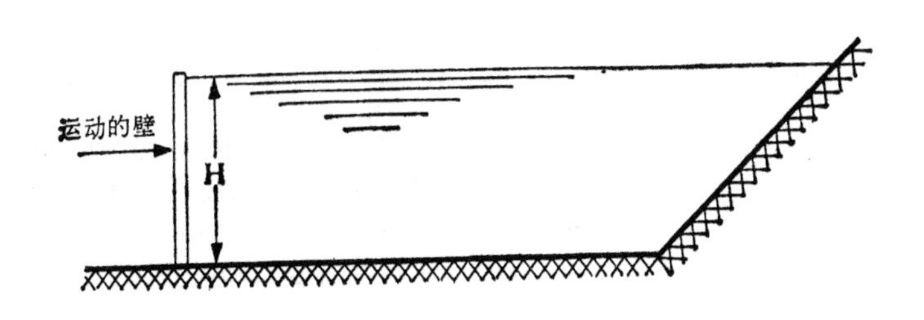

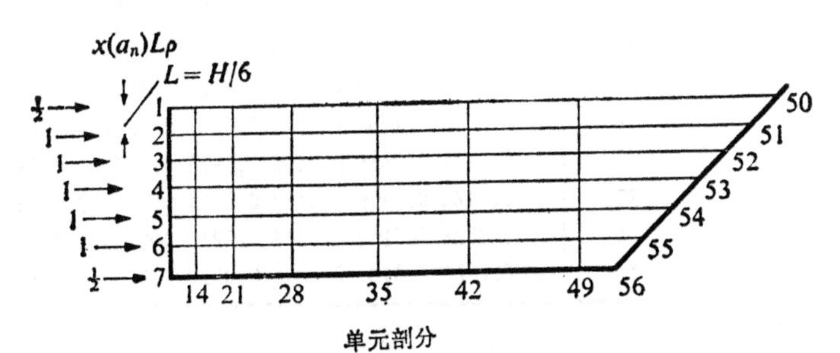

单元剖分

图 17.9　在水池中作水平运动的壁的问题

度，这产生顺次作用于点 1 至 7 的"载荷"

$$\rho\frac{1}{2}L,\ \rho L,\ \cdots,\ \rho L,\ \rho\frac{1}{2}L.$$

对于任何一种加速度分布，在点 1 至 56 处产生的压力可以作为一个与点 1 至 7 的加速度有关的矩阵列出：

$$\begin{Bmatrix} p_1 \\ \vdots \\ p_7 \\ p_{14} \\ p_{21} \\ p_{28} \\ p_{35} \\ p_{42} \\ p_{49} \\ p_{56} \end{Bmatrix} = \mathbf{M}\begin{Bmatrix} a_1 \\ \vdots \\ a_7 \end{Bmatrix}, \tag{17.29}$$

式中的矩阵**M**在表 17.1 中给出。

表 17.1

	1	0	0	0	0	0	0	0
	2	0	0.7249	0.3685	0.2466	0.1963	0.1743	0.0840
	3	0	0.3685	0.9715	0.5648	0.4210	0.3644	0.1744
	4	0	0.2466	0.5648	1.1459	0.7329	0.5954	0.2804
	5	0	0.1963	0.4210	0.7329	1.3203	0.9292	0.4210
	6	0	0.1744	0.3644	0.5954	0.9292	1.5669	0.6489
$\mathbf{M}=\rho\frac{H}{6}$	7	0	0.1680	0.3488	0.5607	0.8420	1.2977	1.1459
	14	0	0.1617	0.3332	0.5260	0.7548	1.0285	0.6429
	21	0	0.1365	0.2754	0.4171	0.5573	0.6793	0.3710
	28	0	0.0879	0.1731	0.2519	0.3187	0.3657	0.1918
	35	0	0.0431	0.0838	0.1195	0.1478	0.1661	0.0863
	42	0	0.0186	0.0359	0.0150	0.0626	0.0699	0.0362
	49	0	0.0078	0.0150	0.0213	0.0261	0.0291	0.0151
	56	0	0.0069	0.0134	0.0190	0.0232	0.0259	0.0134

$(L=H/6)$

现在可以求出任一加速度分布情况下的压力．例如，如果加速度 a 是均布的，则可取

$$\begin{Bmatrix} a_1 \\ \vdots \\ a_7 \end{Bmatrix} = \bar{a}\begin{Bmatrix} 1 \\ \vdots \\ 1 \end{Bmatrix} \tag{17.30}$$

来算出压力．在图 17.10 中，示出了壁上及水池底上产生的压力分布．壁上压力的结果与威斯特加德（Westergard）[10] 得到的熟知的精确解相差不超过百分之一．

可以类似地求出其它任何运动状态下的压力分布．例如，如果壁铰接于池底并绕该铰接点振动，且壁顶（点 1）的加速度为 $\bar{a}$，则有

$$\begin{Bmatrix} a_1 \\ \vdots \\ a_7 \end{Bmatrix} = \bar{a}\begin{Bmatrix} 1 \\ 5/6 \\ 4/5 \\ \vdots \\ 0 \end{Bmatrix}. \tag{17.31}$$

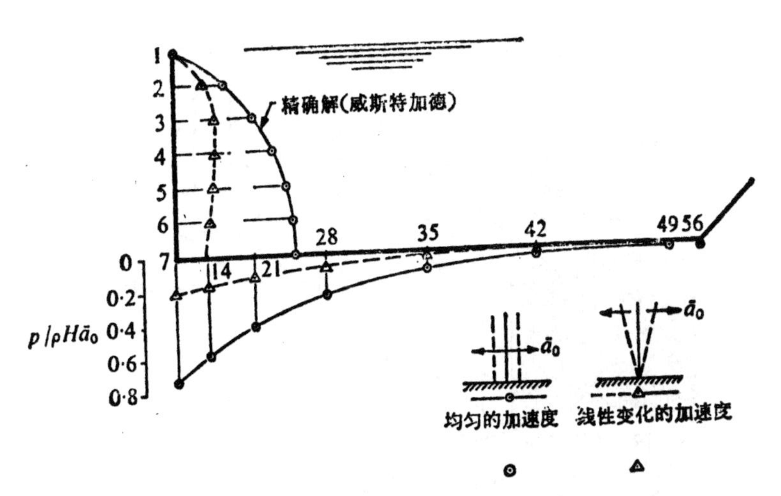

图 17.10 运动壁及水池底上的压力分布

这时的压力分布也由式(17.29)给出，所得结果画在图 17.10中.

导出这种"影响矩阵"十分重要，这一点与振动问题有关．在一般情况下,"壁"的振动加速度是未知的．由式(17.29)，我们可取矩阵 $\mathbf{M}$ 的上部 $\mathbf{M}_0$,把点 1 至 7 的压力写成

$$\begin{Bmatrix} p_1 \\ \vdots \\ p_7 \end{Bmatrix} = \mathbf{M}_0 \begin{Bmatrix} a_1 \\ \vdots \\ a_7 \end{Bmatrix} = \mathbf{M}_0\mathbf{a}. \tag{17.32}$$

这些压力产生如下节点力:

$$\mathbf{f} = \begin{Bmatrix} \mathbf{f}_1 \\ \vdots \\ \mathbf{f}_7 \end{Bmatrix} = \mathbf{A}\mathbf{M}_0 \begin{Bmatrix} a_1 \\ \vdots \\ a_7 \end{Bmatrix}, \tag{17.33}$$

式中 $\mathbf{A}$ 是适当的载荷分配矩阵,而 $\mathbf{a}$ 表示壁上节点的加速度．可将上式与壁的动力方程联立求解．在第二十章中，将更详细地讨论这个问题以及有关的问题.

在图 17.11 中,示出了类似的三维问题的解[4]．这里采用了简单的四面体单元,得到了很好的精度.

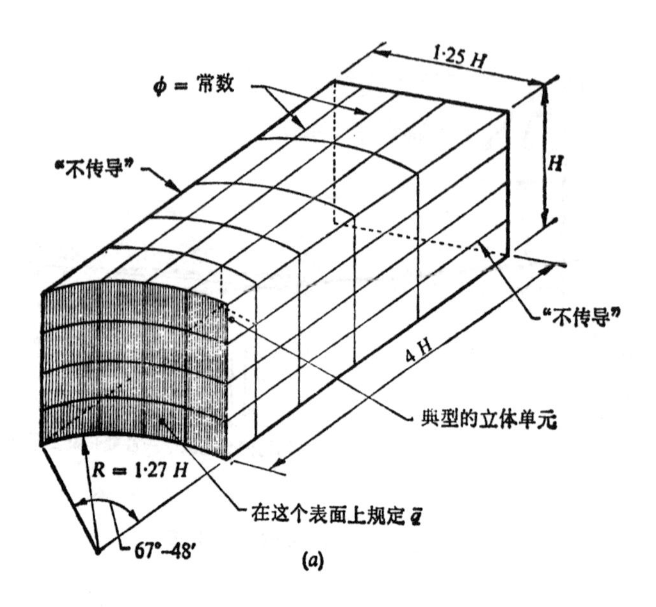

(a)

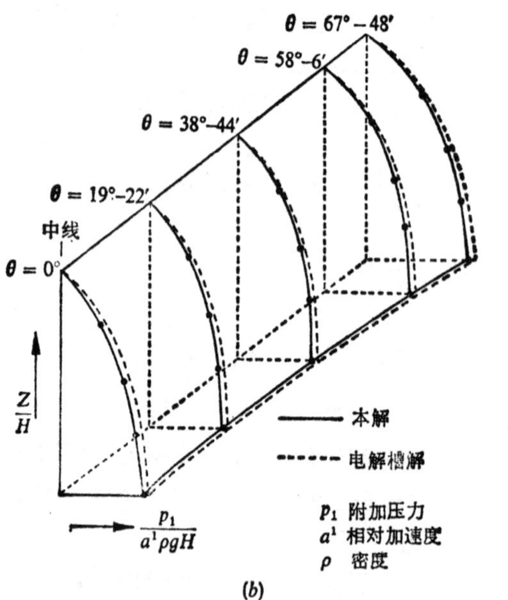

(b)

图 17.11 不可压缩流体中加速运动的坝表面上的压力分布

在许多实际问题中，计算这种简化的“附加”质量就可以了——并且这里所介绍的方法已得到了广泛的应用[11-13]。

17.6.4 *静电场及静磁场问题* 在这一活动领域中，常常需要确定相应的场强，而其控制方程通常是这里所讨论的标准拟调和型方程。因此，可以直接利用上述公式系统。这方面的最初应用之一是由简单拉普拉斯方程控制的三维静电场分布，这一工作早在1967年就完成了[4]（图17.12）。

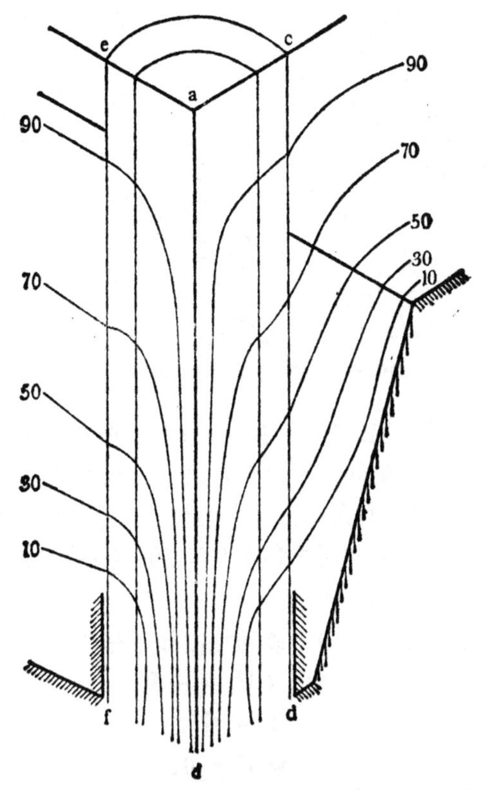

图 17.12 土槽中陶瓷绝缘体周围静电势的三维分布[9]

1966年，温斯洛[6]类似地用三角形单元分析过二维磁场问题，其结果示于图17.13。这些早期工作大大刺激了人们在这方面的努力，现在已经发表了许多工作[14-17]。

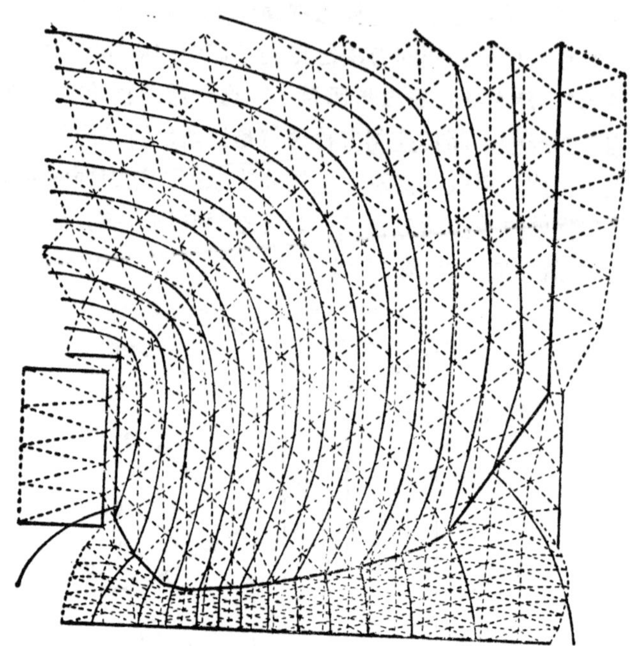

图 17.13 磁体附近的磁场(取自温斯洛(Winslow)[6] 的工作)

磁场问题特别使人感兴趣，因为在它的公式系统中通常要引入一个具有三个分量的向量位势，这导致与本章前面所述不同的公式系统. 因此，有必要在此介绍该公式系统的一种最新形式，这种形式使我们可以利用求解本节问题的标准程序来解磁场问题[18].

在稳态电磁场理论中，该问题由如下马克斯威尔方程控制:

$$
\begin{aligned}
\nabla^{T} \times \mathbf{H} &= -\mathbf{J}, \\
\mathbf{B} &= \mu \mathbf{H}, \\
\nabla^{T} \mathbf{B} &= 0,
\end{aligned}
\tag{17.34}
$$

同时，在离扰动无限远处规定的边界条件要求 **H** 及 **B** 在该处趋于零. 在式(17.34)中，**J** 是被限制在导体中的规定的电流密度；**H** 及 **B** 都是具有三个分量的向量，它们分别表示磁场强度及通量密度；μ 是磁导率，它的数值在真空中是 1 而在磁性材料中是几千

(按绝对单位制);符号×表示附录6中定义的向量积.

这里给出的公式系统依赖于如下事实: 当处处均有 $\mu=1$ 时,精确求解式(17.34)以确定场强 $\mathbf{H}_s$ 是一件简单的事情. 在由向量坐标 $\mathbf{r}$ 确定的任一点处, $\mathbf{H}_s$ 由如下积分给出:

$$\mathbf{H}_s=\frac{1}{4}\pi\int_\Omega\frac{\mathbf{J}\times(\mathbf{r}-\mathbf{r}')}{(\mathbf{r}-\mathbf{r}')^2}\mathrm{d}\Omega. \tag{17.35}$$

上式中的 $\mathbf{r}'$ 指的是 $\mathrm{d}\Omega$ 的坐标,而积分区域显然只包含 $\mathbf{J}\neq 0$ 的电导体.

在 $\mathbf{H}_s$ 已知的情况下,我们可以写出

$$\mathbf{H}=\mathbf{H}_s+\mathbf{H}_m,$$

将上式代入式(17.34),我们有方程组

$$\begin{aligned}\nabla^{\mathrm{T}}\times\mathbf{H}_m&=0,\\ \mathbf{B}&=\mu(\mathbf{H}_s+\mathbf{H}_m),\\ \nabla^{\mathrm{T}}\mathbf{B}&=0.\end{aligned} \tag{17.36}$$

如果现在我们引入一个标量位势 ϕ, 把 $\mathbf{H}_m$ 定义为

$$\mathbf{H}_m=\nabla\phi, \tag{17.37}$$

那末我们看到,式(17.36)的第一个方程自动满足,而消去后两个方程中的 $\mathbf{B}$ 之后,控制方程变成

$$\nabla^{\mathrm{T}}\mu\nabla\phi+\nabla^{\mathrm{T}}\mu\mathbf{H}_s=0, \tag{17.38}$$

这时在无限远处 $\phi\to 0$. 这完全是本章中讨论过的标准形式(式(17.6)),不过是用现在规定的第二项代替 Q.

然而,如果 μ 以不连续的方式变化(如同所料, 在两种材料的界面处就是这样),则存在一个明显的困难.

在这里,Q 这一项不确定, 而在式(17.16)或(17.17)的标准离散形式中,

$$\int_\Omega N_i Q\mathrm{d}\Omega=\int_\Omega N_i\nabla^{\mathrm{T}}\mu\mathbf{H}_s\mathrm{d}\Omega \tag{17.39}$$

这一项显然没有意义.

再次求助于分部积分,我们注意到

$$\int_\Omega N_i\nabla^{\mathrm{T}}\mu\mathbf{H}_s\mathrm{d}\Omega=-\int_\Omega\nabla^{\mathrm{T}}N_i\mu\mathbf{H}_s+\int_\Gamma N_i\mu\mathbf{H}_s\mathbf{n}\mathrm{d}\Gamma. \tag{17.40}$$

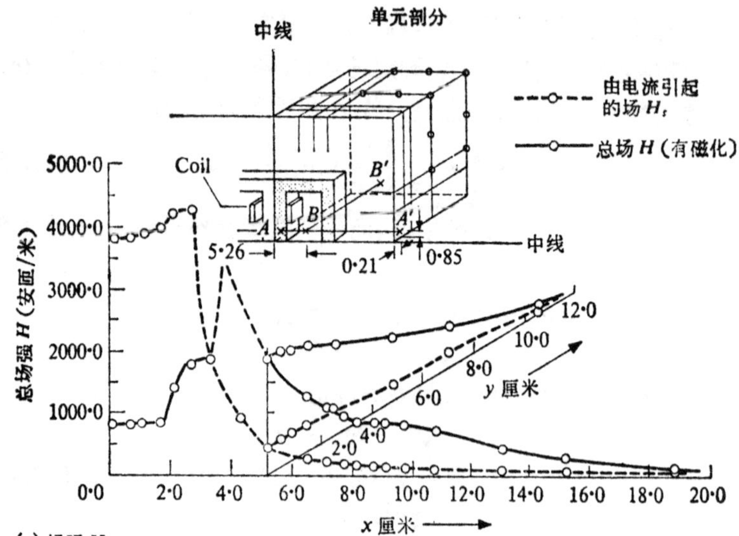

(*a*) 场强 H

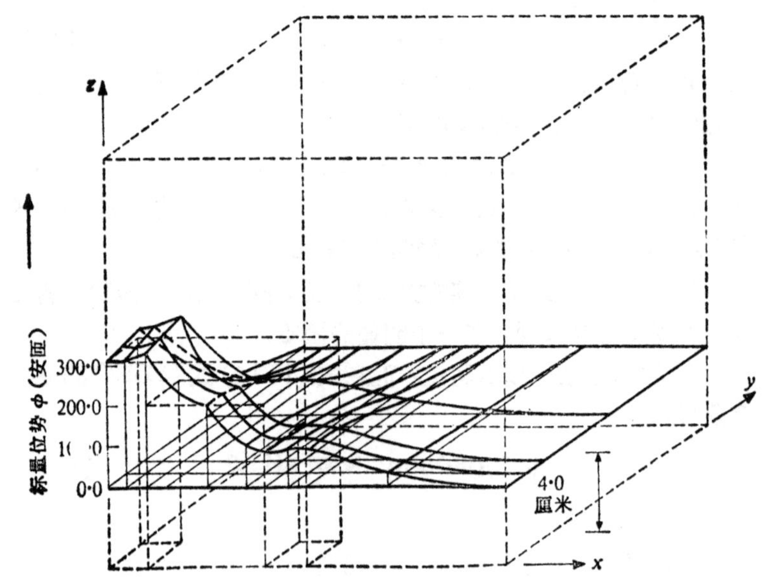

(*b*) $z=4.0$ 厘米的平面上的标量位势

图 17.14 三维变压器静磁场问题

因为在 μ 为常数的区域中有 $\nabla^{T}\mathbf{H}_{s}=0$，对作用力项的唯一贡献，在不连续界面处作为上式右端第二项这样一个线积分而得到。

由于引入了标量位势，二维及三维静磁场问题可以用分析本节所有问题的标准程序来求解。图 17.14 示出了一个变压器的典型三维解答。这里采用了等参数砖形单元[18]。

在该典型静磁场问题中存在着高度的非线性，即有

$$\mu=\mu(|\mathbf{H}|),\ \text{这里}\ \mathbf{H}=\sqrt{H_x^2+H_y^2+H_z^2}. \tag{17.41}$$

这种非线性的处理将在第十八章中讨论。

利用第二十三章中要讨论的特殊的无限元，可以大大减少这个以及其它一些无限域问题的计算费用。

17.6.5 *润滑问题* 在轴承油膜二维区域中，再次遇到标准的泊松型方程。在润滑油的密度及粘度为常数这种最简单的情况下，要求解的方程(雷诺 (Reynolds) 方程)是[19]

$$\frac{\partial}{\partial x}\left(h^3\frac{\partial p}{\partial x}\right)+\frac{\partial}{\partial y}\left(h^3\frac{\partial p}{\partial y}\right)=6\mu V\frac{\partial h}{\partial x}, \tag{17.42}$$

式中 h 是油膜厚度，p 是所产生的压力，μ 是粘度，而 V 是油膜在 x 方向的速度。

图 17.15 示出了典型的阶梯状油膜情况下的压力分布[20]。边界条件就是简单地令压力为零。值得注意的是，完全象前面提到过的磁导率不连续情况那样，阶梯在式(17.42)右端的积分中引起一个等价的“线载荷”。

显然可以处理更一般的润滑问题，这些问题中考虑了垂直方向的油膜运动(挤压油膜)及压缩性，在这方面最近已作了许多工作[21-28]。

17.6.6 *无旋与自由表面流动* 控制渗流问题中粘性流体流动的基本拉普拉斯方程，也适用于粘性效应造成的边界层外的无旋流体流动问题。前已给出的例子足以说明有限元法对于这种问题的一般适用性。马丁[29]及其他人[30-35]提供了进一步的例子。

如果不存在粘性效应，则可证明，对于由静止开始运动的流

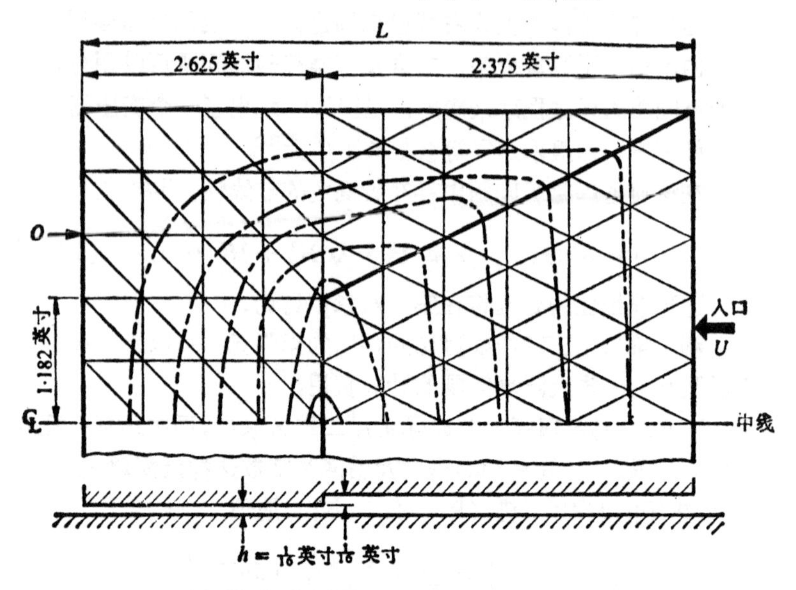

图 17.15 阶梯状油膜轴承. 压力分布

体,其运动必定是无旋的,即有

$$\omega_z \equiv \frac{\partial u}{\partial y} - \frac{\partial v}{\partial x} = 0, \text{ 等}, \tag{17.43}$$

式中 u 及 v 是相应的速度分量.

这意味着存在一个速度位势,它给出

$$u = -\frac{\partial \phi}{\partial x}, \quad v = -\frac{\partial \phi}{\partial y}, \tag{17.44}$$

或

$$\mathbf{u} = -\nabla \phi.$$

此外,如果流体是不可压缩的, 则必须满足连续方程(参见式(17.2)), 即有

$$\nabla^{\mathrm{T}} \mathbf{u} = 0, \tag{17.45}$$

从而有

$$\nabla^{\mathrm{T}} \cdot \nabla \phi = 0. \tag{17.46}$$

另外，对于二维流动，可以引入一个流函数，把速度定义为

$$u = -\frac{\partial \psi}{\partial y}, \qquad v = \frac{\partial \psi}{\partial x}, \tag{17.47}$$

而这同样满足连续方程．无旋条件现在必定保证

$$\nabla^{\mathrm{T}} \cdot \nabla \psi = 0. \tag{17.48}$$

这样一来，理想流体流动的问题可以用这种或那种形式提出．因为标准公式系统仍然适用，不必再增加什么了；关于例子，读者可以适当参阅引用的文献．

这个问题同已经讨论过的渗流问题的相似性是明显的[36,37]．

有一类特殊的流体流动问题应受到注意．在这种情况下，自由表面限定流动的范围，而自由表面的位置事先不知道．这类问题可由如下两个例子所代表．一个例子是图 17.16(a) 所示自由溢流，另一个例子则是图 17.16(b) 所示通过土坝的渗流．在这两个例子中，自由表面都表示流线，且自由表面的位置事先都不知道．但是，为了满足自由表面上的附加条件，必须确定这一表面的位置．例如在第二个例子中，如果用位势 H 来建立公式，则问题由式 (17.25) 控制．

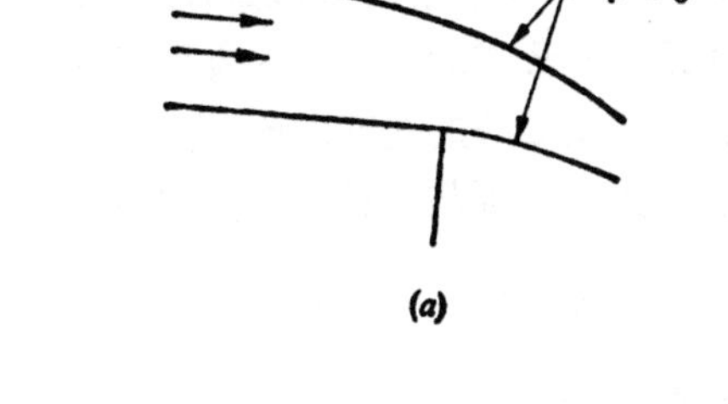

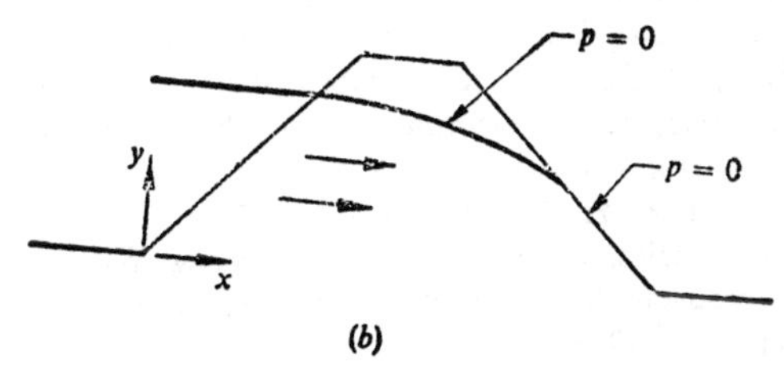

图 17.16　流线也满足 $p = 0$ 这一附加条件的典型自由表面问题
(a) 自由溢流　(b) 通过土坝的渗流

因为自由表面是流线，所以规定在该处要满足如下条件：

$$\frac{\partial H}{\partial n}=0. \tag{17.49}$$

但是除此之外，由于自由表面与大气接触，所以这一表面上的压力必须为零. 又因为

$$H=p/\gamma+y, \tag{17.50}$$

式中 γ 是流体比重，p 是流体压力，y 是某一(水平)基准面上的高度，所以在自由表面上必有

$$H=y. \tag{17.51}$$

可以用迭代的办法逼近解答. 从规定的自由表面流线出发，求解标准问题. 然后，检查式(17.51)是否满足；如果不满足，则调整表面，使新的 y 等于刚求出的 H. 少数几次这种迭代表明，收敛相当迅速. 这种方法是泰勒与布朗 (Brown)[38] 提出的. 在第二十一章中介绍了另外一种方法. 已经建立了处理这种问题的特殊变分原理[39,40].

17.7 结语

我们已经表明可如何写出求解稳态拟调和问题的一般公式系统，并已表明可如何把这种形式的一个程序应用于各种物理情况. 确实，这里给出的决不是所处理的全部问题，许多其它应用例子是有实际意义的. 读者肯定会发现与他自己的问题相应的类似例子.

参考文献

[1] O. C. Zienkiewicz and Y. K. Cheung, 'Finite elements in the solution of field problems', *The Engineer*, 507—10, Sept. 1965.

[2] W. Visser, 'A finite element method for the determination of non-stationary temperature distribution and thermal deformations', *Proc. Conf. on Matrix Methods in Structural Mechanics*, Air Force Inst. Tech., Wright-Patterson A. F. Base, Ohio, 1965.

[3] O. C. Zienkiewicz, P. Mayer and Y. K. Cheung, 'Solution of anisotropic seepage problems by finite elements', *Proc. Am. Soc. Civ. Eng.*, **92**, EMI, 111—20, 1966.

[4] O. C. Zienkiewicz, P. L. Arlett and A. K. Bahrani, 'Solution of three-dimensional field problems by the finite element method', *The Engineer*, 27 October 1967.

[5] L. R. Herrmann, 'Elastic torsion analysis of irregular shapes', *Proc. Am. Soc. Civ. Eng.*, **91**, EM6, 11—19, 1965.
[6] A. M. Winslow, 'Numerical solution of the quasi-linear Poisson equation in a non-uniform triangle "mesh"', *J. Comp. Phys.*, **1**, 149—72, 1966.
[7] D. N. de G. Allen, *Relaxation Methods*, p. 199, McGraw-Hill, 1955.
[8] J. F. Ely and O. C. Zienkiewicz, "Torsion of compound bars—a relaxation solution", *Int. J. Mech. Sci.*, **1**, 356—65, 1960.
[9] O. C. Zienkiewicz and B. Nath, 'Earthquake hydrodynamic pressures on arch dams—an electric analogue solution,' *Proc. Inst. Civ. Eng.*, **25**, 165—76, 1963.
[10] H. M. Westergaard, 'Water pressure on dams during earthquakes', *Trans. Am. Soc. Civ. Eng.*, **98**, 418—33, 1933.
[11] O. C. Zienkiewicz and R. E. Newton, 'Coupled vibrations of a structure submerged in a compressible fluid', *Proc. Symp. on Finite Element Techniques*, pp. 359—71, Stuttgart, 1969.
[12] R. E. Newton, 'Finite element analysis of two-dimensional added mass and damping', *Finite Elements in Fluid*. Vol. I, pp. 219—32 (eds. R. H. Gallagher, J. T. Oden, C. Taylor and O. C. Zienkiewicz), Wiley, 1975.
[13] P. A. A. Back, A. C. Cassell, R. Dungar and R. T. Severn, 'The seismic study of a double curvature dam', *Proc. Inst. Civ. Eng.*, **43**, 217—48, 1969.
[14] P. Silvester and M. V. K. Chari, 'Non-linear magnetic field analysis of D. C. machines', *Trans. I. E. E. E.*, No. 7, 5—89, 1970.
[15] P. Silvester and M. S. Hsieh, 'Finite element solution of two dimensional exterior field problems', *Proc. I. E. E. E.*, **118**, 1971.
[16] B. H. McDonald and A. Wexler, 'Finite element solution of unbounded field problems', *Proc. I. E. E. E.*, MTT-20, No. 12, 1972.
[17] E. Munro, 'Computer design of electron lenses by the finite element method', *Image Processing and Computer Aided Design in Electron Optics*, p. 284, Academic Press, 1973.
[18] O. C. Zienkiewicz, J. F. Lyness and D. R. J. Owen, 'Three dimensional magnetic field determination using a scalar potential. A finite element solution' (to be published *Magn. Trans, I. E. E. E.*., 1977).
[19] W. A. Gross, *Gas Film Lubrication*, Wiley, 1962.
[20] D. V. Tanesa and I. C. Rao, *Student project report on lubrication*, Royal Naval College, Dartmouth, 1966.
[21] M. M. Reddi, 'Finite element solution of the incompressible lubrication problem', *Trans. Am. Soc. Mech. Eng.*, **91** (Ser. F), 524, 1969.
[22] M. M. Reddi and T. Y. Chu, 'Finite element solution of the steady state compressible lubrication problem', *Trans. Am. Soc. Mech. Eng*, **92** (Ser. F), 495, 1970.
[23] J. H. Argyris and D. W. Scharpf, 'The incompressible lubrication problem', *J. Roy. Aero. Soc.*, **73**, 1044—6, 1969.
[24] J. F. Booker and K. H. Huebner, 'Application of finite element methods

to lubrication, an engineering approach', *J. Lubr. Techn., Trans. Am. Soc. Mech. Eng.*, **14** (Ser. F), 313, 1972.

[25] K. H. Huebner, 'Application of finite element methods to thermohydrodynamic lubrication', *Int. J. Num. Meth. Eng.*, 8, 139—68, 1974.

[26] S. M. Rohde and K. P. Oh, 'Higher order finite element methods for the solution of compressible porous bearing problems', *Int. J. Num. Meth. Eng.*, **9**, 903—12, 1975.

[27] A. K. Tieu, 'Oil film temperature distributions in an infinitely wide glider bearing: an application of the finite element method', *J. Mech. Eng. Sci.*, **15**, 311, 1973.

[28] K. H. Huebner, 'Finite element analysis of fluid film lubrication—a survey', *Finite Elements in Fluids*, Vol. II, pp. 225—54 (eds. R. H. Gallagher, J. T. Oden, C. Taylor and O. C. Zienkiewicz), Wiley, 1975.

[29] H. C. Martin, 'Finite element analysis of fluid flows', *Proc. 2nd Conf. on Matrix Methods in Structural Mechanics*, Air Force Inst. Tech., Wright-Patterson A. F. Base, Ohio, 1968.

[30] G. de Vries and D. H. Norrie, *Application of the finite element technique to potential flow problems*, Reports 7 and 8, Dept, Mech. Eng., Univ. of Calgary, Alberta, Canada, 1969.

[31] J. H. Argyris, G. Mareczek and D. W. Scharpf, 'Two and three dimensional flow using finite elements', *J. Roy. Aero. Soc.*, **73**, 961—64, 1969.

[32] L. J. Doctors, 'An application of finite element technique to boundary value problems of potential flow', *Int. J. Num. Meth. Eng.*, **2**, 243—52, 1970.

[33] G. de Vries and D. H. Norrie, 'The application of the finite element technique to potential flow problems', *J. Appl. Mech., Am. Soc. Mech. Eng.*, **38**, 978—802, 1971.

[34] S. T. K. Chan, B. E. Larock and L. R. Herrmann, 'Free surface ideal fluid flows by finite elements', *Proc. Am. J. Civ. Eng.*, **99**, HY6, 1973.

[35] B. E. Larock, 'Jets from two dimensional symmetric nozzles of arbitrary shape', *J. Fluid Mech.*, **37**, 479—83, 1969.

[36] C. S. Desai, 'Finite element methods for flow in porous media', *Finite Elements in Fluids*, Vol. 1, pp. 157—82 (ed. R. H. Gallagher), 1975.

[37] J. Javandel and P. A. Witherspoon, 'Applications of the finite element method to transient flow in porous media', *Trans. Soc. Petrol. Eng.*, **243**, 241—51, 1968.

[38] R. L. Taylor and C. B. Brown, 'Darcy flow solutions with a free surface', *Proc. Am. Soc. Civ. Eng.*, 93, HY2, 25—33, 1967.

[39] J. C. Luke, 'A variational principle for a fluid with a free surface', *J. Fluid Mech.*, **27**, 395—7, 1957.

[40] K. Washizu, *Variational Methods in Elasticity and Plasticity*, 2nd ed., Pergamon Press, 1975.

第 十 八 章

材料非线性问题．塑性，蠕变（粘塑性），非线性场问题等

18.1 引言

对于至今讨论过的所有问题，控制微分方程都是线性的，这导致标准的二次型泛函．在弹性固体力学中，这意味着：

(a) 应变-位移关系是线性的（见第二章式（2.2）），

(b) 应力-应变关系是线性的（见第二章式（2.5））．

在各种场问题中，线性特性意味着渗透率 k 这一类“常数”和未知“位势”的变化无关（见第十七章式（17.6））．

实际中重要的许多问题都不具有这样的线性特性，有必要把前面介绍过的数值方法推广到这些问题．一大类固体力学问题，如塑性力学问题、蠕变问题及其它以复杂的本构关系替代了简单的线性弹性本构关系的情况，都属于这一范畴．

与此类似，在流动问题中，粘性系数依赖于速度分布；在多孔介质中，由于产生湍流，达西（Darcy）渗透定律不再能使用；在磁场问题中，磁导率依赖于通量密度，这些都使问题呈现出与材料性能有关的非线性．

这一类问题常常可以简单地加以处理，而不必修改整个问题的公式（即不需要修改基本的变分原理）．如果可通过某种“试探-修正”的方法求得对应的“线性”问题的解，并且最终把材料常数调整到满足给定的非线性本构关系，则就获得了非线性问题的一个解．

然而，如果应变-位移关系是非线性的，那就需要对问题的公式作根本的修改. 因此本章将不讨论这类问题，而由第十九章去处理它. 不过将会发现，求解的基本迭代方法仍然保持不变. 事实上，这两类非线性是很容易综合在一起加以处理的.

必须指出非线性问题的一个重要特点. 在线性问题中，解总是唯一的. 而在许多非线性问题中，情况不再是这样了. 因此，即使获得了一个解，它却不一定就是所寻求的那个解. 为了获得有意义的解，必须研究问题的物理本质，必要时必须采用小步长的增量法.

为了得到有意义的解，经常要依靠直观的判断及物理本质上的考虑来选取针对某个具体问题的求解方法. 事实上，现在广泛运用着的许多种方法都是这样引入的，只是后来才被认为是非线性数值分析的经典方法. 本章的讨论将和这个认识过程相反，首先介绍用于离散非线性分析的一般方法，然后讨论这些方法对于下列情况的应用:

(a) 固体力学中与时间无关的材料非线性问题，

(b) 固体力学中与时间有关的(蠕变)现象，

(c) 非线性场问题.

18.2 求解离散化的非线性问题的一般方法

18.2.1 引言 离散化的非线性方程组一般可写成如下形式的一组代数方程:

$$\boldsymbol{\Psi}(\mathbf{a}) = P(\mathbf{a}) + \mathbf{f} = \mathbf{K}(\mathbf{a}) \cdot \mathbf{a} + \mathbf{f} = 0. \tag{18.1}$$

方程组的显式一般取决于所研究的问题和所采用的离散化方法(加权剩余法，变分法等)，要导出它们是很方便的. 在式(18.1)中，$\mathbf{a}$ 仍为用来近似未知函数或函数组的参数向量.

线性方程组

$$\mathbf{Ka} + \mathbf{f} = 0 \tag{18.2}$$

的解可由直接法毫无困难地得到，而对于非线性方程组，这是行不通的. 不过，将要介绍的非线性方程组的各种解法，仍以反复地求解这种线性方程组为基础，这种求解直到获得收敛解为止[1-4]。

18.2.2 **直接迭代法** 最为明显和直接的求解方法是一种迭代过程，它从

$$\mathbf{Ka} + \mathbf{f} = 0 \tag{18.3}$$

出发进行迭代，式中

$$\mathbf{K} = \mathbf{K}(\mathbf{a}).$$

如果假定了某组初始值 $\mathbf{a} = \mathbf{a}_0$，就可得到如下改进的近似值：

$$\mathbf{a}' = -(\mathbf{K}^0)^{-1}\mathbf{f}, \tag{18.4}$$

式中

$$\mathbf{K}^0 = \mathbf{K}(\mathbf{a}^0).$$

这种办法的反复使用可以被写成

$$\mathbf{a}^n = -(\mathbf{K}^{n-1})^{-1}\mathbf{f}, \tag{18.5}$$

当“误差”

$$\mathbf{e} = \mathbf{a}^n - \mathbf{a}^{n-1} \tag{18.6}$$

很小时，终止迭代过程。通常要计算误差的某种范数，当它充分小时，停止迭代。可以采用各种不同的范数和不同的收敛准则，例如

$$|\mathbf{e}| = \max \mathbf{e}_i \quad (\text{分量的最大值})$$

或

$$|\mathbf{e}| = \sqrt{\mathbf{e}^{\mathrm{T}}\mathbf{e}}, \tag{18.7}$$

而当

$$|\mathbf{e}| \leqslant \alpha|\mathbf{a}| \tag{18.8}$$

时，可认为解已收敛，其中 α 是某一个给定的系数。

对于某些其公式系统直接导致式 (18.3) 那种形式的场问题，这种直接迭代法是有用的，不过迭代经常不收敛。图 18.1 示出了单变量问题中这种迭代过程收敛和发散的可能性。直接迭代法的每一次迭代，都必须求解一个新的不同的线性代数方程组。

18.2.3 **牛顿-拉夫森 (Newton-Raphson) 法** 若已获得式 (18.1) 的一个近似解 $\mathbf{a} = \mathbf{a}^n$，则利用如下截尾的泰勒展开式可求得改进的近似解：

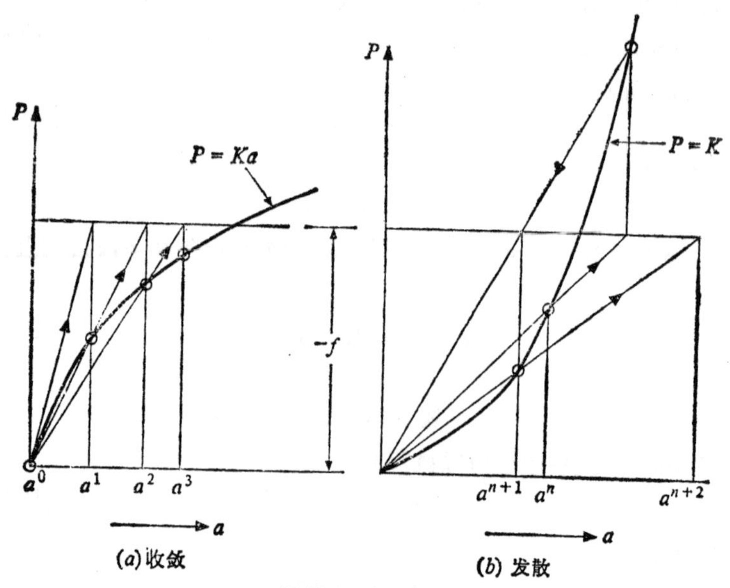

图 18.1 直接迭代法

$$\boldsymbol{\Psi}(\mathbf{a}^{n+1}) = \Psi(\mathbf{a}^n) + \left(\frac{\mathrm{d}\boldsymbol{\Psi}}{\mathrm{d}\mathbf{a}}\right)_n \Delta\mathbf{a}^n = 0, \tag{18.9}$$

及

$$\mathbf{a}^{n+1} = \mathbf{a}^n + \Delta\mathbf{a}^n.$$

在以上式中，

$$\frac{\mathrm{d}\boldsymbol{\Psi}}{\mathrm{d}\mathbf{a}} = \frac{\mathrm{d}\mathbf{P}}{\mathrm{d}\mathbf{a}} = \mathbf{K}_T(\mathbf{a})$$

为切线矩阵．改进的值 $\mathbf{a}^{n+1}$ 则可通过按下式计算 $\Delta\mathbf{a}^n$ 而得到：

$$\begin{aligned}\Delta\mathbf{a}^n &= -(\mathbf{K}_T^n)^{-1}\boldsymbol{\Psi}^n \\ &= -(\mathbf{K}_T^n)^{-1}(\mathbf{P}^n + \mathbf{f}).\end{aligned} \tag{18.10}$$

这个计算过程示于图 18.2，我们再次注意到，在每次迭代中，必须由一个新的线性代数方程组求解 $\Delta\mathbf{a}^n$．

在真实解的邻近区域内，牛顿-拉夫森法通常是收敛的，而若初始“猜测解”和真实解相差较大，则有可能发散．

这里值得指出，如果原始的离散化方程组是通过变分原理(见

第三章式(3.67))得到的，则切线矩阵 $\boldsymbol{K}_T$ 总是对称的。如果利用直接迭代法，系数矩阵的这种对称性就不一定存在。

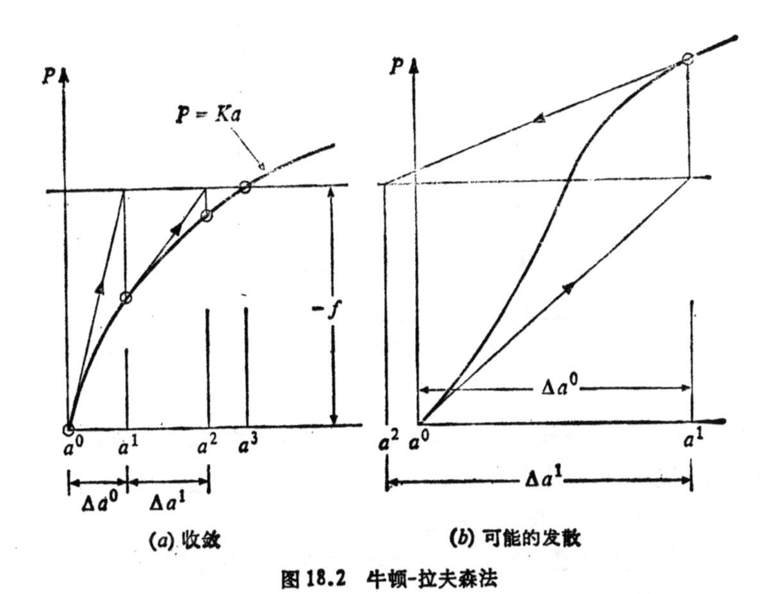

(a) 收敛　　(b) 可能的发散

图 18.2　牛顿-拉夫森法

18.2.4　*修正的牛顿-拉夫森法*　为了克服每一次迭代都必须求解一个完全新的线性方程组这个缺点，通常作如下近似:

$$\mathbf{K}_T^n = \mathbf{K}_T^0. \tag{18.11}$$

这把式(18.9)及(18.10)的算法修正为

$$\Delta \mathbf{a}^n = -(\mathbf{K}_T^0)^{-1}(\mathbf{P}^n + \mathbf{f}), \tag{18.12}$$

反复使用简单的重新求解系数矩阵相同的方程组的方法。显然，现在每次迭代的工作量较小了，但收敛速度将变得较慢。不过在不少情况下，从总的效果来看，这样作还是经济的。图 18.3 是这种方法的说明。这种方法还可以改进，在经过几次迭代后将 $\mathbf{K}_T$ 修正为 $\mathbf{K}_T^m$，这有时可能是有利的。

18.2.5　*增量法*　前面所介绍的几种方法，均不能保证在任何情况下都获得收敛解，虽然在某些具体问题中，解的收敛性可以得到证明。另一类方法则利用这样一个事实，即当“载荷”项 $\mathbf{f}$ 为零

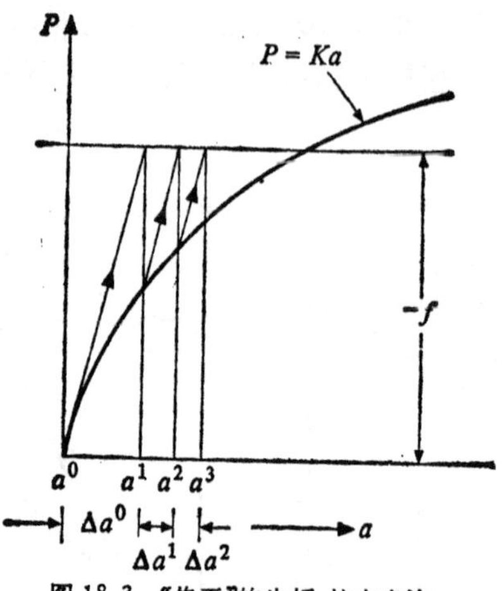

图 18.3 “修正”的牛顿-拉夫森法

时，解 $\mathbf{a}$ 常常是已知的．实际上，当 $\mathbf{f}$ 为真实力，$\mathbf{a}$ 代表结构位移时，在问题的起始参照点处，一般两者均为零．在这种情况下，研究向量 $\mathbf{a}$ 当向量 $\mathbf{f}$ 增加时的性态是很方便的．

只要 $\mathbf{f}$ 的增量选得足够小，增量法就能保证得到收敛解，且得到的解一般总是合理的．此外，计算的中间结果也提供了“加载”过程中的有用信息．

为了讲述增量法，方便的作法是将式(18.1)改写为

$$\mathbf{P}(\mathbf{a}) + \lambda\mathbf{f}_0 = 0. \tag{18.13}$$

将上式对 λ 微分，得到

$$\frac{\mathrm{d}\mathbf{P}}{\mathrm{d}\mathbf{a}} \cdot \frac{\mathrm{d}\mathbf{a}}{\mathrm{d}\lambda} + \mathbf{f}_0 \equiv \mathbf{K}_T \frac{\mathrm{d}\mathbf{a}}{\mathrm{d}\lambda} + \mathbf{f}_0 = 0 \tag{18.14a}$$

或

$$\frac{\mathrm{d}\mathbf{a}}{\mathrm{d}\lambda} = -(\mathbf{K}_T(\mathbf{a}))^{-1}\mathbf{f}_0, \tag{18.14b}$$

式中 $\mathbf{K}_T$ 为已经介绍过的切线矩阵．

式 (18.14 b) 所提出的是一种经典的数值分析问题，有多种求解(积分)的方法可供使用．欧拉法是最简单的一种，它的表达式为

$$\mathbf{a}_{m+1} - \mathbf{a}_m = -(\mathbf{K}_T(\mathbf{a}_m))^{-1}\mathbf{f}_0\Delta\lambda_m = -(\mathbf{K}_T)_m^{-1}\Delta\mathbf{f}_m, \tag{18.15}$$

式中的下标是对 λ（或 $\mathbf{f}$）的增量而言的，也即

$$\lambda_{m+1} = \lambda_m + \Delta\lambda_m,$$

或

$$\mathbf{f}_{m+1} = \mathbf{f}_m + \Delta\mathbf{f}_m. \tag{18.16}$$

利用改进的积分方案（如各种龙格-库塔（Runge Kutte）公式一类的预言-修正法），能够改善解的精度（尽管要增加工作量）."修正的"欧拉法（等价于二阶龙格-库塔公式）特别有用. 通过表达式(18.15)算出 $\mathbf{a}_{m+1}^0$ 之后，再按下式计算改进的 $\mathbf{a}_{m+1}$:

$$\mathbf{a}_{m+1} - \mathbf{a}_m = -(\boldsymbol{K}_{\mathrm{T}})_{m+\theta}^{-1}\Delta\mathbf{f}_m, \tag{18.17}$$

式中

$$(\mathbf{K}_{\mathrm{T}})_{m+\theta} = \mathbf{K}_{\mathrm{T}}(\mathbf{a}_{m+\theta}),$$

$$\mathbf{a}_{m+\theta} = (1-\theta)\mathbf{a}_m + \theta\mathbf{a}_{m+1};\quad 0<\theta<1.$$

在单纯的数值积分法中，并不用到式(18.13)，而只利用它的增量形式(18.14)，有时解会发生漂移. 为了克服这个缺点，可将求解过程稍作些修改. 即将式(18.13)按 λ 的第 $m+1$ 次增量和牛顿-拉夫森法的第 $n+1$ 次迭代，写成（参见式(18.9)和(18.10)）

$$\boldsymbol{\Psi}_{m+1}^{n+1} \equiv \mathbf{P}(\mathbf{a}_{m+1}^{n+1}) + \lambda_{m+1}\mathbf{f}_0 = \mathbf{P}(\mathbf{a}_{m+1}^n) + \lambda_{m+1}\mathbf{f}_0 + (\mathbf{K}_{\mathrm{T}})_{m+1}^n\Delta\mathbf{a}_{m+1}^n = 0, \tag{18.18}$$

式中

$$\mathbf{a}_{m+1}^{n+1} = \mathbf{a}_{m+1}^n + \Delta\mathbf{a}_{m+1}^n,$$

而 $(\mathbf{K}_{\mathrm{T}})_{m+1}^n$ 是 $\lambda=\lambda_{m+1}$ 时不断更新着的切线矩阵；至于迭代，则从 $\mathbf{a}_{m+1}^0 = \mathbf{a}_m$ 开始. 逐次的修正将使式(18.13)在 $\lambda=\lambda_{m+1}$ 时得到精确的满足.

如果仅进行一次迭代，则

$$\Delta\mathbf{a}_{m+1} = \Delta\mathbf{a}_{m+1}^0 = -(\mathbf{K}_{\mathrm{T}})_m^{-1}(\mathbf{P}_m + \lambda_{m+1}\mathbf{f}_0),$$

而若控制方程在前一步是满足的，即有

$$\mathbf{P}_m + \lambda_m\mathbf{f}_0 = 0;\quad \Delta\mathbf{a}_{m+1} = -(\mathbf{K}_{\mathrm{T}})_m^{-1}\mathbf{f}_0\Delta\lambda_m, \tag{18.19}$$

则可再次获得式(18.15)的欧拉算法.

前一种迭代格式可使控制方程得到精确满足——但是，为此 $\mathbf{P}(\mathbf{a})$ 必须是以显式表示的函数.

18.2.6 加速解的收敛 本章已介绍过的一些方法，都可辅以各种加速收敛的措施. 所有的迭代法都是从某组初始猜测值开始的. 因此，在迭代过程中，如果可观察到误差的收敛过程，则常常可以利用外推法，从改进了的值出发进行迭代. 另外，可以在牛顿-拉夫森法或改进的牛顿-拉夫森法等方法中采用"超松弛"的办法，即将修正量 $\Delta \mathbf{a}^n$ 乘以一个通常为 2 左右的常数，以提高收敛速度[5-9].

对于具体问题，必须由经验来确定如何使用这些方法，不过采用加速收敛措施总是有利的.

18.2.7 结语 离散的非线性方程组有多种解法，解题者的选择范围很广泛，因此必然会提出选择哪一种方法"最好"的问题. 遗憾的是不存在肯定的答案. 因为在某种情况下最经济有效的方法，在另一种情况下可能会导致解的发散. 不过，如果一个通用程序只准备配备一种求解的方法，那末笔者认为选用 18.2.5 节所介绍的增量法是合宜的. 这是因为，只要增量步长足够小，它总能获得收敛解. 此外，对于某些问题（如塑性力学问题），要得到式(18.1)的显式很困难. 这时只有增量形式的矩阵 $\boldsymbol{K}_T$ 才能较好地确定，并且增量法显然使积分能够进行.

这里有必要提一下求解非线性方程组的另一种可能性，虽然目前并不认为这种方法可取，但是从计算的角度来看，它或许有其长处. 在求解线性代数方程组时，直接解法比数值迭代法来得快，而当"载荷向量"有多组时则格外经济，这是为大家所公认的. 在非线性情况下，同时求解多组载荷是没有什么实际意义的，因为叠加原理不再成立. 存在着把求解方程组的迭代和满足非线性特性的迭代综合起来的可能性. 这类方法极少使用的主要原因，或许在于现成的解线性问题的计算机程序极为有效，可以将其修改后用来解非线性问题.

本书的第二十一章扼要地介绍了一种解非线性问题可能很有效的迭代的方法，并指出了一种可能的具体解法. 在那种方法中，采用的是动力学问题的公式，当振荡衰减而趋于零时渐近地得到静力学的解.

18.3 固体力学中的非线性本构问题. 非线性弹性力学[10]

回到借助于位移参数 $\mathbf{a}$ 来表示固体力学公式系统这个基本问题上来,我们注意到,平衡方程(第二章式(2.11))为

$$\int_V \mathbf{B}^{\mathrm{T}}\boldsymbol{\sigma}\mathrm{d}V + \mathbf{f} = 0, \tag{18.20}$$

式中位移和应变的定义分别为(式(2.1)及(2.2))

$$\mathbf{u} = \mathbf{N}\mathbf{a};\quad \boldsymbol{\varepsilon} = \mathbf{L}\mathbf{u} = \mathbf{B}\mathbf{a}. \tag{18.21}$$

式(18.20)的推导是基于虚功原理而不是能量原理,所以它在任意的材料性态下均成立. 例如,若假设一非线性的弹性性态(替代线性弹性力学中的式(2.5))

$$\boldsymbol{\sigma} = \boldsymbol{\sigma}(\boldsymbol{\varepsilon}), \tag{18.22}$$

则式(18.20)至(18.22)完全确定了形如式(18.1)的方程

$$\mathbf{P}(\mathbf{a}) + \mathbf{f} = 0, \tag{18.23}$$

而 18.2 节讨论过的任一解法在此都可以使用. 因为关系式(18.22)是唯一的,即对任意给定的应变, 从式 (18.22) 只能得到唯一与之对应的应力(虽然在有些情况下不能由显式表达出来),所以 $\mathbf{P}(\mathbf{a})$ 也是唯一地定义的.

不过, 18.2.2 节所介绍的直接迭代法往往是行不通的,因为一般来说,将 $\mathbf{P}(\mathbf{a})$ 表达成 $\mathbf{K}\mathbf{a}$ 的形式不是一件容易的事. 所以,我们建议使用 18.2.3 节至 18.2.5 节中所介绍的几种解法. 我们注意到,现在切线矩阵 $\mathbf{K}_{\mathrm{T}}$ 的表达式如下:

$$\mathbf{K}_{\mathrm{T}} = \frac{\mathrm{d}\mathbf{P}}{\mathrm{d}\mathbf{a}} = \int_V \mathbf{B}^{\mathrm{T}}\frac{\mathrm{d}\boldsymbol{\sigma}}{\mathrm{d}\boldsymbol{\varepsilon}}\frac{\mathrm{d}\boldsymbol{\varepsilon}}{\mathrm{d}\mathbf{a}}\mathrm{d}V = \int_V \mathbf{B}^{\mathrm{T}}\mathbf{D}_{\mathrm{T}}\mathbf{B}\mathrm{d}V, \tag{18.24}$$

式中

$$\mathbf{D}_{\mathrm{T}} = \frac{\mathrm{d}\boldsymbol{\sigma}}{\mathrm{d}\boldsymbol{\varepsilon}} \tag{18.25}$$

称为**切线弹性矩阵**. 由于式 (18.24) 和线性弹性力学情况下的刚度矩阵表达式形式上完全一样,所以使用起来特别方便. 如果 $\mathbf{D}_{\mathrm{T}}$

是对称矩阵，则处理线性弹性力学问题的计算机程序就可再一次地加以利用.

最好将式(18.9)和式(18.10)中的向量 $\boldsymbol{\Psi}(\mathbf{a}^n)$ 解释为剩余力向量或不平衡力向量．它对方程未被满足的程度提供了一个既方便又有物理意义的度量.

材料偏离线性弹性通常仅在高应力或大应变时发生，因此将式(18.22)和线性弹性本构关系式(式(2.5))

$$\boldsymbol{\sigma}=\mathbf{D}(\boldsymbol{\varepsilon}-\boldsymbol{\varepsilon}_0)+\boldsymbol{\sigma}_0 \tag{18.26}$$

作一比较是合宜的．很明显，只要将 $\boldsymbol{\varepsilon}_0$ 或 $\boldsymbol{\sigma}_0$ 表达为应变的函数，就有可能使式(18.26)和一般表达式(18.22)等价．这里的 $\boldsymbol{\varepsilon}_0$ 或 $\boldsymbol{\sigma}_0$ 在小应变时取值为零，实际上可看作是对线性的修正．此外还应指出，当 $\mathbf{a}=0$ 时，

$$\boldsymbol{\varepsilon}=0,\quad \mathbf{D}_{\mathrm{T}}=\mathbf{D}. \tag{18.27}$$

如果对非线性的全部偏离仅用初应力项 $\boldsymbol{\sigma}_0=\boldsymbol{\sigma}_0(\boldsymbol{\varepsilon})$ 来表示，则纯线性弹性解(采用常弹性矩阵 $\mathbf{D}$)会使式(18.20)差如下给出的一项力：

$$\int_V \mathbf{B}^{\mathrm{T}}\boldsymbol{\sigma}_0\mathrm{d}V, \tag{18.28}$$

而这个不平衡力向量必须加以补偿.

这种补偿可用求出相应的弹性解的办法来实现．这时既可用切线弹性矩阵，也可用原始的弹性矩阵．读者会认识到，这完全是在应用上一节讨论过的牛顿-拉夫森法与修正的牛顿-拉夫森法．在这里，通过比较由线性弹性本构关系得到的应力与由非线性本构关系得到的应力来检查误差.

正因为如此，这类方法称为应力转移法[6]或初应力法．它们和式(18.10)或式(18.20)所表示的算法本质上是一样的，在这里，

$$\mathbf{P}^n=\int_V \mathbf{B}^{\mathrm{T}}\boldsymbol{\sigma}^n\mathrm{d}V, \tag{18.29}$$

$$\boldsymbol{\sigma}^n=\boldsymbol{\sigma}^n(\boldsymbol{\varepsilon})=\boldsymbol{\sigma}^n(\mathbf{a}). \tag{18.30}$$

我们并不能从以上的解释中得到丝毫计算上的好处，但现在广泛

采用的大多数成功的方法，正是由于这种对方法物理本质的理解而导出的.

在某些问题中，不能明显地由 $\boldsymbol{\varepsilon}$ 确定应力 $\boldsymbol{\sigma}$，而反之，

$$\boldsymbol{\varepsilon}=\boldsymbol{\varepsilon}(\boldsymbol{\sigma}) \tag{18.31}$$

却是完全确定的，在这里初应力法就遇到了困难.

这时采用"初应变"法比较方便. 对于这种方法，在已知 $\boldsymbol{\sigma}$ 和 $\boldsymbol{\varepsilon}$ 初始值的每次迭代中，$\boldsymbol{\varepsilon}_0$ 是由式(18.26)和式(18.31)算出的. 迭代一直进行到 $\boldsymbol{\varepsilon}_0$ 不发生变化为止. 这样的方法称为初应变法，在实际中常用来处理"闭锁材料"，即一类不管应力水平如何，其应变存在着限制值的材料.

18.4 塑性力学

18.4.1 一般理论 固体的"塑性"性态的特征是应力-应变关系的非唯一性——这是和上节讨论的非线性弹性问题的区别所在. 事实上，在卸载过程中出现不可逆应变这一点，可以是塑性的一种定义方式.

如果讨论的是图 18.4(a) 所示的单向受轴向力的情况下的材料性态，单就加载时的非线性关系，并不能决定这是非线性弹性性态还是塑性性态. 卸载时则立即能发现差别，弹性材料卸载时的路径与加载时的相同(方向相反)，塑性材料卸载时的路径则与加载时的不同，并与加载历史有关.

许多材料显示出一种理想塑性性态(图 18.4(b))，这时存在一个确定的屈服应力 σ_y，这一应力下的应变是不确定的. 当应力低于 σ_y 时，假设材料具有线性（或非线性）弹性的应力-应变关系. 图 18.4(b)示出了这种性态.

更为精密的塑性模型是硬化/软化塑性材料(图 18.4(c))，这种材料的屈服应力取决于某种参数 κ(例如塑性应变 ε_p).

本节要讨论的正是后两种塑性模型，对于它们，已经建立了多种理论[11-17].

对于一般应力状态 $\boldsymbol{\sigma}$，塑性理论需要作些扩展，屈服应力的概

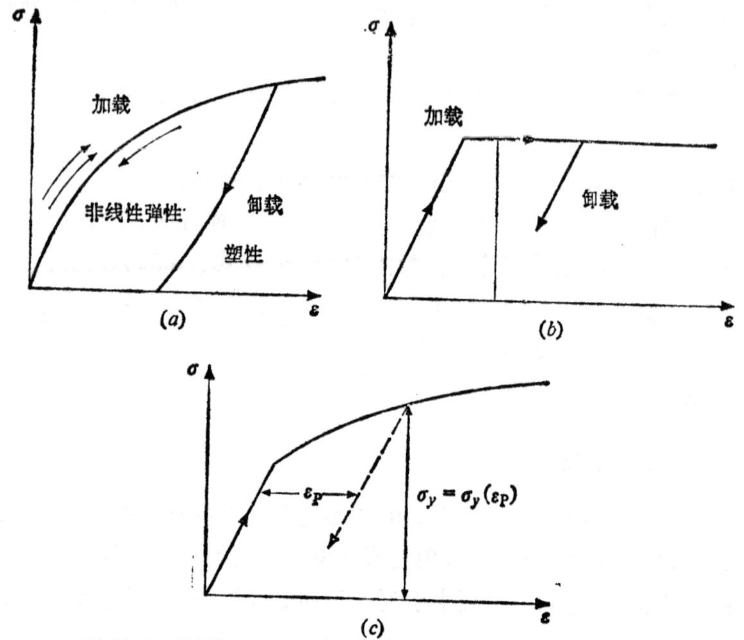

图 18.4　单轴性态：(a) 非线性弹性与塑性，(b) 理想塑性，(c) 应变硬化塑性

念也需要推广．

屈服面　作为实验结果，普遍假定，仅当应力 $\boldsymbol{\sigma}$ 满足一般的屈服准则

$$F(\boldsymbol{\sigma},\ \kappa)=0 \tag{18.32}$$

时，屈服才能产生，其中 κ 为"硬化"参数．这种屈服条件可看作 n 维应力空间中的一个曲面，其位置由参数 κ 的当时值决定（图 18.5）．

流动法则(正交法则)　米赛斯 (Mises)[11] 首先提出由屈服面确定塑性应变增量的基本本构关系．塑性力学领域的不少研究者[12,13]都对此关系的正确性作过启发式的论证．现在，以下的假设看来是大家普遍接受的．若 $d\boldsymbol{\varepsilon}_p$ 表示塑性应变的增量，则有

$$d\boldsymbol{\varepsilon}_p=\lambda\frac{\partial F}{\partial \boldsymbol{\sigma}}, \tag{18.33}$$

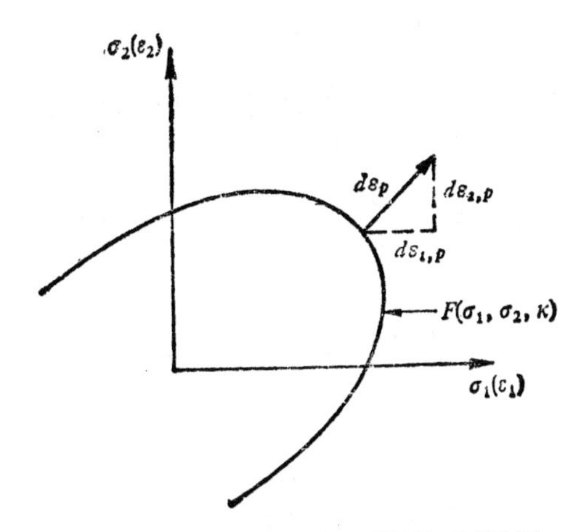

图 18.5　二维应力空间中的屈服面与正交法则

或采用分量形式的表达式，则对任意分量 n 有

$$d\varepsilon_{n,p} = \lambda \frac{\partial F}{\partial \sigma_n}.$$

以上式中的 λ 是尚未确定的比例常数．此假设称为正交法则，因为式 (18.33) 可以解释为塑性应变增量“向量”要垂直于 n 维应力空间中的屈服面．

上述法则的限制可以减少，即规定塑性位势

$$Q = Q(\boldsymbol{\sigma}, \kappa), \tag{18.34}$$

它确定塑性应变增量的方式和式(18.33)一样：

$$d\boldsymbol{\varepsilon}_p = \lambda \frac{\partial Q}{\partial \boldsymbol{\sigma}}. \tag{18.35}$$

当 $Q = F$ 时，这种特殊情况称为关联塑性；否则称为非关联塑性．以下将研究更具有普遍性的情况．

总应力-应变关系　当应力产生一无限小增量时，假设应变的变化可分成弹性的及塑性的两部分，即

$$d\boldsymbol{\varepsilon} = d\boldsymbol{\varepsilon}_e + d\boldsymbol{\varepsilon}_p. \tag{18.36}$$

弹性应变增量与应力增量之间仍由对称的常弹性矩阵 $\mathbf{D}$ 联系起来．因此，利用塑性关系式(18.35)，式(18.36)可改写成

$$\mathrm{d}\boldsymbol{\varepsilon} = \mathbf{D}^{-1}\mathrm{d}\boldsymbol{\sigma} + \frac{\partial Q}{\partial \boldsymbol{\sigma}}\lambda. \tag{18.37}$$

发生塑性屈服时，应力状态处在式（18.32）所表示的屈服面上. 对于式(18.32)微分，可得

$$\mathrm{d}F = \frac{\partial F}{\partial \sigma_1}\mathrm{d}\sigma_1 + \frac{\partial F}{\partial \sigma_2}\mathrm{d}\sigma_2 + \cdots + \frac{\partial F}{\partial \kappa}\mathrm{d}\kappa = 0, \tag{18.38a}$$

或

$$\left\{\frac{\partial F}{\partial \boldsymbol{\sigma}}\right\}^{\mathrm{T}}\mathrm{d}\boldsymbol{\sigma} - A\lambda = 0, \tag{18.38b}$$

式中

$$A = -\frac{\partial F}{\partial \kappa}\mathrm{d}\kappa\frac{1}{\lambda}. \tag{18.39}$$

式(18.37)和(18.38)可写成如下矩阵形式[1]:

$$\begin{Bmatrix}\mathrm{d}\boldsymbol{\varepsilon} \\ 0\end{Bmatrix} = \begin{bmatrix}\mathbf{D}^{-1} & \dfrac{\partial Q}{\partial \boldsymbol{\sigma}} \\ \left(\dfrac{\partial F}{\partial \boldsymbol{\sigma}}\right)^{\mathrm{T}} & -A\end{bmatrix}\begin{Bmatrix}\mathrm{d}\boldsymbol{\sigma} \\ \lambda\end{Bmatrix}. \tag{18.40}$$

未定常数 λ 可被消去(注意不能乘 A 或除 A，因为一般地说，A 是可以等于零的). 于是可得由所施加的应变变化计算应力变化的显式表达式[17]

$$\mathrm{d}\boldsymbol{\sigma} = \mathbf{D}_{cp}^{*}\mathrm{d}\boldsymbol{\varepsilon}, \tag{18.41}$$

$$\mathbf{D}_{cp}^{*} = \mathbf{D} - \mathbf{D}\left\{\frac{\partial Q}{\partial \boldsymbol{\sigma}}\right\}\left\{\frac{\partial F}{\partial \boldsymbol{\sigma}}\right\}^{\mathrm{T}}\mathbf{D}\left[A + \left\{\frac{\partial F}{\partial \boldsymbol{\sigma}}\right\}^{\mathrm{T}}\mathbf{D}\left\{\frac{\partial Q}{\partial \boldsymbol{\sigma}}\right\}\right]^{-1}. \tag{18.42}$$

---

1) 为了消去 λ，将式(18.40)的第一组方程乘以 $(\partial F/\partial \sigma)^{\mathrm{T}}\mathbf{D}$，得到

$$\left(\frac{\partial F}{\partial \boldsymbol{\sigma}}\right)^{\mathrm{T}}\mathrm{d}\boldsymbol{\sigma} = \left(\frac{\partial F}{\partial \boldsymbol{\sigma}}\right)^{\mathrm{T}}\mathbf{D}\mathrm{d}\varepsilon - \left(\frac{\partial F}{\partial \boldsymbol{\sigma}}\right)^{\mathrm{T}}\mathbf{D}\frac{\partial Q}{\partial \boldsymbol{\sigma}}\lambda.$$

将上式代入式(18.40)的第二组方程，得到

$$\left(\frac{\partial F}{\partial \boldsymbol{\sigma}}\right)^{\mathrm{T}}\mathbf{D}\mathrm{d}\varepsilon - \left[\left(\frac{\partial F}{\partial \boldsymbol{\sigma}}\right)^{\mathrm{T}}\mathbf{D}\left(\frac{\partial Q}{\partial \boldsymbol{\sigma}}\right) + A\right]\lambda = 0.$$

由上式解出 λ，代入式(18.40)的第一组方程即得式(18.41)及(18.42).

从式(18.41)可见，现在弹塑性矩阵 $\mathbf{D}_{ep}^*$ 替代了增量分析中的弹性矩阵 $\mathbf{D}_T$.

矩阵 $\mathbf{D}_{ep}^*$ 仅在材料是关联塑性的情况下才是对称的. 如果采用切线模量法，而不是采用修正的牛顿-拉夫森法，非关联塑性材料将会引起特殊困难.

对于理想塑性材料(这时 $A=0$)，$\mathbf{D}_{ep}^*$ 仍有定义. 弹塑性刚度矩阵的这种显式表达式首先是由山田嘉昭 (Yamada)[18] 及监凯维奇等人[19]提出的.

参数“A”的意义. 显然，对于不产生硬化的理想塑性材料，A 取零值. 如果考虑材料的硬化，则必须注意参数(或参数组) κ 的性质，因为屈服面的变化取决于它.

对于“加工硬化”材料，κ 为发生塑性变形时所作塑性功之总和. 于是有

$$d\kappa=\sigma_1 d\varepsilon_{1,p}+\sigma_2 d\varepsilon_{2,p}+\cdots=\sigma^T d\boldsymbol{\varepsilon}_p. \tag{18.43}$$

将式(18.35)代入上式，则有

$$d\kappa=\lambda\boldsymbol{\sigma}^T\frac{\partial Q}{\partial\boldsymbol{\sigma}}. \tag{18.44}$$

把式(18.44)代入式(18.39)，则 λ 被消去，得到

$$A=-\frac{\partial F}{\partial\kappa}\boldsymbol{\sigma}^T\frac{\partial Q}{\partial\boldsymbol{\sigma}}, \tag{18.45}$$

如果知道 F 与 κ 之间的显式关系式，则式(18.45)是一个严格确定的表达式.

普兰德尔-罗伊斯 (Prandtl-Reuss) 关系式 为了说明某些概念，研究如下特殊情况：材料的屈服发生在熟知的胡拔 (Huber)-米赛斯屈服面上，它满足关联流动法则. 这种屈服面由下式给出：

$$F=\left[\frac{1}{2}(\sigma_1-\sigma_2)^2+\frac{1}{2}(\sigma_2-\sigma_3)^2+\frac{1}{2}(\sigma_3-\sigma_1)^2+3\sigma_4^2+3\sigma_5^2+3\sigma_6^2\right]-\sigma_y\equiv\bar{\sigma}-\sigma_y, \tag{18.46}$$

式中下标 1，2，3 指的是三维应力状态中的正应力分量，4,5,6 则指的是剪应力分量.

对式(18.46)求导，得到

$$
\begin{aligned}
&\frac{\partial F}{\partial \sigma_1}=\frac{3\sigma_1'}{2\bar{\sigma}}, \quad \frac{\partial F}{\partial \sigma_2}=\frac{3\sigma_2'}{2\bar{\sigma}}, \quad \frac{\partial F}{\partial \sigma_3}=\frac{3\sigma_3'}{2\bar{\sigma}}, \\
&\frac{\partial F}{\partial \sigma_4}=\frac{3\sigma_4}{\bar{\sigma}}, \quad \frac{\partial F}{\partial \sigma_5}=\frac{3\sigma_5}{\bar{\sigma}}, \quad \frac{\partial F}{\partial \sigma_6}=\frac{3\sigma_6}{\bar{\sigma}},
\end{aligned} \tag{18.47}
$$

式中撇号,代表所谓应力偏量,即

$$
\sigma_1'=\sigma_1-\frac{\sigma_1+\sigma_2+\sigma_3}{3}, \text{ 等等. } \tag{18.48}
$$

式(18.46)中的量 $\sigma_y=\sigma_y(\kappa)$ 是单轴情况下的屈服应力. 如果有了给出 σ_y 和单轴塑性应变 ε_{up} 之间关系的单轴实验曲线，且假设材料遵守简单的加工硬化法则,则有

$$
d\kappa=\sigma_y d\varepsilon_{up}
$$

及

$$
-\frac{\partial F}{\partial \kappa}=\frac{\partial \sigma_y}{\partial \kappa}=\frac{\partial \sigma_y}{\partial \varepsilon_{up}}\cdot\frac{1}{\sigma_y}=\frac{H'}{\sigma_y}, \tag{18.49}
$$

式中 H' 是单轴情况下的 $\sigma_y\sim\varepsilon_{up}$ 曲线在给定的 σ_y 处的斜率.

将上式代入式(18.45),经过一些变换就得到

$$
A=H'. \tag{18.50}
$$

这就重新得到了熟知的普兰德尔-罗伊斯应力-应变关系.

关于把上述概念推广于有“角点”的屈服面的情况，请读者参考柯伊特尔 (Koiter)[13] 的工作.

其它形式的屈服面　显然，对于可在实际中运用的任一种屈服面，都可用以上讨论的一般步骤来确定它的弹塑性矩阵. 如果屈服面(及材料)是各向同性的，则用三个应力不变量来表示屈服面比较方便. 以下给出这些不变量的特别有用的形式[20]:

$$
\sigma_m=\frac{J_1}{3}=\frac{\sigma_x+\sigma_y+\sigma_z}{3},
$$

$$
\bar{\sigma}=J_2^{1/2}=\left[\frac{1}{2}(s_x^2+s_y^2+s_z^2)+\tau_{xy}^2+\tau_{yz}^2+\tau_{zx}^2\right]^{1/2}, \tag{18.51}
$$

$$\theta = \frac{1}{3}\sin^{-1}\left[-\frac{3\sqrt{3}}{2}\frac{J_3}{\bar{\sigma}^3}\right], \quad -\frac{\pi}{6} < \theta < \frac{\pi}{6},$$

式中

$$J_3 = s_x s_y s_z + 2\tau_{xy}\tau_{yz}\tau_{zx} - s_x\tau_{yz}^2 - s_y\tau_{zx}^2 - s_z\tau_{xy}^2,$$

$$s_x = \sigma_x - \sigma_m, \quad s_y = \sigma_y - \sigma_m, s_z = \sigma_z - \sigma_m.$$

文献[20]表明，几种经典屈服条件的屈服面可给出如下：

1. 特雷斯卡（Tresca）条件：

$$F = 2\bar{\sigma}\cos\theta - Y(\kappa) = 0, \tag{18.52}$$

式中 $Y(\kappa)$ 是从单轴实验得出的屈服应力.

2. 胡拔-米赛斯条件：

$$F = \sqrt{3}\bar{\sigma} - Y(\kappa) = 0. \tag{18.53}$$

在金属塑性中，上述两种屈服条件都得到了很好的验证. 对于土壤、混凝土和其它“内摩擦”材料，经常使用的屈服条件是莫尔-库仑（Mohr-Coulomb）条件以及德鲁克（Drucker）和普拉格提出的莫尔-库仑准则的近似表达式[21].

3. 莫尔-库仑条件：

$$F = \sigma_m\sin\phi + \bar{\sigma}\cos\theta - \frac{\bar{\sigma}}{\sqrt{3}}\sin\phi\sin\theta - c\cos\phi = 0, \tag{18.54}$$

式中 $c(\kappa)$ 与 $\phi(\kappa)$ 分别是粘聚强度和内摩擦角，它们依赖于某个应变硬化参数 κ.

4. 德鲁克-普拉格条件[21]：

$$F = 3\alpha'\sigma_m + \bar{\sigma} - K = 0, \tag{18.55}$$

式中

$$\alpha' = \frac{2\sin\phi}{\sqrt{3}(3-\sin\phi)}, \quad K = \frac{6c\cos\phi}{\sqrt{3}(3-\sin\phi)},$$

c 和 ϕ 仍为某个应变硬化参数的函数.

以上四种形式比前面所用的更为简单，并且可以非常方便地导得梯度向量 $\partial F/\partial\boldsymbol{\sigma}$ 或 $\partial Q/\partial\boldsymbol{\sigma}$，无论屈服面是用作屈服条件还是用作塑性位势，情况都是如此. 因此，我们总是可以写出

$$\frac{\partial F}{\partial \boldsymbol{\sigma}}=\frac{\partial F}{\partial \sigma_m}\frac{\partial \sigma_m}{\partial \boldsymbol{\sigma}}+\frac{\partial F}{\partial J_2}\frac{\partial J_2}{\partial \boldsymbol{\sigma}}+\frac{\partial F}{\partial J_3}\frac{\partial J_3}{\partial \boldsymbol{\sigma}}. \tag{18.56}$$

注意到

$$\frac{\partial F}{\partial J_3}=\frac{\partial F}{\partial \theta}\frac{\partial \theta}{\partial J_3}, \tag{18.57}$$

并利用式(18.51),我们可把梯度向量 $\frac{\partial F}{\partial \boldsymbol{\sigma}}$ 写为

$$\frac{\partial F}{\partial \boldsymbol{\sigma}}=\left(\frac{\partial F}{\partial \sigma_m}\mathbf{M}^0+\frac{\partial F}{\partial J_2}\mathbf{M}^{\mathrm{I}}+\frac{\partial F}{\partial J_3}\mathbf{M}^{\mathrm{II}}\right)\boldsymbol{\sigma}, \tag{18.58}$$

式中方阵 $\mathbf{M}^0$, $\mathbf{M}^{\mathrm{I}}$ 及 $\mathbf{M}^{\mathrm{II}}$ 的形式在表 18.1 中给出.

表 18.1 式(18.58)中的矩阵 M

$$\mathbf{M}_0=\frac{1}{9\sigma_m}\begin{bmatrix}1 & 1 & 1 & 0 & 0 & 0\\ & 1 & 1 & 0 & 0 & 0\\ & & 1 & 0 & 0 & 0\\ & & & 0 & 0 & 0\\ & \text{对称} & & & 0 & 0\\ & & & & & 0\end{bmatrix}\qquad \mathbf{M}^{\mathrm{I}}=\begin{bmatrix}\frac{2}{3} & -\frac{1}{3} & -\frac{1}{3} & 0 & 0 & 0\\ & \frac{2}{3} & -\frac{1}{3} & 0 & 0 & 0\\ & & \frac{2}{3} & 0 & 0 & 0\\ & & & 2 & 0 & 0\\ & \text{对称} & & & 2 & 0\\ & & & & & 2\end{bmatrix}$$

$$\mathbf{M}^{\mathrm{II}}=\begin{bmatrix}\frac{1}{3}\sigma_x & \frac{1}{3}\sigma_z & \frac{1}{3}\sigma_y & -\frac{2}{3}\tau_{yz} & \frac{1}{3}\tau_{zx} & \frac{1}{3}\tau_{xy}\\ & \frac{1}{3}\sigma_y & \frac{1}{3}\sigma_x & \frac{1}{3}\tau_{yz} & -\frac{2}{3}\tau_{zx} & \frac{1}{3}\tau_{xy}\\ & & \frac{1}{3}\sigma_z & \frac{1}{3}\tau_{yz} & \frac{1}{3}\tau_{zx} & -\frac{2}{3}\tau_{xy}\\ & & & -\sigma_x & \tau_{xy} & \tau_{zx}\\ \text{对称} & & & & -\sigma_y & \tau_{yz}\\ & & & & & -\sigma_z\end{bmatrix}$$

$$+\sigma_m\begin{bmatrix}-\frac{1}{3} & -\frac{1}{3} & -\frac{1}{3} & 0 & 0 & 0\\ & -\frac{1}{3} & -\frac{1}{3} & 0 & 0 & 0\\ & & -\frac{1}{3} & 0 & 0 & 0\\ & & & 1 & 0 & 0\\ & \text{对称} & & & 1 & 0\\ & & & & & 1\end{bmatrix}$$

表 18.2　各种屈服条件下 F 对于应力不变量的导数

屈服条件	$\frac{\partial F}{\partial \sigma'_{im}}$	$\sqrt{J_2}\frac{\partial F}{\partial J_2}$	$J_2\frac{\partial F}{\partial J_3}$
特雷斯卡	0	$2\cos\theta(1+\tan\theta\ \tan3\theta)$	$\frac{\sqrt{3}\sin\theta}{\cos3\theta}$
胡拔-米赛斯	0	$\sqrt{3}$	0
莫尔-库仑	$\sin\phi$	$\frac{\cos\theta}{2}[(1+\tan\theta\sin3\theta)+\sin\phi(\tan3\theta-\tan\theta)/\sqrt{3}]$	$\frac{\sqrt{3}\sin\theta+\sin\phi\cos\theta}{2\cos3\theta}$
德鲁克-普拉格	$3\alpha'$	1.0	0

图 18.6 在主应力空间中示出了上面给出的各种屈服面的形式.

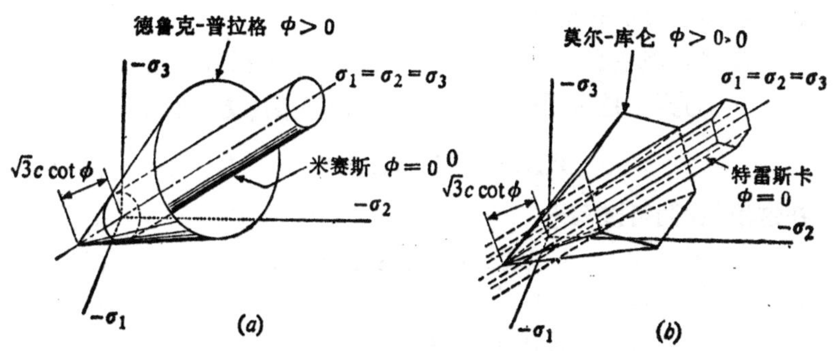

图 18.6　主应力空间中的某些各向同性屈服面. (a) 德鲁克-普拉格屈服面与米赛斯屈服面, (b) 莫尔-库仑屈服面与特雷斯卡屈服面

对于以上讨论的四种屈服面，表 18.2 给出了 F 对于三个应力不变量的导数的表达式. 读者可以验证，普兰德尔-罗伊斯关系式 (18.47) 也包含在其中.

广义硬化/软化法则　至此，我们一直假设参数 κ 与所作的塑性功有关，因为这是一个标量，它显然只会引起屈服面的放大与缩小(各向同性硬化). 在描述某些材料的真实特性时，发现这种模型是有缺陷的，因而引入了运动硬化理论，这种理论注意到了硬化对于塑性应变方向的依赖性[15,22,23].

另一种解决办法是直接利用有限元法，这时用“重叠”法来建立材料模型[24,25][1]。

18.4.2 *塑性力学问题的计算步骤* 塑性力学问题和可按18.2节的经典数值方法求解的非线性弹性力学问题的主要差别，在于前者不再具有式(18.22)那种形式的显式应力-应变关系。虽然在任意应变下，应力都必须在当时的屈服面之上或之内，但确定每一个应力分量的精确值却是不可能的。因此，必须利用以下两点来确定解答。(a) 对于规定的应力值及加载方向，切线矩阵

$$\mathbf{D}_{\mathrm{T}}=\mathbf{D}_{ep}^{*} \tag{18.59}$$

是已知的。(b) 应力可利用

$$\mathrm{d}\boldsymbol{\sigma}=\mathbf{D}_{T}^{*}\mathrm{d}\boldsymbol{\varepsilon} \tag{18.60}$$

这一事实通过积分得到。

显然，现在必须利用18.2.5节介绍过的那种增量方法。式(18.18)的算法是可用的，但需要用一种间接的方法计算

$$\mathbf{P}_{m+1}^{n}=\int_{V}\mathbf{B}^{\mathrm{T}}\boldsymbol{\sigma}_{m+1}^{n}\mathrm{d}V. \tag{18.61}$$

在这里，我们可以写出

$$\boldsymbol{\sigma}_{m+1}^{n}=\boldsymbol{\sigma}_{m}+\Delta\boldsymbol{\sigma}_{m}^{n-1}, \tag{18.62}$$

式中

$$\Delta\boldsymbol{\sigma}_{m}^{n-1}=(\mathbf{D}_{\mathrm{T}})_{m+\theta}^{n-1}\Delta\boldsymbol{\varepsilon}_{m}^{n-1}, \tag{18.63}$$

而 $(\mathbf{D}_{\mathrm{T}})_{m+\theta}^{n-1}$ 是根据介于 $\boldsymbol{\sigma}_{m}^{n-1}$ 和 $\boldsymbol{\sigma}_{m+1}^{n-1}$ 之间的某应力算出的切线矩阵。

一个补充的要求是 $\boldsymbol{\sigma}_{m+1}$ 不超出屈服面，这里经常使用按比例放大或缩小的办法(这是因为，与确定 $\mathbf{D}_{\mathrm{T}}$ 的流动法则相比，屈服面无疑是一个被人们知道得更为清楚的量)。

在式(18.18)给出的各次迭代中，矩阵 $\mathbf{K}_{\mathrm{T}}$ 可以用弹性的常刚度矩阵 $\mathbf{K}$ 来代替，因而又一次得到了修正的牛顿-拉夫森法或初应力法。文献[17]详细地介绍了这种类型的算法。

---

1) 在这里，表明了有限元法的又一个特点，即允许用一个具有简单性态的单元来模拟各部分材料，然后通过叠加实现复杂的响应。

显然，由于它的增量特性，塑性力学问题的计算是复杂的．我们将会发现，由粘塑性公式可得到更为直接的算法（见 18.6 节）．

在最早用有限元法求解塑性力学问题时，有人采用初应变法[26-29]，有人采用初应力法[17,19]．他们在整个迭代求解过程中都采用简单的重新求解系数矩阵不变的线性弹性问题的方法．虽然一般而言，这两种算法对于某些问题是经济的；但是，采用切线矩阵并对每个载荷增量进行有限次迭代的增量法则更可取，今天普遍使用着的就是这种方法[30-37]．

塑性力学问题中的有限元离散方法和相应的弹性力学问题遵循完全一样的步骤．已经讨论过的一切单元现在都可以使用，并且我们再次发现：采用第十一章中介绍的那种最佳样点时，降阶积分的高阶元的性质一般有所改善．

在金属塑性力学问题中，采用这种降阶积分很重要，因为米赛斯流动法则不允许任何体积变化．当塑性程度扩展到破坏载荷时，变形几乎是不可压缩的．如果采用通常的精确积分的单元，则会发生"闭锁"，不能获得真实的破坏载荷[38]．

前面导出的弹塑性矩阵对于一般三维连续体是成立的，但在二维塑性力学问题中，必须把它简化为特殊形式．例如，对于平面应力问题，只要将式(18.40)中对应于零应力分量的行和列删去，就会得到相应的弹塑性矩阵．对于平面应变问题，所有的应力分量都存在，但某些应变分量必须为零．现在必须进行适当的处理．文献［19］中有这种弹塑性矩阵的显式表达式．值得指出，在这种情况下，即使是理想塑性材料，与 $\boldsymbol{A}$ 相应的对角线项也不再为零．

最后我们应该指出，求解塑性力学问题的可能性并不只限于位移法．事实上，也可以运用平衡法和第十二章中介绍过的大多数方法[39-41]，但由于使用方便以及物理意义明显，还是位移法用得最为广泛．

18.4.3　几个例子　无应变硬化及有应变硬化材料的带孔平板[19,31,40]　图 18.7 示出了带孔拉伸平板的形状和它的简单三角形单

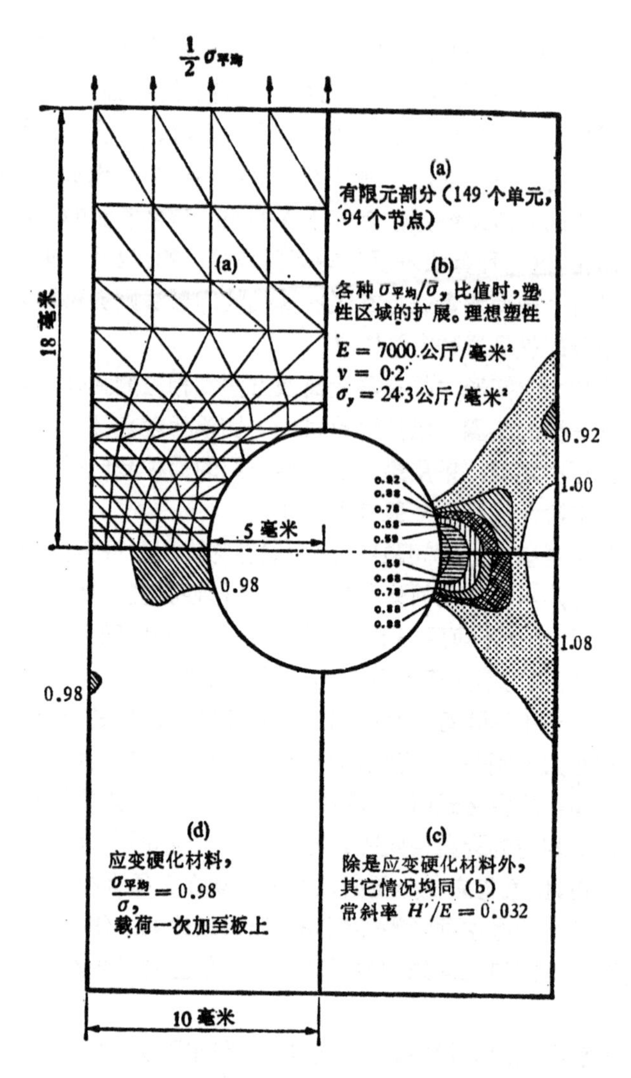

图 18.7 带孔拉伸板(平面应力)

元剖分网格。假设板处于平面应力状态，得到了理想塑性及应变硬化情况下的解。采用的是米赛斯屈服准则，而在应变硬化的情况下，采用单轴硬化曲线的常斜率H' (式(18.50))。图 18.7 (b)和(c)示出了不同载荷水平下塑性区的扩展。

虽然塑性关系只是增量形式的，但是如果载荷以一个大步长加上去，用初应力法仍能得到平衡的并且不超过屈服应力的解.在图 18.7(d)中，示出了载荷增量很大的情况下的这种一步解. 值得注意，尽管现在这种情况违反了应变的增量变化规律，但这样得到的塑性区和增量解的结果很接近.

更值得注意的是，关于最先屈服的点处所产生的最大应变值，两种解法的结果几乎一样(图 18.8).

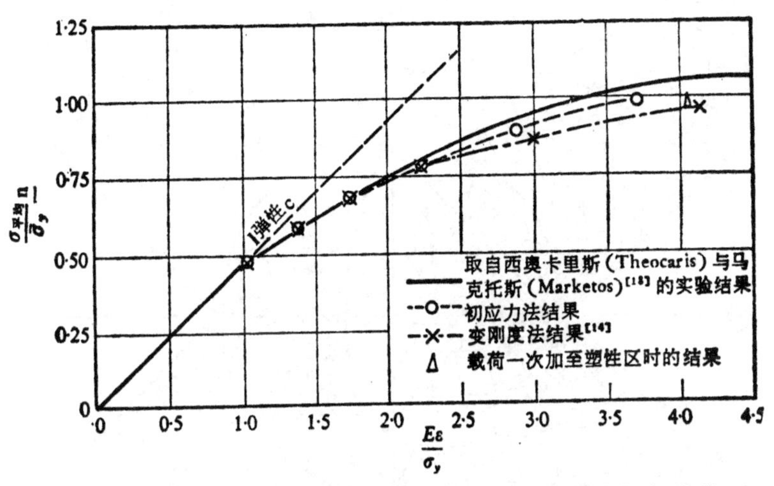

图 18.8　带孔板——应变硬化材料. 最大应变(发生在首先屈服的点处)的变化. $H'/E=0.032$. 载荷增量$=0.2\times$使板首次屈服的载荷

缺口试件　上例中用的是简单三角形单元；为了进行单元的比较，本例除三角形单元外还用了几种等参数单元[17,42]. 读者会注意到，采用等参数单元时，塑性区的扩展情况相当一致，而且结果收敛较快.

钢压力容器　对于最后这个例子，有由丁诺 (Dinno) 与吉尔 (Gill)[43]得到的实验结果. 用这个例子来说明实际的应用，它的目的有两个.

首先是为了表明，这种实际上可作为薄壳来描述的压力容器，也可用有限个(53 个)等参数单元成功地加以描述. 事实上，这个

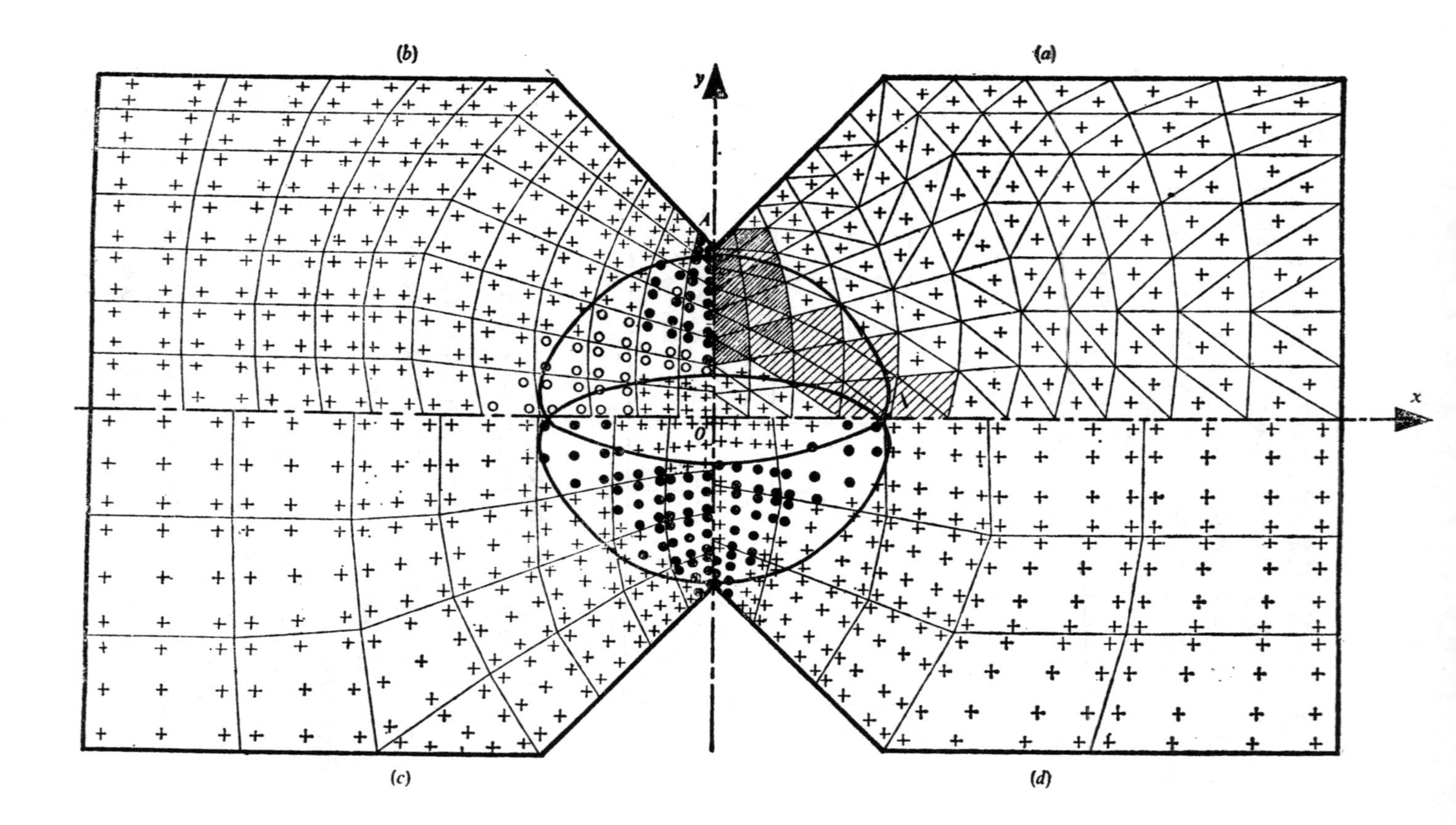

(b)
(a)
y
A
O
x
(c)
(d)

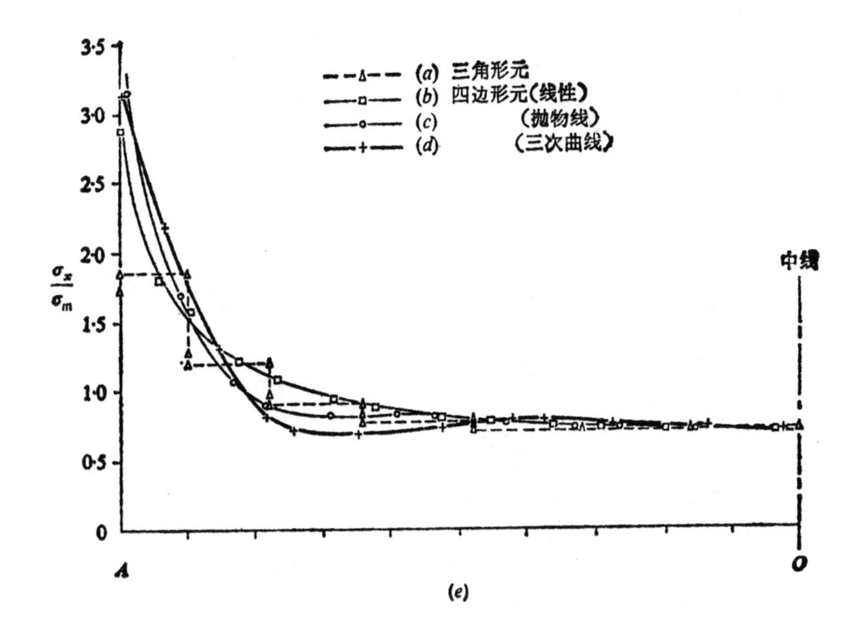

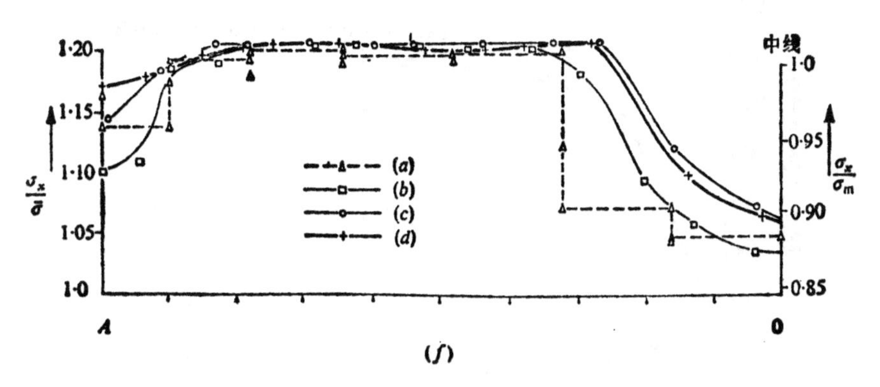

图 18.9 平面应力状态的带缺口试件的弹塑性解,各种单元的评价

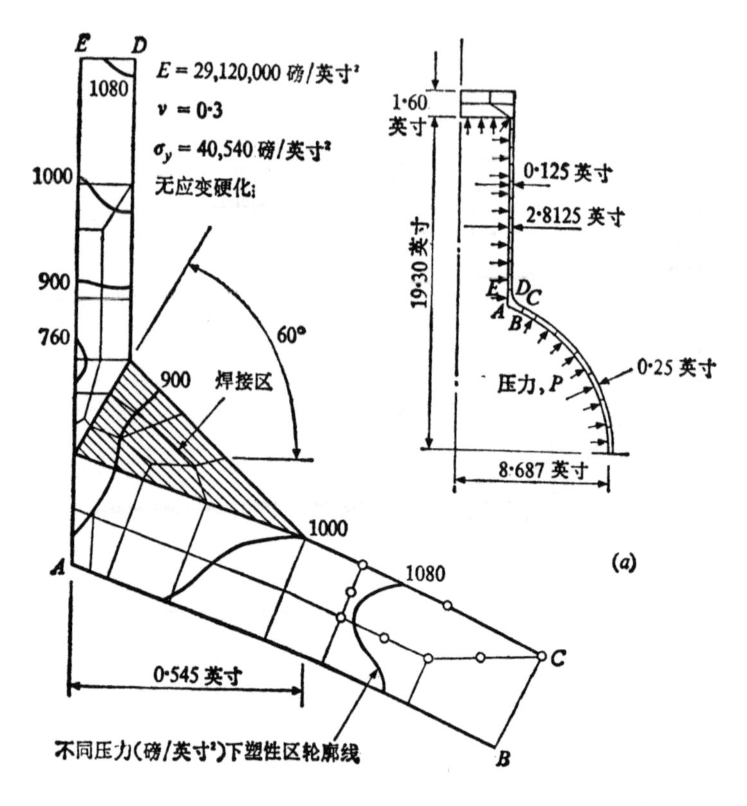

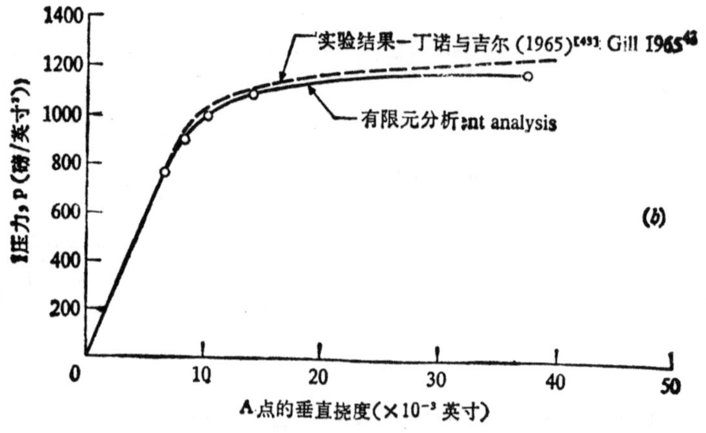

图 18.10　钢压力容器. (a) 单元剖分及塑性区的扩展[43](米赛斯准则及理想塑性材料). (b) A点垂直挠度随压力增加的变化

模型不仅模拟总体性态，而且模拟局部的应力集中(图 18.10(a)).

第二，力求求得压力非常接近破坏点时的解，这时是施加压力增量而不是位移增量.

比较图 18.10(b) 所示挠度的计算结果与实验结果可知，以上两个目的都很好地达到了.

固体力学中和时间有关的问题(蠕变；粘塑性力学与粘弹性力学)

18.5 蠕变问题的基本公式

“蠕变”现象的特征是，在常应力条件下，变形和时间有关. 因此，除了瞬态应变之外，材料还产生蠕变应变 $\boldsymbol{\varepsilon}_c$，$\boldsymbol{\varepsilon}_c$ 一般随着载荷作用期的延长而增大. 蠕变本构关系的形式通常是，把蠕变应变率定义为应力和总的蠕变应变的某个函数，即

$$\dot{\boldsymbol{\varepsilon}}_c = \frac{\mathrm{d}\boldsymbol{\varepsilon}_c}{\mathrm{d}t} = \boldsymbol{\beta}(\boldsymbol{\sigma}, \boldsymbol{\varepsilon}_c). \tag{18.64}$$

如果认为瞬时应变是弹性的，则总应变可表达为

$$\boldsymbol{\varepsilon} = \boldsymbol{\varepsilon}_e + \boldsymbol{\varepsilon}_c, \tag{18.65}$$

式中

$$\boldsymbol{\varepsilon}_e = \mathbf{D}^{-1}\boldsymbol{\sigma}. \tag{18.66}$$

在式(18.66)中，没有考虑任何初(热)应变或初(残余)应力. 因为通常的平衡条件

$$\int_V \mathbf{B}^{\mathrm{T}}\boldsymbol{\sigma}\mathrm{d}V + \mathbf{f} = 0 \tag{18.67}$$

在任一时刻均成立，故如果已知初始条件，则式 (18.64)—(18.67) 给出一个具有非线性系数的可解的一阶常微分方程组. 第二十一章将详细地讨论这类方程组的解法. 但是，因为蠕变问题中的非线性主要是由材料性态引起，所以本章将预先讨论一般解法中的某些内容.

具体来讲，如果我们考虑一时间间隔 Δt_m，表征其起点处状态的节点位移参数 $\mathbf{a}_m$，应力 $\boldsymbol{\sigma}_m$ 和力向量 $\mathbf{f}_m$ 是已知的，则可写

出一组把终态与时间联系起来的非线性代数方程. 首先，我们有如下平衡条件:

$$\boldsymbol{\Psi}_{m+1}=\int_V \mathbf{B}^{\mathrm{T}}\boldsymbol{\sigma}_{m+1}\mathrm{d}V+\mathbf{f}_{m+1}=0. \tag{18.68}$$

由式(18.65)和(18.66)可以得到

$$\begin{aligned}\boldsymbol{\sigma}_{m+1}-\boldsymbol{\sigma}_m&=\mathbf{D}(\boldsymbol{\varepsilon}_{m+1}-\boldsymbol{\varepsilon}_m)-\mathbf{D}(\boldsymbol{\varepsilon}_{c,m+1}-\boldsymbol{\varepsilon}_{c,m})\\&=\mathbf{DB}(\mathbf{a}_{m+1}-\mathbf{a}_m)-\mathbf{D}(\boldsymbol{\varepsilon}_{c,m+1}-\boldsymbol{\varepsilon}_{c,m}).\end{aligned} \tag{18.69}$$

从式(18.64)这个速率方程(为了简单起见，不考虑 $\boldsymbol{\varepsilon}_c$ 对于 $\dot{\boldsymbol{\varepsilon}}_c$ 的影响)可得到近似表达式

$$\boldsymbol{\varepsilon}_{c,m+1}-\boldsymbol{\varepsilon}_{c,m}=\Delta t_m\boldsymbol{\beta}_{m+\theta}, \tag{18.70}$$

式中

$$\boldsymbol{\beta}_{m+\theta}=\boldsymbol{\beta}(\boldsymbol{\sigma}_{m+\theta}),$$

$$\boldsymbol{\sigma}_{m+\theta}=(1-\theta)\boldsymbol{\sigma}_m+\theta\boldsymbol{\sigma}_{m+1}(0\leqslant\theta\leqslant 1).$$

将式(18.70)代入式(18.69),得到一组非线性方程:

$$\bar{\boldsymbol{\Psi}}_{m+1}=\boldsymbol{\sigma}_{m+1}-\boldsymbol{\sigma}_m-\mathbf{DB}(\mathbf{a}_{m+1}-\mathbf{a}_m)+\mathbf{D}\Delta t_m\beta_{m+\theta}=0. \tag{18.71}$$

式(18.68)与(18.71)构成一个非线性方程组,必需由它确定 $\boldsymbol{\sigma}_{m+1}$ 和 $\mathbf{a}_{m+1}$.

现在可以建立通过牛顿-拉夫森法来求解的办法(读者立即会注意到,这与对 18.2.5 节的增量法所作的相似).

取 $\sigma^0_{m+1}=\boldsymbol{\sigma}_m$ 与 $\mathbf{a}^0_{m+1}=\mathbf{a}_m$ 作为起始的“猜测解”, 对于式(18.71)可得如下的连续迭代表达式:

$$\boldsymbol{\sigma}^{n+1}_{m+1}=0=\bar{\boldsymbol{\Psi}}^n_{m+1}+\Delta\boldsymbol{\sigma}^n_{m+1}-\mathbf{DB}\Delta\mathbf{a}^n_{m+1}+\mathbf{D}\Delta t_m\theta\mathbf{S}^n\Delta\boldsymbol{\sigma}^n_{m+1}, \tag{18.72}$$

式中 $\mathbf{S}=(\partial\boldsymbol{\beta}/\partial\boldsymbol{\sigma})_{m+\theta}$. 类似地,对于式(18.68)可得到

$$\boldsymbol{\Psi}^{n+1}_{m+1}=0=\boldsymbol{\Psi}^n_{m+1}+\int_V\mathbf{B}^{\mathrm{T}}\Delta\boldsymbol{\sigma}^n_{m+1}\mathrm{d}V. \tag{18.73}$$

由式(18.72)与(18.73)可以确定连续修正的 $\Delta\mathbf{a}^n_{m+1}$ 和 $\Delta\boldsymbol{\sigma}^n_{m+1}$, 这给出

$$\begin{aligned}\mathbf{a}^{n+1}_{m+1}&=\mathbf{a}^n_{m+1}+\Delta\mathbf{a}^n_{m+1},\\\boldsymbol{\sigma}^{n+1}_{m+1}&=\boldsymbol{\sigma}^n_{m+1}+\Delta\boldsymbol{\sigma}^n_{m+1}.\end{aligned} \tag{18.74}$$

比较方便的作法是，将式（18.72)改写成

$$\Delta\boldsymbol{\sigma}_{m+1}^{n}=-(\bar{\mathbf{D}}^{n}\mathbf{D}^{-1})\boldsymbol{\Psi}_{m+1}^{n}+\bar{\mathbf{D}}^{n}\mathbf{B}\Delta\mathbf{a}_{m+1}^{n}, \tag{18.75}$$

式中

$$\bar{\mathbf{D}}^{n}=[\mathbf{D}^{-1}+\Delta t_{m}\theta\mathbf{S}^{n}]^{-1}, \tag{18.76}$$

并从式(18.73)中消去 $\Delta\boldsymbol{\sigma}_{m+1}^{n}$，这样就获得了计算 $\Delta\mathbf{a}_{m+1}^{n}$ 的显式算式。

因为在建立式（18.70）时已作了近似，所以迭代一般只进行一、二次就停止。另外，如果取 $\theta=0$，则问题还可进一步简化（当然要损失精度）。有着多种求解的方法，其中包含一些熟知的增量法。

方法 1——欧拉法：$\theta=0$；$n=1$

由式(18.71)及初始条件，我们有

$$\bar{\boldsymbol{\Psi}}_{m+1}^{0}=\mathbf{D}\Delta t_{m}\boldsymbol{\beta}_{m},$$

而由式(18.76)可得

$$\bar{\mathbf{D}}^{n}=\mathbf{D}.$$

由式（18.75)，我们有

$$\Delta\boldsymbol{\sigma}_{m+1}^{0}=-\bar{\boldsymbol{\Psi}}_{m+1}^{0}+\mathbf{DB}\Delta\mathbf{a}_{m+1}^{0}=\mathbf{D}(\mathbf{B}\Delta\mathbf{a}_{m+1}^{0}-\Delta t_{m}\boldsymbol{\beta}_{m}), \tag{18.77}$$

上式的最后一项就代表了蠕变应变增量。

将式(18.77)代入式(18.73)，并利用式(18.68)，得到

$$\left(\int_{V}\mathbf{B}^{\mathrm{T}}\mathbf{DB}\mathrm{d}V\right)\Delta\mathbf{a}_{m+1}^{0}+\Delta\boldsymbol{f}_{m}-\int_{V}\mathbf{B}^{\mathrm{T}}\mathbf{D}\Delta t_{m}\boldsymbol{\beta}_{m}\mathrm{d}V=0. \tag{18.78}$$

依据此式可求得 $\Delta\mathbf{a}_{m+1}^{0}$，从而求得 $\mathbf{a}_{m+1}'=\mathbf{a}_{m}^{0}+\Delta\mathbf{a}_{m+1}^{0}$.

因此，这种方法就是一种初应变法，这时的初应变值是根据在该间隔起始点处算出的蠕变应变率 $\dot{\boldsymbol{\varepsilon}}_{c}=\boldsymbol{\beta}_{m}$ 求得的。在每一时间步长中，需用熟知的常刚度矩阵

$$\mathbf{K}=\int_{V}\mathbf{B}^{\mathrm{T}}\mathbf{DB}\mathrm{d}V$$

求解一个简单的弹性问题。

这种方法当然是用得很普遍的[44-47]，因为在每一时间步长的计算中只进行一次重新求解；但是，它的精度显然比其它方法低。此外，若时间步长太大，就可能得到不稳定的结果（参见第二十一

章). 因而必须满足条件

$$\Delta \mathbf{t}_m \leqslant \Delta t_{临界}, \tag{18.79}$$

式中 $\Delta t_{临界}$ 可用适当的方法确定.

一种已证明在实践中很有效的经验方法是，蠕变应变增量不应该超过总弹性应变的二分之一，即[48]

$$\Delta t_{临界} \boldsymbol{\beta}_m \leqslant \frac{1}{2} \boldsymbol{\varepsilon}_c = \frac{1}{2} \mathbf{D}^{-1} \boldsymbol{\sigma}_m. \tag{18.80}$$

方法 2——切线法: $\theta \neq 0$; $n = 1$

因为

$$\boldsymbol{\beta}^0_{m+\theta} = \boldsymbol{\beta}_m,$$

由式(18.71)和初始条件，仍有

$$\bar{\boldsymbol{\Psi}}^0_{m+1} = \mathbf{D} \Delta t_m \boldsymbol{\beta}_m.$$

但是，现在从式(18.76)得到的是

$$\bar{\mathbf{D}}^0 = [\mathbf{D}^{-1} + \Delta t_m \theta \mathbf{S}_0]^{-1},$$

式中 $\mathbf{S}^0$ 利用该间隔起点处的应力算出.

通过和方法 1 一样的步骤，由式(18.75)可以得到

$$\Delta \boldsymbol{\sigma}^0_{m+1} = \bar{\mathbf{D}}^0 (\mathbf{B} \Delta \mathbf{a}^0_{m+1} - \Delta t_m \boldsymbol{\beta}_m), \tag{18.81}$$

而由式(18.68)和(18.73)则可得到

$$\left(\int_V \mathbf{B}^{\mathrm{T}} \bar{\mathbf{D}}^0 \mathbf{B} \mathrm{d}V \right) \Delta \mathbf{a}^0_{m+1} + \Delta \mathbf{f}_m - \int_V \mathbf{B}^{\mathrm{T}} \bar{\mathbf{D}}^0 \Delta t_m \boldsymbol{\beta}_m \mathrm{d}V = 0. \tag{18.82}$$

由此可求得 $\Delta \mathbf{a}^0_{m+1}$，从而求得 $\Delta \boldsymbol{\sigma}^0_{m+1}$.

西尔 (Cyr) 和特德 (Teter)[49] 以及监凯维奇[50] 首先引入了这种方法，他们采用的 θ 为 1/2. 已经证明 $\theta > \frac{1}{2}$时可获得更为可靠的结果[51]，还可证明，这种方法对于任意的 $\theta \geqslant \frac{1}{2}$ 是无条件稳定的，对于时间步长的唯一限制是精度[52].

在上述两种方法中，均可以用连续迭代来改善结果.

方法 2 改善了性能及稳定性，但它付出的代价是，在每一时间步长中，都必须形成一个新的矩阵并求逆，并且有时 $\bar{\mathbf{D}}^0$ 是不对称的. 如果式 (18.64) 中 $\boldsymbol{\varepsilon}_c$ 的影响不能忽略，则方法 2 就更为复杂

了. 对于方法 1, 却不会遇到这种困难.

18.6 粘塑性力学

18.6.1 引言 因为材料能承受的最大应力总是与施加应力的速率有关, 所以前面假定的那种固体的纯塑性性态大概只是一种虚构的模式. 图 18.11(a) 是单轴载荷下纯弹塑性性态的模型. 根据这个模型,在应力低于屈服应力时,塑性应变率为零,即

$$\dot{\varepsilon}_p = 0, \quad 若\ \sigma - \sigma_y < 0,$$

而当 $\sigma - \sigma_y = 0$ 时, $\dot{\varepsilon}_p$ 是不确定的.

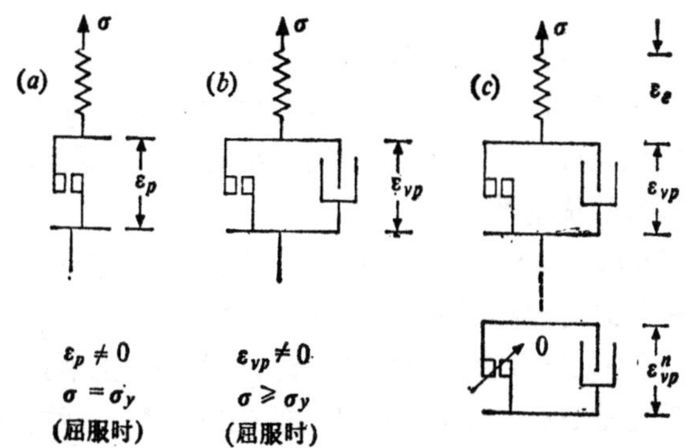

图 18.11 (a) 弹塑性模型. (b) 弹粘塑性模型. (c) 一串弹粘塑性模型

另一方面,弹粘塑性材料可抽象为图 18.11(b)所示的模型,在这个模型中,把一个阻尼器和塑性元件并联起来. 现在,对于应变率不为零的情况,应力可以超过 σ_y.

粘塑性(或蠕变)应变率现在由以下一般表达式给出:

$$\dot{\varepsilon}_{vp} = \gamma\langle\phi(\sigma - \sigma_y)\rangle,$$

式中函数 ϕ 的定义为:

$$\langle\phi(\sigma - \sigma_y)\rangle = 0, \quad 若\ \sigma - \sigma_y \leqslant 0,$$

$$\langle\phi(\sigma - \sigma_y)\rangle = \phi(\sigma - \sigma_y), \quad 若\ \sigma - \sigma_y > 0.$$

事实上,上述模型就是上节介绍过的蠕变过程的模型,它比纯塑性模型更接近于实际情况.

在将粘塑性模型推广到一般应力状态时, 其步骤和 18.4 节中

对塑性问题所作的完全一样.

首先我们注意到,应变率应是式(18.28)所定义的屈服条件 $F(\sigma)$ 的函数. 如果 $F \leqslant 0$,则不发生塑性流动.

其次,我们引入粘塑性势 $Q(\sigma)$,粘塑性势曲面的法线确定塑性应变率各分量之间的比例关系(参见式(18.35)).

因此,作为一般表达式有

$$\dot{\varepsilon}_{vp} = \gamma \langle \phi(F) \rangle \frac{\partial Q}{\partial \sigma} = \beta(\sigma), \tag{18.83}$$

式中

$$\langle \phi(F) \rangle = 0, \quad 若\ F \leqslant 0,$$
$$\langle \phi(F) \rangle = \phi(F), \quad 若 F > 0.$$

根据 $Q = F$ 或 $Q \neq F$,可以再次引入关联与非关联弹粘塑性流动的概念. 而且,18.4.1 节中所介绍的各种屈服面,均可用来详细确定适当的流动情况.

宾汉 (Bingham)[53]于 1922 年引入了最初的粘塑性的概念. 关于宾汉这种模式的详细评述可见文献[54].

显然,利用粘塑性模式进行计算时,可以按照上节讨论过的任何一种一般方法进行. 不过,最通用的是方法 1——欧拉法. 科米奥 (Cormeau)[57]详细地研究了在几种屈服条件下获得稳定解所应满足的条件. 有时用切线法比较经济,但是除非研究的是关联塑性问题(即 $Q = F$),否则在每一个步长中都必须求解一个非对称方程组[51,52].

如图 18.11(c) 所示,容易把粘塑性规律推广,使其包含一串图 18.11(b) 的模型. 我们现在写出

$$\dot{\varepsilon}_{vp} = \dot{\varepsilon}_{vp}^{1} + \dot{\varepsilon}_{vp}^{2} + \cdots = \beta(\sigma), \tag{18.84}$$

而计算仍可按标准公式进行.

若如图 18.11(c) 中的最后一个并联体所示,让塑性元件不起作用,则得到"纯"蠕变情况,这时在任意应力水平下都产生流动.

粘塑性模式也可方便地用来求解纯塑性问题,事实上,这提供了一种较前更为简单的算法. 在这种算法中,施加一个常载荷并

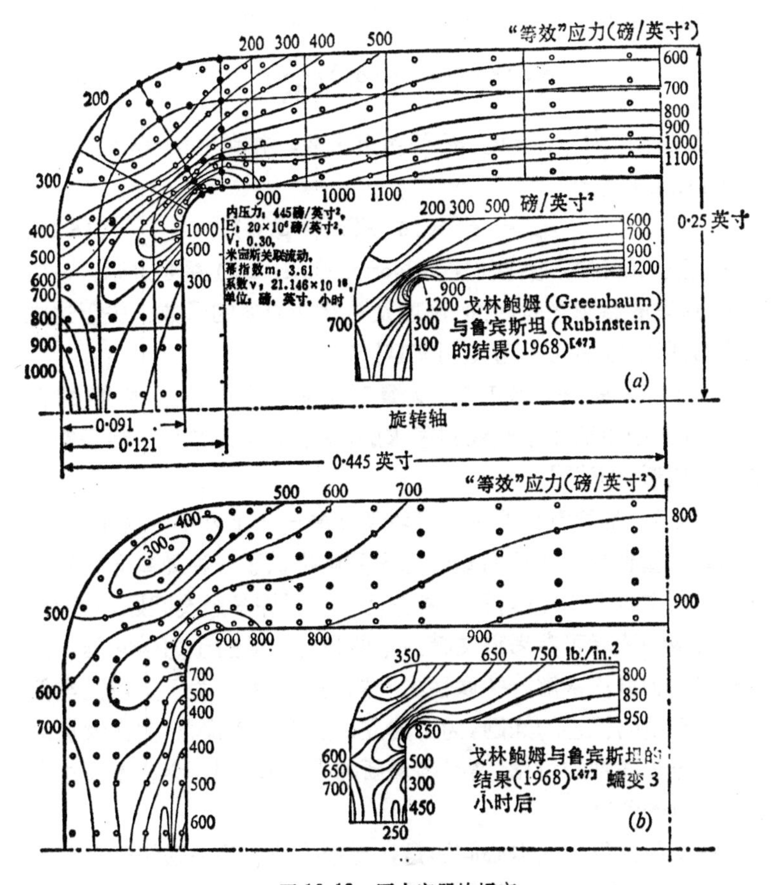

图 18.12 压力容器的蠕变

对时间进行积分，直至所有的应变率均为零． 这样就获得了静塑性解(因为此时所有的阻尼器都不再工作)．

在这样地求解塑性问题时，前面介绍过的所有方法都已采用过[55-58]．最近的研究表明，因为时间因素在这里并不重要，它实际上只起着形式上的作用，因此在采用“后向差分”(即 $\theta=1$)时，上节讨论过的取一个很大时间步长的迭代方法可能是比较经济的[52]．

18.6.2 金属的蠕变 如果研究的是关联粘塑性，且采用式

(18.53)的米赛斯屈服准则,则粘塑性应变率可写为

$$\dot{\boldsymbol{\varepsilon}}_{vp} = \gamma\langle\phi(\bar{\sigma} - \sigma_y)\rangle\frac{\partial\bar{\sigma}}{\partial\boldsymbol{\sigma}}. \tag{18.85}$$

如果设屈服应力 $\sigma_y = 0$, ϕ 为指数函数，并利用表 18.1 的表达式,则上式可写成

$$\dot{\boldsymbol{\varepsilon}}_{vp} = \dot{\boldsymbol{\varepsilon}}_c = \gamma\bar{\sigma}^m\mathbf{M}^{\mathrm{I}}\boldsymbol{\sigma} = \boldsymbol{\beta}(\boldsymbol{\sigma}), \tag{18.86}$$

这就是熟知的诺顿-索德伯格(Norton-Soderberg)蠕变定律．一般来讲,这里的参数 γ 是时间、温度及总蠕变应变的函数．关于这些定律的评述,读者可参考专门文献[59—61].

图 18.12 是一个起初曾用大量三角形单元求出过解答的例子[47],现在则用通用粘塑性程序求解,求解时采用数目少得多的等参数四边形单元[56d].

18.6.3 *用粘塑性算法求得的塑性解——土力学* 我们已经指出，粘塑性模式为所有塑性力学问题提供了一种简单而有效的算法．在文献 [56d] 中,用这种办法解决了许多经典问题,对于细节有兴趣的读者可参考该文献．本节将讨论某些土力学问题，以表明用这种方法求解非关联性态问题的可能性．关于土壤及类似的多孔介质的性态的问题,为了建立好的本构模式,还需作大量的工作．至于详细的讨论,请参考最新的几本教科书,会议录及这方面的文章[58,62—64].

一个争议很大的中心问题是，土壤的性态是关联的还是非关联的．图 18.13 示出的是一个轴对称试件，它被用来研究这两个不同假设的影响[57]． 这里采用莫尔-库仑定律来描述屈服面，用另一个形式类似而摩擦角 $\phi = \theta$ 取不同值的表达式作为塑性势($\theta = 0$ 把塑性势简化为图 18.6 的特雷斯卡形式，且不允许体积应变发生变化)．从结果可以看出,θ 不同时，破坏载荷的变化不大,虽然相应的塑性流动形态的差别很明显.

图 18.14 是一个类似的研究结果，其对象为一座堤坝．在这里,尽管流动形态差异很大,但预计的破坏载荷却几乎不受流动率假设的影响[58].

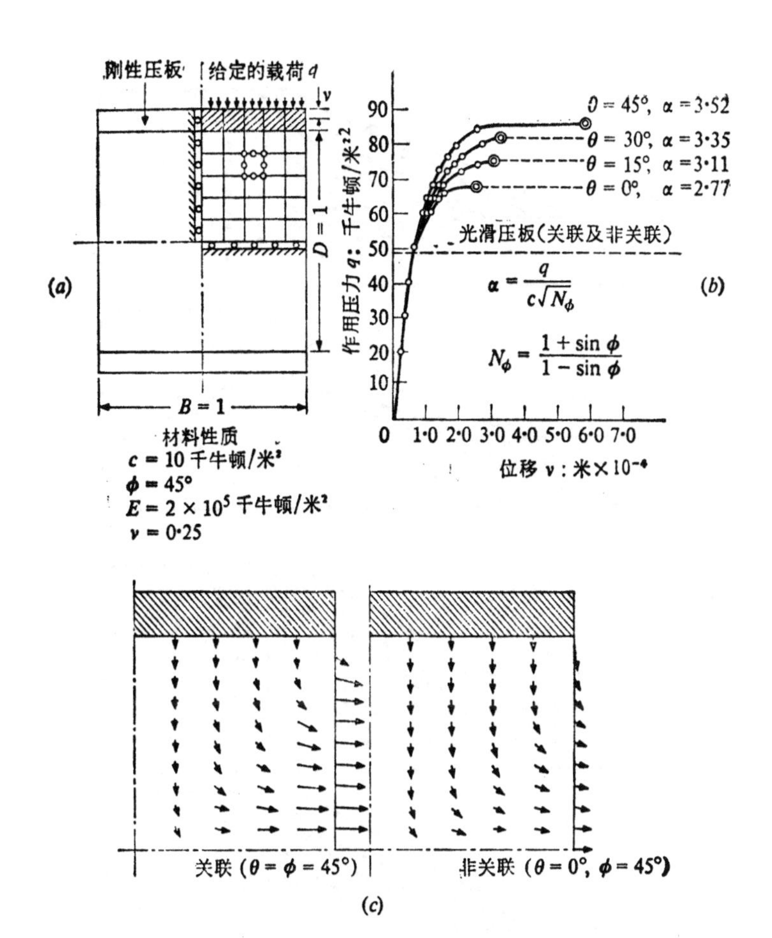

图 18.13　平板间的单轴压缩

18.7　粘弹性力学

蠕变对应力应变史的依赖关系　粘弹性现象的特点在于，蠕变应变率不仅取决于当时的应力应变状态，而且一般来讲和整个应力应变史有关．因此，为了确定某个时间间隔内的蠕变应变增量 $\Delta\varepsilon_c$，必须知道以前所有时间间隔的应力应变状态．在计算过程中实际上可以获得这些数据，所以在原则上本问题没有什么困

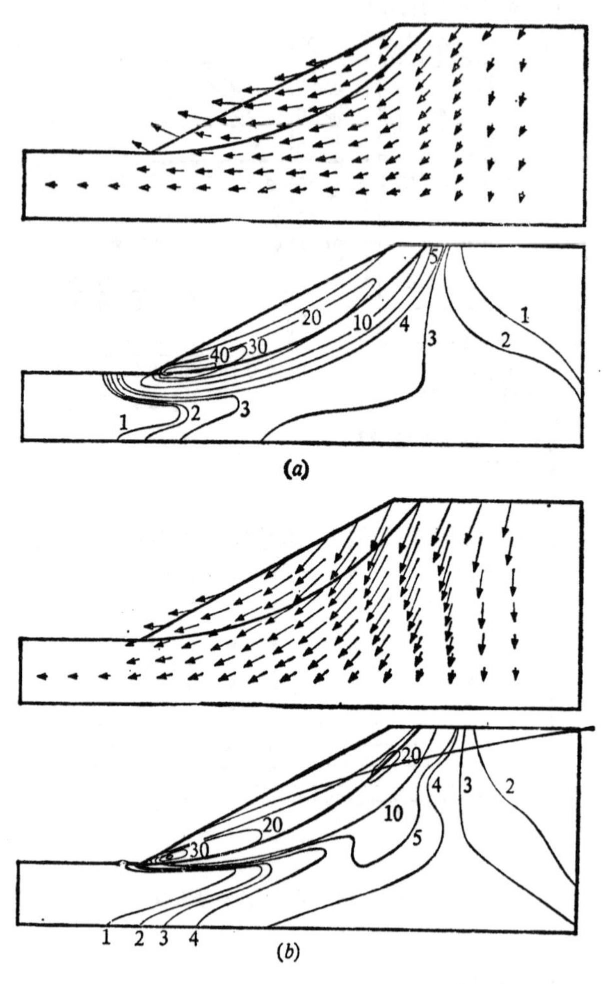

图 18.14 堤坝——崩溃时的相对塑性速度图及等效剪应变率的等值线图

难．然而实际上存在着限制． 即使是用目前最大容量的计算机，要在磁心内存储全部应力应变史的数据也是不现实的，而反复调用后备存储装置则太慢，因此经济上不合算．

监凯维奇等人[45]介绍了在线性粘弹性分析范围内克服这种困

难的方法，并针对公式适当的非线性粘弹性材料指出了建立这种方法的可能性.

在线性粘弹性力学中，总是可以写出形式同弹性力学中类似的应力-应变关系，这时矩阵 $\mathbf{D}$ 的元素不再是弹性常数，而是微分算子或积分算子[65]. 因此，对于各向同性连续体，与两个弹性常数相应，有两个算子；而对于各向异性材料，则可能需要二十一个不同的算子.

于是，应变中的蠕变部分一般可表达为

$$\boldsymbol{\varepsilon}_c = \bar{\mathbf{D}}^{-1}\boldsymbol{\sigma},$$

若把算子写成微分的形式，上式中“粘弹性矩阵”之逆 $\bar{\mathbf{D}}^{-1}$ 的每一个元素可取如下形式：

$$\bar{d}_{rs} = \frac{a_0 + a_1(\mathrm{d}/\mathrm{d}t) + a_2(\mathrm{d}^2/\mathrm{d}t^2) + \cdots}{b_0 + b_1(\mathrm{d}/\mathrm{d}t) + b_2(\mathrm{d}^2/\mathrm{d}t^2) + \cdots}. \tag{18.87}$$

如果式(18.87)取有限形式，则将任一瞬时的弹性效应分离开，我们通常可将该式改写成部分分式：

$$\bar{\mathrm{d}}_{rs} = \frac{A_1}{\mathrm{d}/\mathrm{d}t + B_1} + \frac{A_2}{\mathrm{d}/\mathrm{d}t + B_2} + \cdots. \tag{18.88}$$

如所周知，式 (18.88) 可解释为图 18.15 所示一串“开尔文(Kelvin)”元件的响应(虽然这种模型在物理上不重要)，每一项表示一个开尔文元件. 因此，第 n 个开尔文元件对一个应变分量的贡献为

$$\boldsymbol{\varepsilon}^n = \frac{A_n}{\mathrm{d}/\mathrm{d}t + B_n}\sigma, \tag{18.89}$$

或

$$\frac{\mathrm{d}\boldsymbol{\varepsilon}^n}{\mathrm{d}t} = A_n\sigma_s - B_n\boldsymbol{\varepsilon}^n, \tag{18.90}$$

并且再次以式 (18.64) 那种形式获得 $\dot{\boldsymbol{\varepsilon}}_c$ 的完整表达式，这可利用 18.5 节介绍过的标准方法求解. 文献 [45] 中实际上用的是欧拉法，但是 $\mathbf{S}$ 在线性粘弹性情况下是常数矩阵，所以用切线法可以获得更加精确并且收敛得更快的解.

在实际使用中，为了描述材料特性，只需要用少数几个开尔文

元件就够了,而且“粘弹性”算子的个数也不多. 例如,对于各向同性不可压缩材料,只用一个算子来确定矩阵 $\bar{\mathbf{D}}^{-1}$. 若式 (18.88) 保留两项,为了确定这个算子,在整个计算过程中只需存储四个量[45].

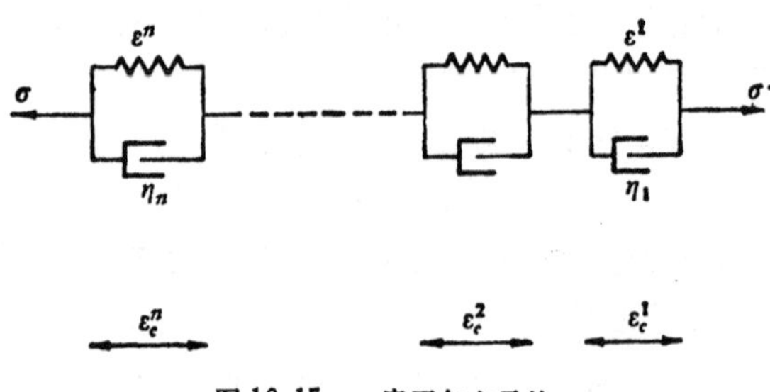

图 18.15 一串开尔文元件

每个开尔文模型的 A_n 及 B_n 均同经历的时间及温度有关,但计算并不复杂. 在处理混凝土或塑料的蠕变这类热粘弹性问题时,情况就是如此.

粘弹性问题的计算有时可简化,这时要用特殊的办法把取决于应变史的蠕变应变展开,泰勒等人[66]提出了一种特别有效的方法.

有些情况下,线性粘弹性问题的逐步求解法的工作量可大大减少. 在均匀各向同性的线性粘弹性介质中,若泊松比算子不变化,则利用等效载荷、等效位移和等效温度的概念[67],阿尔弗雷-麦克亨利 (Alfrey-McHenry) 比拟允许我们用一步弹性解来获得给定时刻的应力及位移.

欣顿 (Hilton)[68]对这种比拟法作了某些推广.

此外,若蠕变变形当时间无限长时趋于常值,即使不能再用阿尔弗雷-麦克亨利比拟,仍可用一步法求得最终的应力分布. 例如,若粘弹性性质取决于温度,而结构承受与时间无关的载荷及温度场,则可求得长期的“等价弹性常数”,把该问题作为一个非均匀的线性弹性问题来解[69].

18.8 岩石、混凝土等的一些特殊问题

18.8.1 不可拉伸材料 假定一种材料只能承受压应力、压应变而不能抵抗拉伸，这种材料在很多方面都与理想塑性材料相似。在实际中或许并不存在这种理想材料，但它对接缝随机分布的岩石及其它颗粒状材料的性态却是一种很好的近似。

虽然一般不能写出显式应力-应变关系，但只要进行弹性分析并在出现拉应力处令应力为零就可以了。在这里应用初应力法是很自然的事情，而确实也已建立了这样的方法[16]。

计算的步骤是显而易见的，但是必须消除拉伸主应力，记住这一点很重要。

只有不考虑压应力重新作用下的裂缝闭合，上述“本构关系”才是实际情况的良好近似。不过，对于真实的岩石结构的性态，这些结果无疑提供了一个比较清晰的描述。

地下电站 图 18.16 (a)和(b)示出了上述模型在实际问题中的应用。图 18.16(a) 是地下电站周围应力的弹性解，在该电站周围区域内有预应力刚索。图中指出了拉应力区。在图 18.16(b)中，给出了同一问题的不可拉伸解，图中示出了与弹性解稍有不同的总的应力分布及产生裂缝的区域。

钢筋混凝土 和不可拉伸材料稍有差别的是一种有限拉伸强度材料，当拉应力超过限定值后，这种材料的强度将降低至零（在裂缝处）。瓦利阿潘（Valliappan）与纳斯（Nath）[70]采用这种模式对钢筋混凝土梁的性态作了研究。计算结果和超补强梁（在这类梁中，压缩屈服是不重要的）的实验结果吻合得很好。该实验结果取自克拉尔（Krahl）等人[71]的工作。有关的一些结果可见图 18.17。

为了考虑受压破坏和裂缝闭合史的影响，对于钢筋混凝土的性态作了许多研究工作，这些工作采用了多种塑性形式。文献[72—80]列举的是有关这个问题的一些比较重要的文章。

18.8.2 “叠片”材料和接缝单元 另一种理想化的材料模型

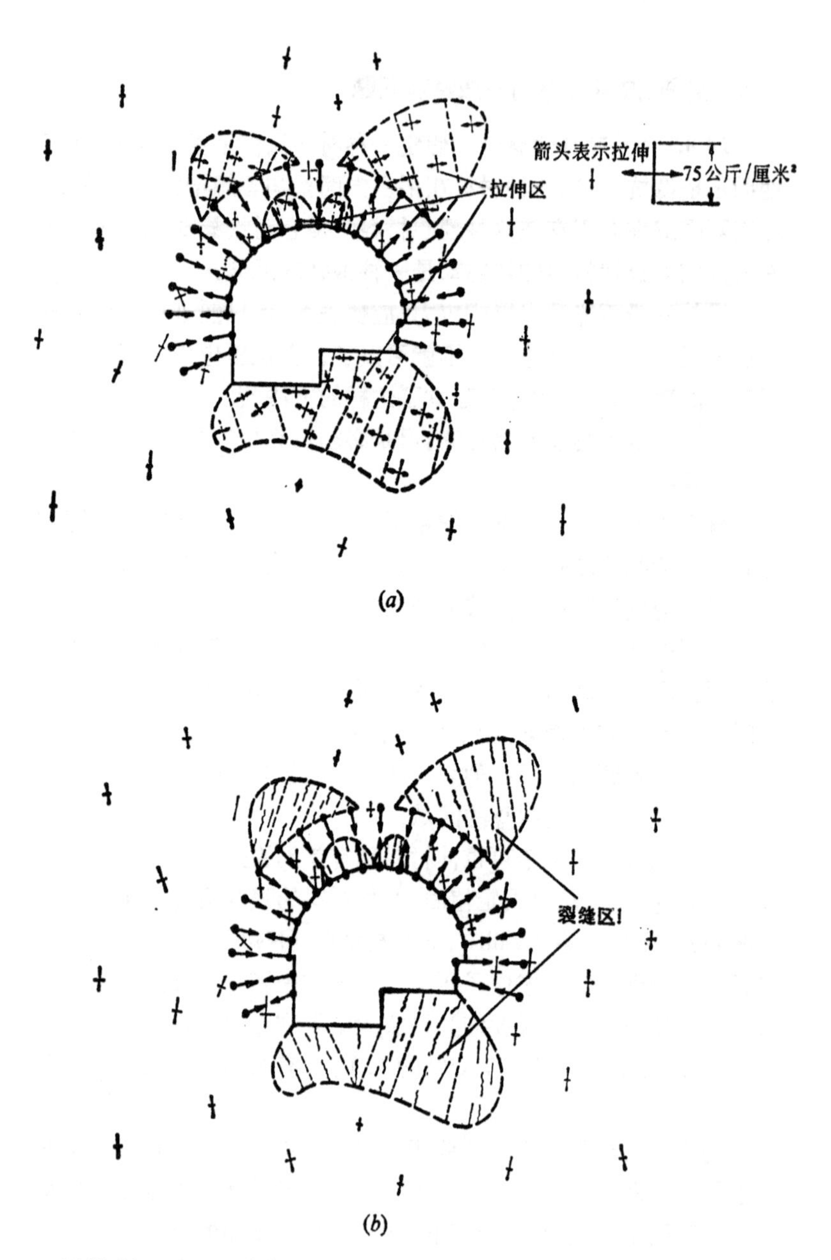

图 18.16　重力与预应力作用下的地下电站. (a) 弹性解, (b) “不可拉伸”解

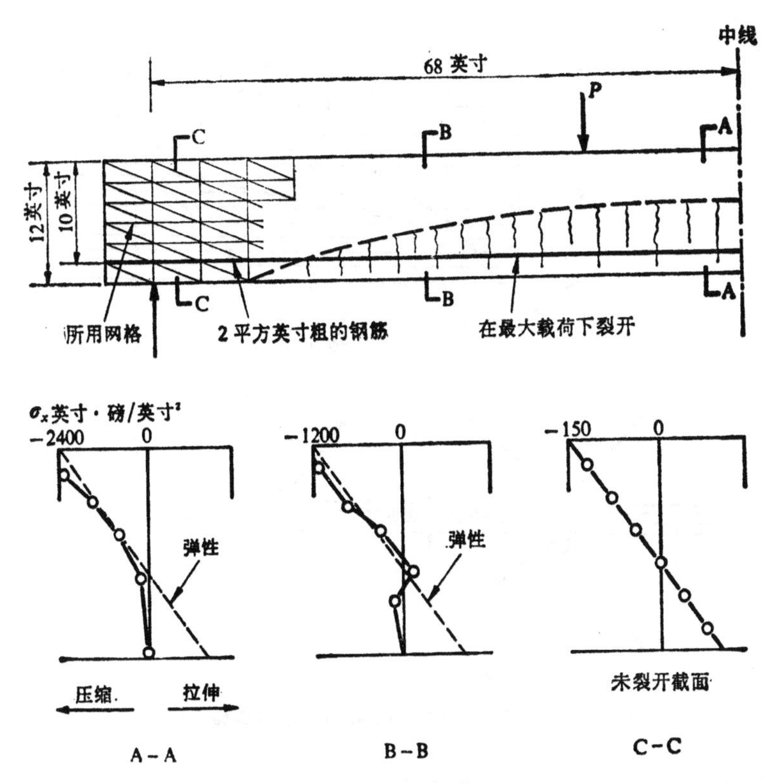

图 18.17 钢筋混凝土梁的裂开.(最大拉伸强度为 200 磅/英寸².)
各截面处混凝土内的应力分布

由大量各向同性的弹性薄片叠成．当这些薄片承受其法线方向的压缩载荷时，它们能传递不超过摩擦力的薄片方向的剪应力．然而,这种材料不能传递薄片法线方向的拉应力．

这种理想化材料显然可用来研究具有平行接缝的岩体，不过我们以后将会发现,它有着比此广泛得多的应用范围．

图 18.18 示出了二维情况下的叠片材料． 取薄片方向为局部坐标轴 x' 的方向,对于发生纯弹性性态的应力,我们可以写出

$$|\tau_{x'y'}| \leqslant \mu|\sigma_{y'}| \tag{18.91a}$$

及

$$\sigma_{y'} \leqslant 0. \tag{18.91b}$$

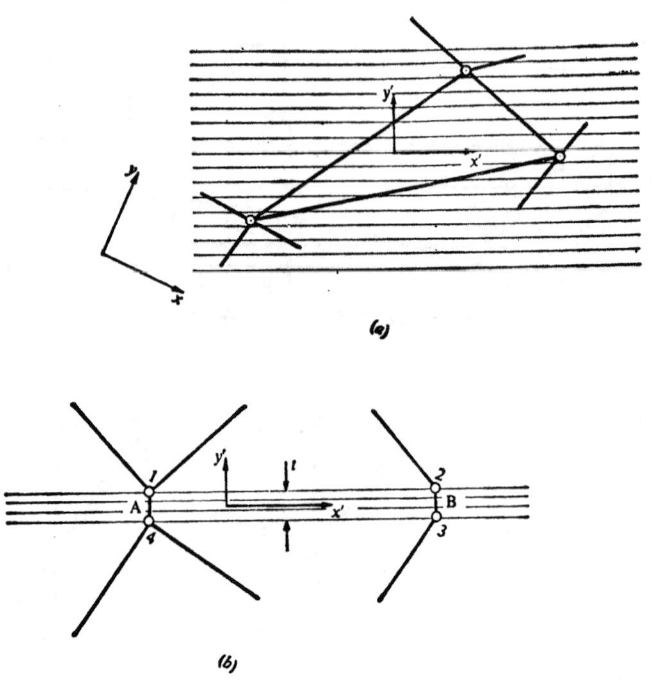

图 18.18 “叠片”材料(a)一般情况，(b) 窄接缝

以上式中的 μ 是薄片间的摩擦系数.

如果弹性应力超过了规定的限定值，则必须将它们降至上面给出的限定值.

对这种问题应用初应力法也是一件不言而喻的事，而且这种问题和 18.8.1 节的不可拉伸材料的问题很相似. 在弹性计算的每一步中,都必须首先检查是否出现拉应力 $\sigma_{y'}$, 若存在拉应力,则施加修正的初应力,使得 $\sigma_{y'}$ 和其对应的剪应力降至零. 如果 $\sigma_{y'}$ 是压应力，则检查剪应力 $\tau_{x'y'}$ 的绝对值，而若 $|\tau_{x'y'}|$ 超过了由式(18.91a) 给出的值,则同样要把它们降至限定值.

不过,上述方法会提出如何将应力降至限定值的问题,因为这里有两个分量必须考虑. 因此,最好把表达式(18.91 a)和(18.91b)作为塑性屈服面(F)的定义. 现在,如何定义塑性势(Q)是关键的问题．我们注意到，用式(18.91)作为塑性势的关联性态意味着同时产生薄片的分离和滑移(因为对应的应变率 $d\varepsilon_{y'}$ 和 $d\gamma_{x'y'}$ 是有限值)．因此，必须采用非关联塑性力学（作为粘塑性力学）的方法．

同样，若可能出现应力反向，则必须注意薄片的分离，即屈服面要和应变有关．

在一些情况下，要用叠片性态来描述比较均匀的弹性体之间的窄接缝．地质断层或大碎石层就完全可能是这种情况．在这种情况下，采用窄的并且一般是矩形的单元比较方便，该单元的几何尺寸由 A，B 两端的中点坐标及厚度来规定(图 18.18b)．不过，这种单元仍具有四个角点(1—4)，以保持与相邻弹性体的连续性[81]．

如同这里所示，这类接缝单元可以是简单的矩形，而当采用等参数方式时，单元完全可以取更复杂的形状(见第八章)．

古德曼（Goodman）等人[82] 介绍说，他们在研究有接缝的岩体的稳定性时采用了有点类似的接缝单元．

可以不把叠片限制于一个方向——而事实上材料本身也可以具有塑性极限．最近，已经在岩石力学中应用了这类多层模型[83]．

18.9 结语——固体力学

在本章以上各节中，研究了处理复杂的非线性本构关系的一般方法，并讨论了某些特殊的应用．显然，这个题目的范围很广，它在实际中十分重要，只用一章的篇幅来讨论是不现实的．对于不同的材料，可以提出不同形式的本构关系，并可用实验来验证．一旦有了这种本构关系，就可采用本章的标准方法去处理．事实上，现在可以编制适用于各种材料性质的标准计算程序，新规定的性态简单地作为一个适当的“黑盒”而引入该程序中．

这里需要再次指出，在非线性问题中，

(a) 解可能是非唯一的，

(b) 解的收敛性事先不能得到保证，

(c) 求解的费用肯定比线性问题高．

本章的内容仅限于小应变性态． 至于推广于大应变的问题，已经超出了本书的范围，有兴趣的读者可参考其它适当的文献[84,85]．

在下一章中，我们将主要处理大变形-小应变性态的问题．在那里将再次发现，本章所介绍的基本方法是可用的．

18.10 非线性拟调和场问题

非线性特性可能出现于固体力学以外的许多问题中——不过本章开头介绍的方法仍然是普遍可用的．在第二十一章中，将讨论瞬态问题的非线性特性；在第二十二章中，将讨论流体力学的各种非线性问题．在这里，我们来研究由第十七章的场方程所控制的一类问题．

为了简单起见，针对各向同性材料及二维空间写出式(17.9)，于是我们有

$$\nabla^{\mathrm{T}} k \nabla \phi + Q = \frac{\partial}{\partial x} k \frac{\partial \phi}{\partial x} + \frac{\partial}{\partial y} k \frac{\partial \phi}{\partial y} + Q = 0 \tag{18.92}$$

及适当的边界条件．

若 k 及/或 Q(事实上包括边界条件)与 ϕ 或 ϕ 的导数有关，用伽辽金法进行离散化仍然是有效的．这样一来，在由式(17.17)给出的离散形式

$$\boldsymbol{\Psi}(\mathbf{a}) = \mathbf{H}\mathbf{a} + \mathbf{f} = 0; \quad \mathbf{H} = \mathbf{H}(\mathbf{a}); \quad \mathbf{f} = \mathbf{f}(\mathbf{a}) \tag{18.93}$$

中，每一项被积函数都按标量方式依赖于 ϕ(或其导数)．

式(18.93)是由式(18.1)给出的一般非线性问题的一个特殊情况，可以通过直接迭代法求解．由于在某些情况下直接迭代法得不到收敛解，所以需要计算切线矩阵 $\mathrm{d}\boldsymbol{\Psi}/\mathrm{d}\mathbf{a}$，并采用其它方法来求解．

下面我们利用定义适应的矩阵的式(17.17)来详细地讨论这一点．利用该式，我们可以写出

$$\frac{\mathrm{d}\boldsymbol{\Psi}}{\mathrm{d}\mathbf{a}} \mathrm{d}\mathbf{a} = \mathbf{H}\mathrm{d}\mathbf{a} + \mathrm{d}\mathbf{H}\mathbf{a} + \mathrm{d}\mathbf{f}, \tag{18.94}$$

若 k 和 Q 是 ϕ 的直接函数，则有[1)]

$$\mathrm{d}\mathbf{Ha} = \mathbf{A}\mathrm{d}\mathbf{a},$$

其中

$$A_{ij} = \int_\Omega \boldsymbol{\nabla}\mathbf{N}_i^{\mathrm{T}}(\boldsymbol{\nabla}\mathbf{Na})N_j k' \mathrm{d}\Omega \tag{18.95}$$

$$\mathrm{d}\mathbf{f} = \left(\int_\Omega \mathbf{N}^{\mathrm{T}} Q' \mathbf{N} \mathrm{d}\Omega\right)\mathrm{d}\mathbf{a} = \mathbf{C}\mathrm{d}\mathbf{a},$$

其中

$$C_{ij} = \int_\Omega N_i^{\mathrm{T}} Q' N_j d\Omega, \tag{18.96}$$

而

$$k' = \mathrm{d}k/\mathrm{d}\phi, \quad Q' = \mathrm{d}Q/\mathrm{d}\phi. \tag{18.97}$$

因此，切线矩阵变成

$$\frac{\mathrm{d}\boldsymbol{\Psi}}{\mathrm{d}\mathbf{a}} = \mathbf{H} + \mathbf{A} + \mathbf{C}, \tag{18.98}$$

式中等式右端的第二个矩阵 $\mathbf{A}$ 是不对称的．在这种情况下，使用牛顿-拉夫森法是不方便的，因而有时对公式作些修改．

事实上容易证明，这种情况下的变分原理和第十七章中所给出的变分原理不同．可以导出这种变分原理的特殊形式，并由此导出对称的切线矩阵[86]．

在许多物理问题中，k 的值依赖于梯度 $\boldsymbol{\nabla}\phi$ 的绝对值，即

$$V = \sqrt{(\boldsymbol{\nabla}\phi)^{\mathrm{T}}(\boldsymbol{\nabla}\phi)} = \sqrt{\left(\frac{\partial\phi}{\partial x}\right)^2 + \left(\frac{\partial\phi}{\partial y}\right)^2},$$

$$\bar{k}' = \frac{\mathrm{d}k}{\mathrm{d}V}. \tag{18.99}$$

在这种情况下，幸好我们能写出

$$\mathrm{d}\mathbf{Ha} = \bar{\mathbf{A}}\mathrm{d}\mathbf{a}, \tag{18.100}$$

---

1) 为了导出 $\mathbf{A}$ 的元素，只需研究 $\mathrm{d}\boldsymbol{\Psi}_i$ 的第 i 行，即

$$\mathrm{d}\left(\int(\boldsymbol{\nabla}N_i^{\mathrm{T}})k\boldsymbol{\nabla}\mathbf{N}\mathrm{d}\Omega\right)\mathbf{a}$$

$$= \int \boldsymbol{\nabla}N_i^{\mathrm{T}}(\boldsymbol{\nabla}N_1 k'(N_1\mathrm{d}a_1 - N_2\mathrm{d}a_2 + \cdots)a_1 + \boldsymbol{\nabla}N_2 k'(N_1\mathrm{d}a_1 + \cdots) + \cdots,$$

$\mathrm{d}a_j$ 的系数即为 $\mathbf{A}_{ij}$，

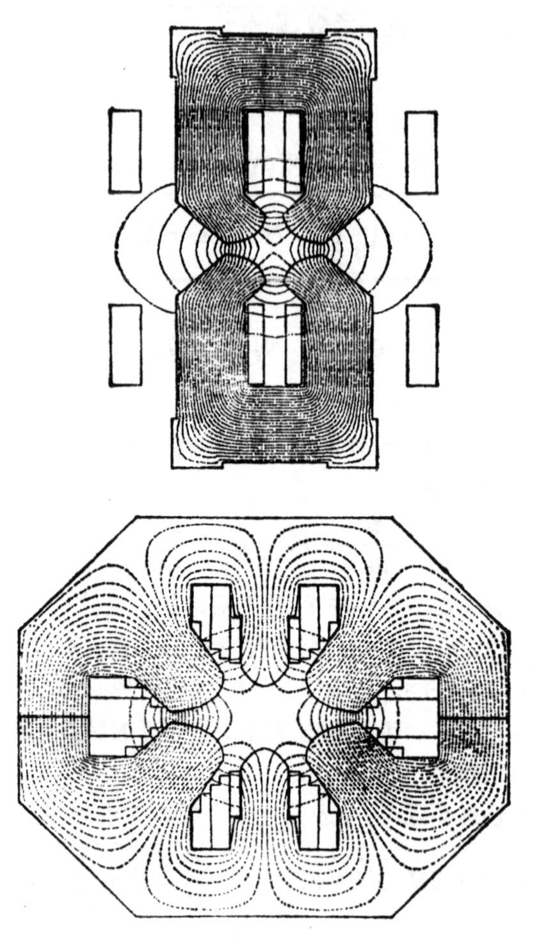

图 18.19 六个磁极的磁场，考虑磁饱和引起的非线性[90]

式中

$$\bar{A}_{ij}=\int_{\Omega}(\nabla N_i)^{\mathrm{T}}(\nabla\mathbf{Na})^{\mathrm{T}}\bar{k}'(\nabla\mathbf{Na})\nabla N_j\mathrm{d}\Omega, \qquad (18.101)$$

$\bar{\mathbf{A}}$ 显然是对称的。

在许多物理问题中都存在着这类情况，象渗透率是流速绝对值的函数的渗流问题[87-89]；磁导率是场强绝对值的函数的磁场问题[90-92]；以及具有微小压缩性的屈服流动[93,94]。

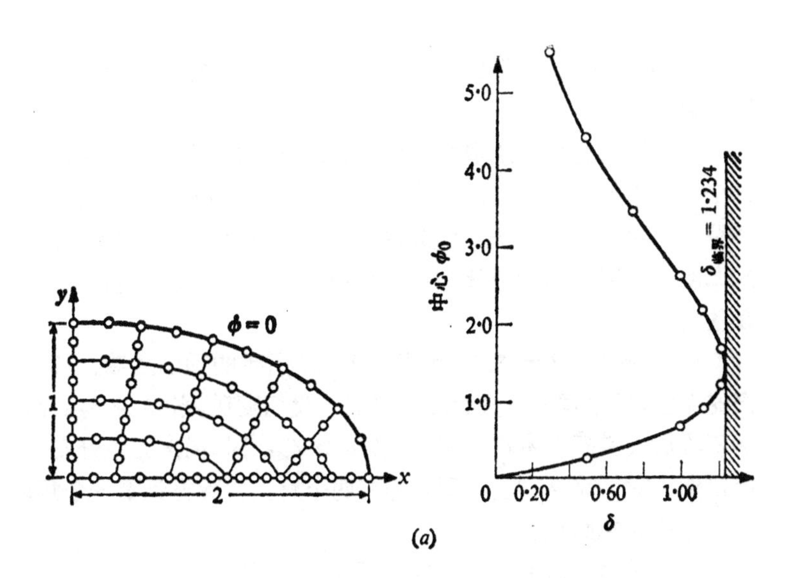

(a)

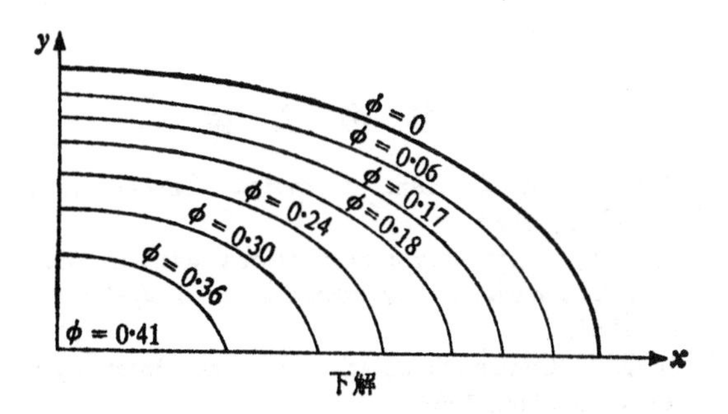

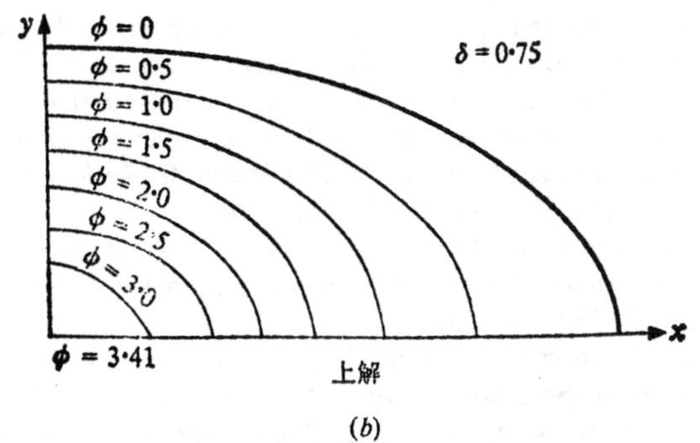

(b)

图 18.20 非线性热源问题

图 18.19 取自文献 [90]，它示出了一个典型的非线性磁场问题的解.

可引用的有趣问题很多，但我们以介绍如下问题来结束本章. 这个问题中的非线性仅由式 (18.92) 中的热源项 Q 引起. 在这一个特殊的自燃问题中[95]，Q 是温度的指数函数. 我们用这个问题来说明，在某些非线性问题中，既可能有多个解，也可能根本不存在任何解.

取 $k = 1$，$Q = \delta e^{\phi}$，考虑图 18.20 所示的椭圆区域. 对不同的 δ 值，用牛顿—拉夫森法来求解. 我们发现，当 $\delta > \delta_{临界}$ 时，解不收敛（实际上不存在解）. 当 $\delta > \delta_{临界}$ 时，温度无限升高，材料自燃. 对于 $\delta < \delta_{临界}$，则可能有两个解，实际得到哪一个解取决于迭代的起始点.

上述最后一点说明，在非线性问题中，了解问题的物理本质比在线性问题中更为重要.

参 考 文 献

[1] R. Beckett and T. Hunt, *Numerical Calculations and Algorithms,* McGraw-Hill, 1967.

[2] A. Ralston, *A first course in numerical analysis,* McGraw-Hill, 1965.

[3] L. Fox, *An introduction to numerical linear algebra,* Oxford University Press, 1965.

[4] L. B. Rall, 'Computational solution of non-linear operator equations', J. Wiley and Son, 1969.

[5] B. M. Irons and R. C. Tuck, 'A version of the Aitken accelerator for computer iteration', *Int. J. Num. Meth. Eng.,* **1**, 275—8, 1969.

[6] O. C. Zienkiewicz and B. M. Irons, 'Matrix iteration and acceleration processes in finite element problems of structural mechanics', Chapter 9 of *Numerical Methods for Non-linear Algebraic Equations* (ed. P. Rabinowitz), Gordon and Breach, 1970.

[7] G. C. Nayak and O. C. Zienkiewicz, 'Note on the "alpha"-constant stiffness method for analysis of non-linear problems', *Int. J. Num. Meth. Eng.,* **4**, 579—82, 1972.

[8] I. M. Smith and R. Hobbs, 'Finite element analysis of centrifuged and build-up slopes', *Geoteccnique,* **24** (No. 4), 531—59, 1974.

[9] O. C. Zienkiewicz, B. Best, C. Dullage, and K. G. Stagg, 'Analysis of non-linear problems in rock mechanics with particular reference to

jointed rock systems', *Proc. 2nd Int. Cong. on Rock Mechanics,* Belgrade, 1970.

[10] J. T. Oden, 'Numerical formulation of non-linear elasticity problems', *Proc. Am. Soc. Civ. Eng.,* **93**, ST3, 235—55, 1967.

[11] R. von Mises, 'Mechanik der plastischen Formanderung der Kristallen', *Z. angew. Math. Mech.,* **8**, 161—85, 1928.

[12] D. C. Drucker, 'A more fundamental approach to plastic stress-strain solutions', *Proc. 1st U. S. Natn. Cong. Appl. Mech.,* 487—91, 1951.

[13] W. T. Koiter, 'Stress-strain relations, uniqueness and variational theorems for elastic plastic materials with a singular yield surface', *Q. J. Appl. Math.,* **11**, 350—4, 1953.

[14] R. Hill, *The Mathematical Theory of Plasticity,* Clarendon Press, 1950.

[15] (a) W. Johnson and P. W. Mellor, *Plasticity for Mechanical Engineers,* Van Nostrand, 1962.
(b) W. Prager, *An Introduction to Plasticity,* Addison Wesley, 1959.
(c) A. Mendelson, *Plasticity-Theory and Application,* Macmillan, 1968.

[16] O. C. Zienkiewicz, S. Valliappan, and I. P. King, 'Stress analysis of rock as a "no-tension" material', *Geotechnique,* **18**, 56—66, 1968.

[17] G. C. Nayak and O. C. Zienkiewicz, 'Elasto-plastic stress analysis. Generalization for various constitutive relations including strain softening', *Int. J. Num. Meth. Eng.,* **5**, 113—35, 1972.

[18] Y. Yamada, N. Yishimura, and T. Sakurai, 'Plastic stress-strain matrix and its application for the solution of elastic-plastic problems by the finite element method', *Int. J. Mech. Sci.,* **10**, 343—54, 1968.

[19] O. C. Zienkiewicz, S. Valliappan, and I. P. King, 'Elasto-plastic solutions of engineering problems. Initial-stress, finite element approach', *Int. J. Num. Meth. Eng.,* **1**, 75—100, 1969.

[20] G. C. Nayak and O. C. Zienkiewicz, 'Convenient forms of stress invariants for plasticity', *Proc. Am. Soc. Civ. Eng.,* **98**, 949—54, 1972.

[21] D. C. Drucker and W. Prager. 'Soil mechanics and plastic analysis or limit design', *Q. J. Appl. Math.,* **10**, 157—65, 1952.

[22] J. F. Besseling, 'A theory of elastic, plastic and creep deformations of an initially isotropic material', *J. Appl. Mech.,* **25**, 529—36, 1958.

[23] Z. Mroz, 'An attempt to describe the behaviour of metals under cyclic loads using more general work hardening model', *Act. Mech.,* **7**, 199. 1969.

[24] O. C. Zienkiewicz, G. C. Nayak, and D. R. J. Owen, 'Composite and "overlay" models in numerical analysis of elasto-plastic continua', *Foundations of Plasticity,* pp. 107—22 (ed. A. Sawczuk), Noordhoff Press, 1972.

[25] D. R. J. Owen, A. Prakash, and O. C. Zienkiewicz, 'Finite element analysis of non-linear composite materials by use of overlay systems', *Comp. Struct.,* **4**, 1251—67, 1974.

[26] R. H. Gallagher, J. Padlog, and P. P. Bijlaard, 'Stress analysis of heated

complex shapes', *J. Am. Rocket Soc.,* **32,** 700—7, 1962.

[27] J. H. Argyris, 'Elasto-plastic matrix displacement analysis of three-dimensional continua', *J. Roy. Aero. Soc.,* **69,** 633—5, 1965.

[28] G. G. Pope, *A disciete element method for analysis of plane elasio-plastic strain problems,* R. A. E. Farnborough, T. R. 65028, 1965.

[29] J. L. Sweldow, M. L. Williams, and W. M. Yang, *Elasto-plastic stresses in cracked plates,* Calcit Report SM 65—19, California Institute of Technology, 1965.

[30] J. L. Swedlow, 'Elastic plastic cracked plates in plane strain', *Int. J. Fract. Mech.* **5,** 33—44, 1969.

[31] P. V. Marcal and I. P. King, 'Elastic-plastic analysis of two-dimensional stress systems by the finite element method', *Int. J. Mech. Sci.,* **9,** 143—55, 1967.

[32] S. F. Reyes and D. U. Deere, 'Elasto-plastic analysis of underground openings by the finite element method', *Proc. Ist Int. Cong. Rock Mechanics,* **11,** 477—86, Lisbon, 1966.

[33] E. P. Popov, M. Khojasteh-Bakht, and S. Yaghmai, 'Bending of circular plates of hardening material', *Int. J. Solids Struct.,* **3,** 975—88, 1967.

[34] J. H. Argyris and D. W. Scharpf, 'Methods of elasto-plastic analysis', *Symp. on Finite Element Techniques,* Stuttgart, June, 1969.

[35] J. L. Swedlow, 'A procedure for solving problems of elasto-plastic flow', *Inth. J. Comp. Struct.,* **3,** 878—98, 1973.

[36] J. F. Besseling, 'Non-linear analysis of structures by the finite element method as a supplement to linear analysis', *Comp. Meth. Appl. Mech Eng.,* **3,** 173—94, 1974.

[37] R. M. McMeeking and J. R. Rice, 'Finite element formulations for problems of large elastic plastic deformation,' *Int. J. Solids Struct.,* **11,** 601—16, 1975.

[38] J. C. Nagtegaal, D. M. Parks, and J. R. Rice, 'On numerically accurate finite element solutions in the fully plastic range', *Comp. Meth. Appl. Mech. Eng.,* **4,** 153—78, 1974.

[39] R. H. Gallagher and A. K. Dhalla, 'Direct flexibility finite element elasto-plastic analysis', 6 Part, *First SMIRT Conf.,* Berlin, 1971.

[40] E. F. Rybicki and L. A. Schmit, 'An incremental complementary energy method of non-linear stress analysis', *J. A. I. A. A.,* 1105—12, 1970.

[41] J. A. Stricklin, W. E. Heisler, and W. von Rusman, 'Evaluation of solution procedures for material and/or geometrically non-linear structural analysis', *J. A. I. A. A.,* **11,** 292—9, 1973.

[42] D. R. J. Owen, G. C. Nayak, A. P. Kfouri, and J. R. Griffiths, 'Stresses in a partly yielded notched bar', *Int. J. Num. Meth. Eng.,* **6,** 63—72, 1973.

[43] K. S. Dinno and S. S. Gill, 'An experimental investigation into the plastic behaviour of flush nozzles in spherical pressure vessels, *Int. J. Mecc. Sci.,* **7**; 817, 1965.

[44] A. Mendelson, M. H. Hischberg, and S. S. Manson, A general approach to the practical solution of creep problems', *J. Basic Eng., Trans. Am. Soc. Mech. Eng.*, **81** (Ser. D), 585—98, 1959.
[45] O. C. Zienkiewicz, M. Watson, and I. P. King, 'A numerical method of visco-elastic stress analysis', *Int. J. Mech. Sci.*, 10, 807—27, 1968.
[46] O. C. Zienkiewicz, *The Finite Element Method in Structural and Continuum Mechanics*, lst ed., McGraw-Hill, 1967.
[47] G. A. Greenbaum and M. F. Rubinstein, 'Creep analysis of axi-symmetric bodies using finite elements', *Nucl. Eng. Des.*, 7, 379—97, 1968.
[48] P. V. Marcal, Private communication, 1972.
[49] N. A. Cyr and R. D. Teter, 'Finite element elastic plastic creep analysis of two-dimensional continuum with temperature dependent material properties', *Comp. Struct.*, 3, 849—63, 1973.
[50] O. C. Zienkiewicz, 'Visco-plasticity, plasticity, creep and visco-plastic flow. (Problems of small, large and continuing deformation'. *Computational Mechanics*, Texas Inst. Comp. Mech. Lect. Notes on Math. 461, Springer-Verlag, 1975.
[51] M. B. Kanchi, D. R. J. Owen, and O. C. Zienkiewicz, *An implicit scheme for finte element solution of problems of visco plasticity and creep*, C/R/252/75, Univ. Coll. of Swansea, 1975.
[52] T. J. R. Hughes and R. L. Taylor, 'Unconditionally stable algorithms for quasi-static elasto/visco-plastic finite element analysis (to be published).
[53] E. C. Bingham, *Fluidity and Plasticity*, Chapter VIII, pp. 215—18, McGraw-Hill, 1922.
[54] P. Perzyna, 'Fundamental problems in viscoplasticity', *Adv. Appl Mech.*, 9, 243—377, 1966
[55] O. C. Zienkiewicz and I. C. Cormeau, 'Viscoplasticity solution by finite element process', *Arch. Mech.*, 24, 5—6, 873—88, 1972.
[56] (a) O. C. Zienkiewicz and I. C. Cormeau, 'Visco-plasticity and plasticity. An alternative for finite element solution of material non-linearities', *Proc. Colloque Methodes Calcul. Sci. Tech.*, 171—99, IRIA, Paris, 1973.
(b) J. Zarka, 'Generalisation del a theorie du potential multiple en viscoplasticite', *J. Mech. Phys. Solids*, **20**, 179—95, 1972.
(c) Q. A. Nguyen and J. Zarka, 'Quelques methodes de resolution numerique en elastoplasticite classique et en elasto-viscoplasticite', *Seminaire Plasticite et Viscoplasticite*, Ecole Polytechnique, Paris, 1972; also *Sciences et technique de l'armement*, **47**, 407—36, 1973.
(d) O. C. Zienkiewicz and I. C. Cormeau, 'Visco-plasticity, plasticity, and creep in elastic solids—a unified numerical solution approach', *Int. J. Num. Meth. Eng.*, **8**, 821—45, 1974.
[57] I. C. Cormeau, 'Numerical stability in quasi-static elasto-visco-plasticity',

Int. J. Num. Meth. Eng., 9, 109—28, 1975.

[58] O.C. Zienkiewicz, C. Humpheson, and R. W. Lewis, 'Associated and non-associated visco-plasticity and plasticity in soil mechanics,' *Geotechnique*, **25**, 671—89, 1975.

[59] F. A. Leckie and J. B. Martin, 'Deformation bounds for bodies in a state of creep', *J. Appl. Mech., Am. Soc. Mech. Eng.*, 411—17, June 1967.

[60] I. Finnie and W .R. Heller, *Creep of Engineering Materials*, McGraw-Hill, 1959.

[61] A. E. Johnson, 'Complex stress creep', *Met. Rev.*, **5**, 447, 1960.

[62] C. S. Desai (ed.), *Numerical Methods in Geomechanics*, Vol. I-III, *Am. Soc. Civil Eng.* Special Publication, 1976.

[63] G. von Gudehus (ed.), *Finite Elements in Geomechanics*, J. Wiley and Son, 1977.

[64] O. C. Zienkiewicz, R. W. Lewis, V. A. Norris, and C. Humpheson, *Numerical analysis for foundations of offshore structures with special reference to progressive deformation*, Soc. Petrol. Eng., *Am. Soc. Mech. Eng.*, Paper No. SPE 5760, 1976.

[65] E. H. Lee, 'Visco-elasticity' in *Handbook of Engineering Mechanics* (ed. W. Flügge), McGraw-Hill, 1962.

[66] R. L. Taylor, K. Pister, and G. Goudreau, 'Thermo-mechanical analysis of visco-elastic solids', *Int. J. Num. Meth. Eng.*, **2**, 45—60, 1970.

[67] (a) O. C. Zienkiewicz, 'Analysis of visco-elastic behaviour of concrete structures with particular reference to thermal stresses', *Proc. Am. Concr. Inst.*, **58**, 383—94, 1961.
(b) T. Alfrey, *Mechanical Behaviour of High Polymers*, Interscience Pub., N. Y., 1948.
(c) D. McHenry, 'A new aspect of creep in concrete and its application to design', *Proc. Am. Soc. Test. Mat.*, **43**, 1064, 1943.

[68] H. H. Hilton and H. G. Russell, 'An extension of Alfrey's analogy to thermal stress problems in temperature dependent linear visco-elastic media', *J. Mech. Phys. Solids*, **9**, 152—64, 1961.

[69] O. C. Zienkiewicz, M. Watson, and Y. K. Cheung, 'Stress analysis by the finite element method—thermal effects', *Proc. Conf. on Prestressed Concrete Pressure Vessels*, Inst. Civ. Eng., London, 1967.

[70] S. Valliappan and P. Nath, 'Tensile crack propagation in reinforced concrete beams by finite element techniques', *Int. Conf. on Shear Torsion and Bond in Reinforced Concrete*, Coimbatore, India, January 1969.

[71] N. W. Krahl, W. Khachaturian, and C. P. Seiss, 'Stability of tensile cracks in concrete beams', *Proc. Am. Soc. Civ. Eng.*, **93**, ST1, 235—54, 1967.

[72] K. Muto, N. Ohmori, T. Sugano, T. Mivashita, and H. Shimizu, 'Non-linear analysis of reinforced concrete buildings', *Proc.* 1973, *Tokyo*

Seminar on Finite Element Analysis, Univ. of Tokyo Press, 1973.

[73] A. Scanlon and D. W. Murray, 'An analysis to determine the effects of cracking in reinforced concrete slabs', *Proc. Engineering Institute of Canada Specialty Conf. on Finite Element Method in Civil Engineering,* Montreal, 1952.

[74] O. Buyukozturk and P. V. Marcal, 'Strength of reinforced concrete chambers under external pressure', to be presented at the 2nd National Congress on Pressure Vessel and Piping, San Francisco California, 23—27 June 1975.

[75] B. Saugy, T. Zimmermann, and M. Hussain, 'Three-dimensional rupture analysis of a prestressed concrete pressure vessel including creep effects', *Nucl. Eng. Des.,* **28** (No. 1, July), 97—120, 1974.

[76] M. Ueda, M. Kawahara, Y. Yoshioka, and M. Kikuchi, 'Non-linear viscoelastic and elasto-plastic finite elements for concrete structures' in *Discrete Methods in Engineering,* C. I. S. E., 1974.

[77] D. V. Phillips and O. C. Zienkiewicz, 'Finite element non-linear analysis of concrete structures', *Prov. Instn. Civ. Eng.,* Part 2, **61**, 59—88, March 1976.

[78] O. C. Zienkiewicz, D. V. Phillips, and D. R. J. Owen, 'Finite element analysis of some concrete non-linearities. Theories and examples', *IABSE Symp. on Concrete Structures Subjected to Triaxial Stresses,* Bergamo, 17—19 May 1974.

[79] R. McGeorge and L. F. Swec, 'Refined cracked concrete analysis of concrete containment structures subject to loadings', *Operational and Environmental Nucl. Eng. Des.,* **29**, 58—70, 1974.

[80] M. Suidan and W. C. Schnobrich, 'Finite element analysis of reinforced concrete', *Proc. Am. Soc. Civ. Eng.,* **99**, ST10, 2109—22, 1973.

[81] O. C. Zienkiewicz and B. Best, 'Some non-linear problems in soil and rock mechanics—finite element solution', *Conf. on Rock Mechanics,* Univ. of Queensland, Townsville, June 1969.

[82] R. E. Goodman, R. L. Taylor, and T. Brekke, 'A model for the mechanics of jointed rock', *Proc. Am. Soc. Civ. Eng.,* **94**, SM3, 637—59, 1968.

[83] O. C. Zienkiewicz and G. Pande, 'Multilaminate models for rock', *Num. Anal. Meth. Geomech.,* **1**, 1977.

[84] J. T. Oden, *Finite Elements of Non-linear Continua,* McGraw-Hill, 1972.

[85] F. D. Murnaghan, *Finite Deformation of an Elastic Solid,* Wiley, 1951.

[86] E. Tonti, 'Variational formulation of non-linear differential equations', *Bull. de l'Acad. Roy. Belg. (Science),* **55**, 137—278, 1969.

[87] M. Muscat, *The Flow of Homogenous Fluids through Porous Media,* T. H. Edwards Inc., 1946.

[88] R. E. Volker, 'Non-linear flow in porous media by finite elements', *Proc. Am. Soc. Civ. Eng.,* **95**, H76, 2093—114, 1969.

[89] H. Ahmed and D. K. Suneda, 'Non-linear flow in porous media', *Proc. Am. Soc. Civ. Eng.*, **95**, H76, 1847—59, 1969.

[90] A. M. Winslow, 'Numerical solution of the quasi-linear Poisson's equation in a non-uniform triangle mesh', *J. Comp. Phys.*, **1**, 149—72, 1967.

[91] M. V. K. Chari and P. Silvester, 'Finite element analysis of magnetically saturated D. C. mechanics, *IEEB Winter Meeting/Power,* New York, 1971.

[92] O. C. Zienkiewicz, J. F. Lyness, and D. R. J. Owen, 'Three-dimensional magnetic field determination using a scalar potential. A finite element solution', to be published in *Magn. Trans. I. E. E. E.*, 1977.

[93] J. F. Lyness, D. R. J. Owen, and O. C. Zienkiewicz, 'The finite element analysis of engineering systems governed by a non-linear quasi-harmonic equation', *Comp. Struct.* **5**, 65—79, 1975.

[94] D. Gelder, 'Solution of the compressible flow equations', *Int. J. Num. Meth. Eng.*, **3**, 35—43, 1971.

[95] C. A. Anderson and O. C. Zienkiewicz, 'Spontaneous ignition: finite element solutions for steady and transient conditions', *Am. Soc. Mech. Eng., J. Heat Transfer,* 398—404, August 1974.

第十九章

几何非线性问题；大位移及结构不稳定性

19.1 引言

在前一章中，讨论了由于材料性质而产生的非线性问题，并且建立了可用标准线性形式按迭代的方式来得到解答的方法．在本章中，遵循类似的途径来处理结构的几何非线性．

在迄今为止所讨论过的全部问题中隐含着这样一个假设：结构中产生的位移及应变都是小的．实际上，这意味着加载过程中单元的几何形状基本上保持不变，并且可以采用一次无穷小线性应变近似．

在实际中，这种假设往往不成立，即使实际应变可能是小的，并且不超过普通结构材料的弹性极限． 如果需要精确确定位移，在某些结构中可能必须考虑几何非线性．例如，在板的弯曲中通常忽略薄膜作用，而这种薄膜作用引起的应力可能使位移与线性解答相比有显著降低，虽然线性解答的位移也是很小的．反之可以看到，达到某一载荷时，挠度比按线性解答所预计的更急剧地增加，并且确实可以达到承载能力随继续变形而降低的状态．这个经典问题就是结构稳定性问题，它显然有许多实际的应用．在航天工程中，在射电望远镜、冷却塔、箱型梁桥及其它比较细长的结构的设计中，应用这种分析显然相当重要．

在许多情况下，可以产生很大的位移而不引起大应变．这方面的典型情况是经典的“弹性”问题，钟表弹簧就是它的一个例子．

在这一章中，试图统一处理上述所有问题，并给出通用的方法．这是通过研究基本的非线性平衡方程及其解法来实现的．这样的考虑也导致经典的初始稳定性问题的公式系统．我们通过建立平板的大挠度问题及初始稳定性问题的公式来说明这些概念．这很自然地导致一般连续介质的大位移问题的公式系统．始终采用了拉格朗日方法，这种方法的位移是针对最初的形状而言的．这里不论述另外一种可供采用的欧拉形式．

但是，有一种几何非线性问题没有详细讨论．这就是大应变的情况，如象橡胶等材料中即使在弹性状况下也可能发生的那样．在这里，必须引入应力与应变之间的特殊关系[1]，而本书的篇幅不允许进行详尽的讨论．然而，只要引入适当的应力-应变定律，下一节的一般方法仍然适用．

几何非线性可能常与前一章中讨论过的象小应变塑性力学等那样一类材料非线性结合在一起． 原则上这不引入附加的复杂性，并且容易推广本章的方法去处理这一情况[2]．

19.2 一般考虑

19.2.1 *基本问题* 无论位移(或应变)是大的还是小的，总是必须满足内、外"力"之间的平衡条件．因此，如果按通常方式用有限个(节点)参数 $\mathbf{a}$ 给定了位移，我们可以应用第二章的虚功原理得到必要的平衡方程．但是，现在必须对彼此共轭的"应力"及"应变"采用另外的定义．后面，我们将在板、壳及一般弹性力学范畴中讨论某些这样的共轭量；但是在所有情况下我们都发现，可以写出

$$\boldsymbol{\Psi}(\mathbf{a})=\int_V \bar{\mathbf{B}}^{\mathrm{T}}\boldsymbol{\sigma}\mathrm{d}V-\mathbf{f}=0, \qquad (19.1)$$

式中 $\boldsymbol{\Psi}$ 仍然表示广义外力与广义内力之和，而 $\bar{\mathbf{B}}$ 由如下应变定义式确定：

$$\mathrm{d}\boldsymbol{\varepsilon}=\bar{\mathbf{B}}\mathrm{d}\mathbf{a}. \qquad (19.2)$$

现在在矩阵上加了一道横杠，因为如果位移是大的，则应变非线性地依赖于位移，而矩阵 $\bar{\mathbf{B}}$ 现在依赖于 $\mathbf{a}$．我们在后面将看到，可以方便地写出

$$\bar{\mathbf{B}} = \mathbf{B}_0 + \mathbf{B}_L(\mathbf{a}), \tag{19.3}$$

式中 $\mathbf{B}_0$ 是与线性无穷小应变分析中所用相同的矩阵，只有 $\mathbf{B}_L$ 依赖于位移．一般将会看到，$\mathbf{B}_L$ 是这些位移的线性函数．

如果应变是适当地小的，我们仍可写出一般的弹性关系

$$\boldsymbol{\sigma} = \mathbf{D}(\boldsymbol{\varepsilon} - \boldsymbol{\varepsilon}_0) + \boldsymbol{\sigma}_0, \tag{19.4}$$

式中 $\mathbf{D}$ 由通常的弹性常数组成[1]．

然而，同样可以写出任一非线性应力-应变关系，因为整个求解过程再次化为求解一组非线性方程(19.1)．

式(19.1)中的积分实际上是逐个单元进行的，并且按通常方式把对于"节点平衡"的贡献相加；这是十分明显的，也许不应在此重复．

19.2.2 *求解方法* 显然，式(19.1)的解答必须用迭代的办法来得到，而前一章(18.2 节)所介绍的一般方法是适用的．

如同第十八章中所说明的，如果要采用例如牛顿-拉夫森法，我们必须找到 $\mathrm{d}\mathbf{a}$ 与 $\mathrm{d}\boldsymbol{\Psi}$ 之间的关系．于是，取式(19.1)对于 $\mathrm{d}\mathbf{a}$ 的适当变分，我们有

$$\mathrm{d}\boldsymbol{\Psi} = \int_V \mathrm{d}\bar{\mathbf{B}}^{\mathrm{T}}\boldsymbol{\sigma}\mathrm{d}V + \int_V \bar{\mathbf{B}}^{\mathrm{T}}\mathrm{d}\boldsymbol{\sigma}\mathrm{d}V = \mathbf{K}_T\mathrm{d}\mathbf{a}. \tag{19.5}$$

利用式(19.4)及(19.2)，我们有[2]

$$\mathrm{d}\boldsymbol{\sigma} = \mathbf{D}\mathrm{d}\boldsymbol{\varepsilon} = \mathbf{D}\bar{\mathbf{B}}\mathrm{d}\mathbf{a},$$

而如果式(19.3)成立，则有

$$\mathrm{d}\bar{\mathbf{B}} = \mathrm{d}\mathbf{B}_L.$$

因此，式(19.5)可变成

$$\mathrm{d}\boldsymbol{\Psi} = \int_V \mathrm{d}\mathbf{B}_L^{\mathrm{T}}\boldsymbol{\sigma}\mathrm{d}V + \bar{\mathbf{K}}\mathrm{d}\mathbf{a}, \tag{19.6}$$

式中

---

1) 式(19.4)中定义的应力分量是与所用应变分量相应的那种分量，在这里记住这一点十分重要．在某些特大位移问题中，这种应变分量对于原来设置的坐标轴发生相当大的方向变化．

2) 同样，如果采用非线性应力-应变关系，则 $\mathbf{D} = \mathbf{D}(\boldsymbol{\sigma})$ 是如同式(18.25)所给出的那种增量弹性矩阵．

$$\bar{\mathbf{K}} = \int_V \bar{\mathbf{B}}^{\mathrm{T}} \mathbf{D} \bar{\mathbf{B}} \mathrm{d}V = \mathbf{K}_0 + \mathbf{K}_L, \tag{19.7}$$

这里的 $\mathbf{K}_0$ 代表通常的小位移刚度矩阵，即

$$\mathbf{K}_0 = \int_V \mathbf{B}_0^{\mathrm{T}} \mathbf{D} \mathbf{B}_0 \mathrm{d}V. \tag{19.7a}$$

矩阵 $\mathbf{K}_L$ 是由大位移引起的，它由下式给出：

$$\mathbf{K}_L = \int_V (\mathbf{B}_0^{\mathrm{T}} \mathbf{D} \mathbf{B}_L + \mathbf{B}_L^{\mathrm{T}} \mathbf{D} \mathbf{B}_L + \mathbf{B}_L^{\mathrm{T}} \mathbf{D} \mathbf{B}_0) \mathrm{d}V. \tag{19.7b}$$

对于 $\mathbf{K}_L$，有初位移矩阵[3]、大位移矩阵等几个名称，它只包含 $\mathbf{a}$ 的线性项及二次项. 可以看到，在刚度的计算中采用无穷小应变的处理方法并修正单元的坐标，也会得到这个矩阵.

式(19.6)右端的第一项一般可以写成（在研究具体情况之前，这一点可能不明显）

$$\int_V \mathrm{d}\mathbf{B}_L^{\mathrm{T}} \boldsymbol{\sigma} \mathrm{d}V \equiv \mathbf{K}_\sigma \mathrm{d}\mathbf{a}, \tag{19.8}$$

式中 $\mathbf{K}_\sigma$ 是依赖于应力水平的对称矩阵. 这个矩阵称之为初应力矩阵[3,21]或几何矩阵[4,5]. 于是有

$$\mathrm{d}\boldsymbol{\psi} = (\mathbf{K}_0 + \mathbf{K}_\sigma + \mathbf{K}_L)\mathrm{d}\mathbf{a} = \mathbf{K}_T \mathrm{d}\mathbf{a} \tag{19.9}$$

式中 $\mathbf{K}_T$ 是总的切线刚度矩阵. 仍然可以完全按 18.2 节的方式应用牛顿型迭代法.

概括起来，求解过程一般是：

(a) 得到作为第一次近似的线性弹性解答 $\mathbf{a}^0$;

(b) 采用适当定义的 $\bar{\mathbf{B}}$ 及由式(19.4)（或任一其它的线性及非线性定律）给出的应力，由式(19.1)求出 $\boldsymbol{\Psi}^0$;

(c) 确定矩阵 $\mathbf{K}_T^0$;

(d) 按下式算出修正量：

$$\Delta \mathbf{a}^0 = -(\mathbf{K}_T^0)^{-1} \boldsymbol{\Psi}^0;$$

重复 (b), (c), (d) 各步，直至 $\boldsymbol{\Psi}^n$ 变得足够小.

只要在每步迭代中按正确表达式计算 $\boldsymbol{\Psi}^n$，也可在增加迭代步数但利用半反解法的情况下采用不变的矩阵，这时计算费用较低，不过按这种办法有时收敛较慢.

在比如说每个载荷增量的第二次迭代之后，可以十分方便地令切线刚度矩阵不再变化；这种办法已经得到了相当成功的应用[6].

虽然可以通过一步运算得到总载荷下的全部解答，但有时，如象在完全非线性问题中，可能出现解答的非唯一性，并且可能得到实际上不重要的那个解. 在这种情况下，明智的办法是把载荷分成增量，并得到每个增量的非线性解. 这样做在计算上有时确实比较合算，因为每一步中的非线性效应降低了. 实际上，如果采用足够小的载荷增量，可以通过一步运算就足够精确地得到各个增量的解[4,5,7]. 然而，这时利用全量方程式(19.1)定期检查整体的平衡是很重要的.

在几何非线性分析问题这方面，已经成功地应用过第十八章18.2节介绍的全部解法. 海斯勒（Haisler）等人[8] 对这些解法作了广泛的评述.

19.2.3 *初始稳定性问题* 这里值得注意，$\mathbf{K}_\sigma$ 并不明显地包含位移，它是与应力水平 $\boldsymbol{\sigma}$ 成比例的. 因此，如果我们在计算的第一步按线性解算出 $\boldsymbol{\sigma}$，由于在这里有 $\mathbf{K}_L = 0$，所以由式(19.9)得到

$$d\boldsymbol{\Psi} = (\mathbf{K}_0 + \mathbf{K}_\sigma)d\mathbf{a}. \tag{19.10}$$

如果载荷随因子 λ 增大而增加，我们可以发现有随遇稳定性存在，即有

$$d\boldsymbol{\Psi} = (\mathbf{K}_0 + \lambda\mathbf{K}_\sigma)d\mathbf{a} \equiv 0. \tag{19.11}$$

由此，通过求解上式所确定的典型的特征值问题（关于特征值问题的讨论见第二十章)，可得到 λ.

这是经典的“初始”稳定性问题，它存在于例如压杆、板、壳等的屈曲现象中.

在文献中，这类方法的应用往往超出了它的适用范围. 如果弹性（$\mathbf{K}_0$）解给出象大变形矩阵 $\mathbf{K}_L$ 恒等于零那样的变形，所表述的“初始稳定性”才能给出物理上有效的解答. 这仅发生于数目十分有限的实际情况中(例如轴向载荷作用下的理想直压杆，均匀

压力作用下的完整的球等.)这方面的研究者对于“初始缺陷”这一研究课题的注意,完全局限于能够出现真实分叉的情况. 对于完全不了解这种性态的性质的工程实际情况,应当用总的切线刚度矩阵来研究这个问题[7]. 当 $\mathbf{K}_T\mathbf{da}$ 恒等于零时,得到随遇平衡. 这里显然必须用逐步逼近的办法.

有许多办法可以兼顾经典稳定性问题与完全非线性分析这两方面的要求[9,10]. 例如, (i) 施加每一载荷增量后, 可以考虑基于完全非线性分析的特征值问题, (ii) 可以采用包含通常的 $\mathbf{K}_\sigma$ 及线性化的 $\mathbf{K}_L$ 的线性特征值分析.

19.2.4 **稳定性判据的能量解释** 在第二章中已经表明,对位移变分 $\mathbf{da}$ 做的虚功实际上等于总位能 Π 的变分. 因此, 对于平衡状态有

$$d\Pi = d\mathbf{a}^T\boldsymbol{\Psi} = 0, \tag{19.12}$$

即总位能是驻值(这等价于式 (19.1)).

利用式 (19.9),Π 的二阶变分是

$$d^2\Pi = d(d\Pi) = d\mathbf{a}^T d\boldsymbol{\Psi} = d\mathbf{a}^T\mathbf{K}_T d\mathbf{a}. \tag{19.13}$$

这个二阶变分为正值就是稳定性的判据;反之,该二阶变分为负值就是非稳定性的判据(因为在第一种情况下必须对结构增加能量,而在第二种情况下则包含剩余能量). 换言之, 如果 $\mathbf{K}_T$ 是正定的,则存在稳定性. 这个判据是熟知的[11],并在研究大变形下的稳定性时被广泛应用[12-14]1).

19.2.5 **依赖于变形的力** 在推导式(19.5)时,隐含着力 $\mathbf{f}$ 本身与变形无关这一假设. 在某些情况下, 这一假设是不真实的. 例如,作用于特大变形结构的压力载荷一般与变形有关,象某些依赖于变形的气动力(颤振)就确实是这样.

如果力随位移变化,则必须对于式 (19.5) 考虑 $d\mathbf{f}$ 随 $d\mathbf{a}$ 的变化. 这导致引入载荷-修正矩阵[15,16]. 如果适当考虑上述这一项, 也可研究这种(非保守)载荷下的稳定性及大变形问题.

---

1) 另一种检查办法是研究 $\mathbf{K}_T$ 的行列式的符号[14].

19.3 板的大挠度及“初始”稳定性

19.3.1 定义 作为第一个例子，我们将考察与图19.1所示板的变形有关的问题，该板承受“面内”力及“横向”力，其位移既不是无限小也不是过分大. 在这种情况下，“几何形状变化”的影响不如线性应变-位移项与非线性应变-位移项相对大小的影响重要. 实际上，对于“硬化”问题，非线性位移总是小于相应的线性位移（见图19.2）. 众所周知，在这种情况下，横向位移要引起“薄膜”应变；现在，“面内”变形及“横向”变形这两个问题不再能够分别处理，它们是耦合的.

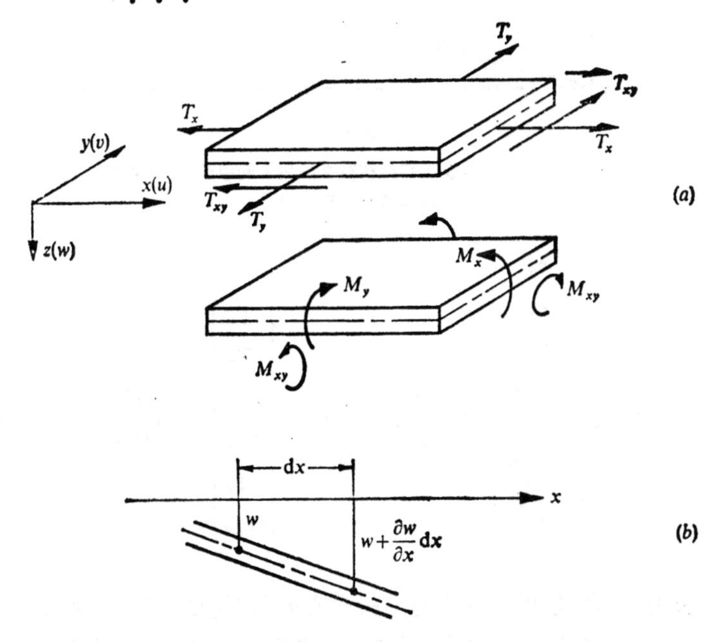

图 19.1 (a) 平板的“面内”合力及弯曲合力. (b) 横向位移引起的中面长度的增加

同前面一样，我们将用中面位移来描述板的“应变”，也就是说，如果象图 19.1(a) 中那样，$x-y$ 平面与中面一致，我们将有（见第十章及第十三章）

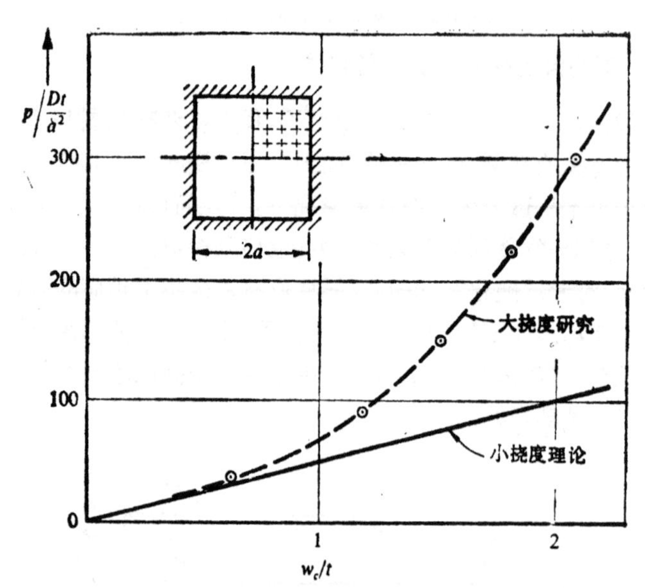

图 19.2 固支方板在均布载荷 p 作用下的中心挠度 w_c[14]，在边缘处 $u=v=0$

$$\boldsymbol{\varepsilon}=\begin{Bmatrix}\varepsilon_x\\ \varepsilon_y\\ \gamma_{xy}\\ -\dfrac{\partial^2 w}{\partial x^2}\\ -\dfrac{\partial^2 w}{\partial y^2}\\ 2\dfrac{\partial^2 w}{\partial x\partial y}\end{Bmatrix}=\begin{Bmatrix}\boldsymbol{\varepsilon}^p\\ \boldsymbol{\varepsilon}^b\end{Bmatrix};\qquad \boldsymbol{\sigma}=\begin{Bmatrix}T_x\\ T_y\\ T_{xy}\\ M_x\\ M_y\\ M_{xy}\end{Bmatrix}=\begin{Bmatrix}\boldsymbol{\sigma}^p\\ \boldsymbol{\sigma}^b\end{Bmatrix}. \quad (19.14)$$

上面的“应力”是用通常的合力来定义的[1]．例如，$T_x=\bar{\sigma}_x t$，这里的 $\bar{\sigma}_x$ 是平均薄膜应力等．现在，如果象图 19.1(b) 中那样考察变形了的形状，我们看到，位移 w 使中面在 x 及 y 方向产生一些附加的伸长，而长度 dx 伸长为

1) 这里已用相应的上标把面内分量与弯曲分量分离开来了．

$$dx' = \sqrt{1+\left(\frac{\partial w}{\partial x}\right)^2} = dx\left\{1+\frac{1}{2}\left(\frac{\partial w}{\partial x}\right)^2+\cdots\right\}.$$

也就是说，在定义 x 方向的伸长率时，我们可以写出（采用二次近似）

$$\varepsilon_x = \frac{\partial w}{\partial x}+\frac{1}{2}\left(\frac{\partial w}{\partial x}\right)^2.$$

按类似方式考虑其它分量[17]，我们可以把应变的定义写成

$$\boldsymbol{\varepsilon} = \begin{Bmatrix} \dfrac{\partial u}{\partial x} \\ \dfrac{\partial v}{\partial y} \\ \dfrac{\partial u}{\partial y}+\dfrac{\partial v}{\partial x} \\ -\dfrac{\partial^2 w}{\partial x^2} \\ -\dfrac{\partial^2 w}{\partial y^2} \\ 2\dfrac{\partial^2 w}{\partial x\partial y} \end{Bmatrix} + \begin{Bmatrix} \dfrac{1}{2}\left(\dfrac{\partial w}{\partial x}\right)^2 \\ \dfrac{1}{2}\left(\dfrac{\partial w}{\partial y}\right)^2 \\ \left(\dfrac{\partial w}{\partial x}\right)\left(\dfrac{\partial w}{\partial y}\right) \\ 0 \\ 0 \\ 0 \end{Bmatrix} = \begin{Bmatrix} \boldsymbol{\varepsilon}_0^p \\ \boldsymbol{\varepsilon}_0^b \end{Bmatrix} + \begin{Bmatrix} \boldsymbol{\varepsilon}_L^p \\ \mathbf{0} \end{Bmatrix}, \quad (19.15)$$

式中第一项是已经遇见过多次的线性表达式，而第二项是非线性项. 在上式中，u，v，w 代表适当的中面位移.

如果只考虑线性弹性性态，则矩阵 $\mathbf{D}$ 由与平面分量相应的部分及与弯曲应力分量相应的部分组成（参见第四章及第十章）：

$$\mathbf{D} = \begin{bmatrix} \mathbf{D}^p & 0 \\ 0 & \mathbf{D}^b \end{bmatrix}. \quad (19.16)$$

最后，采用适当的形状函数，用节点参数确定位移. 比如，我们有

$$\begin{Bmatrix} u \\ v \\ w \end{Bmatrix} = \mathbf{N}\mathbf{a}^e. \quad (19.17)$$

在这里，为了方便起见，将把一组典型的节点参数分成分别影响面

内变形及弯曲变形的两部分．也就是说，我们有

$$\mathbf{a}_i = \begin{Bmatrix} \mathbf{a}_i^p \\ \mathbf{a}_i^b \end{Bmatrix}, \tag{19.18}$$

式中

$$\mathbf{a}_i^p = \begin{Bmatrix} u_i \\ v_i \end{Bmatrix} \text{(如第四章中那样)},$$

$$\mathbf{a}_i^b = \begin{Bmatrix} w_i \\ \left(\dfrac{\partial w}{\partial x}\right)_i \\ \left(\dfrac{\partial w}{\partial y}\right)_i \end{Bmatrix} \text{(如第十章中那样)}.$$

这样一来，形状函数也可被再分成

$$\mathbf{N}_i = \begin{bmatrix} \mathbf{N}_i^p & 0 \\ 0 & \mathbf{N}_i^b \end{bmatrix}, \tag{19.19}$$

而随后我们确实将假设，最终集合的位移向量也按式(19.18)的方式分成两种分量．

这样作是方便的，因为除了非线性应变 $\boldsymbol{\varepsilon}_L^p$ 之外，标准线性分析的全部定义都适用，没有必要在此重复．

19.3.2 $\bar{\mathbf{B}}$ 的计算　为了进一步建立公式系统，必须确定矩阵 $\bar{\mathbf{B}}$ 及 $\mathbf{K}_T$ 的表达式．首先，我们将注意到

$$\bar{\mathbf{B}} = \mathbf{B}_0 + \mathbf{B}_L, \tag{19.20}$$

式中

$$\mathbf{B}_0 = \begin{bmatrix} \mathbf{B}_0^p & \mathbf{0} \\ \mathbf{0} & \mathbf{B}_0^b \end{bmatrix}; \qquad \mathbf{B}_L = \begin{bmatrix} \mathbf{0} & \mathbf{B}_L^b \\ \mathbf{0} & \mathbf{0} \end{bmatrix}.$$

这里的 $\mathbf{B}_0^p$ 及 $\mathbf{B}_0^b$ 是相应面内单元及弯曲单元的意义明确的标准矩阵，而 $\mathbf{B}_L^b$ 通过取 $\boldsymbol{\varepsilon}_L^p$ 关于参数 $\mathbf{a}^b$ 的变分来求得．

式(19.15)中的这一非线性应变分量可以方便地写成

$$\boldsymbol{\varepsilon}_L^p=\frac{1}{2}\begin{bmatrix}\frac{\partial w}{\partial x} & 0\\ 0 & \frac{\partial w}{\partial y}\\ \frac{\partial w}{\partial y} & \frac{\partial w}{\partial x}\end{bmatrix}\begin{Bmatrix}\frac{\partial w}{\partial x}\\ \frac{\partial w}{\partial y}\end{Bmatrix}=\frac{1}{2}\mathbf{A}\boldsymbol{\theta}. \tag{19.21}$$

w的导数(斜率)可以跟节点参数 $\mathbf{a}^b$ 联系起来:

$$\boldsymbol{\theta}=\begin{Bmatrix}\frac{\partial w}{\partial x}\\ \frac{\partial w}{\partial y}\end{Bmatrix}=\mathbf{G}\mathbf{a}^b, \tag{19.22}$$

在这里我们有

$$\mathbf{G}=\begin{bmatrix}\frac{\partial N_1^b}{\partial x}, & \frac{\partial N_2^b}{\partial x}, \cdots\\ \frac{\partial N_1^b}{\partial y}, & \frac{\partial N_2^b}{\partial y}, \cdots\end{bmatrix}. \tag{19.23}$$

因此 $\mathbf{G}$ 是一个纯粹由坐标确定的矩阵.

取式(19.21)的变分,我们有[1)]

---

1) 式(19.24)的处理利用了矩阵 $\mathbf{A}$ 及 $\boldsymbol{\theta}$ 的有趣性质. 容易验证,如果

$$\mathbf{x}=\begin{Bmatrix}x_1\\ x_2\end{Bmatrix}$$

是一个任意向量,则有

$$\mathrm{d}\mathbf{A}\mathbf{x}=\begin{bmatrix}\mathrm{d}\left(\frac{\partial w}{\partial x}\right) & 0\\ 0 & \mathrm{d}\left(\frac{\partial w}{\partial y}\right)\\ \mathrm{d}\left(\frac{\partial w}{\partial y}\right) & \mathrm{d}\left(\frac{\partial w}{\partial x}\right)\end{bmatrix}\begin{Bmatrix}x_1\\ x_2\end{Bmatrix}=\begin{bmatrix}x_1 & 0\\ 0 & x_2\\ x_2 & x_1\end{bmatrix}\mathrm{d}\boldsymbol{\theta}.$$

于是有

$$\mathrm{d}\mathbf{A}\boldsymbol{\theta}=\mathbf{A}\mathrm{d}\boldsymbol{\theta}.$$

类似地,如果

$$\mathbf{y}=[y_1,\ y_2,\ y_3]^{\mathrm{T}},$$

则有

$$\mathrm{d}\mathbf{A}^{\mathrm{T}}\mathbf{y}=\begin{bmatrix}\mathrm{d}\left(\frac{\partial w}{\partial x}\right) & 0 & \mathrm{d}\left(\frac{\partial w}{\partial y}\right)\\ 0 & \mathrm{d}\left(\frac{\partial w}{\partial y}\right) & \mathrm{d}\left(\frac{\partial w}{\partial x}\right)\end{bmatrix}\begin{Bmatrix}y_1\\ y_2\\ y_3\end{Bmatrix}=\begin{bmatrix}y_1 & y_3\\ y_3 & y_2\end{bmatrix}\mathrm{d}\boldsymbol{\theta}.$$

以后将会用到上述的第二个性质.

$$d\boldsymbol{\varepsilon}_L^p = \frac{1}{2}d\mathbf{A}\boldsymbol{\theta} + \frac{1}{2}\mathbf{A}d\boldsymbol{\theta} = \mathbf{A}d\boldsymbol{\theta} = \mathbf{AG}d\mathbf{a}^b, \tag{19.24}$$

按照定义，于是直接得到

$$\mathbf{B}_L^b = \mathbf{AG}. \tag{19.25}$$

19.3.3 $\mathbf{K}_T$ 的计算 采用第四章及第十章中给出的适当定义，线性小变形矩阵写成

$$\mathbf{K}_0 = \begin{bmatrix} \mathbf{K}_0^p & \mathbf{0} \\ \mathbf{0} & \mathbf{K}_0^b \end{bmatrix}. \tag{19.26}$$

将式(19.20)中 $\mathbf{B}_0$ 及 $\mathbf{B}_L$ 的表达式代入式(19.7b)中，可以确定大位移矩阵．因此，通过一些运算之后得到

$$\mathbf{K}_L = \int_V \begin{bmatrix} \mathbf{0}, & \mathbf{B}_0^{pT} \ \mathbf{D}^p \ \mathbf{B}_L^b \\ \text{对称} & \mathbf{B}_L^{bT} \ \mathbf{D}^b \ \mathbf{B}_L^b \end{bmatrix} dV. \tag{19.27}$$

最后，必须利用式(19.8)的定义求出 $\mathbf{K}_\sigma$．对于式(19.20)中 $\mathbf{B}_L$ 的表达式取变分，我们有

$$d\mathbf{B}_L^T = \begin{bmatrix} \mathbf{0} & \mathbf{0} \\ d\mathbf{B}_L^{bT} & \mathbf{0} \end{bmatrix}, \tag{19.28}$$

把上式代入式(19.8)并利用式(19.25)，给出

$$\mathbf{K}_\sigma d\mathbf{a} = \int_V \begin{bmatrix} \mathbf{0} & \mathbf{0} \\ \mathbf{G}^T d\mathbf{A}^T & \mathbf{0} \end{bmatrix} \begin{Bmatrix} T_x \\ T_y \\ T_{xy} \\ M_x \\ M_y \\ M_{xy} \end{Bmatrix} dV. \tag{19.29}$$

但是，利用本小节前面叙述的特殊性质，我们可以写出

$$d\mathbf{A}^T \begin{Bmatrix} T_x \\ T_y \\ T_{xy} \end{Bmatrix} = \begin{bmatrix} T_x & T_{xy} \\ T_{xy} & T_y \end{bmatrix} d\boldsymbol{\theta} = \begin{bmatrix} T_x & T_{xy} \\ T_{xy} & T_y \end{bmatrix} \mathbf{G}d\mathbf{a}^b,$$

而最后我们得到

$$\mathbf{K}_\sigma = \begin{bmatrix} \mathbf{0} & \mathbf{0} \\ \mathbf{0} & \mathbf{K}_\sigma^b \end{bmatrix}, \tag{19.30}$$

式中

$$\mathbf{K}_\sigma^b = \int_V \mathbf{G}^{\mathrm{T}} \begin{bmatrix} T_x & T_{xy} \\ T_{xy} & T_y \end{bmatrix} \mathbf{G} dV \tag{19.31}$$

是熟知的板的对称形式的初应力矩阵.

19.3.4 大挠度问题 现在已经有了计算大挠度平板问题所需的一切成分.

作为第一步,按小位移非耦合解求出位移 $\mathbf{a}^0$. 通过考虑由式(19.21)定义的非线性贡献以及适当的线性贡献,由这一位移确定实际的应变. 可以用弹性表达式求解相应的应力,并根据式(19.1)确定 $\boldsymbol{\Psi}^0$. 为了逐次迭代, 由式(19.26), (19.27) 及 (19.30)求出 $\mathbf{K}_T^n$.

图 19.2 是这样得到的一个有代表性的解答[14], 它示出了该图中的方板由于"薄膜"应力的产生, 随着变形增加而硬化的情况. 在该板的边缘处, 限制了所有的板内变形及横向变形. 该结果表明,它与另一种解析解答非常一致.

导出单元性质时,对于面内变形,采用了第七章的最简单的矩形函数;而对于弯曲变形,采用了用于矩形的非协调形状函数(第十章 10.4 节).

在图 19.3 中,示出了均布载荷作用下固支方板的应力随载荷的变化这样一个例子[18]. 同上例一样,分析了板的四分之一,共有 32 个三角形单元,所用的单元是第四章的"面内"单元及第十章的非协调板弯曲单元的修正形式[19]. 在文献 [18,20—25] 中有其它许多用有限元法求解大变形板的例子.

19.3.5 分叉不稳定性 在少数实际情况中,如同在经典欧拉问题中那样, 可能发生分叉不稳定性. 考察只在本身平面内承载的板的情况. 因为不产生横向挠度 w, 小挠度理论就给出精确解. 然而, 即使横向位移为零, 也可以求出初应力矩阵 $\mathbf{K}_\sigma^b$, 而 $\mathbf{K}_L = 0$. 如果面内应力是压力, 这个矩阵一般可使我们求出如下弯曲变形方程的实特征值:

$$(\mathbf{K}_0^b + \lambda \mathbf{K}_\sigma^b)\mathbf{a}^b = 0, \tag{19.32}$$

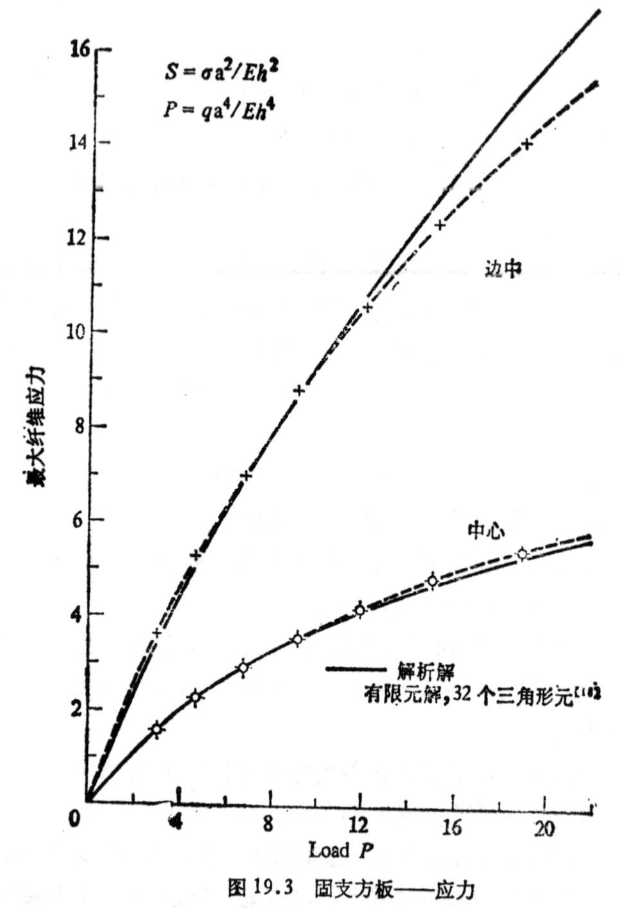

图 19.3 固支方板——应力

式中 λ 表示实现随遇平衡(不稳定性)所必须的面内应力的增大因子.

在这样增大载荷的情况下,发生初始屈曲,并且可以没有任何横向载荷而产生横向挠度.

只要用象在第十章中那样确定的 $\mathbf{K}_0^b$ 及由式(19.31)求出的 $\mathbf{K}_\sigma^b$ 写出弯曲方程,就简单地建立了这个问题的公式.

采用各种单元公式系统，已经对大量板问题确定了这样的初始不稳定(屈曲)点[26-31]. 在表 19.1 中，对于在一个方向承受均布

压力 T_x 的简支方板这样一个简单问题，把一些结果作了比较．在这里，屈曲参数被定义为

$$C = T_x a^2 / \pi^2 D,$$

式中 a 是该板的边长，D 是弯曲刚度．

表 19.1 在一个方向承受均布压力的简支方板的 C 值

四分之一块板中的单元	非协调元		协调元	
	矩形单元[27] 12D. O. F.	三角形单元[29] 9 D. O. F.	矩形单元[30] 16 D. O. F.	三角形单元[31] 16 D. O. F.
2×2		3.22		
4×4	3.77	3.72	4.015	4.029
8×8	3.93	3.90	4.001	4.002

精确的 $C = 4.00$[17]

D. O. F. = 自由度.

所用各类单元都是第十章中介绍过的，并且值得指出，斜率协调的所有单元总是高估屈曲因子．在所计算的这种情况下，非协调单元低估屈曲因子，不过目前不能确定这种上下界．

图 19.4 示出了几何上更复杂的情况的屈曲模式[29]．在这里，再次采用了非协调三角形单元．

板中这种初始不稳定性问题的实际重要性是有限的．一出现横向挠度，板就硬化，并可承受附加载荷．在图 19.2 的例子中指出过这种硬化．因此，应当用上一节中一般地介绍过的大变形方法来研究屈曲后性态[32-34]．为了避免分叉的困难，这时应当施加一个小扰动(或横向载荷)．

19.4 壳体

与板相比，稳定性问题与壳体的关系要密切得多．一般说来，在现在的问题中，确定切线刚度矩阵 $\mathbf{K}_T$ 时总是应当考虑实际的位移，因为除了极不重要的情况之外，现在不出现薄膜效应与弯曲效应在载荷下不耦合这种特殊情况．但是，如果初始稳定性矩阵

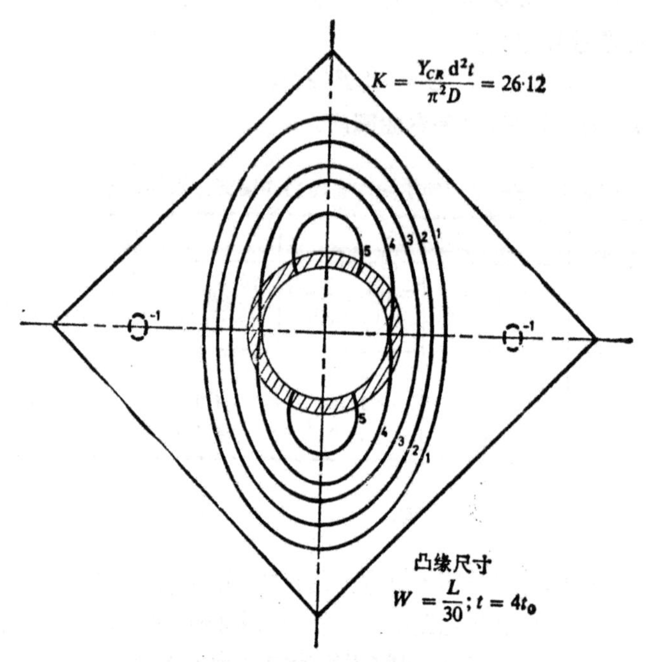

图 19.4 承受剪切的方板的屈曲模式，该板四边固支，中心孔用凸缘加强[29]

$\mathbf{K}_\sigma$ 是用弹性应力来确定的，有时可以得到关于稳定性因子 λ 的有用的结果．实际上，在关于壳体屈曲这一课题的经典工作中，几乎仅只考虑了这种初始不稳定性．然而，实际的失稳载荷可能远低于这一初始不稳定载荷；因此，至少近似地确定变形的影响是一件很重要的事情．

如果假设壳体是由平板单元组成的，则可用平板的切线刚度矩阵进行与第十三章中所述相同的变换[35,36]． 如果采用曲壳单元，则必须重新从壳体理论的方程考虑起，并且必须在其中包括非线性项[14,37—39]． 关于所需要的整个公式系统，请读者见参考文献[14,37—39]．

在扁壳的情况下，通过采用基于马格尔（Marguerre）扁壳理论的公式系统，可以方便地避免第十三章的变换[25,40,41]．

极其重要的是，我们要再次强调，初始不稳定性计算只在特殊情况下才有意义，并且它常常过分高估失稳载荷．为了得到正确的答案，必须求助于完全非线性的解法．图 19.5 示出了壳体逐渐“软化”的情况，这时壳体承受的荷载远低于线性化屈曲载荷．该图取自文献[14]．图19.6示出了当承受载荷远远低于线性不稳定性载荷时拱的逐渐失稳的情况．

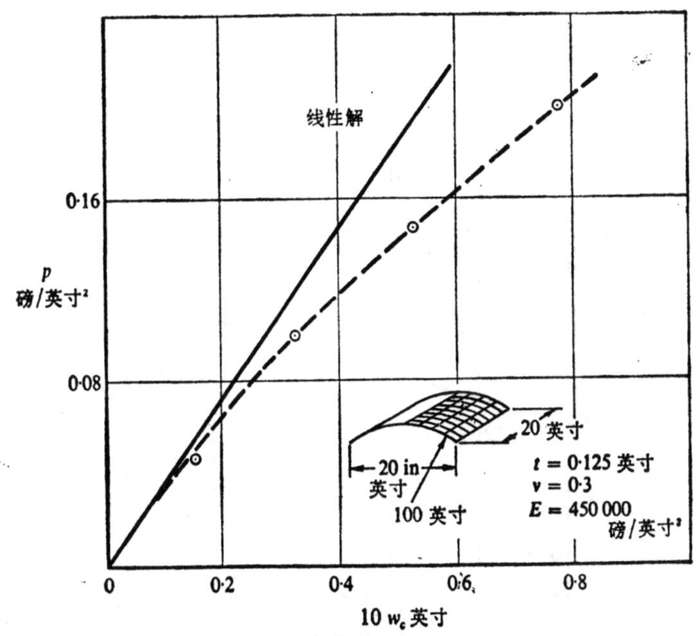

图 19.5　圆筒壳中心的挠度．各边均固支[14]

确定壳体或其它细长结构的实际失稳载荷时，存在(第十八章中已经遇见过的那类)明显困难，因为当载荷增加到接近“最大”承载能力时，不能得到位移的收敛解．

如果考虑作用一个集中载荷的情况，这时比较方便的作法是，马上转而规定位移增量，并计算相应的反作用力．利用这种办法，阿吉里斯[5]及其他人[39,42]成功地研究了拱的失稳性态的整个过程．

卞学鐄与董平 (Ping Tong)[43] 表明，当考虑比例加载系统时，

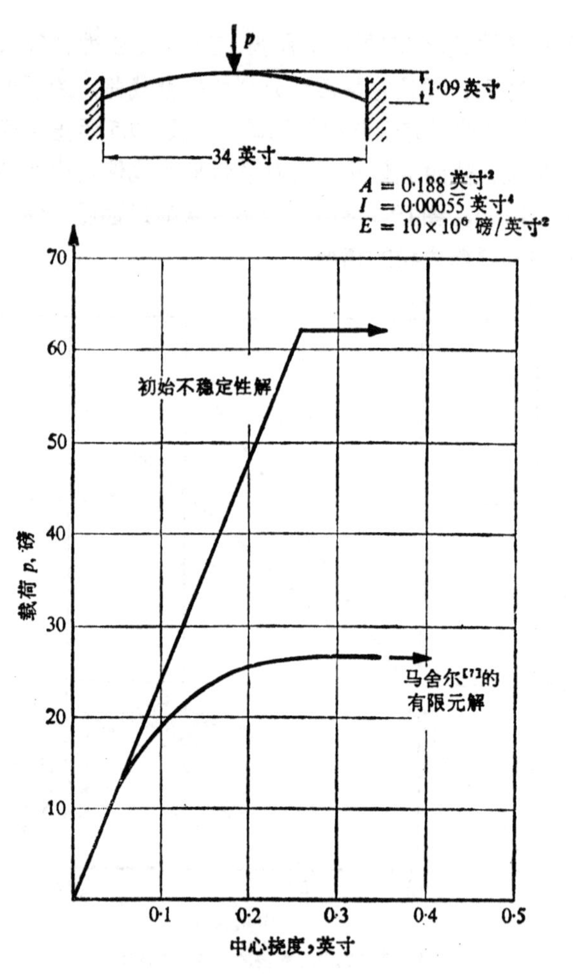

图 19.6 承受中心载荷 p 的拱在大变形下的"初始不稳定性"解及增量解[7]

上述方法可以简单地加以推广.

在这一重要领域中，其他人还介绍过另外的处理失稳问题的方法，并已完成了大量工作[44-48].

19.5 一般的大应变及大位移公式系统

19.3 节所用板的非线性应变-位移关系(式(19.15))是在特定

基础上导出的．对于壳体，可以类似地导出另外的关系，但在所有的阶段上都可能出现不同的近似性．然而，我们可以采用一般定义的应变，无论位移或应变是大的还是小的它都成立．这种定义是格林及圣维南（St. Venant）引入的，被称为格林应变张量．在一个固定的笛卡儿坐标系 x，y，z 中，我们用位移 u，v，w 把应变定义为[49]

$$\varepsilon_x = \frac{\partial u}{\partial x} + \frac{1}{2}\left[\left(\frac{\partial u}{\partial x}\right)^2 + \left(\frac{\partial v}{\partial y}\right)^2 + \left(\frac{\partial w}{\partial z}\right)^2\right],$$

$$\gamma_{xy} = \frac{\partial u}{\partial y} + \frac{\partial v}{\partial x} + \left[\frac{\partial u}{\partial x}\cdot\frac{\partial u}{\partial y} + \frac{\partial v}{\partial x}\cdot\frac{\partial v}{\partial y} + \frac{\partial w}{\partial x}\cdot\frac{\partial w}{\partial y}\right], \tag{19.33}$$

其它分量通过适当置换得到．

如果位移是小的，通过忽略二次项，得到一般的一次线性应变近似．

在一般情况下，上述应变定义的几何意义不明显；但是应当指出，即使位移是大的，上述定义也给出关于原来正交的微元的伸长率及角变形的度量，并在小应变情况下变成通常的定义．

如果实际应变是小的，则容易证明，ε_x 确定了原来平行于 x 轴的单位长度的长度变化，而 γ_{xy} 类似地给出原来分别平行于 x 轴及 y 轴的两条线之间的角度变化． 即使有使原来的轴转动很大、移动很远的特大运动发生，这在上述定义中也是真实的．

我们现在将对于完全的三维应力状态建立 $\bar{\mathbf{B}}$ 及 $\mathbf{K}_T$ 的一般的非线性表达式．据此建立一维及二维的特殊形式是一件简单的事情，这个练习留给读者去做．实际上，利用这种一般公式系统处理板壳问题很方便．在上一节的处理板问题的特殊方法中忽略了的一些项，现在容易包括进来．

19.5.1 矩阵 $\mathbf{B}_L$ 的推导 一般的三维应变向量可以用无穷小位移分量及大位移分量定义：

$$\boldsymbol{\varepsilon} = \boldsymbol{\varepsilon}_0 + \boldsymbol{\varepsilon}_L, \tag{19.34}$$

式中

$$\boldsymbol{\varepsilon}_0 = \begin{Bmatrix} \varepsilon_x \\ \varepsilon_y \\ \varepsilon_z \\ \gamma_{yz} \\ \gamma_{zx} \\ \gamma_{xy} \end{Bmatrix} = \begin{Bmatrix} \dfrac{\partial u}{\partial x} \\ \dfrac{\partial v}{\partial y} \\ \dfrac{\partial w}{\partial z} \\ \dfrac{\partial v}{\partial z} + \dfrac{\partial w}{\partial y} \\ \dfrac{\partial w}{\partial x} + \dfrac{\partial u}{\partial z} \\ \dfrac{\partial u}{\partial y} + \dfrac{\partial v}{\partial x} \end{Bmatrix} \tag{19.35}$$

与第六章中所定义的相同．式(19.33)中的非线性项可以方便地改写成

$$\boldsymbol{\varepsilon}_L = \frac{1}{2}\begin{bmatrix} \boldsymbol{\theta}_x^{\mathrm{T}} & \mathbf{0} & \mathbf{0} \\ \mathbf{0} & \boldsymbol{\theta}_y^{\mathrm{T}} & \mathbf{0} \\ \mathbf{0} & \mathbf{0} & \boldsymbol{\theta}_z^{\mathrm{T}} \\ \mathbf{0} & \boldsymbol{\theta}_z^{\mathrm{T}} & \boldsymbol{\theta}_y^{\mathrm{T}} \\ \boldsymbol{\theta}_z^{\mathrm{T}} & \mathbf{0} & \boldsymbol{\theta}_x^{\mathrm{T}} \\ \boldsymbol{\theta}_y^{\mathrm{T}} & \boldsymbol{\theta}_x^{\mathrm{T}} & \mathbf{0} \end{bmatrix}\begin{Bmatrix} \boldsymbol{\theta}_x^{\mathrm{T}} \\ \boldsymbol{\theta}_y^{\mathrm{T}} \\ \boldsymbol{\theta}_z^{\mathrm{T}} \end{Bmatrix} = \frac{1}{2}\mathbf{A}\boldsymbol{\theta}, \tag{19.36}$$

式中

$$\boldsymbol{\theta}_x^{\mathrm{T}} = \left[\frac{\partial u}{\partial x}, \frac{\partial v}{\partial x}, \frac{\partial w}{\partial x}\right]，余类推，$$

而 $\mathbf{A}$ 是一个 6×9 的矩阵

读者容易验证以上定义的有效性，并重新建立19.3.2节中确定的矩阵 $\mathbf{A}$ 及 $\boldsymbol{\theta}$ 的性质．我们再次有

$$\mathrm{d}\boldsymbol{\varepsilon}_L = \frac{1}{2}\mathrm{d}\mathbf{A}\boldsymbol{\theta} + \frac{1}{2}\mathbf{A}\mathrm{d}\boldsymbol{\theta} = \mathbf{A}\mathrm{d}\boldsymbol{\theta}, \tag{19.37}$$

因为我们可以由形状函数 $\mathbf{N}$ 及节点参数 $\mathbf{a}$ 确定 $\boldsymbol{\theta}$，所以可写出

$$\boldsymbol{\theta} = \mathbf{G}\mathbf{a} \tag{19.38}$$

或

$$\mathrm{d}\boldsymbol{\varepsilon}_L = \mathbf{A}\mathbf{G}\mathrm{d}\mathbf{a},$$

以及

$$\mathbf{B}_L = \mathbf{AG}. \tag{19.39}$$

19.5.2 矩阵 $\mathbf{K}_T$ 的推导 注意到

$$\bar{\mathbf{B}} = \mathbf{B}_0 + \mathbf{B}_L,$$

我们可以容易地形成式(19.7)的矩阵

$$\bar{\mathbf{K}} = \mathbf{K}_0 + \mathbf{K}_L = \int_V \bar{\mathbf{B}}^{\mathrm{T}}\mathbf{D}\bar{\mathbf{B}}\mathrm{d}V. \tag{19.40}$$

为了建立总的切线刚度矩阵，还仅需确定初应力矩阵 $\mathbf{K}_\sigma$. 再次利用式(19.8)，我们有

$$\mathbf{K}_\sigma \mathrm{d}\mathbf{a} = \int_V \mathrm{d}\mathbf{B}_L^{\mathrm{T}}\boldsymbol{\sigma}\mathrm{d}V = \int_V \mathbf{G}^{\mathrm{T}}\mathrm{d}\mathbf{A}^{\mathrm{T}}\boldsymbol{\sigma}\mathrm{d}V. \tag{19.41}$$

我们可以再次验证，能够写出

$$\mathrm{d}\mathbf{A}^{\mathrm{T}}\boldsymbol{\sigma} = \begin{bmatrix} \sigma_x\mathbf{I}_3 & \tau_{xy}\mathbf{I}_3 & \tau_{xz}\mathbf{I}_3 \\ & \sigma_y\mathbf{I}_3 & \tau_{yz}\mathbf{I}_3 \\ \text{对称} & & \sigma_z\mathbf{I}_3 \end{bmatrix}\mathrm{d}\boldsymbol{\theta} = \mathbf{MG}\mathrm{d}\mathbf{a}, \tag{19.42}$$

式中 $\mathbf{I}_3$ 是 3×3 的单位矩阵.

把式(19.42)代入式(19.41)，得到[42]

$$\mathbf{K}_\sigma = \int_V \mathbf{G}^{\mathrm{T}}\mathbf{MG}\mathrm{d}V, \tag{19.43}$$

式中 $\mathbf{M}$ 是把六个应力分量象式(19.42)中所示那样排列而成的 9×9 的矩阵. 这里再次表明矩阵 $\mathbf{K}_\sigma$ 具有对称形式.

上面我们也省略了表征单元的上标，虽然实际上上述所有矩阵都应逐个单元地得到并按标准方式相加.

如果要作出一致的近似，采用该一般表达式是板与壳分析中一个有益的出发点. 在第十四章那种厚壳公式系统的情况下，这种表达式是极其重要的.

更进一步，如果可以找到适当的应力-应变关系，它们对于大应变分析是有效的. 然而，这里更经常采用的办法是，直接用应变分量定义变形能函数，并通过直接极小化得到广义力. 奥登[50-53]给出了这种大应变分析的一些例子，他讨论了橡皮薄膜及橡皮连续介质的大变形.

在图 19.7 中，示出了对于承受中心点载荷及环载荷的轴对称壳应用上述公式系统的例子[42,54,55]. 在这个例子中，采用了抛物线性-线性等参数单元. 另外一个对于固支-铰接深拱应用这一二维公式系统而得到的典型解，则示于图 19.8 及 19.9[54,56]. 在这里，极大的挠度是用已介绍过的拉格朗日法来处理的.

注意到这样一点是很重要的：配合上面的一般公式系统来采用等参数单元，使得 $\mathbf{K}_0+\mathbf{K}_L$ 及 $\mathbf{K}_\sigma$ 的表示特别简洁. 另外，这种公式系统在 $\mathbf{K}_\sigma$ 的计算上产生很大的节省[6,42,55].

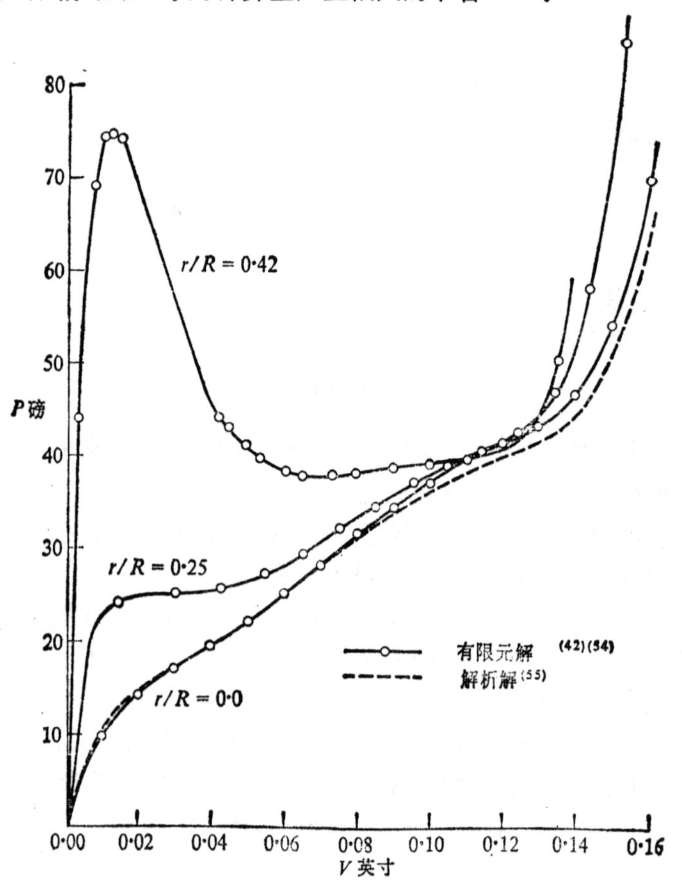

图 19.7(a) 球罩：各种环载荷下的载荷-挠度曲线

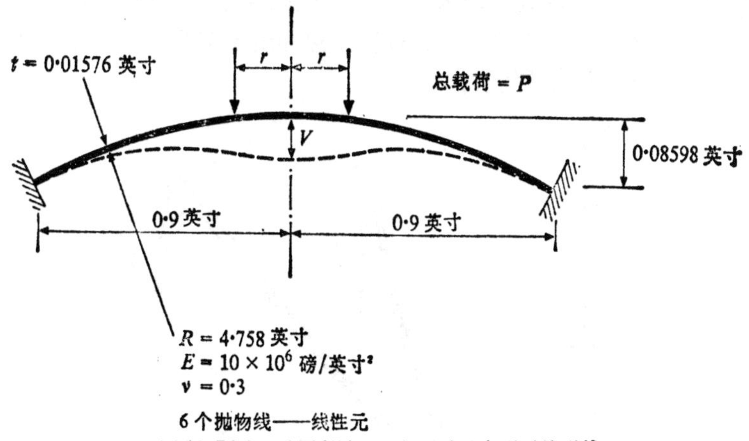

图 19.7(b) 球罩(续): 几何尺寸及变形后的形状

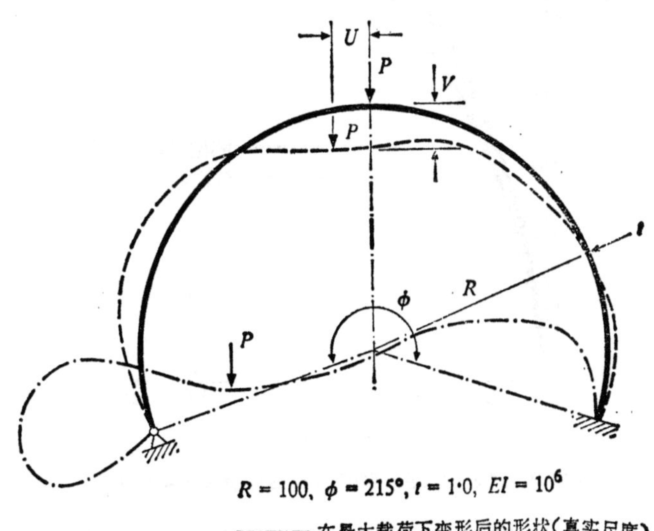

图 19.8 固支-铰接拱,几何尺寸

19.6 结语

本章试图给出处理所有大变形问题的统一方法. 这里概述了求解基本非线性方程组的各种方法. 当然, 读者可能想知道哪一种方法较好．如果要得到某一非线性大变形问题的一个解答，牛顿法在大多数情况下看来收敛很快．然而对于某些情况，采用矩阵 $\mathbf{K}_T$ 不变的方法更经济．

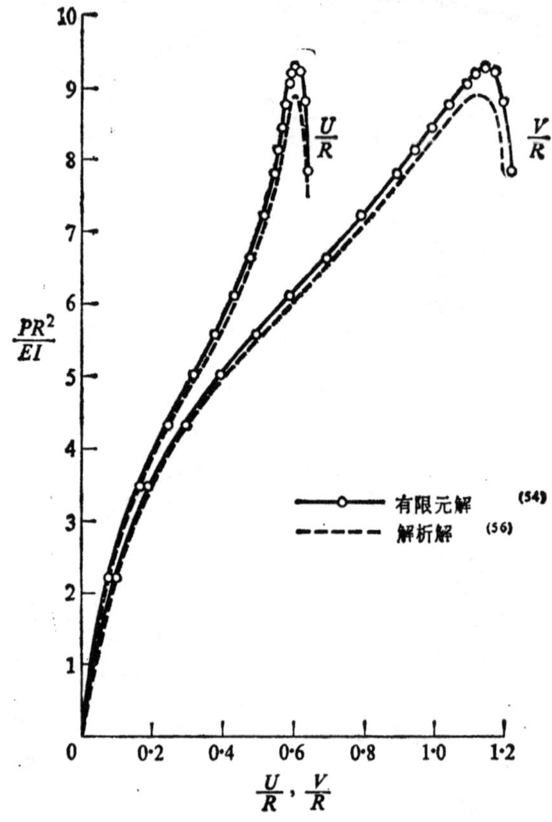

图 19.9　固支-铰接拱：载荷-挠度曲线(水平及垂直分量)

如果要研究整个加载过程中的变形，通常的作法是：把整个加载过程分成小的载荷增量，在每个载荷增量中把问题作为线性弹性问题来处理，这时在增量开始处计算切线刚度矩阵[3,4]．这种方法可能积累误差，布雷比亚（Brebbia）与康纳（Connor）[14]建议每次对几个增量采用完全的牛顿型方法．

把几何非线性问题推广到动态情况是容易做到的[57]．在第二十一章(21.10 节)中，我们将示出这方面的几个例子.

如果可以确定增量弹性矩阵，材料非线性与几何非线性的组合是特别简单的事情. 马舍尔 (Marçal)[3] 求解了许多大变形与塑性力学耦合的问题. 值得注意，求解材料非线性问题所需要的运算与求解几何非线性问题所需要的类似，可以建立起能够处理这两种问题的计算机程序系统.

最后，有两点应当注意. 第一点是，对于板来说，初应力矩阵的推导显然太冗长，而在以前的文献[27,29] 中是以更直接的方式进行推导的. 这是由于试图建立可望实现的完全通用性而造成的. 第二点是，为了保持本书中始终采用的方便的矩阵公式形式，处理一般大应变问题的那一部分需要稍微复杂一些的运算. 如果采用张量记号，可以作出某些简化；实际上，作为另外一种表示方法，本书也可始终采用张量记号. 然而，从选用更直接并且更易理解的记号来说，我们采用矩阵记号是正确的.

除了本章介绍的拉格朗日法之外，另一种方法是按欧拉方式采用当前单元形状. 这在大应变情况下是有利的，麦克米金 (McMeeking) 与赖斯 (Rice)[58]清楚地说明了这种方法.

参 考 文 献

[1] C. Truesdell (ed.), *Continuum Mechanics IV: Problems of Non-linear Elasticity,* Vol. 8, p. 4, Gordon and Beach, 1965.

[2] K. J. Bathe and H. Ozdemir, 'Elastic-plastic large deformation static and dynamic analysis', *Comp. Struct.,* 6 (No. 2), 81—92, April 1976.

[3] P. V. Marcal, *Finite element analysis of combined problems of material and geometric behaviour,* Techn. Rep. 1, ONR, Brown University, 1969, also *Proc. Am. Soc. Mech. Eng. Conf. on Computational Approaches in Applied Mechanics.* 133, June 1969.

[4] J. H. Argyris, S. Kelsey and H. Kamel, *Matrix Methods of Structural Analysis,* AGARD-ograph 72, Pergamon Press, 1963.

[5] J. H. Argyris, 'Continua and discontinua', *Proc. Conf. Matrix Methods in Structural Mechanics,* Air Force Inst. Tech., Wright-Patterson A. F. Base, Ohio, Oct. 1965.

[6] G. C. Nayak, *Plasticity and large deformation problems by finite element method,* Ph. D. Thesis, Univ. of Wales, Swansea, 1971 (C/Ph/15/1971).

[7] P. V. Marcal, *Effect of initial displacement on problem of large deflection and stability,* Tech. Report ARPA E54, Brown Univ., 1967.
[8] W. E. Haisler, J. A. Stricklin and F. J. Stebbins, 'Development and evaluation of solution procedures for geometrically non-linear analysis', *J. A. I. A. A.,* 10, 264—72, 1972.
[9] G. A. Dupuis, D. D. Pfaffinger and P. V. Marcal, 'Effective use of incremental stiffness matrices in non-linear geometric analysis', *IUTAM Symp. on High Speed Computing of Elastic Structures,* Liége, Aug. 1970.
[10] R. H. Gallagher and S. T. Mau. *A method of limit point calculation in finite element structural analysis,* NASA CR 12115, Sept. 1972.
[11] H. L. Langhaar, *Energy Methods in Applied Mechanics,* Wiley, 1962.
[12] K. Marguerre, 'Über die Anwendung der energetischen Methode auf Stabilitätsprobleme', *Hohrb.,* D. V. L., 252—62, 1938.
[13] B. Fraeijs de Veubeke, 'The second variation test with algebraic and differential contrasts', *Advanced Problems and Methods for Space Flight Optimisation,* Pergamon Press, 1969.
[14] C. A. Brebbia and J. Connor, 'Geometrically non-linear finite element analysis', *Proc. Am. Soc. Civ. Eng.,* 95, EM2, 463—83, 1969.
[15] H. D. Hibbitt, P. V. Marcal and J. R. Rice, 'A finite element formulation for problems of large strain and large displacement', *Int. Jl. Solids Struct.,* 6, 1069—86, 1970.
[16] J. T. Oden, Discussion on 'Finite element analysis of non-linear structures', by Mallet and Marcal, *Proc. Am. Soc. Civ. Eng.,* 95, ST6, 1376—81, 1969.
[17] S. P. Timoshenko and J. M. Gere, *Theory of Elastic Stability,* 2nd ed., McGraw-Hill, 1961.
[18] R. D. Wood, *The application of finite element methods to geometrically non-linear finite element analysis,* Ph. D. Thesis, Univ. of Wales, Swansea, 1973 (C/Ph/20/73).
[19] A. Razzaque, 'Program for triangular bending elements with derivative smoothing', *Int. J Num. Meth. Eng.,* 6, 333—5, 1973.
[20] L. A. Schmit, F. K. Bogner and R. L. Fox, 'Finite deflection structural analysis using plate and cylindrical shell discrete elements', *Proc. AIAA/ASME 8th Struct. and Stress Dynamic Conference,* Palm Springs, California, 197—211, March 1967. Also *J. A. I. A. A.,* 5, 1525—7, 1968.
[21] M. J. Turner, E. H. Dill, H. C. Martin and R. J. Melosh, 'Large deflection of structures subjected to heating and external loads', *J. Aero. Sci.,* 27, 97—106, 1960.
[22] T. Kawai and N. Yoscimura, 'Analysis of large deflection of plates by finite element method', *Int. J. Num. Meth. Eng.,* 1, 123—33, 1969
[23] R. H. Mallett and P. V. Marcal, 'Finite element analysis of non-linear structures', *Proc. Am. Soc. Civ. Eng.,* 94, ST9, 2081—105, 1968.

[24] D. W. Murray and E. L. Wilson, 'Finite element large deflection analysis of plates', *Proc. Am. Soc. Civ. Eng.*, **94**, EM1, 143—165, 1968.

[25] P. G. Bergan and R. W. Clough, 'Large deflection analysis of plates and shallow shells using the finite element method', *Int. J. Num. Meth. Eng.*, **5**, 543—56, 1973.

[26] H. C. Martin, 'On the derivation of stiffness matrices for the analysis of large deflection and stability problems'. *Proc. Conf. Matrix Methods in Structural Mechanics*, Air Force Inst. Tech., Wright-Patterson A. F. Base, Ohio, Oct. 1965.

[27] K. K. Kapur and B. J. Hartz, 'Stability of thin plates using the finite element method', *Proc. Am. Soc. Civ. Eng.*, EM2, 177—95, 1966.

[28] R. H. Gallagher and J. Padlog, 'Discrete element approach to structural instability analysis', *J. A. I. A. A.*, **1**, 1537—9, 1963.

[29] R. G. Anderson, B. M. Irons and O. C. Zienkiewicz, 'Vibration and stability of plates using finite elements', *Int. J. Solids Struct.*, **4**, 1031—55, 1968.

[30] W. G. Carson and R. E. Newton, 'Plate buckling analysis using a fully compatible finite element', *J. A. I. A. A.*, **8**, 527—9, 1969.

[31] Y. K. Chan and A. P. Kabaila, 'A conforming quadrilateral element for analysis of stiffened plates', *UNICIV Report* R-121, University of New South Wales, 1973.

[32] D. W. Murray and E. L. Wilson, 'Finite element post buckling analysis of thin elastic plates', *Proc. 2nd Conf. Matrix Methods in Structural Mechanics,* Wright-Patterson A. F. Base, Ohio, 1968.

[33] K. C. Rockey and D. K. Bagchi, 'Buckling of plate girder webs under partial edge loadings', *Int. J. Mech. Sci.*, **12**, 61—76, 1970.

[34] T. M. Roberts and D. G. Ashwell, *Post-buckling analysis of slightly curved plates by the finite element method,* Report 2, Dept. of Civil and Struct. Engineering, Univ. of Wales, Cardiff, 1969.

[35] R. G. Anderson, *A finite element eigenvalue solution system,* Ph. D. Thesis, Univ. of Wales, Swansea, 1968.

[36] R. H. Gallagher, R. A. Gellatly, R. H. Mallett and J. Padlog, 'A discrete element procedure for thin shell instability analysis', *J. A. I. A. A.*, **5**, 138—145, 1967.

[37] R. H. Gallagher and H. T. Y. Yang, 'Elastic instability predictions for doubly curved shells', *Proc. 2nd Conf. Matrix Methods in Structural Mechanics,* Air Force Inst. Tech., Wright-Patterson A. F. Base, Ohio, 1968.

[38] J. L. Batoz, A. Chattopadhyay and G. Dhatt, 'Finite element large deflection analysis of shallow shells', *Int. J. Num. Meth. Eng.*, **10**, 35—8, 1976.

[39] T. Matsui and O. Matsuoka, 'A new finite element scheme for instavility analysis of thin shells', *Int. J. Num. Meth. Eng.*, **10**, 145—70, 1976.

[40] T. Y. Yang, 'A finite element procedure for the large deflection analysis

of plates with initial imperfections', *J. A. I. A. A.*, **9** (No. 8), 1971.

[41] T. M. Roberts and D. G. Ashwell, 'The use of finite element mid-increment stiffness matrices in the post-buckling analysis of imperfect structures', *Int. J. Solids Struct.*, **7**, 805—23, 1971.

[42] O. C. Zienkiewicz and G. C. Nayak, 'A general approach to problems of plasticity and large deformation using isoparametric elements', *Proc. Conf. on Matrix Methods in Structural Mechanics*, Wright-Patterson A. F. Base, Ohio, 1971.

[43] T. H. H. Pian and Ping Tong, 'Variational formulation of finite displacement analysis', Symp. Int. Un. Th. Appl. Mech. on 'High speed computing of elastic structures', Liége, 1970.

[44] H. C. Martin, 'Finite Elements and the analysis of geometrically non-linear problems', *Recent advances in matrix methods and structural analysis and design*, Univ. of Alabama Press, 1971.

[45] A. C. Walker, 'A non-linear finite element analysis of shallow circular arches'. *Int. J. Solids Struct.*, **5**, 97—107, 1969.

[46] J. M. T. Thompson and A. C. Walker, 'A non-linear perturbation analysis of discrete structural systems', *Int. J. Solids Struct.*, **4**, 757—767, 1968.

[47] J. S. Przemieniecki, 'Stability analysis of complex structures using discrete element techniques', Symp. on Struct. Stability and optimisation, Loughborough Univ., March 1967.

[48] J. Connor and N. Morin, 'Perturbation techniques in the analysis of geometrically non-linear shells', Symp. Int. Un. Th. Appl. Mech. on 'High speed computing of elastic structures', Liége, 1970.

[49] Y. C. Fung, *Foundation of solid mechanics*, Prentice Hall Int., 1965.

[50] J. T. Oden, 'Finite plane strain of incompressible elastic solids by the finite element method', *The Aeronautical Quarterly*, **19**, 254—64. 1967.

[51] J. T. Oden and T. Sato, 'Finite deformation of elastic membranes by the finite element method', *Int. J. Solids Struct.*, **3**, 471—88, 1967.

[52] J. T. Oden, 'Numerical formulation of non-linear elasticity problems', *Proc. Am. Soc. Civ. Eng.*, **93**, ST3, 235—55, 1967.

[53] J. T. Oden, 'Finite element applications in non-linear structural analysis', proc. Symp. on Application of Finite Element Methods in Civil Engineering, *Am. Soc. Civ. Eng.*, Vanderbilt Univ., 1969.

[54] R. D. Wood and O. C. Zienkiewicz, *Geometrically non-linear finite element analysis of beams-frames-circles and axisymmetric shells*, Dept. Civ. Eng. Report C/R/281/76, Univ. of Wales, Swansea.

[55] J F. Mescall, 'Large deflections of spherical shells under concentrated loads', *J. Appl. Mech.*, **32**, 936—8, 1965.

[56] D. A. da Deppo and R. Schmidt, 'Instability of clamped-hinged circular arches subjected to a point load', *Trans. Am. Soc. Mech. Eng.*, 894—6, Dec. 1975.

[57] J. A. Stricklin, 'Non-linear dynamic analysis of shells of revolution', Symp. Int. Un. Th. Appl. Mech. on 'High speed computing of elastic structures', Liège, 1970.

[58] R. M. McMeeking and J. R. Rice, 'Finite element formulations for problems of large elastic-plastic, deformation. *In. J. Solids Struct.*, **11**, **601—16, 1975.**

第 二 十 章

时间维．场问题及动态问题的半离散化，解析解法

20.1 引言

在本书前面各章所考察的全部问题中，通常假设状况不随时间而变化．不难把有限单元理想化推广于与时间有关的情况。

必须考虑时间维的实际问题的范围很广．瞬态热传导、流体中波的传播以及结构的动态性态就是典型的例子．虽然通常是分别考察这方面的各种问题（有时根据控制方程的数学结构把它们分为“抛物型”或“双曲型”[1]），但我们将把它们归于一类，以表明公式系统是一样的．

在本章的前一部分中，对于各种实际情况，通过简单推广以前所用的方法，我们将建立控制这种问题的矩阵微分方程的公式系统．在这里，仅采用空间维中的有限元离散化，遵循一种半离散化方法(参见第三章)．在本章的其余部分中，介绍求解所得到的线性常微分方程组的各种解析方法．这些就是我们进行稳态及瞬态分析的基本工具．

在第二十一章中，将专门介绍时间域本身的离散化．

20.2 用空间有限元剖分直接建立与时间有关的问题的公式系统

20.2.1 *具有时间导数的“拟调和”方程*　在许多物理问题中，拟调和方程处理为未知函数 ϕ 的时间导数的形式． 在三维情况下，我们可以一般地写出

$$\frac{\partial}{\partial x}\left(k_x\frac{\partial\phi}{\partial x}\right)+\frac{\partial}{\partial y}\left(k_y\frac{\partial\phi}{\partial y}\right)+\frac{\partial}{\partial z}\left(k_z\frac{\partial\phi}{\partial z}\right)$$
$$+\left(\bar{Q}-\mu\frac{\partial\phi}{\partial t}-\rho\frac{\partial^2\phi}{\partial t^2}\right)=0. \tag{20.1}$$

在相当普遍的情况下，上面这个公式中的所有参数均可被规定成时间的函数，而在非线性情况下还是 ϕ 的函数，即有

$$k_x=k_x(\phi,t);\quad \bar{Q}=\bar{Q}(\phi,t),\quad 等. \tag{20.2}$$

如果考察某一特定时刻的情况，ϕ 的时间导数和所有参数都可处理成规定的空间坐标的函数．因此，如果把式(20.1)左端最后一个括号中的所有的量看成式(17.9)中的 Q 那一项，该时刻的问题则与第十七章(17.2 节)中所处理的完全相同．

用空间单元进行的这种有限单元离散化已经被充分讨论过了，我们看到，在对于每个单元采用如下的规定：

$$\phi=\Sigma N_i a_i=\mathbf{N}\mathbf{a}, \tag{20.3}$$
$$\mathbf{N}=\mathbf{N}(x,y,z),\quad \mathbf{a}=\mathbf{a}(t),$$

则得到标准形式的集合方程[1]

$$\mathbf{K}\mathbf{a}+\bar{\mathbf{f}}=0. \tag{20.4}$$

按式(17.17)确定单元对于上面这个矩阵方程的贡献，这里不必对此进行重复，只是给出由 Q 引起的“载荷”项．这一项由下式给出：

$$\bar{\mathbf{f}}_i^e=-\int_{\Omega^e}QN_i\,\mathrm{d}\Omega. \tag{20.5}$$

现在用式(20.1)左端最后一个括号内的量代替 Q，我们有

$$\bar{\mathbf{f}}_i^e=-\int_{\Omega^e}N_i\left(\bar{Q}-\mu\frac{\partial\phi}{\partial t}-\rho\frac{\partial^2\phi}{\partial t^2}\right)\mathrm{d}\Omega. \tag{20.6}$$

然而，由式(20.3)注意到，ϕ 是用节点参数 $\mathbf{a}$ 来近似的．代入这一近似表达式，我们有

$$\bar{\mathbf{f}}=-\int_{\Omega}\mathbf{N}^{\mathrm{T}}\bar{Q}\,\mathrm{d}\Omega+\left(\int_{\Omega}\mathbf{N}^{\mathrm{T}}\mu\mathbf{N}\,\mathrm{d}\Omega\right)\frac{\mathrm{d}}{\mathrm{d}t}\mathbf{a}$$

---

1) 我们已用 $\mathbf{K}$ 代替了第十七章的矩阵 $\mathbf{H}$，以易于与其它动态方程比较．

$$+\left(\int_{\Omega}\mathbf{N}^{\mathrm{T}}\rho\mathbf{N}\mathrm{d}\Omega\right)\frac{\mathrm{d}^2}{\mathrm{d}t^2}\mathbf{a}. \tag{20.7}$$

按最终集合形式展开式(20.4)，我们得到如下矩阵微分方程：

$$\mathbf{M}\ddot{\mathbf{a}}+\mathbf{C}\dot{\mathbf{a}}+\mathbf{K}\mathbf{a}+\mathbf{f}=0, \tag{20.8}$$

$$\dot{\mathbf{a}}\equiv\frac{\mathrm{d}}{\mathrm{d}t}\mathbf{a};\qquad \ddot{\mathbf{a}}\equiv\frac{\mathrm{d}^2}{\mathrm{d}t^2}\mathbf{a}, \tag{20.9}$$

式中所有矩阵均由单元矩阵按标准方式集合而成，子矩阵 $\mathbf{K}^e$ 及 $\mathbf{f}^e$ 仍由关系式(17.12)及(17.13)给出[1)]，另外，

$$C_{ij}^e=\int_{\Omega^e}N_i\mu N_j\mathrm{d}\Omega, \tag{20.10}$$

$$M_{ij}^e=\int_{\Omega^e}N_i\rho N_j\mathrm{d}\Omega. \tag{20.11}$$

如同由以上关系式所看到的，这些矩阵仍然是对称矩阵.

在任一时刻所施加的边界条件，仍然象前一章中那样处理.

由式(20.1)所控制的物理问题的种类很多，广泛讨论它们已超出了本书的范围. 但是，我们要介绍几个有代表性的例子.

$\rho=0$ 时的式(20.1) 这是标准的瞬态热传导方程[1,2]，在有限元分析中，已有几位作者[3−6]讨论过这种方程. 这种方程也适用于其它物理情况，其中之一就是与瞬态渗流形式[8]有关的土的固结方程[7].

$\mu=0$ 时的式(20.1) 现在该关系式变成控制一大类物理现象的著名的赫尔姆霍兹（Helmholz）波动方程. 电磁波[9]、流体表面波[10]及压力波[11]不过是已对其应用过有限元法的几种情况.

$\mu\neq0$，$\rho\neq0$ 时的式(20.1) 这个阻尼波动方程具有更普遍的适用性，它在流体力学(波动)问题中特别重要.

读者会认识到，我们在这里所作的事，就是应用第三章3.7节中介绍过的部分离散化方法. 然而，按上面所提出的方式进行运

---

1) 在式(20.8)中，载荷项 $\mathbf{f}$ 照例也包括边界上 ϕ 的所有给定值(从而也包括 $\mathbf{a}$ 中的所有给定值)，这也意味着在这种边界上规定 $\mathbf{a}$ 及 $\ddot{\mathbf{a}}$，某些人似乎未认识到这一点；而相应的载荷项则由 $\mathbf{K}$，$\mathbf{C}$，$\mathbf{M}$ 所有这些矩阵贡献出来. 仅当 $\mathbf{a}$ 中的给定值为零或这些矩阵是对角矩阵时，才可以忽略这些项.

算是比较方便的，因为由稳态分析得到的所有矩阵及离散化表达式都直接可用。

20.2.2　具有线性阻尼的弹性结构的动态性态[1]　虽然在前一节中我们关心的显然是纯数学问题，但正确地遵照第二章的一般原则，同样的推理可以直接应用于一大类弹性结构动态性态问题。

当一个弹性体的位移随时间而变化时，有两组附加力要发生作用。第一组力是惯性力，若以 $\ddot{\mathbf{u}}$ 表征加速度，利用熟知的达朗贝尔（d'Alembert）原理，这一惯性力可以用与其静力等价的

$$-\rho\ddot{\mathbf{u}}$$

来代替.（$\mathbf{u}$ 在这里是第二章中定义的广义位移.）

这种力具有位移 $\mathbf{u}$ 的各分量方向的分力，（通常）以每单位体积上的力这种形式给出。在这个意义上，ρ 就是每单位体积的质量。

第二种力是由阻碍运动的(摩擦)阻力引起的。它们可以由微结构运动及空气阻力等引起，它们与位移速度 $\dot{\mathbf{u}}$ 的关系一般是非线性的。

但是，为了使处理简单，仅考虑线性粘性阻尼，在等价的静力问题中，这也产生如下大小的单位体积力：

$$-\boldsymbol{\mu}\dot{\mathbf{u}}.$$

上面的 $\boldsymbol{\mu}$ 是(大概)可以以数值给出的某种性质。

现在，完全按照第二章的方式离散任一时刻的等价静力问题，但是分布体力 $\mathbf{b}$ 用与其等价的

$$\bar{\mathbf{b}}-\rho\ddot{\mathbf{u}}-\boldsymbol{\mu}\dot{\mathbf{u}}$$

代替。

由式 (2.13) 给出的单元(节点) 力现在变成(除去了初始应力及初始应变的贡献)

$$\bar{\mathbf{f}}^e=-\int_{V^e}\mathbf{N}^{\mathrm{T}}\mathbf{b}\mathrm{d}V=-\int_{V^e}\mathbf{N}^{\mathrm{T}}\bar{\mathbf{b}}\mathrm{d}V$$

1）为了简单起见，我们将只考虑分布的惯性效应及阻尼效应——集中的质量力及阻尼力只是其极限情况。

$$+\int_{V^e}\mathbf{N}^{\mathrm{T}}\rho\ddot{\mathbf{u}}\mathrm{d}V+\int_{V^e}\mathbf{N}^{\mathrm{T}}\boldsymbol{\mu}\dot{\mathbf{u}}\mathrm{d}V, \tag{20.12}$$

式中右端第一项正是第二章的由外部分布载荷引起的力，不必进一步考察它.

因为对于位移的近似是由式(2.1)给出的:

$$\mathbf{u}=\mathbf{N}\mathbf{a}^e, \tag{2.1}$$

我们可以将式(20.12)代入一般平衡方程，并通过集合最后得到如下矩阵微分方程:

$$\mathbf{M}\ddot{\mathbf{a}}+\mathbf{C}\dot{\mathbf{a}}+\mathbf{K}\mathbf{a}+\mathbf{f}=0, \tag{20.13}$$

式中 $\mathbf{K}$ 及 $\mathbf{f}$ 是集合了的刚度矩阵及力矩阵，它们按照前面详细介绍过的方式，由单元的刚度系数及规定的外载荷、初应力等引起的单元力相加得到. 新矩阵 $\mathbf{C}$ 及 $\mathbf{M}$ 按通常规则由如下给出的单元子矩阵集合:

$$\mathbf{C}^e=\int_{V^e}\mathbf{N}^{\mathrm{T}}\boldsymbol{\mu}\mathbf{N}\mathrm{d}V, \tag{20.14}$$

$$\mathbf{M}^e=\int_{V^e}\mathbf{N}^{\mathrm{T}}\rho\mathbf{N}\mathrm{d}V. \tag{20.15}$$

矩阵 $\mathbf{M}^e$ 被称为单元质量矩阵，而集合的矩阵 $\mathbf{M}$ 被称为系统质量矩阵.

值得指出的是，在早期试图处理这种性质的动态问题时，单元的质量通常是任意地"聚缩"于各节点，即使实际上不存在集中质量，这也总是产生一个对角矩阵. 实际上，这种办法是不必要的，并且显然是不合理的；阿切尔 (Archer)[12] 及莱基 (Leckie) 与林德伯格(Lindberg)[13]于 1963 年同时独立地认识到了这一点. 关于式(20.15)给出的那种形式的一般介绍，是监凯维奇与张佑启[14]所作的. 对于分布质量单元矩阵，创造了"一致质量矩阵"这个名称，这个术语想来是不必要的，因为它是离散化方法合乎逻辑的自然结果.

类似地，矩阵 $\mathbf{C}^e$ 及 $\mathbf{C}$ 可被称为一致阻尼矩阵.

然而，对于许多计算过程，原来的聚缩质量矩阵更方便和经济. 许多人目前只采用这种矩阵，因为它常常显示出精度的改善.

对于简单单元，物理意义比较明显的聚缩质量的方法是容易想得出来的,但对于高阶单元就不是这样,以后我们还将回过头来讨论聚缩质量法.

在实践中，确定阻尼矩阵 $\mathbf{C}$ 是困难的，因为缺乏关于粘性矩阵 $\boldsymbol{\mu}$ 的知识. 因此，常常假设该阻尼矩阵是刚度矩阵与质量矩阵的线性组合,即有

$$\mathbf{C}=\alpha\mathbf{M}+\beta\mathbf{K}. \tag{20.16}$$

这里的 α 及 β 由实验来确定[15].

这种阻尼被称为"雷利阻尼",它在数学上具有一定优点,对此后面将进行讨论. 有时,可以较明显地规定 $\mathbf{C}$,上面这种近似方法是不必要的.

或许值得指出,有时必须用与规定位移 $\mathbf{u}$ 时所用不同的形状函数来描述惯性力. 例如在板及梁(第十章)中,因为引入了补充的板弯曲假设，通过确定横向位移 w 就规定了整个应变状态. 然而,在考虑惯性力时，可能希望不仅包括简单的横向惯性力，而且也考虑转动惯性力矩. 横向惯性力由下式给出:

$$-\rho\frac{\partial^2 w}{\partial t^2},$$

式中的 ρ 现在是板每单位面积的重量. 转动惯性力矩的类型是

$$\frac{\rho t^2}{12}\frac{\partial^2}{\partial t^2}\left(\frac{\partial w}{\partial x}\right), \text{等等.}$$

现在完全有必要描述更广义的位移 $\bar{\mathbf{u}}$:

$$\bar{\mathbf{u}}=\begin{Bmatrix} w \\ \dfrac{\partial w}{\partial x} \\ \dfrac{\partial w}{\partial y}\end{Bmatrix}=\bar{\mathbf{N}}\mathbf{a}^e,$$

式中 $\bar{\mathbf{N}}$ 将直接根据仅规定 w 分量的 $\mathbf{N}$ 的定义得出. 象式(20.15)这样的关系式仍然成立,只要我们用 $\bar{\mathbf{N}}$ 代替 $\mathbf{N}$ 并用如下矩阵代替 ρ:

$$\begin{bmatrix} \rho & 0 & 0 \\ 0 & \dfrac{\rho t^2}{12} & 0 \\ 0 & 0 & \dfrac{\rho t^2}{12}\end{bmatrix}.$$

然而，这种特殊运用是比较少的.

20.2.3　一些典型单元的"质量"矩阵或"阻尼"矩阵　以显式的形式给出前面各章中讨论过的所有各种单元的质量矩阵是不现实的. 这里仅将有选择地讨论一些例子.

平面应力及平面应变　采用第四章中讨论过的三角形单元，矩阵 $\mathbf{N}$ 被定义成

$$\mathbf{N}^e = \mathbf{I}[N_i, N_j, N_k],$$

式中

$$\mathbf{I} = \begin{bmatrix} 1 & 0 \\ 0 & 1 \end{bmatrix}.$$

N_i 等由式(4.8)给出:

$$N_i = (a_i + b_i x + c_i y)/2\Delta,\ \text{余类推},$$

这里的Δ是三角形的面积.

如果该单元的厚度是 t，并且假设 t 在单元内不变，关于式(20.15)的质量矩阵，我们有

$$\mathbf{M}^e = \rho t \iint \mathbf{N}^{\mathrm{T}} \mathbf{N} \mathrm{d}x \mathrm{d}y$$

或者

$$\mathbf{M}^e_{rs} = \rho t \mathbf{I} \iint N_r N_s \mathrm{d}x \mathrm{d}y. \tag{20.17}$$

如果代入关系式(4.8)，容易证明

$$\begin{aligned} &\int N_r N_s \mathrm{d}x \mathrm{d}y = \frac{1}{12}\Delta,\ r \neq s\ \text{时}, \\ &\int N_r N_s \mathrm{d}x \mathrm{d}y = \frac{1}{6}\Delta,\ r = s\ \text{时}. \end{aligned} \tag{20.18}$$

这样一来，如果取该单元质量为

$$\rho t \Delta = W,$$

则质量矩阵成为

$$
\mathbf{M}^e = \frac{W}{3}\left[\begin{array}{cc|cc|cc}
\frac{1}{2} & 0 & \frac{1}{4} & 0 & \frac{1}{4} & 0 \\
0 & \frac{1}{2} & 0 & \frac{1}{4} & 0 & \frac{1}{4} \\
\hline
\frac{1}{4} & 0 & \frac{1}{2} & 0 & \frac{1}{4} & 0 \\
0 & \frac{1}{4} & 0 & \frac{1}{2} & 0 & \frac{1}{4} \\
\hline
\frac{1}{4} & 0 & \frac{1}{4} & 0 & \frac{1}{2} & 0 \\
0 & \frac{1}{4} & 0 & \frac{1}{4} & 0 & \frac{1}{2}
\end{array}\right]. \tag{20.19}
$$

如果把质量均等地聚缩于三个节点，该单元所贡献的质量矩阵则为

$$
\mathbf{M}^e = \frac{W}{3}\left[\begin{array}{cc|cc|cc}
1 & 0 & 0 & 0 & 0 & 0 \\
0 & 1 & 0 & 0 & 0 & 0 \\
\hline
0 & 0 & 1 & 0 & 0 & 0 \\
0 & 0 & 0 & 1 & 0 & 0 \\
\hline
0 & 0 & 0 & 0 & 1 & 0 \\
0 & 0 & 0 & 0 & 0 & 1
\end{array}\right]. \tag{20.20}
$$

当然,这两个矩阵有显著的不同,然而在应用中两种分析的结果几乎一样.

平板弯曲 平板的振动提出了在工程中相当重要的问题. 象上承式桥的振荡、涡轮叶片的振动等实际情况,其公式系统都很难用解析方法处理.

在几篇参考文献[15-19]中都说明了一致质量矩阵的应用.

例如，如果考虑 10.4 节的那种矩形板单元，位移函数由式(10.19)确定为

$$
\mathbf{N} = \mathbf{P}\mathbf{C}^{-1}, \tag{20.21}
$$

这里采用第十章中所规定的记号.

可以看出,$\mathbf{C}$ 与坐标无关,而 $\mathbf{P}$ 被确定如下:

$$
\mathbf{P} = [1, x, y, x^2, xy, y^2, x^3, x^2y, xy^2, y^3, x^3y, xy^3].
$$

于是，由式(20.15)，厚度 t 不变的板单元的质量矩阵变成

$$\mathbf{M}^e=\rho t\mathbf{C}^{-1\mathrm{T}}\left(\iint \mathbf{P}^{\mathrm{T}}\mathbf{P}\mathrm{d}x\mathrm{d}y\right)\mathbf{C}^{-1}. \tag{20.22}$$

同以前一样只须计算中心积分，因此计算上没有什么困难，通过矩阵运算就可得到质量矩阵．然而，道[17]已经给出了它的显式表达式，这列于表 20.1．对于 10.6 节中讨论过的三角形单元及其它单元，可以得到类似的质量矩阵．这里没有给出显式1)，在采用这种单元时，我们推荐数值积分法．

壳体　如果求出了关于一个单元的"面内"运动及"弯曲"运动的质量矩阵，则可再次求出关于一般坐标系的质量矩阵．显然，变换规则与对力矩阵所采用的完全相同．关于一般坐标下每个单元的质量矩阵的推导，以及与节点有关的质量矩阵的最终集合，都遵循对刚度矩阵进行类似处理时的步骤(见第十三章)进行．

表 20.1　矩形平板单元的质量矩阵

$$\mathbf{M}^e=\mathbf{LML}$$

$$\mathbf{M}^e=\lambda$$

$$\times\begin{bmatrix}
3454 &&&&&&&&&&& \\
-461 & 80 &&&&&&&&&& \\
-461 & -63 & 80 &&&&&&&&& \\
1226 & -274 & 199 & 3454 &&&&&&&& \\
274 & -60 & 42 & 461 & 80 &&&&&&& \\
199 & -42 & 40 & 461 & 63 & 80 &&&&&& \\
1226 & -199 & 274 & 394 & 116 & 116 & 3454 &&&&& \\
-199 & 40 & -42 & -116 & -30 & -28 & -461 & 80 &&&& \\
-274 & 42 & -60 & -116 & -28 & -30 & -461 & 63 & 80 &&& \\
394 & -116 & 116 & 1226 & 199 & 274 & 1226 & -274 & -199 & 3454 && \\
116 & -30 & 28 & 199 & 40 & 42 & 274 & -60 & -42 & 461 & 80 & \\
-116 & 28 & -30 & -274 & -42 & -60 & -199 & 42 & 40 & -461 & -63 & 80
\end{bmatrix}$$

$\mathbf{L}$ 在表10.1中已定义，$\lambda=\dfrac{\rho tab}{6300}$

因此，壳体振动问题原则上不产生什么特殊困难．

---

1) 在参考文献[20]及[21]中有显式积分．

实际上，对于结构动态问题方面出现的许多种矩阵，情况也相同。数值积分的性能允许我们用第八章中介绍的方法，以直接而简单的方式计算质量(或阻尼)矩阵。

20.2.4 质量矩阵的"聚缩化"或"对角化" 如同我们已经叙述过的那样，采用聚缩(或对角)质量矩阵在计算上相当方便；为此，许多工程师都坚持采用聚缩质量这种纯物理的方法。对于这种聚缩化，显然必须制定一种系统化的并且数学上可以接受的方法。这里可以遵循两种基本办法来进行。首先，我们可以把聚缩化看成这样一种方法：在产生质量矩阵的各项中，用与原来不同的形状函数 $\hat{\mathbf{N}}$ 来描述式(20.1)中的未知函数 ϕ 或式(20.13)中的位移。例如，在式(20.1)的问题中，对于由传导性而产生并且导致矩阵 $\mathbf{K}$ 的项，我们可以采用

$$\phi = \mathbf{Na}, \tag{20.2}$$

而同时对于导致质量矩阵的项则采用

$$\phi = \hat{\mathbf{N}}\mathbf{a}. \tag{20.23}$$

如果形状函数是分段常数，例如在节点 i 周围的某一部分中有 $\hat{N}_i = 1$，而在其它地方有 $\hat{N}_i = 0$，并且这些部分不相重叠，则式(20.8)中的质量矩阵显然变成对角矩阵，因为这时有

$$\int_\Omega \hat{N}_i \rho \hat{N}_j \mathrm{d}\Omega = 0 \quad (i \neq j). \tag{20.24}$$

如果通常的有限元的可积性及完备性准则得到满足，这种采用不同形状函数的近似方法是允许的。另外，就象这个例子中的情况一样，这种早期的近似方法必然可由能量(变分)原理导出。因为在表达式(20.15)中不包含微分，只要函数本身是分段常数并且通常的求和条件

$$\sum_{i=1}^{n} \hat{N}_i = 1 \tag{20.25}$$

得到满足即可(见第八章)。

在图 20.1 中，我们示出了一个三角形单元的函数 N_i 及 $\hat{N}_i$。条件(20.25)可简单地解释成使总质量保持为

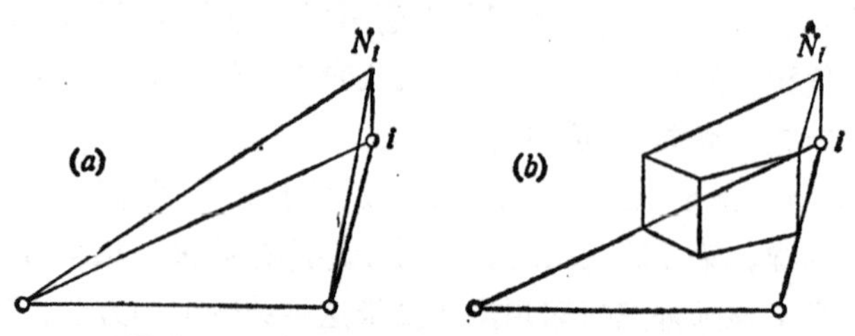

图 20.1 三角形的线性 (a) 及分段常数 (b) 形状函数

$$\int_{\Omega}\sum_{i=1}^{n}\hat{N}_i\rho\mathrm{d}\Omega=\int_{\Omega}\rho\mathrm{d}\Omega, \tag{20.26}$$

这条简单而显然的规则已被经常应用，克拉夫[22]对它作了明确的叙述. 因此,任何保证总质量的聚缩化都会导致收敛的结果.

基 (Key) 与拜辛格 (Beisinger)[23], 欣顿等人[24]及其他人用各种方法成功地作了试验,这些方法不仅给出可以接受的结果,而且常常给出比用一致质量矩阵时有所改善的结果. 例如，对于简单三角形单元,与把总质量均分于三个节点的简单办法(如式(20.20)所示) 相比，用任何其它聚缩质量的方法显然都不能得到什么改善. 对于 8 节点二维等参数单元,没有上述那种明显的办法可用,欣顿等人[24]表明，通过采取一致质量矩阵并在保持总质量的前提下放大其对角线项，可以得到极好的结果. 对于 8 节点及 9 节点矩形单元的情况，这导致图 20.2 所示聚缩方式. 董平等人[25] 表明,在某些情况下，采用不同的插值可能导致收敛率的降低,弗里德 (Fried)[26]提出了另外一种聚缩质量的方式.

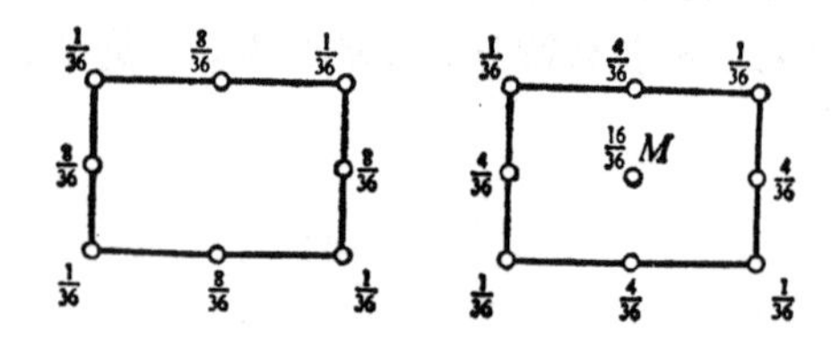

图 20.2 通过放大一致质量矩阵中对角线项的办法聚缩的质量(在每个节点处示出的是该处质量在总质量中所占的比例)

第二种办法利用数值积分来得到聚缩质量，不必明显地引入附加的形状函数．显然，如果用数值积分来计算式（20.8）中的质量矩阵，我们就将把典型项 M_{ij} 写成如下求和形式（遵照第八章）：

$$M_{ij}=\int_{\Omega} N_i\rho N_j \mathrm{d}\Omega=\sum_{q=1}^{m} W_q(N_i\rho N_j)_q, \tag{20.27}$$

式中 q 是指必须在该点处计算被积函数的样点，而 W_q 给出相应的权．

如果这时数值积分的样点处于各个节点，由于在节点 i 处，除形状函数 N_i 外的所有形状函数均为零，所以有

$$M_{ij}=0 \quad (i\neq j),$$

质量矩阵变成对角矩阵．

在第八章中，我们叙述了一条关于不影响收敛速率的数值积分阶次的重要定理．这条定理说，如果 p 是所用多项式的阶次，m 是变分泛函中存在的微分的阶次，则任何精确到 $2(p-m)$ 阶的积分都不影响收敛的速率．这一积分阶次是由包含 N 的导数的项所决定的，而对于不具有任何微分的项（象引起质量矩阵的那些项），显然不必采用更高的积分阶次．

因此，如果采用只以节点作为样点的积分格式，并且该格式具有正确的积分阶次，则这种聚缩质量的方法不影响收敛速率．弗里德[26]对于几种单元采用了这种格式，表明它不仅保持了收敛阶次，而且精度常有改善．对于简单的三角形单元，适当的积分格式再次产生式（20.20）那种普通的聚缩质量矩阵．然而，作为一个例子，让我们在式（20.1）所描述的问题这一范围中，考察图 20.2 的两个矩形抛物线性单元．在这里，$p=2, m=1$，因此我们要寻求精确积分二次多项式的积分公式（误差阶次为 $O(h^3)$）．

写出一般的二次多项式

$$f(\xi,\eta)=\alpha_1+\alpha_2\xi+\alpha_3\eta+\alpha_4\xi^2+\alpha_5\xi\eta+\alpha_6\eta^2,$$

我们希望式（20.27）给出的那种积分公式精确积分该多项式．根据对称性，所有角节点必定有相同的权 W_1，而所有边上节点的权均为 W_2．对于 8 节点单元进行精确积分，我们求出

$$\int_{-1}^{1}\int_{-1}^{1} f(\xi,\eta)\mathrm{d}\xi\mathrm{d}\eta = 4\alpha_1 + \frac{4}{3}\alpha_4 + \frac{4}{3}\alpha_6.$$

把上式写成式(20.2)的求和形式，我们有

$$\iint f(\xi,\eta)\mathrm{d}\xi\mathrm{d}\eta = \sum_{i=\text{角节点}} W_1 f(\xi_i,\eta_i) + \sum_{i=\text{边上节点}} W_2 f(\xi_i,\eta_i)$$

$$= 4\alpha_1(W_1+W_2) + \alpha_4(4W_1+2W_2) + \alpha_6(4W_1+2W_2).$$

为使上述两个表达式一样(即均精确积分二次多项式)，我们必须有

$$W_1 + W_2 = 1 \quad 与 \quad 4W_1 + 2W_2 = \frac{4}{3},$$

或

$$W_1 = -\frac{1}{3}; \qquad W_2 = \frac{4}{3}.$$

这使总质量按图 20.3(a)中给出的比例"聚缩"，并且我们看到，有些节点处的质量还是负的. 虽然这在数学上还是可以接受的，并且弗里德确实表明，用这种有负值单元的质量矩阵可以得到好结果；但它们在数值上是不方便的，并且很少采用.

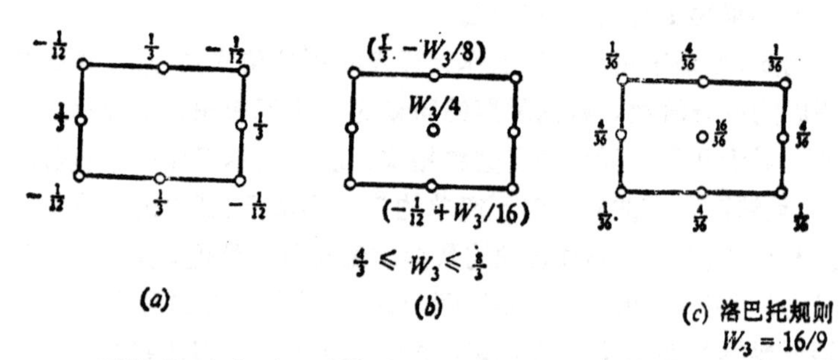

图 20.3 通过选择 $O(h^3)$ 的数值积分阶次而聚缩的质量；(a) 为 Serendipity 单元，(b) 为拉格朗日矩形单元 ($p=2$)；(c) 示出了采用 $O(h^4)$ 积分时 (b) 的特殊情况(图中数字表示各节点处质量在总质量中占的比例)

对于图 20.3 (b)所给出的 9 节点单元，类似的计算表明，可以有许多积分公式，可以得到单元都是正值的聚缩质量矩阵. 用 W_3 表示中心节点的权，读者可以验证，由前面的推理办法会得到

$$W_1 + W_2 + \frac{W_3}{4} = 1 \quad 与 \quad 4W_1 + 2W_2 = \frac{4}{3},$$

或

$$W_1 = -\frac{1}{3} + \frac{W_3}{4}, \ W_2 = \frac{4}{3} - \frac{W_3}{2},$$

对于 $\frac{4}{3} < W_3 < \frac{8}{3}$，这给出图 20.3(b)所示的元素均为正值的聚缩质量矩阵．在图 20.3(c) 中，我们示出了积分精度为 $O(h^4)$ 的一种特定形式，它等价于高斯-洛巴托（Lobatto）积分$\left(W_3 = \frac{16}{9}\right)$.

在图 20.4 中，示出了参考文献 [26] 中导出的一些关于线性、抛物线性及三次三角形单元的聚缩质量的公式．

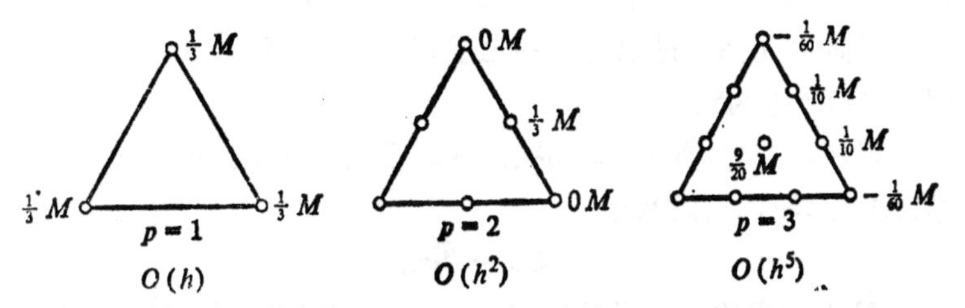

图 20.4　对于三角形单元用选择数值积分阶次的办法来聚缩的质量

虽然上述办法是针对关于场问题而导出的矩阵来进行讨论的，但它们同样适用于所有的质量矩阵，并且实际上也适用于本章的阻尼矩阵．在本章随后各节中，我们将示出用这里介绍的各类聚缩质量法导出的结果，将会看到，这些聚缩质量法显示出数值上的优点，并且结果的精度比用一致质量矩阵所得到的有改善．

20.3　耦合问题

上一节中所讨论的两组问题，导致由式(20.8)或(20.13)所表征的形式相同的基本矩阵微分方程．可以类似地推导具有高阶控制方程的其它问题的公式系统．有时，在耦合型问题中出现这样两组分离的方程．为了使讨论具有完整性，我们将介绍有相当大工程意义的两个这样的典型情况．

20.3.1 流体中弹性结构的耦合运动．声学问题[11,16,27,28] 可压缩流体作小振幅运动时，控制压力分布(p)的微分方程是[29]

$$\frac{\partial^2 p}{\partial x^2}+\frac{\partial^2 p}{\partial y^2}+\frac{\partial^2 p}{\partial z^2}+\frac{1}{\bar{c}^2}\frac{\partial^2 p}{\partial t^2}=0, \tag{20.28}$$

式中 $\bar{c}$ 表示声波的速度，这里略去了“阻尼”(粘性)项．

在边界上，或者规定 p，或者让固体边界承受规定的运动：

$$\frac{\partial p}{\partial n}=-\rho\frac{\partial^2}{\partial t^2}(U_n), \tag{20.29}$$

式中 U_n 是位移的法向分量．通过对流体区域进行有限元剖分，这个问题导致一个与式(20.8)形式类似的离散化方程

$$\mathbf{G}\ddot{\mathbf{p}}+\mathbf{H}\mathbf{p}+\bar{\mathbf{f}}_f=0, \tag{20.30}$$

式中矩阵 $\mathbf{H}$ 与 $\mathbf{G}$ 按通常方式得到． 矩阵 $\bar{\mathbf{f}}_f$ 不包含任何体积积分的贡献，而完全是由与边界上规定运动相应的边界积分（见式(17.27))产生的1)．

现在，边界(界面)运动被结构的运动所规定．如果结构本身被离散化，我们可以写出

$$U_n=\bar{\bar{\mathbf{N}}}\mathbf{a}, \tag{20.31}$$

式中 $\bar{\bar{\mathbf{N}}}$ 由相应的形状函数确定，而 $\mathbf{a}$ 是位移(节点)参数．利用式(17.13)，我们有

$$\bar{\mathbf{f}}_f=\mathbf{S}\ddot{\mathbf{a}}, \tag{20.32}$$

式中

$$\mathbf{S}=\int_S \mathbf{N}^{\mathrm{T}}\rho\bar{\bar{\mathbf{N}}}\mathrm{d}S, \tag{20.33}$$

这里的 $\mathbf{N}$ 是确定压力分布的形状函数，S 是流体与结构的界面．

对于结构问题，通过离散化，我们类似地有

$$\mathbf{M}\ddot{\mathbf{a}}+\mathbf{C}\dot{\mathbf{a}}+\mathbf{K}\mathbf{a}+\bar{\mathbf{f}}_S+\mathbf{r}=0, \tag{20.34}$$

在上式中可认出式(20.13)的各项，但作用力这一项已被分离成假

---

1) 在更一般的情况下，式(20.30)可增加包含 p 对于时间的一阶导数的项．如果在流体运动方程中包含粘性项，或者存在不反射入射压力波的流体边界，就会发生这种情况．如果流体区域无限扩大，但仅截取部分区域进行剖分，则这种边界是十分重要的[22]．

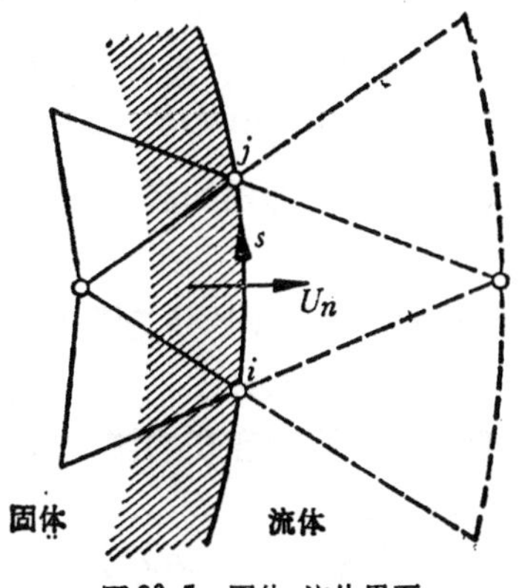

图 20.5　固体-流体界面

定独立地给定的外力 $\mathbf{r}$ 及由流体界面压力引起的 $\bar{\mathbf{f}}_S$. 根据虚功原理，并注意到

$$p = \mathbf{N}\mathbf{p},$$

我们看到 $\bar{\mathbf{f}}_S$ 由下式给出:

$$\bar{\mathbf{f}}_S = \int_S \bar{\bar{\mathbf{N}}}^{\mathrm{T}} p \mathrm{d}S = \frac{1}{\rho} \mathbf{S}^{\mathrm{T}} \mathbf{p}. \tag{20.35}$$

将式(20.30),(20.32),(20.34)及(20.35)组合起来，我们最后有控制本问题的耦合的矩阵微分方程组:

$$\mathbf{G}\ddot{\mathbf{p}} + \mathbf{H}\mathbf{p} + \mathbf{S}\ddot{\mathbf{a}} = 0, \tag{20.36}$$

$$\mathbf{M}\ddot{\mathbf{a}} + \mathbf{C}\dot{\mathbf{a}} + \mathbf{K}\mathbf{a} + \frac{1}{\rho}\mathbf{S}^{\mathrm{T}}\mathbf{p} + \mathbf{r} = 0. \tag{20.37}$$

在文献[11]及[16]中讨论了这个问题的一些内容. 对于不可压缩流体 ($\bar{c} = \infty$) 这一特殊情况，式(20.36)左端第一项中的 $\mathbf{G}$ 变成零，这个方程可以直接求解，给出

$$p = -\mathbf{H}^{-1}\mathbf{S}\ddot{\mathbf{a}}. \tag{20.38}$$

将上式代入式(20.37)，就得到标准的动态方程，但其中的质量矩阵增加了如下“附加质量矩阵”:

$$-\frac{1}{\rho}\mathbf{S}^{\mathrm{T}}\mathbf{H}^{-1}\mathbf{S}. \tag{20.39}$$

实际上，在17.5节中讨论过这种(折合)质量矩阵的推导，这是监凯维奇等人[4,16]首先给出的. 最近，在计算拱坝及其它水下结构或者漂浮结构的固有频率时[28,30,31]，采用了同样的方法. 在声学工程中存在类似的问题，那里的流体（空气）就是可压缩的介质[32,34].

20.3.2 *多孔饱和材料的弹性性态*[35-41] 这种问题在土力学及各种地质情况中具有很大意义.

在多孔弹性介质中，孔内存在的流体压力引起作用于弹性基质的体力，体力的大小是

$$\begin{Bmatrix} X \\ Y \\ Z \end{Bmatrix} = -\begin{Bmatrix} \partial p/\partial x \\ \partial p/\partial y \\ \partial p/\partial z \end{Bmatrix}. \tag{20.40}$$

在第四章中已对此进行过讨论，但有兴趣的读者可在文献[36]中找到关于这一现象的进一步讨论.

如果现在把弹性结构按有限单元方式离散化，这些体力所贡献的节点"力"的大小是

$$\bar{\mathbf{f}}_p = \left(\int_V \bar{\mathbf{N}}^{\mathrm{T}} \begin{Bmatrix} \partial/\partial x \\ \partial/\partial y \\ \partial/\partial z \end{Bmatrix} \mathbf{N} \mathrm{d}V\right)\mathbf{p} = \mathbf{L}\mathbf{p}, \tag{20.41}$$

式中 $\bar{\mathbf{N}}$ 是确定该弹性体位移的形状函数，而 $\mathbf{N}$ 是确定压力分布的形状函数[1].

因此，对于弹性连续介质，我们最后有如下标准的离散方程:

$$\mathbf{K}\mathbf{a} + \mathbf{L}\mathbf{p} + \mathbf{r} = 0, \tag{20.42}$$

式中 $\mathbf{K}$ 是刚度矩阵，$\mathbf{r}$ 表示除孔内压力所引起的力之外的所有给定的力.

转而考察孔内所包含的流体，我们应该写出适当的微分流动方程. 这在第十七章中已经遇到过，就是典型的方程(17.9). 现在，式中的 k_x, k_y, k_z 是渗透系数，而 Q 表示每单位体积空间产

---

1) 同第二章中一样，为了简化记号，写成对于整个区域进行积分的形式.

生(或流出)流体的速率.

如果按弹性性态变形的固体基质具有位移分量 u, v, w,并假设流体及固体骨架的质点完全不可压缩,则有

$$Q = -\rho \frac{\partial}{\partial t}\left(\frac{\partial u}{\partial x} + \frac{\partial v}{\partial y} + \frac{\partial w}{\partial z}\right) = -\rho \frac{\partial}{\partial t}\begin{Bmatrix} \partial/\partial x \\ \partial/\partial y \\ \partial/\partial z \end{Bmatrix}^{\mathrm{T}} \bar{\mathbf{N}}\mathbf{a}. \tag{20.43}$$

通过代入式(20.43)把式(17.9)离散化,我们有

$$\mathbf{Hp} + \mathbf{S}\dot{\mathbf{a}} = 0. \tag{20.44}$$

建立上式时用到了式(17.17),根据式(17.17),Q的贡献是

$$-\int_V \mathbf{N}^{\mathrm{T}} Q \mathrm{d}V = \left(\rho \int_V \mathbf{N}^{\mathrm{T}} \begin{Bmatrix} \partial/\partial x \\ \partial/\partial y \\ \partial/\partial z \end{Bmatrix} \bar{\mathbf{N}} \mathrm{d}V\right)\dot{\mathbf{a}}. \tag{20.45}$$

式(20.42)及 (20.44) 现在形成一个耦合的联立矩阵微分方程组. 它与对于耦合的流体-结构动态相互作用问题所导出的方程组 (式(20.36) 及 (20.37)) 类似. 当后者中不考虑流体的压缩性时,其形式实际上与这里的一样.

应当注意,仅从式(20.41)及(20.45)即可知, 在形式上有

$$\mathbf{S} = \rho \mathbf{L}^{T}. \tag{20.46}$$

最初用有限元法处理本问题的是桑德赫 (Sandhu) 与威尔森 (Wilson)[35], 他们所用的方法与这里所介绍的稍有不同. 克罗克特 (Crocket) 与内迪[37]以及比奥特 (Biot)[38] 对于本问题的物理方面进行过讨论.

通常的固结方程的形式如同式 (20.1) (不含关于时间的二阶导数项),它只是这里的更一般的公式系统的特殊情况.

上面假设了流体是不可压缩的. 但是, 如果对该问题也考虑流体的可压缩性, 只要在式 (20.44) 中增加如下形式的附加项即可:

$$\mathbf{A}\dot{\mathbf{p}}.$$

这样推广之后,就可以处理局部饱和土壤问题.

在别的一些文献[38-42]中，可以找到一些包含这种可压缩性效应的公式系统，以及固体中孔隙压力问题的另外一种等价处理方法．这两个例子表明，离散化的耦合系统现在导致常微分方程组；得到这种方程组的解答的方式，与本章以下部分及下一章中将要讨论的方式是一样的．

解 析 解 法

20.4 一般分类

我们已经看到，通过半离散化，许多与时间有关的问题可以化为一组常微分方程，这组方程的形式由式(20.13)给出：

$$\mathbf{M}\ddot{\mathbf{a}} + \mathbf{C}\dot{\mathbf{a}} + \mathbf{K}\mathbf{a} + \mathbf{f} = 0. \tag{20.47}$$

在这里，一般说来所有的矩阵都是对称的(虽然在第二十二章中将出现一些涉及非对称矩阵的情况)．如果 $\mathbf{M} = 0$，这个二阶方程组就变成一阶方程组，例如在瞬态热传导问题中就是这样．我们下面将讨论求解这种常微分方程组的一些方法．一般说来，上面的方程组可以是非线性的(例如，当刚度矩阵取决于非线性的材料性质时，或者当涉及大变形时)，但是起初我们将只注意线性情况．

线性常微分方程组原则上总是可以用解析法求解而不必引入补充的近似，本章的以下部分将只讨论这种解析解法．虽然可以这样求解，但解析法可能太复杂，以致必须进而依靠近似的方法，我们在下一章中将介绍这方面的情况．然而，解析法所提供的对于系统性态的了解，对于研究者总是有用的．

本章中的一些内容是用来求解常系数微分方程的熟知标准方法的推广，大部分学过动力学或数学的学生都已遇见过这些方法．下面我们将顺次介绍

(a) 自由响应的确定 ($\mathbf{f} = 0$)，

(b) 周期响应的确定 ($\mathbf{f}(t)$ 是周期性的)，

(c) 瞬态响应的确定 ($\mathbf{f}(t)$ 是任意的)．

在前两方面问题中，系统的初始条件不重要，只要寻求通解．

第三方面的问题最重要，我们将给予相当大的注意.

20.5 自由响应；二阶问题的特征值及动态振动

20.5.1 自由动态振动——实特征值 如果在式(20.47)的动态问题中不存在阻尼项及激振力项，则该式化成

$$\mathbf{M}\ddot{\mathbf{a}} + \mathbf{K}\mathbf{a} = 0. \tag{20.48}$$

如果把这种方程的通解写成(其实部即表示一调和响应，因为 $e^{i\omega t} = \cos\omega t + i\sin\omega t$)

$$\mathbf{a} = \bar{\mathbf{a}}e^{i\omega t},$$

那末，通过代换，我们看到 ω 可由下式确定:

$$(-\omega^2\mathbf{M} + \mathbf{K})\bar{\mathbf{a}} = 0. \tag{20.49}$$

这是一个特征值问题，为了有非零解，以上方程的行列式必须为零:

$$|-\omega^2\mathbf{M} + \mathbf{K}| = 0. \tag{20.50}$$

当矩阵 $\mathbf{K}$ 及 $\mathbf{M}$ 均为 $n\times n$ 阶时，式(20.5)一般给出 n 个 ω^2 的值(或给出 ω_j, $j = 1, 2, \cdots, n$). 只要矩阵 $\mathbf{K}$ 及 $\mathbf{M}$ 是正定的——结构问题通常就是这种情况，则可证明，式(20.50)所有的根都是正实数(关于这一点的证明，请见文献[1]). 这些根被称为该系统的固有频率.

虽然式(20.50)的解不能确定 $\mathbf{a}$ 的实际值，但我们可以求得给出各项之间比例关系的 n 个向量 $\bar{\mathbf{a}}_j$. 这些向量被称为该系统的固有模态(振型)，它们通常被正规化，以使

$$\bar{\mathbf{a}}_j^{\mathrm{T}}\mathbf{M}\bar{\mathbf{a}}_j = 1. \tag{20.51}$$

在这里，注意到模态正交性这一性质是有用的，这种性质就是

$$\left.\begin{aligned}\bar{\mathbf{a}}_j^{\mathrm{T}}\mathbf{M}\bar{\mathbf{a}}_i = 0,\\ \bar{\mathbf{a}}_j^{\mathrm{T}}\mathbf{K}\bar{\mathbf{a}}_i = 0,\end{aligned}\right\} \quad i \neq j. \tag{20.52}$$

证明式(20.52)是一件简单的事情. 因为式(20.49)对于任何模态均成立，我们可以写出

$$\omega_i^2\mathbf{M}\bar{\mathbf{a}}_i = \mathbf{K}\bar{\mathbf{a}}_i,$$

$$\omega_j^2 \mathbf{M}\bar{\mathbf{a}}_j = \mathbf{K}\bar{\mathbf{a}}_j.$$

用 $\bar{\mathbf{a}}_j^T$ 前乘上面的第一式，用 $\bar{\mathbf{a}}_i^T$ 前乘上面的第二式，再将两式相减(注意到矩阵 $\mathbf{M}$ 的对称性，即 $\bar{\mathbf{a}}_i^T\mathbf{M}\bar{\mathbf{a}}_j = \bar{\mathbf{a}}_j^T\mathbf{M}\bar{\mathbf{a}}_i$)，我们有

$$(\omega_i^2 - \omega_j^2)\bar{\mathbf{a}}_i^T\mathbf{M}\bar{\mathbf{a}}_j = 0.$$

如果 $\omega_i \neq \omega_j$，就证明了关于矩阵 $\mathbf{M}$ 的正交性．关于矩阵 $\mathbf{K}$ 的正交性可直接仿此证明．

20.5.2 特征值的确定 对于求实际的特征值，把式 (20.50) 中给出的行列式展开写成多项式这种办法一般是不实用的，必须建立另外一种方法．关于这种方法的讨论最好留给专门的教科书去进行，实际上，目前已有作为库存例行子程序的许多标准计算机程序．

许多新的并且极其有效的方法正补充到现有的方法中．对这些方法进行说明超出了本书的范围，但读者可以在文献[43—50]中找到一些使人感兴趣的介绍．

在大部分方法中，出发点都是如下给出的**狭义特征值**问题：

$$\mathbf{H}\mathbf{x} = \lambda\mathbf{x}, \tag{20.53}$$

式中 $\mathbf{H}$ 是一个对称正定矩阵．通过对 $\mathbf{K}$ 求逆并令 $\lambda = 1/\omega^2$，式 (20.49) 可以写成

$$\mathbf{K}^{-1}\mathbf{M}\bar{\mathbf{a}} = \lambda\bar{\mathbf{a}}, \tag{20.54}$$

但这时一般失去了对称性．

然而，如果我们把 $\mathbf{K}$ 及 $\mathbf{K}^{-1}$ 写成如下三角矩阵的积的形式：

$$\mathbf{K} = \mathbf{L}\mathbf{L}^T, \quad \mathbf{K}^{-1} = \mathbf{L}^{T-1}\mathbf{L}^{-1},$$

式中 $\mathbf{L}$ 是一个下三角矩阵；那末，用 $\mathbf{L}^T$ 左乘式 (20.54) 两端，则有

$$\mathbf{L}^{-1}\mathbf{M}\bar{\mathbf{a}} = \lambda\mathbf{L}^T\bar{\mathbf{a}}.$$

令

$$\mathbf{L}^T\bar{\mathbf{a}} = \mathbf{x}, \tag{20.55}$$

我们最后有

$$\mathbf{H}\mathbf{x} = \lambda\mathbf{x}, \tag{20.56}$$

式中

$$\mathbf{H} = \mathbf{L}^{-1}\mathbf{M}\mathbf{L}^{T-1}. \tag{20.57}$$

式(20.56)就是式(20.53)的形式，因为现在式(20.57)的 $\mathbf{H}$ 是对称的.

确定 λ 后(所有的 λ,或者只挑选与基本周期相应的很少几个最大的值),就可求出 $\mathbf{x}$ 的模，从而可利用式(20.55)求出 $\bar{\mathbf{a}}$ 的模.

如果矩阵 $\mathbf{M}$ 是一个对角矩阵，如同质量被“聚缩”那种情况，则导出标准特征值问题的方法可以得到简化；这里显示出我们在20.2.4节中已讨论过的这种对角化的最重要的优点.

20.5.3 具有奇异矩阵 K 的自由振动 在静力问题中，我们总是引入了适当数目的支撑条件，以允许 $\mathbf{K}$ 被求逆，或者说以允许唯一地求解静力方程，这两种说法是等价的(参见第一章). 如果实际上没有规定这种“支撑”条件，象在空间中运行的火箭就完全可能是这种情况;那末,任意规定最少数目的支撑条件就能得到静力解答而不影响应力. 在动态问题中，不允许这样规定支撑条件,我们常常面临一个自由振荡问题,这种问题的 $\mathbf{K}$ 是奇异的,因此 $\mathbf{K}$ 没有逆.

为了保证前一节中介绍的一般方法的适用性，可以采用一种简单的办法. 把式(20.49)修正为

$$[(\mathbf{K}+\alpha\mathbf{M})-(\omega^2+\alpha)\mathbf{M}]\bar{\mathbf{a}}=0, \qquad (20.58)$$

式中 α 是与所要寻求的 ω^2 的典型值同阶的任意常数.

新矩阵$(\mathbf{K}+\alpha\mathbf{M})$可以求逆,标准方法保证能求出$(\omega^2+\alpha)$.

这个简单但是有效的办法回避了采用其它办法时的严重困难,它是科克斯 (Cox)[51]及詹宁 (Jenning)[52] 首先提出的. 在文献[53]及[54]中,给出了处理上述问题的其它方法.

20.5.4 特征值降阶法 无论采用什么办法来确定系统的特征值及特征模态,对于一个给定规模的问题,计算机工作量都要比求解等价的静力问题大一个数量级. 幸而，用比通常的静力解所需少得多的自由度,就可合理地确定好的特征值.

如果在动态分析中采用相当细的剖分，我们可以消去许多自由度,并把“质量”及“阻尼”效应“聚缩”于数目减少了的节点参数. 艾恩斯[55,56]及后来的古扬 (Guyan)[57] 已经提出了做到这一点的一

致的方法． 读者会注意到它与第七章 7.6 节中介绍的子结构分析的类似性．

设总向量 $\mathbf{a}$ 被分成两部分：

$$\mathbf{a}=\begin{Bmatrix}\mathbf{a}^s\\ \mathbf{a}^m\end{Bmatrix},\tag{20.59}$$

并假设位移 $\mathbf{a}^s$ 以某种唯一的方式依赖于位移 $\mathbf{a}^m$． 因此，我们把 $\mathbf{a}^m$ 称为“主”变量，把 $\mathbf{a}^s$ 称为“副”变量．如果

$$\mathbf{a}^s=\mathbf{T}\mathbf{a}^m,\tag{20.60}$$

则我们有

$$\mathbf{a}=\begin{bmatrix}\mathbf{I}\\ \mathbf{T}\end{bmatrix}\mathbf{a}^m=\mathbf{T}^*\mathbf{a}^m,\tag{20.61}$$

式中 $\mathbf{T}$ 是规定依赖关系的矩阵．

现在，通过对变形的自由度施加式 (20.61) 所表示的约束，整个系统的动态方程

$$\mathbf{M}\ddot{\mathbf{a}}+\mathbf{K}\mathbf{a}=0\tag{20.62}$$

的规模可以减小．

利用第一章(式(1.8))中导出的变换原理（或者简单地在代入式(20.61)后用 $\mathbf{T}^{*\mathrm{T}}$ 前乘式(20.62))，我们可以写出

$$\mathbf{M}^*\ddot{\mathbf{a}}^m+\mathbf{K}^*\mathbf{a}^m=0,\tag{20.63}$$

式中

$$\mathbf{K}^*=\mathbf{T}^{*\mathrm{T}}\mathbf{K}\mathbf{T}^*;\quad \mathbf{M}^*=\mathbf{T}^{*\mathrm{T}}\mathbf{M}\mathbf{T}^*,$$

式(20.63)是一个所含变量的数目较少的问题．

重要的问题是如何合理地确定“主”、“副”变量之间的关系．一个可以由工程直觉合理地说明的适当假设是：在静力状况下对于无载荷的被分析结构施加位移 $\mathbf{a}^m$，就会得到变形的一般模式．于是，在 $\dot{\mathbf{a}}=\ddot{\mathbf{a}}=0$ 的情况下对矩阵进行分块，我们可以把式(20.47)写成

$$\mathbf{K}\mathbf{a}=\begin{bmatrix}\mathbf{K}_{ss} & \mathbf{K}_{sm}\\ \mathbf{K}_{sm}^T & \mathbf{K}_{mm}\end{bmatrix}\begin{Bmatrix}\mathbf{a}^s\\ \mathbf{a}^m\end{Bmatrix}=\begin{Bmatrix}0\\ \mathbf{f}^m\end{Bmatrix}.\tag{20.64}$$

因为“副”节点处不承载，我们可以写出

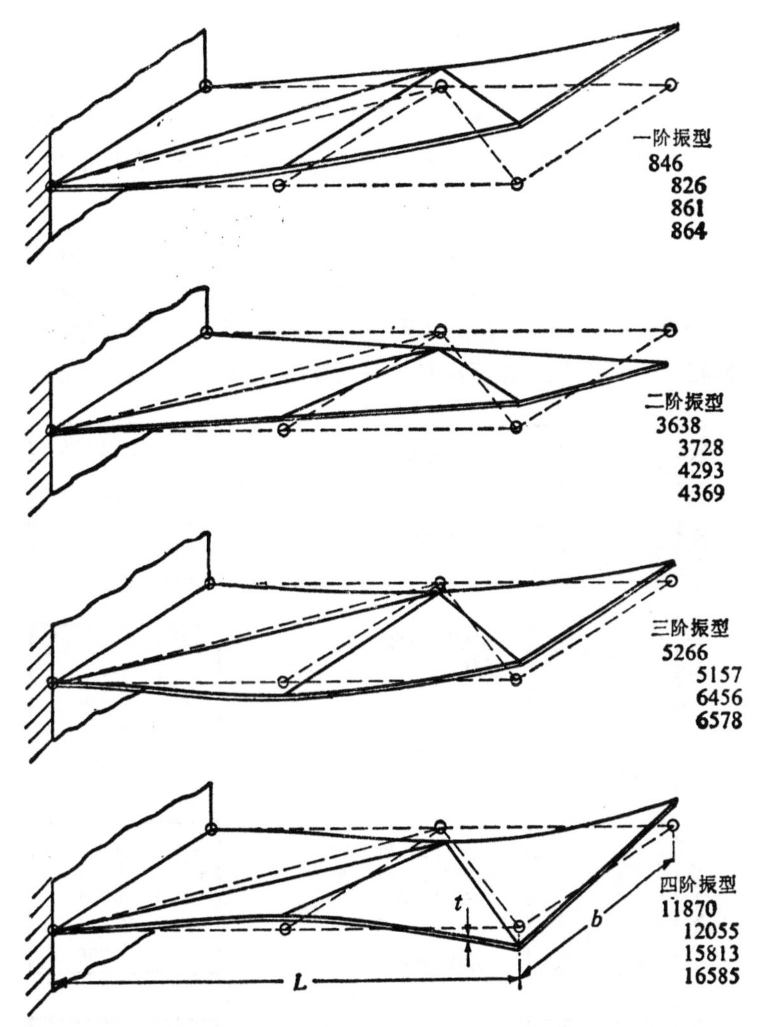

图 20.6 分成四个三角形单元的悬臂平板的振频及振型. 数据: $E=30\times10^6$ 磅/英寸^2; $t=0.1$ 英寸; $L=2$ 英寸; $b=1$ 英寸; $\nu=0.3$; 密度 $\rho=0.283$ 磅/英寸^3. 图中所列数字表示频率(周/秒), 从上至下分别是: 精确解(文献[60]), 用非协调三角形单元得到的结果, 用协调三角形单元得到的结果(校正函数是式(10.31), 用协调三角形单元得到的结果(校正函数是式(10.32))

$$\mathbf{K}_{ss}\mathbf{a}^s+\mathbf{K}_{sm}\mathbf{a}^m=0,$$

或者写成

$$\mathbf{a}^s = -\mathbf{K}_{ss}^{-1}\mathbf{K}_{sm}\mathbf{a}^m,$$

于是有

$$\mathbf{T} = -\mathbf{K}_{ss}^{-1}\mathbf{K}_{sm}. \tag{20.65}$$

在文献[58,59]中已详细地说明了这种方法的应用，后面将引用一些例子.

还有一个重要的问题. 这就是如何选择最好的主节点，在这里显然可以作出许多判断. 比较明显的一种选择是，首先消去未附加质量或附加质量小的节点. 为了使该方法自动化，亨谢尔与翁格 (Ong)[59]建议先算出对角线刚度项与对角线质量项之比

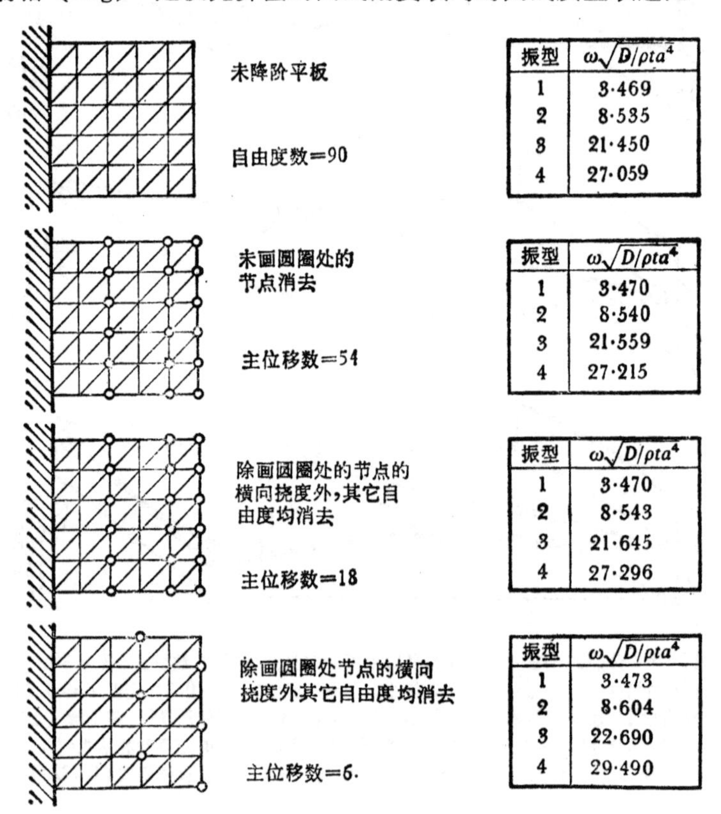

振型	$\omega\sqrt{D/\rho t a^4}$
1	3·469
2	8·535
3	21·450
4	27·059

振型	$\omega\sqrt{D/\rho t a^4}$
1	3·470
2	8·540
3	21·559
4	27·215

振型	$\omega\sqrt{D/\rho t a^4}$
1	3·470
2	8·543
3	21·645
4	27·296

振型	$\omega\sqrt{D/\rho t a^4}$
1	3·473
2	8·604
3	22·690
4	29·490

图 20.7 特征值消去法在悬臂方板振动分析中的应用（a——板的边长，t——板的厚度）

$$K_{ii}/M_{ii},$$

然后把这种比值最大的节点首先消去．这个简单办法看来是有效的，并且容易编制程序．

这种凝聚办法的一个缺点是，在规模降低了的问题中，质量矩阵不再是对角矩阵．

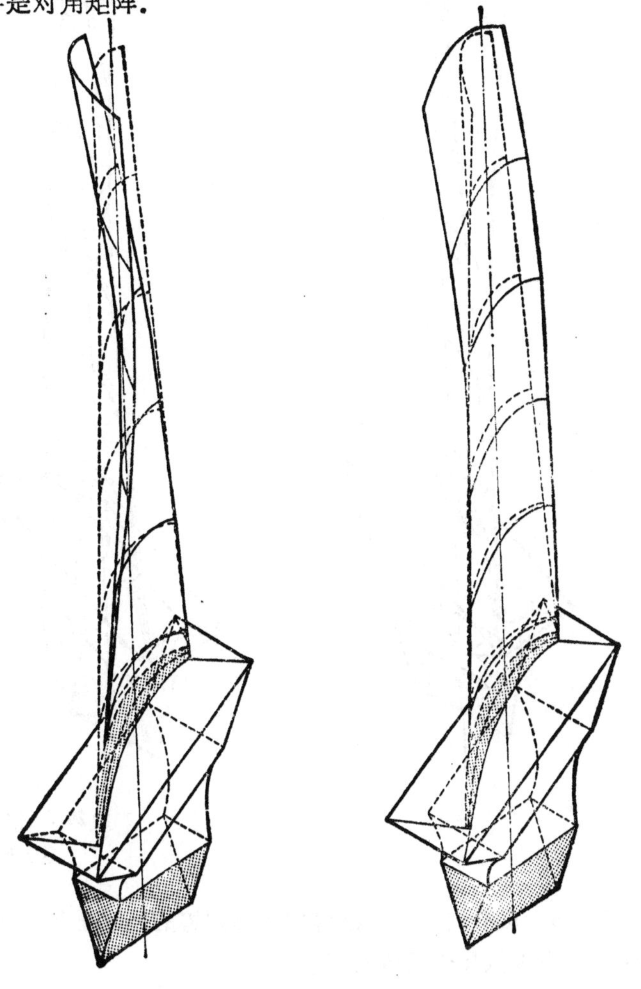

图 20.8　作为厚壳处理的涡轮叶片的振动

(a) 单元剖分(抛物线性单元)，

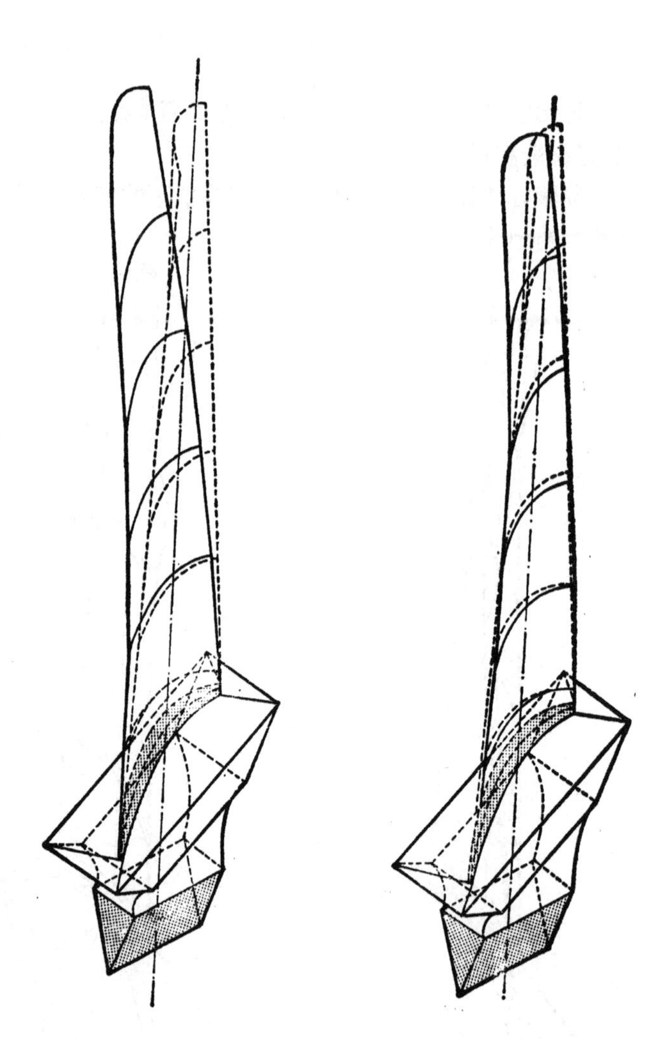

图 20.8 作为厚壳处
(b) 振型、频率

20.5.5 几个例子 可以得到实际解答的问题是多种多样的，这里仅示出少数几个简单的例子.

平板的振动 图 20.6 示出仅用四个三角形单元来求解的矩形悬臂平板的振动. 把结果同巴顿 (Barton)[60]所作精密计算进行了

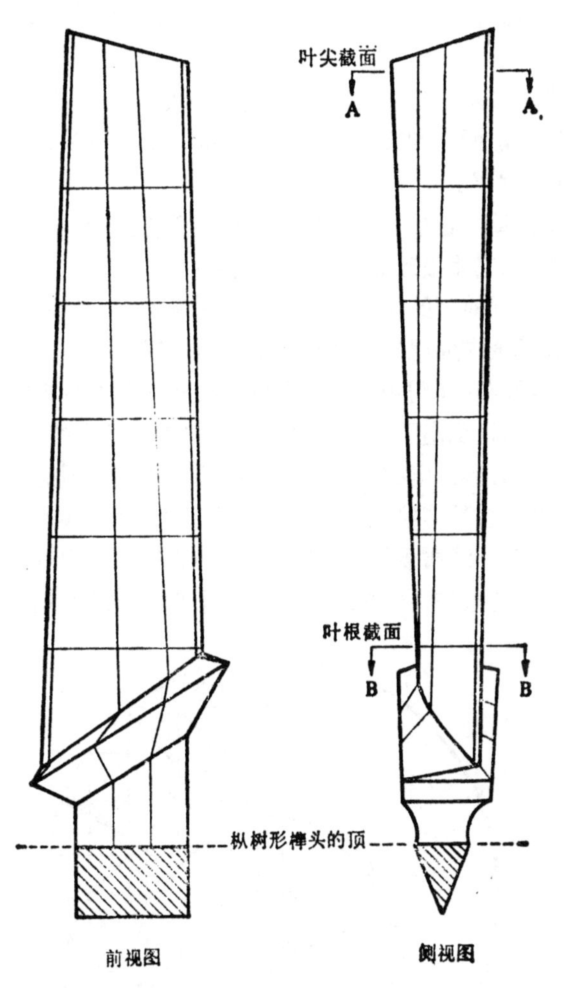

理的涡轮叶片的振动

与实验值的比较

比较．在这里可以看出，采用简单的非协调三角形单元所得到的结果，优于用较高级的公式系统所得到的结果，并且频率及振型的精度都很好．

图 20.7 介绍了一个类似的问题，它检验了采用特征值降阶法

所取得的效果．可以看出，逐步把自由度从 90 减至 6，前四阶频率的变化很小．

在当前文献中包含的板、壳振动分析的进一步例子如此之多，要在这里列出所有的文献是不切实际的，读者可以参阅关于这些文献的述评[61,62]．

壳体振动 显然，前述方法可应用于任意的二维或三维的弹性连续体，而壳体振动是一个使人很感兴趣的有代表性的问题．在图 20.8 中，同前面的简单例子相反，采用第十六章所介绍的高级的厚壳单元来求解涡轮叶片振动的问题[63,64]．

在文献[65—68]中给出了另外一些壳体动态分析的例子．在文献[20]中，也示出了采用完全的三维等参数单元的一些应用．

“波动”方程．电磁问题及流体问题 确实如同前一章中所表明的，可以由各种非结构问题导出基本动态方程(20.8)．这时，再次产生“刚度”及“质量”矩阵具有另外的物理意义的特征值问题．

前面讨论过的更一般的方程的一个特殊形式是熟知的赫尔姆

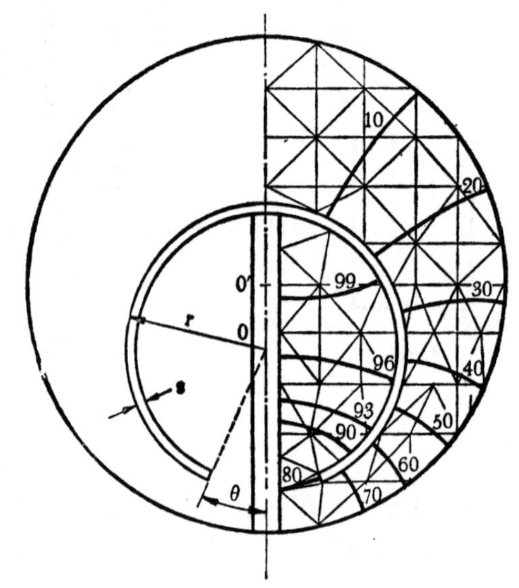

图 20.9 “月形”波导管[69]；电磁场的振型．外径 $=d$，$OO'=1.3d$，$r=0.29d$，$S=0.055d$，$\theta=22°$

霍兹波动方程，它的二维形式是

$$\frac{\partial^2 \phi}{\partial x^2}+\frac{\partial^2 \phi}{\partial y^2}+\frac{1}{\bar{c}^2}\frac{\partial^2 \phi}{\partial t^2}=0. \tag{20.66}$$

如果边界条件不强制响应，则产生在物理科学的若干领域内有意义的特征值问题.

第一种应用是关于电磁场的[69]. 图 20.9 示出了波导问题中电磁场的模态形状. 这里采用了简单的三角形单元. 在文献[69]中也讨论了更复杂的三维振荡.

如下类似的方程足够近似地描述了一个水域中浅水波的性态:

$$\frac{\partial}{\partial x}\left(h\frac{\partial \psi}{\partial x}\right)+\frac{\partial}{\partial y}\left(h\frac{\partial \psi}{\partial y}\right)+\frac{1}{g}\frac{\partial^2 \psi}{\partial t^2}=0, \tag{20.67}$$

式中 h 是平均水深，ψ 是水面相对于平均水深的变化量，而 g 是重力加速度.

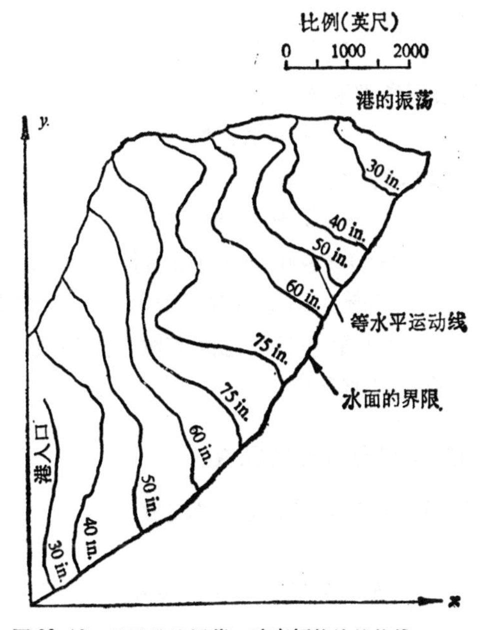

图 20.10 天然港的振荡：速度幅值的等值线

于是，可以容易地求出水深变化的港所包含的水域的固有频率[10]．图 20.10 示出了某港的振型．

耦合的结构——流体运动 在 20.3 节中已概述过这一问题的理论．同样地，如果没有阻尼及激振力，这也成为求解特征值的问题．

一个说明理想化的坝与一部分流体相互作用的简单的三维例子示于图 20.11，它表明了不考虑可压缩性效应时的振型[70]．

在把耦合问题实际化为一个标准特征值问题时，某些特殊的变换对我们是有帮助的．文献[11]中概述了其中的一些变换，而艾恩斯[71]则提出了另外一种计算方法．

20.6 自由响应；一阶问题的特征值及热传导等

如果在式(20.47)中 $\mathbf{M}=0$，我们就有以瞬态热传导方程为代表的形式(见式 (20.1))．对于自由响应问题，我们要寻求如下齐次方程的解：

$$\mathbf{C}\dot{\mathbf{a}}+\mathbf{K}\mathbf{a}=0. \tag{20.68}$$

可以再次采用如下指数函数形式：

$$\mathbf{a}=\bar{\mathbf{a}}e^{-\omega t}.$$

将上式代入式 (20.68)，我们有

$$(-\omega\mathbf{C}+\mathbf{K})\bar{\mathbf{a}}=0, \tag{20.69}$$

这再次给出与式(20.49)一样的特征值问题．因为 $\mathbf{C}$ 及 $\mathbf{K}$ 通常是正定的，ω 一定是正实数．因此，该解答即表示一指数衰减项，它确实不是稳态的．在求解初值瞬态问题时，这些项的组合可能是有用的，但在本质上价值不大．

20.7 自由响应；有阻尼动态特征值

我们下面将针对自由响应状态考察式(20.47)的完整形式．写出

$$\mathbf{M}\ddot{\mathbf{a}}+\mathbf{C}\dot{\mathbf{a}}+\mathbf{K}\mathbf{a}=0, \tag{20.70}$$

并在其中代入

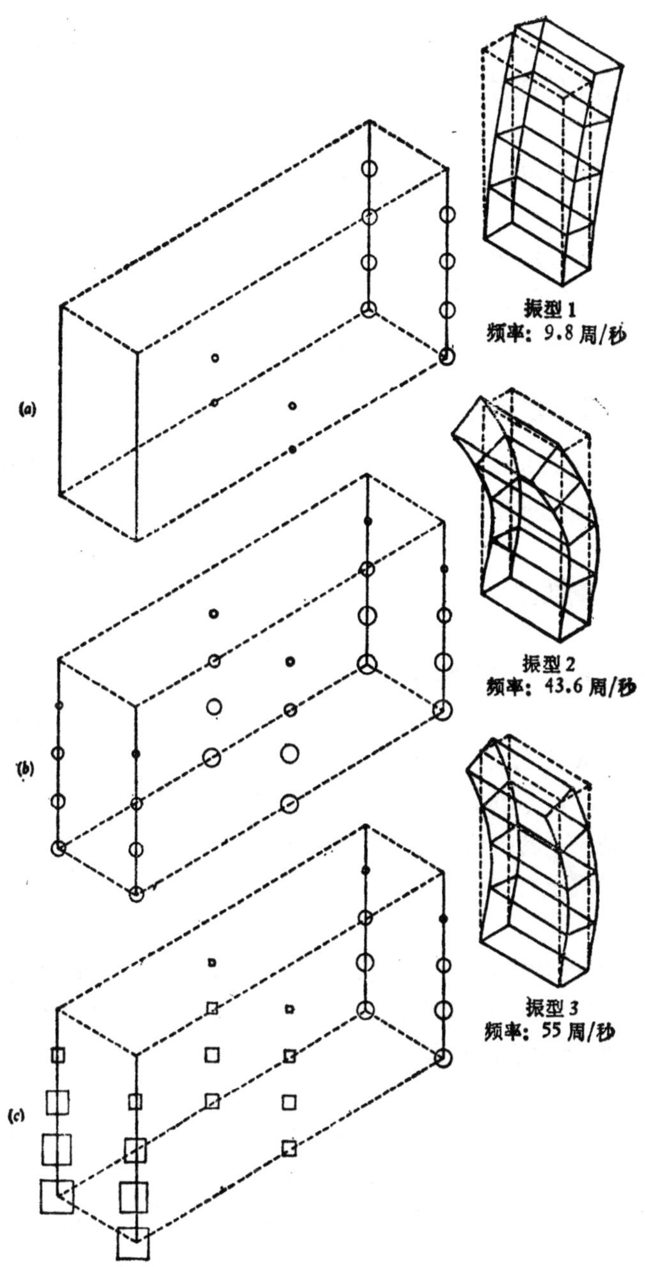

图 20.11　随壁振荡的具有自由表面的一部分流体．圆圈的大小表示压力幅度的大小，方块表示符号相反．用抛物线性元作三维处理[70]

$$\mathbf{a} = \bar{\mathbf{a}} e^{\alpha t}, \tag{20.71}$$

我们有如下特征方程：

$$(\alpha^2 \mathbf{M} + \alpha \mathbf{C} + \mathbf{K}) \bar{\mathbf{a}} = 0, \tag{20.72}$$

将会看到，式中的 α 及 $\bar{\mathbf{a}}$ 一般是复数. 该解答的实部表示一衰减振动.

式(20.72)所涉及的特征值问题比上一节中出现的更困难. 幸而，极少需要显式地求解这个方程. 如同我们在后面将看到的，上面这种特征值的概念在模态分析中是重要的.

20.8 受迫周期响应

如果式 (20.47) 中的激振力项是周期性的，或者更一般地说，如果我们能把激振力表示成

$$\mathbf{f} = \bar{\mathbf{f}} e^{\alpha t}, \tag{20.73}$$

式中 α 是复数，即

$$\alpha = \alpha_1 + i\alpha_2, \tag{20.74}$$

那末可以再次把通解写成

$$\mathbf{a} = \bar{\mathbf{a}} e^{\alpha t}. \tag{20.75}$$

把上式代入式 (20.47)，得到

$$(\alpha^2 \mathbf{M} + \alpha \mathbf{C} + \mathbf{K}) \bar{\mathbf{a}} = \mathbf{D} \bar{\mathbf{a}} = -\bar{\mathbf{f}}, \tag{20.76}$$

这不再是一个特征值问题，但它可通过对矩阵 $\mathbf{D}$ 求逆来求解，即是说在形式上有

$$\bar{\mathbf{a}} = -\mathbf{D}^{-1} \bar{\mathbf{f}}. \tag{20.77}$$

因此，解答的形式与对静力问题所用的完全相同，但现在必须用复数量来确定它. 关于复数运算，已有计算机程序可用；但也可直接安排计算，这时应注意到

$$\begin{aligned} e^{\alpha t} &= e^{\alpha_1 t}(\cos \alpha_2 t + \sin \alpha_2 t), \\ \bar{\mathbf{f}} &= \bar{\mathbf{f}}_1 + i\bar{\mathbf{f}}_2, \\ \bar{\mathbf{a}} &= \bar{\mathbf{a}}_1 + i\bar{\mathbf{a}}_2, \end{aligned} \tag{20.78}$$

式中 α_1, α_2, $\bar{\mathbf{f}}_1$, $\bar{\mathbf{f}}_2$, $\bar{\mathbf{a}}_1$ 及 $\bar{\mathbf{a}}_2$ 都是实数量. 把上式代入式 (20.76)，得到

$$\begin{bmatrix}(\alpha_1^2-\alpha_2^2)\mathbf{M}+\alpha_1\mathbf{C}+\mathbf{K}, & -2\alpha_1\alpha_2\mathbf{M}-\alpha_2\mathbf{C}\\ 2\alpha_1\alpha_2\mathbf{M}+\alpha_2\mathbf{C}, & (\alpha_1^2-\alpha_2^2)\mathbf{M}+\alpha_1\mathbf{C}+\mathbf{K}\end{bmatrix}\begin{Bmatrix}\bar{\mathbf{a}}_1\\ \bar{\mathbf{a}}_2\end{Bmatrix}=-\begin{Bmatrix}\bar{\mathbf{f}}_1\\ \bar{\mathbf{f}}_2\end{Bmatrix}. \tag{20.79}$$

式(20.79)是一个所有的量均为实数的方程组，直接求解它即可确定对于任一周期性输入的响应。

该方程组的系数矩阵虽然仍是对称的，但不再是正定的。

在周期性输入的情况下，初始过渡状态之后的解答对于初始条件不敏感，并且这一“猜测”解描述了最终建立的响应。这对于动态结构响应问题及以热传导为代表的问题都是有效的。在后一类问题中，我们就令 $\mathbf{M}=0$。

20.9 用解析法处理瞬态响应问题

20.9.1 **概述** 在上一节中，我们介绍了稳态问题的一般解法，它不考虑系统的初始条件及非周期形式的激振力项。如果我们考察例如结构的地震性态或热传导问题的瞬态性态，则考虑上述这些特点的响应是极为重要的。求解这种一般情况时，需要进行完全的时间离散化，或者需要采用特殊的解析方法，在下一章中我们将详细讨论前一种办法。在解析法方面，存在着两大类可能的办法：

(a) 频率响应法；

(b) 模态分析法。

我们下面简要地介绍这两类方法。

20.9.2 **频率响应法** 我们在20.8节中已经表明，通过求解一个简单的方程组，可以得到系统对于任何一般周期型激振力项，特别是如下周期性激振力函数的响应：

$$\mathbf{f}=\bar{\mathbf{f}}e^{i\omega t}. \tag{20.80}$$

一个完全任意的激振力函数可以用傅里叶级数近似地描述，或者在极限情况下作为傅里叶积分而精确地描述；因此，把描述任何我们感兴趣的量(例如某特定点处的位移)对于范围由零至无穷的所有频率的响应的曲线综合起来，就可得到对于这种输入的响应。实际上，只必须考虑有限个这种激振力频率，并且结果可以用快速傅里叶变换法[72] 有效地综合． 我们这里不讨论这种方法的数学细节，这些细节可在动力学方面的标准教科书[15]中找到．

对于阻尼矩阵 **C** 是任意规定形式的问题，采用频率响应法没有什么困难．但这时却难于采用应用更广的模态综合法，这种方法将在下一节中讨论．

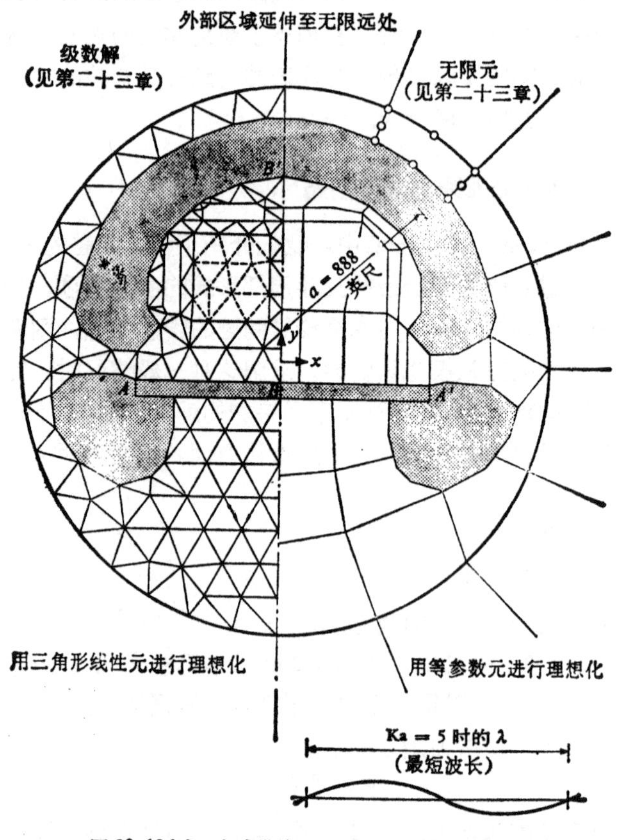

图 20.12(a) 岛式港湾的几何形状及其有限元离散化

我们在图 20.12 中以曲线方式示出了一个人工港对于具有不同频率及阻尼的输入波的响应．这里的阻尼是由反射波的散射引起的，它使阻尼矩阵的形式非常特殊．在文献[73,74]中详细介绍了这种问题．在分析有能量散射的结构的基础响应时[75]，经常采用类似的办法．

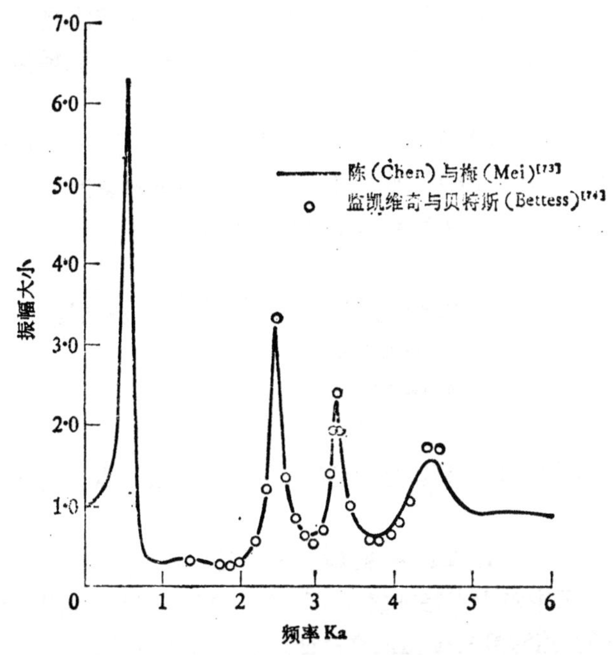

图 20.12(b)　与入射波高有关的港中平均水深的频率响应

20.9.3　模态分解分析　这种方法在实际中大概是最重要的，并且也是广为采用的．这种方法进一步对于整个系统的性态提供深入的了解，这在完全采用数值法时是有价值的，因此我们将针对如下写出的一般问题(即式(20.47))详细地介绍这种方法：

$$\mathbf{M}\ddot{\mathbf{a}} + \mathbf{C}\dot{\mathbf{a}} + \mathbf{K}\mathbf{a} + \mathbf{f} = 0, \tag{20.81}$$

式中 $\mathbf{f}$ 是时间的任意函数．

我们已经看到，自由响应的通解是如下形式：

$$\mathbf{a} = \mathbf{a}e^{\alpha t} = \sum_{i=1}^{n} \bar{\mathbf{a}}_i e^{\alpha_i t}, \tag{20.82}$$

式中 α_i 是特征值，而 $\bar{a}_i$ 是特征向量(20.7 节)．对于受迫响应，我们将假设解答可写成如下的各模态线性组合的形式：

$$\mathbf{a} = \Sigma \bar{\mathbf{a}}_i y_i = [\bar{\mathbf{a}}_1, \bar{\mathbf{a}}_2, \cdots]\mathbf{y}, \tag{20.83}$$

式中模态参与因子 $y_i(t)$ 这个标量是时间的函数．这以清楚的方式表明所出现的每个模态所占的比例．一个任意向量的这种分解不引起任何限制，因为所有模态都是线性无关的向量（除重合的频率外）．

如果把式 (20.83) 代入式 (20.81) 中，并在所得式子两边左乘 $\bar{\mathbf{a}}_i^{\mathrm{T}}(i = 1, 2, \cdots, n)$，则得到一组彼此独立的标量方程：

$$m_i\ddot{y}_i + c_i\dot{y}_i + k_i y_i + f_i = 0, \tag{20.84}$$

式中

$$\begin{aligned} m_i &= \bar{\mathbf{a}}_i^{\mathrm{T}}\mathbf{M}\bar{\mathbf{a}}_i = 1 \ (\text{若模态正规化}), \\ c_i &= \bar{\mathbf{a}}_i^{\mathrm{T}}\mathbf{C}\bar{\mathbf{a}}_i, \\ k_i &= \bar{\mathbf{a}}_i^{\mathrm{T}}\mathbf{K}\bar{\mathbf{a}}_i, \\ f_i &= \bar{\mathbf{a}}_i^{\mathrm{T}}\mathbf{f}. \end{aligned} \tag{20.85}$$

之所以得到式(20.84)，是因为当 $i \neq j$ 时，对于真实的特征向量 $\bar{\mathbf{a}}_i$，有

$$\bar{\mathbf{a}}_i^{\mathrm{T}}\mathbf{M}\bar{\mathbf{a}}_j = \bar{\mathbf{a}}_i^{\mathrm{T}}\mathbf{C}\bar{\mathbf{a}}_j = \bar{\mathbf{a}}_i^{\mathrm{T}}\mathbf{K}\bar{\mathbf{a}}_j = 0. \tag{20.86}$$

（在 20.5 节中对于实特征值证明了这一结果；但是如同可由读者所验证的，这对复特征值及复特征向量也普遍有效.）

可以用初等方法独立地求解式 (20.84) 这样的每一个标量方程，并按式 (20.83) 通过叠加得到总的响应向量．在一般情况下，如同我们已在 20.7 节中所表明的那样，特征值及特征向量都是复数，确定它们不是一件简单的事情[53]．更通常的办法是，采用与式 (20.48) 的解相应的实特征值：

$$(-\omega^2\mathbf{M} + \mathbf{K})\bar{\mathbf{a}} = 0. \tag{20.87}$$

现在也按照式(20.83)—(20.86)所描述的过程来做，只要

$$\bar{\mathbf{a}}_i^{\mathrm{T}}\mathbf{C}\bar{\mathbf{a}}_j = 0, \tag{20.88}$$

则得到只具有实变量的非耦合方程．式(20.88)一般并不成立，因为特征向量现在只保证关于 **M** 及 **K** 的正交性，并不保证关于阻尼矩阵的正交性．然而，如果阻尼矩阵 **C** 是式 (20.16) 那种形式，

即是 **M** 及 **K** 的线性组合，则显然会有这种正交性. 除非阻尼是一种明确的需要特殊处理的形式，否则总可作出正交性假设，并可假定这些特征向量使式(20.84)成立.

由式 (20.87)，我们得到

$$\omega_i^2\mathbf{M}\bar{\mathbf{a}}_i = \mathbf{K}\bar{\mathbf{a}}_i, \tag{20.89}$$

将上式两边前乘 $\bar{\mathbf{a}}_i^{\mathrm{T}}$，我们得到

$$\omega_i^2 m_i = k_i. \tag{20.90}$$

写出

$$c_i = 2\omega_i c_i' \tag{20.91}$$

(这里的 c_i' 代表阻尼与其临界值之比)，并假设该模态已被正规化，以使 $m_i = 1$ (参见式(20.51))，那末式(20.84)可以改写成如下标准形式的二阶方程:

$$\ddot{y} + 2\omega_i c_i'\dot{y}_i + \omega_i^2 y_i + f_i = 0. \tag{20.92}$$

然后，写出

$$y_i = \int_0^t f_i e^{-c_i'\omega_i(t-\tau)} \sin\omega_i(t-\tau)d\tau, \tag{20.93}$$

就可得到通解.

这种积分可用数值方法进行，从而得到响应. 从原则上来说，通过叠加就会得到所需要的整个瞬态响应. 实际上，常常是对每个模态进行一次运算来确定最大响应，并采用把这些结果适当相加的办法. 这种办法在标准教科书中有详细介绍，它已用作计算地震冲击下结构性态的标准方法[15,43].

对于例如热传导问题中出现的一阶方程组

$$\mathbf{C}\dot{\mathbf{a}} + \mathbf{K}\mathbf{a} + \mathbf{f} = 0,$$

可以采用完全类似的方法. 现在采用 20.6 节中确定的实特征值，可以把原方程分解为标量形式，得到如下的一组非耦合方程

$$c_i\dot{y}_i + k_i y_i + f_i = 0, \tag{20.94}$$

仍然可以用解析法由上式得到通解[76]. 我们把这样求解的细节留给读者作为练习.

20.9.4 模态的阻尼及参与 表面看来，模态分解法中所包含

的运算类型要求确定所有的模态及特征值；这是一项相当繁重的任务．实际上，通常只需考虑有限个模态，因为高频响应常常受到严重的阻尼，它是不重要的．

为了说明这是真实的，我们来考察阻尼矩阵的形式。在20.2节（式(20.16)）中，我们已指出，阻尼矩阵通常被假设成

$$\mathbf{C}=\alpha\mathbf{M}+\beta\mathbf{K}. \tag{20.95}$$

这种形式对于应用模态分解法确实是必要的，虽然也可以有其它的表示方式[77,78]．由式（20.91）的临界阻尼比的定义，我们看到，c_i' 现在可写成

$$c_i'=\frac{1}{2\omega_i}\bar{\mathbf{a}}_i^T(\alpha\mathbf{M}+\beta\mathbf{K})\bar{\mathbf{a}}_i=\frac{1}{2\omega_i}(\alpha+\beta\omega_i^2). \tag{20.96}$$

因此，如果系数 β 很重要，如象大部分结构阻尼那种情况，则 c_i' 随 ω_i 增大而增大，而在高频处将会出现过度阻尼状况．这实在是幸运，因为一般说来存在着无穷多个高频，它们不能用任何有限元离散化来模拟．

我们在下一章中将看到，在逐步递归计算中，问题常常由高频控制；为了使结果真实，需要把这一效应滤除掉．

20.10　对称性及重复性

在结束本章时值得指出：在动态计算中，我们再次遇到适用于静力问题的所有一般集合原理及其它原理。然而，前面采用过的关于利用对称性及重复性的一些办法(参见第九章9.5节)，需要作修改．例如，对称结构显然可以按非对称方式振动，而重复结构则包含着不重复的模态．然而，即使在这种情况下，仍可作出相当大的简化，在文献[79—81]中讨论了这方面的细节．

参考文献

[1] S. Crandall, *Engineering Analysis*, McGraw-Hill, 1956.

[2] H. S. Carslaw and J. C. Jaeger, *Conduction of Heat in Solids*, 2nd ed. Clarendon Press, 1959.

[3] W. Visser, 'A finite element method for the determination of non-

stationary temperature distribution and thermal deformation', *Proc. Conf. on Matrix Methods in Structural Mechanics,* Air Force Inst. Tech., Wright-Patterson A. F. Base, Ohio, 1965.

[4] O. C. Zienkiewicz and Y. K. Cheung, *The Finite Element Method in Structural and Continuum Mechanics,* 1st ed., McGraw-Hill, 1967.

[5] E. L. Wilson and R. E. Nickell, 'Application of finite element method to heat conduction analysis', *Nucl. Eng. Des.,* **4**, 1—11, 1966.

[6] O. C. Zienkiewicz and C. J. Parekh, 'Transient field problems—two and three dimensional analysis by isoparametric finite elements', *Int. J. Num. Meth. Eng.,* **2**, 61—71, 1970.

[7] K. Terzhagi and R. B. Peck, *Soil Mechanics in Engineering Practice,* Wiley, 1948.

[8] D. K. Todd, *Ground Water Hydrology,* Wiley, 1959.

[9] P. L. Arlett, A. K. Bahrani and O. C. Zienkiewicz, 'Application of finite elements to the solution of Helmholz's equation', *Proc. I. E. E.,* **115**, 1962—6, 1968.

[10] C. Taylor, B. S. Patil and O. C. Zienkiewicz, 'Harbour oscillation: a numerical treatment for undamped natural modes', *Proc. Inst. Civ. Eng.,* **43**, 141—56, 1969.

[11] O. C. Zienkiewicz and R. E. Newton, 'Coupled vibrations in a structure submerged in a compressible fluid', *Int. Symp. on Finite Element Techniques,* Stuttgart, 1969.

[12] J. S. Archer, 'Consistent mass matrix for distributed systems', *Proc. Am. Soc. Civ. Eng.,* **89**, ST4, 161, 1963.

[13] F. A. Leckie and G. M. Lindberg, 'The effect of lumped parameters on beam frequencies', *Aero Quart.,* **14**, 234, 1963.

[14] O. C. Zienkiewicz and Y. K. Cheung, 'The finite element method for analysis of elastic isotropic and orthotropic slabs', *Proc. Inst. Civ. Eng.,* **28**, 471, 1964.

[15] R. W. Clough and J. Penzien, *Dynamics of Structures,* McGraw-Hill, 1975.

[16] O. C. Zienkiewicz, B. M. Irons and B. Nath, 'Natural frequencies of complex free or submerged structures by the finite element method' in *Symp. on Vibration in Civil Engineering,* London, April 1965 (Butterworth, 1966).

[17] D. J. Dawe, 'A finite element approach to plate vibration problems', *J. Mech. Eng. Sci.,* 7, 28, 1965.

[18] R. J. Guyan, 'Distributed mass matrix for plate elements in bending', *J. A. I. A. A.,* **3**, 567, 1965.

[19] G. P. Bazeley, Y. K. Cheung, B. M. Irons and O. C. Zienkiewicz, 'Triangular elements in plate bending—conforming and non-conforming solutions', *Proc. Conf. on Matrix Methods in Structural Mechanics,* Air Force Inst. Tech., Wright-Patterson A. F. Base, Ohio, 1965.

[20] R. G. Anderson, B. M. Irons and O. C. Zienkiewicz, 'Vibration and

stability of plates using finite elements', *Int. J. Solids Struct.*, 4, 1031—55, 1968.

[21] R. G. Anderson, *The application of the non-conforming triangular plate bending element to plate vibration problems*, M. Sc. Thesis, Univ. of Wales, Swansea, 1966.

[22] R. W. Clough, 'Analysis of structure vibrations and response', *Recent. Advances in Matrix Method of Structure Analysis and Design*, pp. 25—45 (eds. R. H. Gallagher, Y. Yamada and J. T. Oden), First U. S. -Japan Seminar, Alabama Press, 1971.

[23] S. W. Key and Z. E. Beisinger, 'The transient dynamic analysis of thin shells in the finite element method', *Proc. 3rd Conf. on Matrix Methods and Structural Mechanics*, Wright-Patterson A. F. Base, Ohio, 1971.

[24] E. Hinton, A. Rock and O. C. Zienkiewicz, 'A note on mass lumping in related process in the finite element method', *Int. J. Earthquake Eng. Struct. Dynam.*, 4, 245—9, 1976.

[25] P. Tong, T. H. H. Pian and L. L. Buciovelli, 'Mode shapes and frequencies by the finite element method using consistent and lump matrices', *J. Comp. Struct.*, 1, 623—38, 1971.

[26] I. Fried and D. S. Melkus, 'Finite element mass matrix lumping by numerical integration with the convergence rate loss', *Int. J. Solids Struct.*, 11, 461—5, 1975.

[27] O. C. Zienkiewicz, Discussion of Earthquake behaviour of reservoir-dam systems' by A. K. Chopra, *Proc. Am. Soc. Civ. Eng.*, 95, EM3, 801—3, 1969.

[28] P. A. A. Back, A. C. Cassell, R. Dungar and R. T. Severn, 'The seismic study of a double curvature dam', *Proc. Inst. Civ. Eng.*, 43, 217—48, 1969.

[29] Sir H. Lamb, *Hydrodynamics*, 6th ed., Cambridge, 1932.

[30] P. Chakrabarti and A. K. Chopra, 'Earthquake analysis of gravity dams including hydrodynamic interaction', *Int. J. Earthquake Eng. Struct. Dynam.*, 2, 1973.

[31] A. R. Chandrasekaran *et al.*, 'Hydrodynamic pressure on circular cylindrical cantilevered structures surrounded by water', *Proc. 4th Symp. on Earthquake Engineering*, Rourkee, 1970, pp. 161—71.

[32] G. M. L. Gladwell, 'A variational formulation of damped acousto-structural problems', *J. Sound Vib.*, 3, 233, 1966.

[33] H. Morand and R. Ohayon, 'Variational-formulation for the acoustic vibration problem, finite element results', *Proc. 2nd Int. Symp. on Finite Element Methods in Flow Problems*, St. Margharita, Italy, 1976.

[34] A. Sommerfeld, *Partial Differential Equations in Physics*, Academic Press, 1949.

[35] R. S. Sandhu and E. L. Wilson, 'Finite element analysis of seepage in elastic media', *Proc. Am. Soc. Civ. Eng.*, 95, EM3, 641—51, 1969.

[36] J. L. Serafim, Chapter 3 of *Rock Mechanics and Engineering Practice*

(eds. K. G. Stagg and O. C. Zienkiewicz), Wiley, 1968.

[37] J. Crochet and P. M. Naghdi, 'On constitutive equations for flow of fluid through an elastic solid', *Int. J. Eng. Sci.*, 4, 383—401, 1966.

[38] M. A. Brot, 'General theory of three dimensional consolidation', *J. Appl. Phys.*, **12**, 155—64, 1941.

[39] O. C. Zienkiewicz, C. Humpheson and R. W. Lewise, 'A unified approach to soil mechanics problems including plasticity and viscoplasticity', *Conf. on Numerical Methods in Son and Rock Mechanics*, Karlsruhe Univ., 1975. See chapter 4 of *Finite Elements in Geomechanics*, G. Gudehus, ed., J. Wiley and Son, 1977.)

[40] J. Ghaboussi and E. L. Wilson, 'Flow of compressible fluids in elastic media', *Int. J. Num. Meth. Eng.*, **5**, 419—42, 1973.

[41] C. T. Hwang, N. R. Morgenstern and D. W. Murray, 'On solution of plane strain consolidation problems by finite element methods', *Can. Geotech. J.*, **8**, 109—18, 1971.

[42] O. C. Zienkiewicz, R. W. Lewis, V. A. Norris and C. Humpheson, 'Numerical analysis for foundation of offshore structures with special reference to programme deformation', *Soc. Petr. Eng. Amsterdam*, April 1976.

[43] K. J. Bathe and E. L. Wilson, *Numerical methods in finite element analysis*, Prentice-Hall, 1976.

[44] J. H. Wilkinson, *The Algebraic Eigenvalue Problem*, Clarendon Press, Oxford, 1965.

[45] I. Fried, 'Gradient methods for finite element eigen problems', *J. A. I. A. A.*, 7, 739—41, 1969.

[46] O. Renfield, 'Higher vibration modes by matrix iteration', *J. A. I. A. A.*, **9**, 505—741, 1971.

[47] K. J. Bathe and E. L. Wilson, 'Large eigenvalue problems in dynamic analysis', *Proc. Am. Soc. Civ. Eng.*, **98**, EM6, 1471—85, 1972.

[48] K. J. Bathe and E. L. Wilson, 'Solution methods for eigenvalue problems in structural dynamics', *Int. J. Num. Meth. Eng.*, **6**, 213—26, 1973.

[49] A. Jennings, 'Mass condensation and similarity iterations for vibration problems', *Int. J. Num. Meth. Eng.*, **6**, 543—52, 1973.

[50] K. K. Gupta, 'Solution of eigenvalue problems by Sturm sequence method', *Int. J. Num. Meth, Eng.*, 4, 379—404, 1972.

[51] H. L. Cox, 'Vibration of missiles', *Aircraft Eng.*, 33, 2—7 and 48—55.

[52] A. Jennings, 'Natural vibration of a free structure', *Aircraft Eng.*, 34, 8, 1962.

[53] W. C. Hurty and M. F. Rubinstein, *Dynamics of Structures*, Prentice-Hall, 1974.

[54] A. Craig and M. C. C. Bampton, 'On the iterative solution of semi definite eigenvalue problems', *Aero. J.*, 75, 287—90, 1971.

[55] B. M. Irons, 'Eigenvalue economisers in vibration problems', *J. Roy.*

Aero. Soc., **67**, 526, 1963.

[56] B. M. Irons, 'Structural eigenvalue problems: elimination of unwanted variables', *J. A. I. A. A.*, **3**, 961, 1965.

[57] R. J. Guyan, 'Reduction of stiffness and mass matrices', *J. A. I. A. A.*, **3**, 380, 1965.

[58] J. N. Ramsden and J. R. Stoker, 'Mass condensation; a semi-automatic method for reducing the size of vibration problems', *Int. J. Num. Meth. Eng.*, **1**, 333—49, 1969.

[59] R. D. Henshell and J. H. Ong, 'Automatic masters for eigenvalue economisation', *Int. J. Earthquake Struct. Dynam.*, **3**, 375—83, 1975.

[60] M. V. Barton, 'Vibration of rectangular and skew cantilever plates', *J. Appl. Mech.*, **18**, 129—34, 1951.

[61] G. B. Warburton, 'Recent advances in structural dynamics', *Symp. on Dynamic Analysis of Structures,* N. E. L., East Kilbride, Scotland, Oct. 1975.

[62] J. C. MacBain, 'Vibratory behaviour of twisted cantilever plates', *J. Aircr.*, **12**, 357—359, 1975.

[63] S. Ahmad, R. G. Anderson and O. C. Zienkiewicz, 'Vibration of thick, curved, shells with particular reference to turbine blades', *J. Strain Analysis*, **5**, 200—6, 1970.

[64] R. G. Anderson, *A finite element eigenvalue system,* Ph. D. Thesis, Univ. of Wales, Swansea, 1968.

[65] J. S. Archer and C. P. Rubin, 'Improved linear axi-symmetric shell-fluid model for launch vehicle longitudinal response analysis', *Proc. Conf. on Matrix Methods in Structural Mechanics,* Air Force Inst. Tech. Wright-Patterson A. F. Base, Ohio, 1965.

[66] J. H. Argyris, 'Continua and discontinua', *Proc. Conf. on Matrix Methods in Structural Mechanics,* Air Force Inst. Tech., Wright-Patterson A. F. Base, Ohio, 1965.

[67] S. Klein and R. J. Sylvester, 'The linear elastic dynamic analysis of shells of revolution by the matrix displacement method', *Proc. Conf. on Matrix Methods in Structural Mechanics,* Air Force Inst. Tech., Wright-Patterson A. F. Base, Ohio, 1965.

[68] R. Dungar, R. T. Severn and P. R. Taylor, 'Vibration of plate and shell structures using triangular finite elements', *J. Strain Analysis,* **2**, 73—83, 1967.

[69] P. L. Arlett, A. K. Bahrani and O. C. Zienkiewicz, 'Application of finite elements to the solution of Helmholtz's equation', *Proc. I. E. E.*, **115**, 1762—964, 1968.

[70] J. Holbeche, Ph. D. Thesis, Univ. of Wales, Swansea, 1971.

[71] B. M. Irons, 'Role of part-inversion in fluid structure problems with mixed variables', *J. A. I. A. A.*, **7**, 568, 1970.

[72] E. O. Brigham, *The Fast Fourier Transform,* Prentice-Hall, 1974.

[73] H. S. Chen and C. C. Mei, 'Hybrid-element method for water waves',

Proc. Modelling Techniques Conf (Modelling 1975), San Francisco, 3—5 Sept. 1975, Vol. I, pp. 63—81.

[74] O. C. Zienkiewicz and P. Bettess, 'Infinite elements in the study of fluid-structure interaction problems', *2nd Int. Symp. on Computing Methods in Applied Science and Engineering*, Versaille, France, Dec. 1975.

[75] J. Penzien, 'Frequency domain analysis including radiation damping and water load coupling', in *Numerical Methods in Offshore Engineering* (eds. O. C. Zienkiewicz, R. W. Lewis and K. G. Stagg), J. Wiley (to be published 1977).

[76] R. H. Gallagher and R. H. Mallett, *Efficient solution process for finite element analysis of transient heat conduction*, Bell Aero Systems, Buffalo, 1969.

[77] E. L. Wilson and J. Penzien, 'Evaluation of orthogonal damping matrices', *Int. J. Num. Meth. Eng.*, **4**, 5—10, 1972.

[78] H. T. Thomson, T. Colkins and P. Caravani, 'A numerical study of damping', *Int. J. Earthquake Eng. Struct. Dynam.*, **3**, 97—103, 1974

[79] F. W. Williams, 'Natural frequencies of repetitive structures', *Quart. Jn. Mech. Appl. Math.*, **24**, 285—310, 1971.

[80] D. A. Evensen, 'Vibration analysis of multi-symmetric structures', *J. A. I. A. A.*, **14**, 446—53, 1976.

[81] D. L. Thomas, 'Standing waves in rotationally periodic structures', *J. Sound Vibr.*, **37**, 288—90, 1974.

第二十一章

时间维;初值-瞬态问题的有限元近似

21.1 引言

在上一章中我们已经看到，动态问题或瞬态场问题的半离散化导致一组常微分方程．对于动态情况,方程形式是

$$\mathbf{M}\ddot{\mathbf{a}} + \mathbf{C}\dot{\mathbf{a}} + \mathbf{K}\mathbf{a} + \mathbf{f} = 0; \tag{21.1}$$

对于热传导问题及类似的问题,方程形式是

$$\mathbf{C}\dot{\mathbf{a}} + \mathbf{K}\mathbf{a} + \mathbf{f} = 0. \tag{21.2}$$

虽然提出过各种解析解法,但我们注意到,实际求解瞬态问题一般是很困难的,并且这对于非线性情况确实不适用。因此在本章中,我们将回过头来讲试探函数-有限元离散化,但现在是按照第三章中介绍的一般方式把它应用于时间维．因为时间维的范围是无限的,我们将处理有限的时间区域,并在新的初始条件下对随后的区域进行重复计算．因此,这种办法会导致逐步或递归计算,而且读者会看到过去一般由有限差分法或龙格-库塔法导出的许多时间步进法．然而，这些方法要普遍得多．许多文献研究了导出递归关系这个课题[1-5]．但是将会再次表明,有限元法包括了大部分常规方法,并导致一些新的可能性.

在这里,读者很可能会问,在起初的问题中，为什么不用根据两组坐标写出的函数来描述整个空间-时间域中的有限元离散化.这个问题的答案是简单的。首先,一般的空间-时间域同时涉及的变量太多;其次,时间域的“几何”性质简单,采用时-空单元这种不规则剖分的必要性很小．另外，如果在一般域中采用乘积型函数并相继进行空间及时间离散化,可以证实,这样所得到的结果与对两者同时应用离散化所得到的结果确实一样.

方程组(21.1)或(21.2)可以写成一组模态不耦合的标量方程(参见第二十章20.9.3节)

$$m_i\ddot{y}_i + c_i\dot{y}_i + k_iy_i + f_i = 0 \tag{21.3}$$

或

$$c_i\dot{y}_i + k_iy_i + f_i = 0, \tag{21.4}$$

式中 y_i 是模态参与变量．在后面的讨论中，注意到这一点会带来方便．

无论离散化是基于整个向量变量 $\mathbf{a}$ 进行的还是基于模态参与变量 y_i 进行的，我们都将得到类似的数值递归表达式，并确实得到相同的结果．

一般说来，我们应对于最原始的矩阵方程写出递归关系．但为了考察稳定性，比较方便的办法是从式(21.3)或(21.4)那种模态参与方程做起，而且实际上可由这些关系来研究许多一般性态方式．

在21.2节至21.4节中，我们将限于讨论式(21.2)所给出的比较简单的一阶(热传导)型问题及最简单的两点型公式．这使我们能向读者引入一般的方法，并简单地考察稳定性、起点、光滑化等等．在21.6节至21.7节中，插值区域的简单推广使我们能处理动力学的二阶方程(21.1)，并建立对于一阶方程及二阶方程都有效的一般多点公式．在本章的其它部分中，讨论非线性系数等方面的内容．

21.2 一阶方程的两点递归格式

21.2.1 加权剩余法　我们现在来考察一阶方程(式(21.2))，并说明如何作出一类简单的递归格式．

把时间作为独立变量，按通常方式进行离散化，我们可以写出

$$\mathbf{a} \approx \hat{\mathbf{a}} = \Sigma N_i\mathbf{a}_i, \tag{21.5}$$

式中 $\mathbf{a}_i$ 表示 $\mathbf{a}$ 在时间 i 处的一组节点值．对于向量 $\mathbf{a}$ 的每个分量，形状函数 $N_i(t)$ 都取得一样，因此 N_i 是一个标量．

因为式(21.2)中只包含一阶导数，形状函数 N_i 所必须采用的

最低阶多项式是一次多项式。

下面考察图 21.1 所示长度为 Δt 的典型时间"单元"，它以节点值 $\mathbf{a}_n$ 及 $\mathbf{a}_{n+1}$ 为 $\mathbf{a}_i$. 插值形状函数及其一阶时间导数可利用局部变量写成

$$
\begin{aligned}
&0 \leqslant \xi \leqslant 1, \quad \xi = t/\Delta t, \\
&N_n = 1 - \xi, \quad \dot{N}_n = -1/\Delta t, \\
&N_{n+1} = \xi, \quad \dot{N}_{n+1} = 1/\Delta t.
\end{aligned}
\tag{21.6}
$$

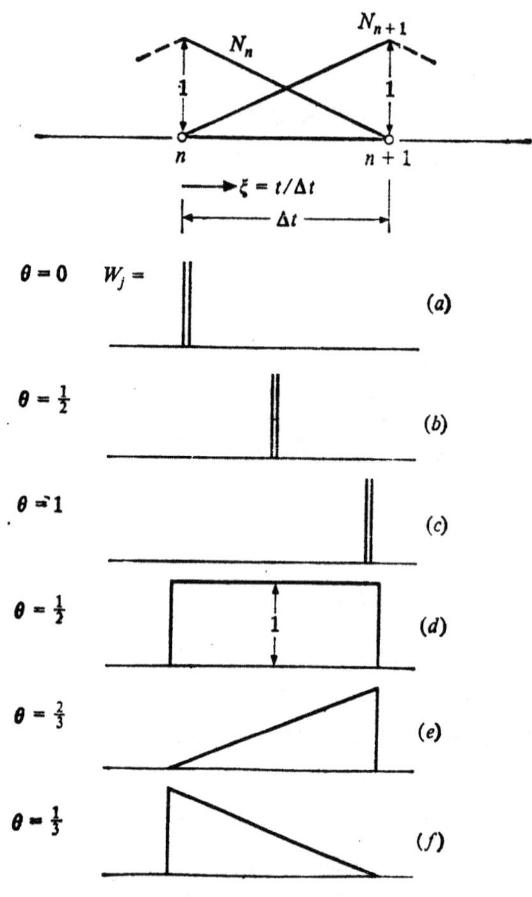

图 21.1 关于两点递归公式的形状函数及权函数

假设所研究的整个区域相应于一个单元，现在可以写出典型的加权剩余方程：

$$\int_0^1 W_j[\mathbf{C}(\mathbf{a}_n\dot{N}_n+\mathbf{a}_{n+1}\dot{N}_{n+1})+\mathbf{K}(\mathbf{a}_nN_n+\mathbf{a}_{n+1}N_{n+1})+\mathbf{f}]d\xi=0,\quad (j=1). \tag{21.7}$$

因为本问题是一个初值问题，假设一组参数 $\mathbf{a}_n$ 是已知的，而上面的方程被用来近似地确定 $\mathbf{a}_{n+1}$. 通过代入式(21.6)，马上可以写出一个递归关系：

$$\left(\mathbf{K}\int_0^1 W_j\xi d\xi+\mathbf{C}\int_0^1 W_j\mathrm{d}\xi/\Delta t\right)\mathbf{a}_{n+1}+\left(\mathbf{K}\int_0^1 W_j\ (1-\xi)\times\mathrm{d}\xi-\mathbf{C}\int_0^1 W_j\mathrm{d}\xi/\Delta t\right)\mathbf{a}_n+\int_0^1 W_j\mathbf{f}\mathrm{d}\xi=0, \tag{21.8}$$

在上式中可以代入各种权函数. 在上面，已假设矩阵 $\mathbf{K}$ 及 $\mathbf{C}$ 与 t 无关.

对于任一权函数，表达式(21.8)可以很一般地改写成

$$(\mathbf{C}/\Delta t+\mathbf{K}\theta)\mathbf{a}_{n+1}+(-\mathbf{C}/\Delta t+\mathbf{K}(1-\theta))\mathbf{a}_n+\bar{\mathbf{f}}=0, \tag{21.9}$$

式中

$$\theta=\int_0^1 W_j\xi\mathrm{d}\xi\Big/\int_0^1 W_j\mathrm{d}\xi,$$

$$\bar{\mathbf{f}}=\int_0^1 W_j\mathbf{f}\mathrm{d}\xi\Big/\int_0^1 W_j\mathrm{d}\xi.$$

当 $\mathbf{a}_n$ 及 $\mathbf{f}$ 已知时，通过简单的解方程可由上式求出 $\mathbf{a}_{n+1}$.

假设对函数 $\mathbf{f}$ 应用与对未知向量 $\mathbf{a}$ 所用相同的插值，这是合乎逻辑的，也是比较方便的. 如果采用这种插值，则我们有

$$\bar{\mathbf{f}}=\mathbf{f}_{n+1}\theta+\mathbf{f}_n(1-\theta). \tag{21.10}$$

在这里我们看到，如果 $\theta=0$ 并且 $\mathbf{C}$ 是对角型(聚缩)矩阵，则求解 $\mathbf{a}_{n+1}$ 是一件容易的事，它的每个分量都可由其前一步的值直接算出. 这种格式被称为显格式；而那种 $\theta\neq 0$、需要求解非对角型方程组的格式被称为隐格式. 后面我们将看到，这一计算上的方便伴随有严重的缺点，即这时要求所用的 Δt 不超过一定的大小.

修改所用的加权载荷项 $\bar{\mathbf{f}}$,读者将会在式(21.8)中认出一系列熟知的有限差分公式. 在图 21.1 中,我们示出了一系列权函数及所得到的 θ 的值. (a)—(c) 这前面的三个分别表示应用于 n, $n+\frac{1}{2}$, $n+1$ 的点配置权函数,它们分别给出熟知的向前差分(欧拉),中心差分(克兰克-尼科尔森 (Crank-Nicholson)) 及向后差分公式.

图 21.1(e) 及 (f) 所示格式表示伽辽金型方法. 格式(e)是由本书作者[6]首先提出的,它等价于通常采用的伽辽金法,这时具有与未知函数相应的权函数. 已经表明,这种格式导致很大的计算上的优点[7].

在前面,我们已经假设所近似的区域相应于时间 Δt, 并建立了两个相继值 $\mathbf{a}_n$ 与 $\mathbf{a}_{n+1}$ 之间的递归关系. 显然可以利用这种区域序列按步进方式进行计算. 然而,也可以假设整个时间域被分成有限个单元,同时地对这整个区域应用上述方法. 如果采用例如式(21.6)的线性展开式,但在整个区域上进行积分,我们注意到,除非权函数被限于单个单元,在典型方程中将会同时包含几组 $\mathbf{a}_i$. 例如,如果采用伽辽金法,并假设

$$W_j = N_j,$$

那末当考虑整个区域时,在典型方程中包含三个相继的值,这正如图 21.2 所示. 对于不变的时间间隔 Δt, 得到如下表达式:

$$\begin{aligned}(\mathbf{C}/2\Delta t + \mathbf{K}/6)\mathbf{a}_{n+1} &+ (2\mathbf{K}/3)\mathbf{a}_n \\ &+ (-\mathbf{C}/2\Delta t + \mathbf{K}/6)\mathbf{a}_{n-1} + \bar{\mathbf{f}} = 0, \qquad (21.11) \\ \bar{\mathbf{f}} &= \mathbf{f}_{n+1}/6 + 2\mathbf{f}_n/3 + \mathbf{f}_{n-1}/6,\end{aligned}$$

读者可以验证上式.

只要已知两个初值,就可按递归方式用这个公式由 $\mathbf{a}_n$ 及 $\mathbf{a}_{n-1}$ 计算 $\mathbf{a}_{n+1}$. 在 21.7 节中,我们将比较详细地讨论一般情况下的这种表达式.

21.2.2 **变分法** 我们在第三章中已经指出,作为与加权剩余法不同的另外一种方法,常可采用其驻值与正确微分方程相应的

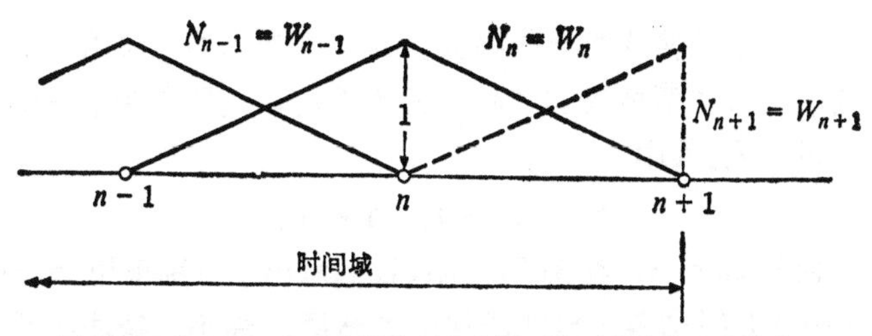

图 21.2 应用于整个时间域的具有线性形状函数的伽辽金格式

变分泛函．对于在时间域中讨论的方程，常常可以得到这种泛函．例如，在二阶动态方程中，汉密尔顿（Hamilton）原理可以提供一个处理问题的基础．格廷（Gurtin）[9,10] 建立了一阶及二阶方程的其它一些有用的原理．这种变分泛函可被用来建立“时间域中的有限元”，威尔森与尼科尔（Nickell）[11]，弗里德[12]以及阿吉里斯[13]已经这样做过了．但是我们在第三章中已经表明，这种变分原理等价于应用伽辽金法，它不会产生其它新的数值格式．监凯维奇与帕尔克[14]首先应用了基于加权剩余形式的时间域中的有限元．

未被明确地列入标准变分形式中的另外一种方法是采用最小二乘法．在这种方法中(见第三章)，我们写出使误差的平方极小化的泛函． 在用一个单元来描述整个区域并采用式(21.6)的线性插值函数的情况下，我们要使如下泛函关于变量 $\mathbf{a}_{n+1}$ 取极小值：

$$\Pi=\int_0^1[\mathbf{C}(\mathbf{a}_n\dot{N}_n+\mathbf{a}_{n+1}\dot{N}_{n+1})+\mathbf{K}(\mathbf{a}_nN_n+\mathbf{a}_{n+1}N_{n+1})$$
$$+\mathbf{f}]^{\mathrm{T}}[\mathbf{C}(\mathbf{a}_n\dot{N}_n+\cdots)]\mathrm{d}\xi. \tag{21.12}$$

读者可以验证，现在得到的最终递归格式是

$$[\mathbf{C}^{\mathrm{T}}\mathbf{C}/\Delta t+(\mathbf{K}^{\mathrm{T}}\mathbf{C}+\mathbf{C}^{\mathrm{T}}\mathbf{K})/2+\mathbf{K}^{\mathrm{T}}\mathbf{K}\Delta t/3]\mathbf{a}_{n+1}$$
$$+[-\mathbf{C}^{\mathrm{T}}\mathbf{C}/\Delta t-(\mathbf{K}^{\mathrm{T}}\mathbf{C}-\mathbf{C}^{\mathrm{T}}\mathbf{K})/2$$
$$+\mathbf{K}^{\mathrm{T}}\mathbf{K}\Delta t/6]\mathbf{a}_n+\mathbf{K}^{\mathrm{T}}\int_0^1\mathbf{f}\xi\mathrm{d}\xi/\Delta t^2$$
$$+\mathbf{C}^{\mathrm{T}}\int_0^1\mathbf{f}\mathrm{d}\xi/\Delta t=0. \tag{21.13}$$

上面这种格式显然包含更多的计算，但它即使在矩阵 **K** 及 **C** 不对称的情况下也产生对称的方程．监凯维奇与刘易斯(Lewis)[15]

给出了应用这种格式的一些经验，其他人[16]成功地应用了这些经验．为了比较本节概述的各种格式的性能，我们来考察一个简单的单变量方程，其中

$$\mathbf{K} = \mathbf{C} = 1, \quad \mathbf{f} = 0,$$

而初始值是 $\mathbf{a}_0 = 1$．在图 21.3 中，我们示出了分别采用 $\Delta t = 0.5$ 及 $\Delta t = 0.9$ 时由各种格式所得到的结果．最小二乘法显示出最高的精度，但它也相应要花较高的计算费用．在这同一个例子中，中心差分格式给出“次好”的结果，这种格式在实际应用中采用得最多．然而，如同我们后面将看到的，它常常导致使人感到麻烦的振荡的解，因此常常优先选用向后差分格式($\theta = 1$)．

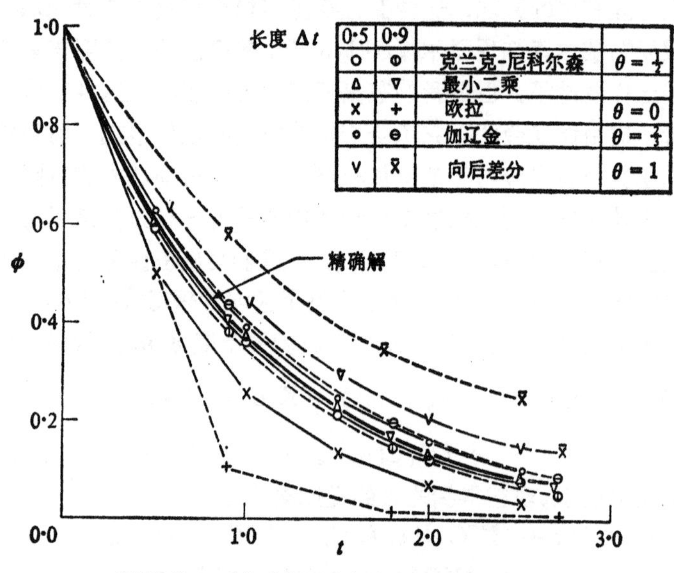

图 21.3　一个初值问题中各种时间步进格式的比较

在图 21.4 中，示出了对于同一问题采用较大的时间步长 $\Delta t = 1.5$ 及 $\Delta t = 2.5$ 所得到的结果．这里出现一个有趣的现象． 向前积分不是给出振荡的就是给出发散的结果，而其它格式仍然维持可以接受的精度．这里所示出的性态是一种不稳定的性态，我们将在下一节中讨论它．

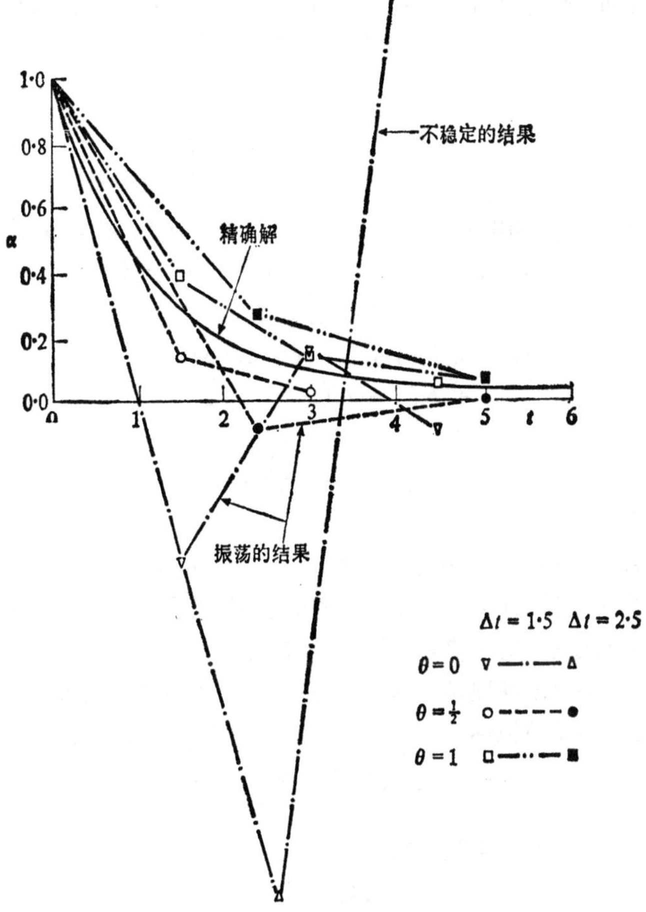

图 21.4　图 21.3 的问题中的不稳定性

21.3　两点递归格式的振荡及不稳定性

如同我们在引言中已经指出过的，为了考察稳定性，比较方便的作法是考察用模态参与变量 y_i 来表示的非耦合方程组，也就是说，对于一阶方程，是处理如下写出的形如式(21.4)的一组独立的标量方程：

$$c_i \dot{y}_i + k_i y_i + f_i = 0。\qquad (21.4)$$

很明显，因为任一响应都可写成这些模态之和，所以我们能把一个具有特征向量 $\bar{\mathbf{a}}_i$ 的多自由度系统的总响应综合成

$$\mathbf{a} = [\bar{\mathbf{a}}_1, \bar{\mathbf{a}}_2, \cdots] \begin{Bmatrix} y_1 \\ y_2 \\ \vdots \end{Bmatrix}. \tag{21.14}$$

前面写出的递归关系在这里显然适用，我们来考察形如式(21.9)的一般递归关系．对于自由响应，即对于激振力项 f_i 等于零的响应，我们可把这一递归关系写成

$$(c_i/\Delta t + k_i\theta)(y_i)_{n+1} + (-C_i/\Delta t + k_i(1-\theta))(y_i)_n = 0; \tag{21.15}$$

或者写出

$$(y_i)_{n+1} = (y_i)_n\lambda, \tag{21.16}$$

则我们有

$$\lambda(c_i/\Delta t + k_i\theta) + (-c_i/\Delta t + k_i(1-\theta)) = 0. \tag{21.17}$$

我们马上看到，如果 $|\lambda| > 1$，将会出现“无界”响应，而问题将会变成不稳定的；对于实际求解，一般要注意阻尼性态．此外，如果 $\lambda < 0$，将会出现振荡性态，它显然也不给出所需要的解．

式(21.16)被称为该递归格式的特征方程，它给出

$$\lambda = \frac{1 - k_i(1-\theta)\Delta t/c_i}{1 + k_i\theta\Delta t/c_i}. \tag{21.18}$$

我们马上看到，如果我们要求

$$|\lambda| < 1,$$

则式(21.18)的右端必须大于 -1． 注意到 $k_i/c_i = \omega_i$ 就是与模态 i 相应的特征值(参见第二十章 20.9.3 节)，我们可以把上述要求写成

$$1 - \omega_i\Delta t(1-\theta) > -1 - \omega_i\Delta t\theta$$

或

$$\omega_i\Delta t(2\theta - 1) > -2. \tag{21.19}$$

对于 $\theta \geqslant \frac{1}{2}$，这个条件总是满足的，而这类格式是无条件稳定

的． 当 $0<\theta<\frac{1}{2}$ 时，稳定性是有条件的，它要求

$$\omega_i\Delta t<\frac{2}{1-2\theta}. \tag{21.20}$$

在图 21.4 的例子中，当采用向前差分格式($\theta=0$)时，这给出时间步长的限制为 $\omega_i\Delta t\leqslant 2$，违反这一限制就产生图中所示的发散的结果．

然而，研究特征值 λ 使得我们了解更多的情况．在图 21.5 中，我们示出了采用某些讨论过的时间步进格式时 λ 如何随 $\omega_i\Delta t$ 变化．我们注意到，对于许多格式，λ 的值都在取大的时间步长时逼近−1，实际上只有 $\theta=1$ 的向后差分格式未显示这一性质．这意味着对于任意的 $\theta<1$ 都可能给出振荡的结果．虽然数学上可以证明，$\theta=\frac{1}{2}$ 的中心差分格式的误差是较高阶的，但在时间步长较大的情况下，这一格式可能给出精度比向后差分格式为低的结果，这正如图 21.4 中所示．

一个多自由度系统的时间响应是所有模态响应的组合．幸而，该响应的主要部分一般与具有低特征值 ω_i 的那些模态相应．当对

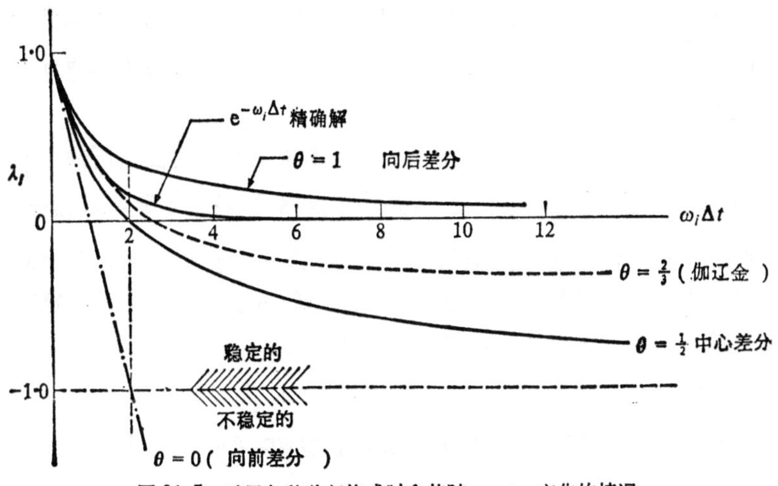

图 21.5 采用各种递归格式时 λ 值随 $\omega_i\Delta t$ 变化的情况

一个多自由度系统采用无条件稳定格式时，对于高频 ω_i，我们采用的时间步长通常远远超过与得到好精度相应的值，而在这种无条件稳定格式的 λ 具有负值时，振荡可能不象实际中应当的那样被阻尼掉．这在采用 $\theta=\frac{1}{2}$ 的克兰克-尼科尔森格式时特别显著，必须用数值方法消去这种虚假振荡[16,17]．从本质上来看，所有这些方法都是把计算的相继时间步长平均起来；并且我们应当注意到，引起这种振荡的最严重的输入发生在激振力项突然变化处．因此，应当避免激振力的这种突然变化，或者是特别小心地处理它们．在下一节中我们将讨论这件事．

有助于排除这种振荡的另一种办法是采用大于 $\frac{1}{2}$ 的 θ 值．在这方面，已发现 $\theta=\frac{2}{3}$ 的伽辽金格式是一种有用的方案，已经表明，它在实践中非常有用，避免了几乎所有的振荡及误差[1)]．在表 21.1[7]中，我们示出了一个一维有限元问题的结果，这是一根起初温度均匀的杆，后来突然使其两端的温度为零．在这里，对于长度 $L=1$ 的空间维采用了十个线性单元．在 $\theta=\frac{2}{3}$ 的情况下，$\theta=\frac{1}{2}$ 时所产生的振荡误差被大大减少． 这里所用的时间步长比与最低的固有周期相应的大得多，而振荡的主要原因是温度变化的急剧不连续性．

只要计算中所用时间间隔超过由系统最高阶特征值所规定的值，在 $0\leqslant\theta\leqslant\frac{1}{2}$ 的情况下，条件稳定格式，特别是显格式，总是产生不稳定性．这是应用明显时间格式的一个严重障碍，虽然所要求采用的不进行矩阵求逆(或重复求解)的省时计算方法，常常补偿了必须采用许多小的时间步长这一点．

---

1) 根据与此不同的理由，兰伯特 (Lambort)[2]建议以 $\theta=0.878\approx\frac{7}{8}$ 作为最优值．

表 21.1 时间有限元的百分误差，伽辽金$\left(\theta=\frac{2}{3}\right)$格式及克兰克-尼科尔森$\left(\theta=\frac{1}{2}\right)$格式；$\Delta t=0.01$

t	$x=0.1$		$x=0.2$		$x=0.3$		$x=0.4$		$x=0.5$	
	$\theta=\frac{2}{3}$	$\theta=\frac{1}{2}$	$\theta=\frac{2}{3}$	$\theta=\frac{1}{2}$	$\theta=\frac{2}{3}$	$\theta=\frac{1}{2}$	$\theta=\frac{2}{3}$	$\theta=\frac{1}{2}$	$\theta=\frac{2}{3}$	$\theta=\frac{1}{2}$
0.01	10.8	28.2	1.6	3.2	0.5	0.7	0.6	0.1	0.5	0.2
0.02	0.5	3.5	2.1	9.5	0.1	0.0	0.5	0.7	0.7	0.4
0.03	1.3	9.9	0.5	0.7	0.8	3.1	0.5	0.2	0.5	0.6
0.05	0.5	4.5	0.4	0.2	0.5	2.3	0.4	0.8	0.5	1.0
0.10	0.1	1.4	0.1	2.0	0.1	1.5	0.1	1.9	0.1	1.6
0.15	0.3	2.2	0.3	2.1	0.3	2.2	0.3	2.1	0.3	2.2
0.20	0.6	2.6	0.6	2.6	0.6	2.6	0.6	2.6	0.6	2.6
0.30	1.4	3.5	1.4	3.5	1.4	3.5	1.4	3.5	1.4	3.5

传导系数=比热=1

要估计条件稳定格式时间步长的临界值，似乎必须求解整个系统的特征值问题．实际上并非如此．通过考察单个单元，就可得到最大特征值的界．这个界限由艾恩斯[18]所提出的一个重要定理所确定，他证明，系统的最大特征值必定总是低于单个单元的最大特征值．这个定理使估计偏于安全的临界时间步长非常容易[1)]．

我们既未讨论式(21.11)给出的三点格式的稳定性条件，也未讨论由式（21.13）给出的最小二乘近似所得到的递归关系的稳定性条件，我们把这些留作练习让读者去进行．

关于矩阵 **C**（它一般是带状的）的“聚缩化”或对角化，遵照与第二十章 20.2.4 节中对于质量矩阵 **M** 所述相同的方法进行．

21.4 精度及初始条件

我们已经指出过，在这里所讨论的一阶问题中，由规定的某些

1) 在这里注意到如下事实是重要的：对于式(21.2)型的一阶问题，单元的特征值随 h^2(h = 单元尺寸)而增加． 这意味着稳定的 Δt 随网格细化而急剧减小，因此对这种问题极少采用显格式．动态问题并不是上面这种情况，这时元素特征值仅与 h 成比例．

已知初始条件开始递归运算. 然而，如同前面讨论过的边界条件急剧变化的问题中那样，这种初始条件可能使起始点处出现急剧的不连续性，而另外一种公式系统从物理上来看更可取. 在这种公式系统中,我们由一个描述静止的系统的解答（即 $\mathbf{a}=$ 常数的解答)开始分析整个问题,而初始条件的变化或任一突然施加的激振力项的变化,则可看成这个稳态系统上的一个扰动. 因此,初始条件与该稳态状态相应，并且是对于某一时刻前的所有时间给出的.

如果我们作为一个例子,考察据以得到图 21.3 及 21.4 的那个简单的初值问题;那末该问题可被改述为要求解如下方程:

$$\dot{a}+a+f(t)=0, \tag{21.21}$$

上式在整个时间域中成立,并且有

$$f(t)=-1 \quad (t\leqslant 0), \quad a=1,$$
$$f(t)=0 \quad (t>0).$$

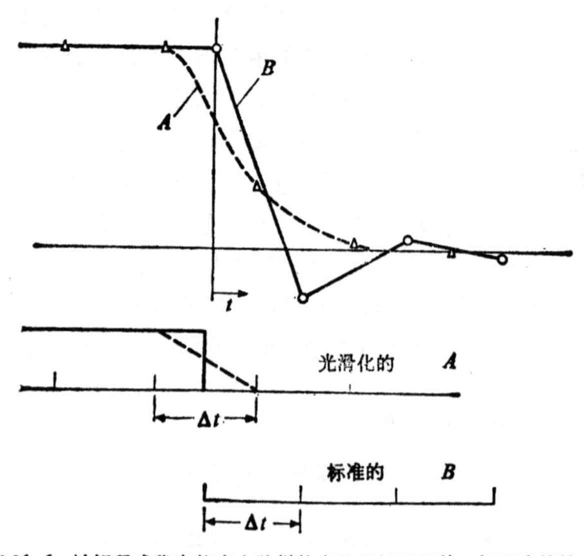

图 21.6 被解释成稳定状态上阶梯状变化的初始条件. 把不连续性光滑化得到的效果，$\theta=\frac{1}{2}$，$\Delta t=2.5$

在新的激振力项中产生的不连续性示于图 21.6．显然，应当把这种不连续性“光滑化”，而这可以按许多方式来做，例如可如图所示地使时间间隔包含这一不连续处．在该图中，我们示出了用很大的时间间隔 $\Delta t=2.5$ 进行这种光滑化后所得到的数值结果．读者会注意到，光滑化的解并不显示前面指出的剧烈振荡，这在物理上更能被接受．

对于多步格式，由 $t<0$ 的已知稳态解出发并把任何不连续性光滑化的办法，将会简化计算，因为该稳态解意味着初始时刻前整个时间内向量 $\mathbf{a}$ 的情况．我们现在已经表明，这一简化实际上一定导致更真实的解答，我们在一阶及二阶问题中都将同样采用这种方法．

21.5 二阶问题的三点递归格式

21.2 节的方式可以直接应用于二阶方程 (21.1)，但形状函数 $N_i(t)$ 现在必须至少是 t 的二次（抛物线性）函数，这是因为必须描述二阶导数．因此，我们现在最少需要三组 $\mathbf{a}_i$ 来近似描述这一函数的变化．我们可以再次写出

$$\mathbf{a}\approx\hat{\mathbf{a}}=\Sigma N_i\mathbf{a}_i, \tag{21.22}$$

并对于 $i=n,\ n+1,\ n-1$ 应用上式．

对于间隔 $2\Delta t$ 正规化（即有 $-1<\xi<1$）的形状函数是图 21.7 所示的标准抛物线性函数，它可被写成（见第七章）

$$\begin{aligned}\xi&=t/\Delta t,\\ N_{n+1}&=\xi(1+\xi)/2,\\ N_n&=(1-\xi)(1+\xi),\\ N_{n-1}&=-\xi(1-\xi)/2.\end{aligned} \tag{21.23}$$

这些函数关于时间的导数给出如下：

$$\begin{aligned}\dot{N}_{n+1}&=\left(\frac{1}{2}+\xi\right)\Big/\Delta t, & \ddot{N}_{n+1}&=1/\Delta t^2,\\ \dot{N}_n&=-2\xi/\Delta t, & \ddot{N}_n&=-2/\Delta t^2,\end{aligned} \tag{21.24}$$

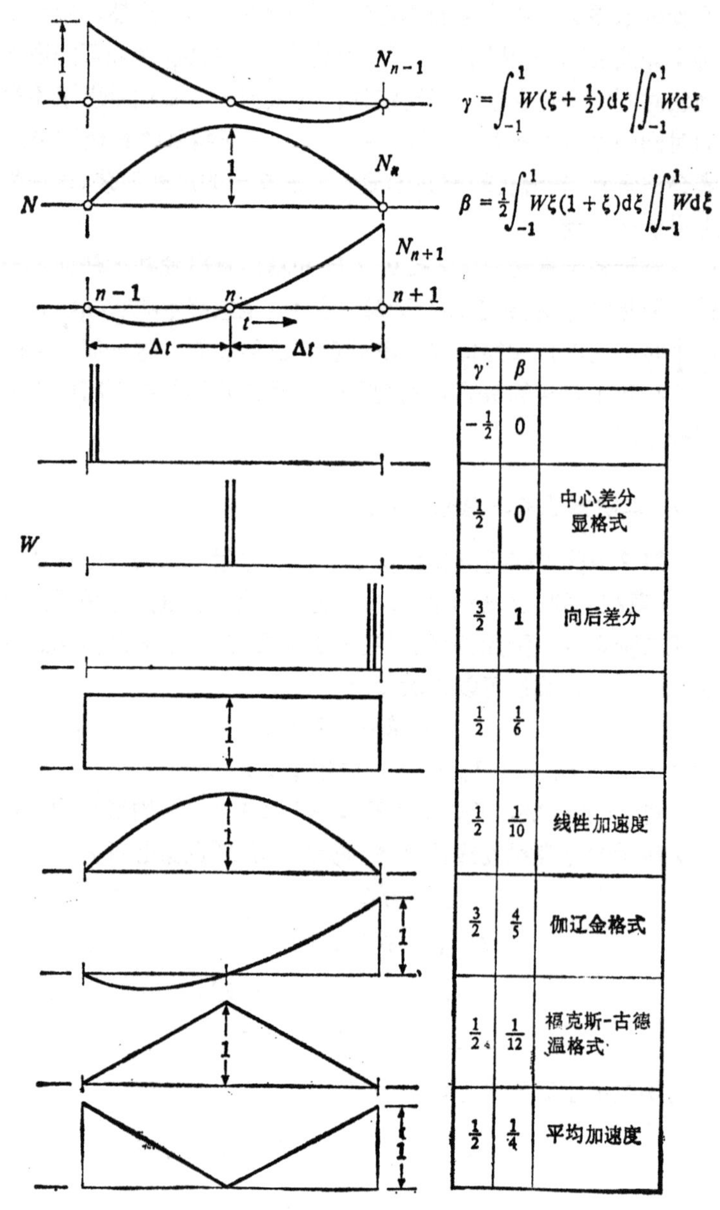

γ	β	
$-\frac{1}{2}$	0	
$\frac{1}{2}$	0	中心差分显格式
$\frac{3}{2}$	1	向后差分
$\frac{1}{2}$	$\frac{1}{6}$	
$\frac{1}{2}$	$\frac{1}{10}$	线性加速度
$\frac{3}{2}$	$\frac{4}{5}$	伽辽金格式
$\frac{1}{2}$	$\frac{1}{12}$	福克斯-古德温格式
$\frac{1}{2}$	$\frac{1}{4}$	平均加速度

图 21.7 三点递归公式的形状函数及权函数

$$\dot{N}_{n-1}=\left(-\frac{1}{2}+\xi\right)\Big/\Delta t,\qquad \ddot{N}_{n-1}=1/\Delta t^2.$$

我们现在将把单元尺寸周期 $2\Delta t$ 作为时间"域",并假设 $\mathbf{a}_n$ 及 $\mathbf{a}_{n-1}$ 是给定的,于是只有 $\mathbf{a}_{n+1}$ 要被确定。有两个已知值这一假设实际上完全相应于如下要求:为了求解二阶方程组,要已知两个初始条件。这样一来,我们写出一个如下形式的加权剩余方程:

$$\int_{-1}^{1}W_j[\mathbf{M}(\mathbf{a}_{n-1}\ddot{N}_{n-1}+\mathbf{a}_n\ddot{N}_n+\mathbf{a}_{n+1}\ddot{N}_{n+1})+\mathbf{C}(\mathbf{a}_{n-1}\dot{N}_{n-1}$$
$$+\mathbf{a}_n\dot{N}_n+\mathbf{a}_{n+1}\dot{N}_{n+1})+\mathbf{K}(\mathbf{a}_{n-1}N_{n-1}+\mathbf{a}_nN_n$$
$$+a_{n+1}N_{n+1})+\mathbf{f}]\mathrm{d}\xi=0,\quad (j=1). \tag{21.25}$$

通过与推导式 (21.8) 时所用类似的分析,我们看到上式可被写成

$$[\mathbf{M}+\gamma\Delta t\mathbf{C}+\beta\Delta t^2\mathbf{K}]\mathbf{a}_{n+1}+[-2\mathbf{M}+(1-2\gamma)\Delta t\mathbf{C}$$
$$+\left(\frac{1}{2}-2\beta+\gamma\right)\Delta t^2\mathbf{K}]\mathbf{a}_n+[\mathbf{M}-(1-\gamma)\Delta t\mathbf{C}$$
$$+\left(\frac{1}{2}+\beta-\gamma\right)\Delta t^2\mathbf{K}]\mathbf{a}_n+\bar{\mathbf{f}}\Delta t^2=0, \tag{21.26}$$

式中

$$\gamma=\int_{-1}^{1}W_j\left(\xi+\frac{1}{2}\right)\mathrm{d}\xi\Big/\int_{-1}^{1}W_j\mathrm{d}\xi,$$

$$\beta=\int_{-1}^{1}W_j\frac{1}{2}\xi(1+\xi)\mathrm{d}\xi\Big/\int_{-1}^{1}W_j\mathrm{d}\xi, \tag{21.27a}$$

$$\bar{\mathbf{f}}=\int_{-1}^{1}W_j\mathbf{f}\mathrm{d}\xi/\int_{-1}^{1}W_j\mathrm{d}\xi.$$

如果对于 $\mathbf{f}$ 采用与对 $\mathbf{a}$ 所用相同的插值,则有

$$\bar{\mathbf{f}}=\mathbf{f}_{n+1}\beta+\mathbf{f}_n\left(\frac{1}{2}-2\beta+\gamma\right)+\mathbf{f}_{n-1}\left(\frac{1}{2}+\beta-\gamma\right). \tag{21.27b}$$

表达式 (21.26) 实际上是与纽马克[19] 以完全不同的方式导出的那种算法相应的一种一般算法[1)],它是最熟知的递归关系式之一

1) β 及 γ 与纽马克引入的相同的符号相应.

(虽然通常未按以上形式明显地表述)[20].

可以再次采用各种形式的权函数，其范围从点配置形式直到伽辽金形式. 在图 21.7 中，我们示出了与一系列这样的权函数相应的 β 值及 γ 值. 纽马克建议一般取 $\gamma=\frac{1}{2}$. 这相应于各种形式的对称权函数.

我们再次注意到，如果 $\beta=0$，并且矩阵 $\mathbf{M}$ (及 $\mathbf{C}$) 是对角(聚缩) 矩阵，则不必通过求逆来确定 $\mathbf{a}_{n+1}$，并且该格式是显格式. $\gamma=\frac{1}{2}$ 的这种格式相应于中心差分格式,它是极其经济的. 然而,正如在一阶方程中那样,我们将看到，这里的稳定性是有条件的，必须适当限制时间间隔 Δt. 在实践中已经证明，这种格式对于许多线性及非线性问题非常有效,在文献 [21—24] 中讨论了这种格式.

如同我们已经指出过的，要开始计算，就必须有两个起始值 $\mathbf{a}_n$ 及 $\mathbf{a}_{n-1}$. 这些起始值常常由初始位移及初始速度规定. 这是不方便的,而如同在线性系统中所介绍过的那样,把一个问题转换为在初始稳态系统上作用一个扰动的问题总是一件容易的事情. 另一方面,必须采用各种出发格式来预计向量 $\mathbf{a}_i$ 的两个相继值.

21.6 二阶方程三点递归格式的稳定性[25-29]

现在，可以采用与 21.3 节中所述相同的方法来研究上一节中所建立的格式的稳定性. 首先我们注意到，可以对于如下一般形式的一系列非耦合方程来研究响应:

$$m_i\ddot{y}_i+c_i\dot{y}_i+k_iy_i+f_i=0. \tag{21.28}$$

我们在上一章中已经指出,一般说来,为了实现这种解耦，必须考虑复数固有频率;但是，如果矩阵 $\mathbf{C}$ 具有适当形式,则可以用自由振动的实特征值

$$\omega_i^2=k_i/m_i \tag{21.29}$$

来实现模态分解. 虽然下面给出的论证是很一般的，但我们将主

要关心上面这种情况.

我们再一次来研究 $f_i = 0$ 的自由响应，并假设如下形式的解:

$$(y_i)_{n+1} = \lambda(y_i)_n,$$
$$(y_i)_n = \lambda(y_i)_{n-1}. \tag{21.30}$$

把上式代入一般递归关系式(21.26)(现在是对式(21.28)的单自由度系统写出的),我们有如下特征方程:

$$\lambda^2[m_i + \gamma\Delta t c_i + \beta\Delta t^2 k_i] + \lambda\Big[-2m_i + (1-2\gamma)\Delta t c_i + \left(\frac{1}{2} - 2\beta + \gamma\right)\Delta t^2 k_i\Big] + \Big[m_i - (1-\gamma)\Delta t c_i + \left(\frac{1}{2} + \beta - \gamma\right)\Delta t^2 k_i\Big] = 0. \tag{21.31}$$

可以求出这个方程的根,这些根将会表明数值解的性态,特别是表明它是否按物理上显然不可接受的无界方式增加. 与21.3节中讨论过的解相比，有一个明显的差别. 该二次方程的根通常是复数,由解答与一个(阻尼)振荡相应这一事实,其实可以预料到这一点. 然而,为使振荡保持为有界,我们仍应要求该复数根的绝对值(模)满足如下条件:

$$|\lambda| \leqslant 1. \tag{21.32}$$

读者可以详细研究阻尼振荡的一般情况，这里我们只考察无阻尼情况(即令阻尼矩阵 $C_i = 0$)的答案. 我们知道,对于这种情况,真实解答必定是如下给出的形式:

$$y_i = \bar{y}_i e^{i\omega t}, \tag{21.33}$$

这就确定了 λ 的精确值:

$$\lambda = \frac{(y_i)_{n+1}}{(y_i)_n} = \frac{e^{i\omega(t+\Delta t)}}{e^{i\omega t}} = e^{i\omega\Delta t}. \tag{21.34}$$

λ 的绝对值是

$$|\lambda| = 1, \tag{21.35}$$

因此表明这是一个无阻尼持续振荡.

任一使$|\lambda|<1$的数值格式都给出一个稳定的但是有人为阻尼的解．现在来考察特征方程(式(21.31))的解．在式(21.31)中，现在有

$$c_i = 0,$$

$$p_i = \frac{k_i}{m_i}\Delta t^2 = \omega_i^2 \Delta t^2,$$

于是我们得到

$$\lambda^2[1+\beta p_i] + \lambda\left[-2+\left(\frac{1}{2}-2\beta+\gamma\right)p_i\right] + \left[1+\left(\frac{1}{2}+\beta-\gamma\right)p_i\right] = 0. \tag{21.36}$$

写出

$$g = \frac{\left(\frac{1}{2}+\gamma\right)p_i}{1+\beta p_i}, \quad h = \frac{\left(\frac{1}{2}-\gamma\right)p_i}{1+\beta p_i},$$

我们可以得到式(21.36)的根：

$$\lambda_{1,2} = \frac{(2-g)\pm\sqrt{(2-g)^2-4(1+h)}}{2}. \tag{21.37}$$

如果上式中根号内的量是负的，即如果

$$4(1+h) > (2-g)^2$$

或

$$p_i\left[4\beta-\left(\frac{1}{2}+\gamma\right)^2\right] > -4, \tag{21.38}$$

则这些根是复数．λ 的模则是

$$|\lambda| = \sqrt{1+h} \leqslant 1,$$

这给出如下的要求：

$$-1 < h = \frac{\left(\frac{1}{2}-\gamma\right)p_i}{1+\beta p_i} < 0. \tag{21.39}$$

把式(21.38)及(21.39)的结果概括起来，为了实现稳定性，即为了对所有的 p_i 值均有无条件的稳定性，我们应要求

$$\beta \geqslant \frac{1}{4}\left(\frac{1}{2}+\gamma\right)^2,$$

$$\gamma \geqslant \frac{1}{2}, \tag{21.40}$$

$$\frac{1}{2}+\gamma+\beta \geqslant 0.$$

如果不满足上述条件，仍可实现稳定性，只要

$$p_i < p_{临界},$$

$$\Delta t < \Delta t_{临界},$$

式中的临界值仍可由式(21.38)求出.

在图 21.7 所示出的格式中，只有两个是无条件稳定的

$$\left(\gamma=\frac{3}{2},\ \beta=1\ 及\ \gamma=\frac{1}{2},\ \beta=\frac{1}{4}\right),$$

而所有其它格式的稳定性都是有条件的. 如同纽马克所指出的，当

$$\gamma=\frac{1}{2},\quad \beta \geqslant \frac{1}{4}$$

时，所有格式都是无条件稳定的，并确实不显示人为的阻尼，即有 $|\lambda|=1$. 对于象中心差分表达式这样的条件稳定格式，由式(21.38)进行的简单计算表明，在 $\gamma=\frac{1}{2}$, $\beta=0$ 的情况下，要得到稳定性，我们要求

$$p_i < 4$$

或

$$\omega_i \Delta t < 2.$$

令 $\omega_i = 2\pi/T_i$ (这里 T_i 是周期)，我们可把稳定性条件写成

$$\Delta t \leqslant \frac{1}{\pi} T_i. \tag{21.41}$$

另外一种常用的格式采用 $\gamma=\frac{1}{2}$, $\beta=\frac{1}{6}$, 为了得到稳定性，它要求

$$\Delta t \leqslant \frac{\sqrt{3}}{\pi} T_i,$$

读者可以容易地验证这一点.

$\gamma > \frac{1}{2}$的所有格式都显示出明显的数值阻尼,这使得结果不精确. 在图 21.8 中,我们示出了采用几种这样的格式时$|\lambda|$随$\Delta t/T_i$变化的曲线,以表明这种阻尼对于较大的 Δt 值可以是多么大.

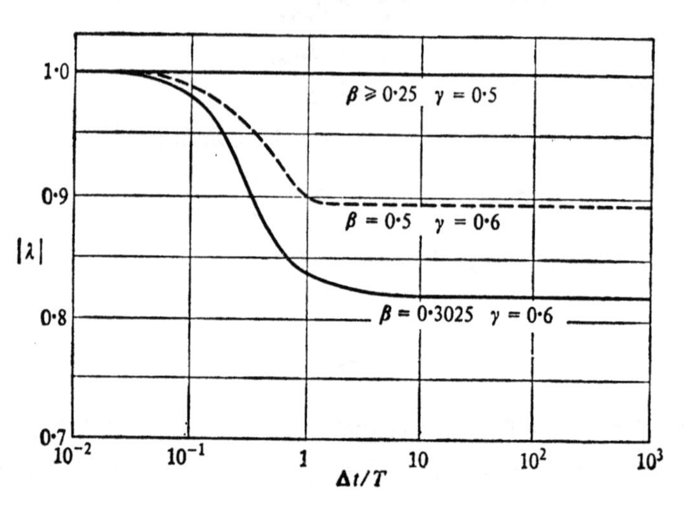

图 21.8 三级(纽马克)表达式. "谱"半径$|\lambda|$随 $\Delta t/T$ 的变化

在实际中,希望有某种程度的数值阻尼,因为在无条件稳定格式中,所采用的 Δt 总是远大于与该系统最高阶频率相应的时间步长,这一最高频率不能精确再现,仅导致数值噪音. 因此,理想的办法是,我们要寻求对于 $\Delta t/T < 1$ 有$|\lambda| = 1$, 而当 $\Delta t/T > 1$ 时又显示尽可能大的阻尼的格式.

得到这种性态的一种方法是,在公式中有意包含一个如下形式的阻尼矩阵:

$$\mathbf{C}_a = \varepsilon \mathbf{K} \Delta t. \tag{21.42}$$

显然,这一阻尼当 $\Delta t \to 0$ 时将会消失,而当 $\Delta t \to \infty$ 时则具有一个大的数值.

数值性态的这种人为“调整”是相当重要的，已被格兰特（Grant）[30]用来调整 $\gamma=\beta=0$ 的纽马克显格式．希尔伯特（Hilbert）等人[31]进行了更复杂的应用．（后面我们将回过头来介绍这些结果.）

除了数值阻尼外，通过与由式（21.34）得到的精确的 λ 作比较，由特征方程(21.31)得到的 λ 的值将会给出关于周期的相对误差的信息．

关于各种二阶格式的结果示于图 21.9．

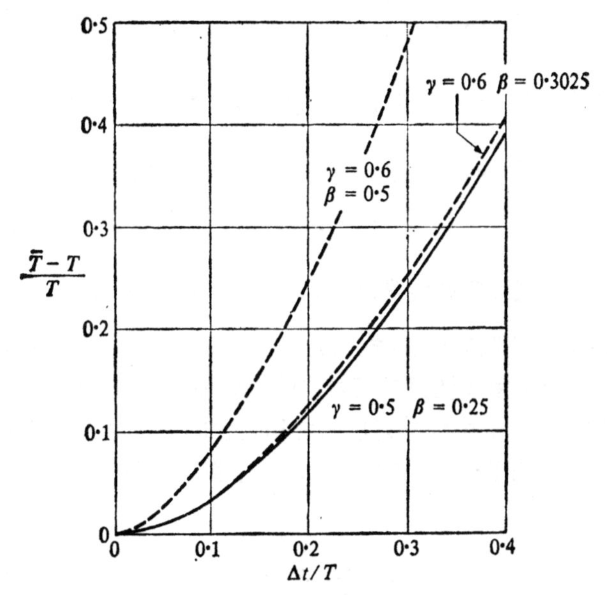

图 21.9　三级(纽马克)表达式．周期相对误差随 $\Delta t/T$ 的变化

关于各种格式的稳定性及性态的全面讨论，读者可参阅参考文献[25—31]．

21.7　多点递归格式

21.7.1　概述　利用高阶插值，可以把按加权过程导出递归格式的方法推广于 $n\Delta t$ 的区域，并且如同我们在 21.2 节中导出公式(21.11)时所表明的，确实可以利用一组单元把这种方法推广于整个区域．在本节中，我们将考察一阶方程的三点区域（假定由 $\mathbf{a}_n$ 及 $\mathbf{a}_{n-1}$ 的已知值确定 $\mathbf{a}_{n+1}$)和二阶方程的四点递归格式(由 $\mathbf{a}_n$，$\mathbf{a}_{n-1}$，$\mathbf{a}_{n-2}$ 确定 $\mathbf{a}_{n+1}$)，前者采用抛物线性插值，后者用三次形状函数来确定时间域上的变化．

21.7.2　*三点格式——一阶方程*　这第一组表达式实际上已由 21.5 节的推导给出．确实，如果我们令二阶项 $\mathbf{M}=0$，式(21.26)直接变成

$$[\gamma\mathbf{C}+\beta\Delta t\mathbf{K}]\mathbf{a}_{n+1}+\left[(1-2\gamma)\mathbf{C}+\left(\frac{1}{2}-2\beta+\gamma\right)\mathbf{K}\right]\mathbf{a}_n$$
$$+\left[-(1-\gamma)\mathbf{C}+\left(\frac{1}{2}+\beta-\gamma\right)\mathbf{K}\right]\mathbf{a}_{n-1}+\bar{\mathbf{f}}=0,\quad(21.43)$$

式中 $\bar{\mathbf{f}}$ 由前面的插值表达式(21.27b)给出，这里的 β 及 γ 的意义与前相同．$\gamma=\frac{1}{2}$ 及 $\beta=\frac{1}{3}$ 就给出利斯 (Lees)[32] 的算法，在实际中对于非线性问题经常采用它[33]．$\gamma=\frac{1}{2}$ 及 $\beta=\frac{1}{6}$ 的算法由图 21.7 的子域配置法(均匀的 $W_i=1$)得到．（这碰巧与在整个时间域上采用线性插值而导出的递归公式 (21.10) 完全相应.）可以象在 21.6 节中那样再次研究稳定性问题．达尔奎斯特 (Dahlquist)[34]讨论了这个问题，并且确定了实现无条件稳定时的 γ 及 β 的值：

$$\gamma\geqslant\frac{1}{2},\ \beta\geqslant\frac{1}{2}\gamma.\qquad(21.44)$$

在某些情况下也可实现有条件稳定性．然而值得指出，$\gamma=\frac{1}{2}$ 及 $\beta=0$ 的中心差分格式现在是无条件地不稳定的，对于任何时间间隔均不能采用．

21.7.3　*二阶及一阶方程的四点格式*　在这里，加权法的推广是一件明显的事情，可以作为一个练习由读者去做．如图 21.10 所示采用 $3\Delta t$ 的时间域，并把坐标正规化为 $\xi=2t/3\Delta t$，则可用

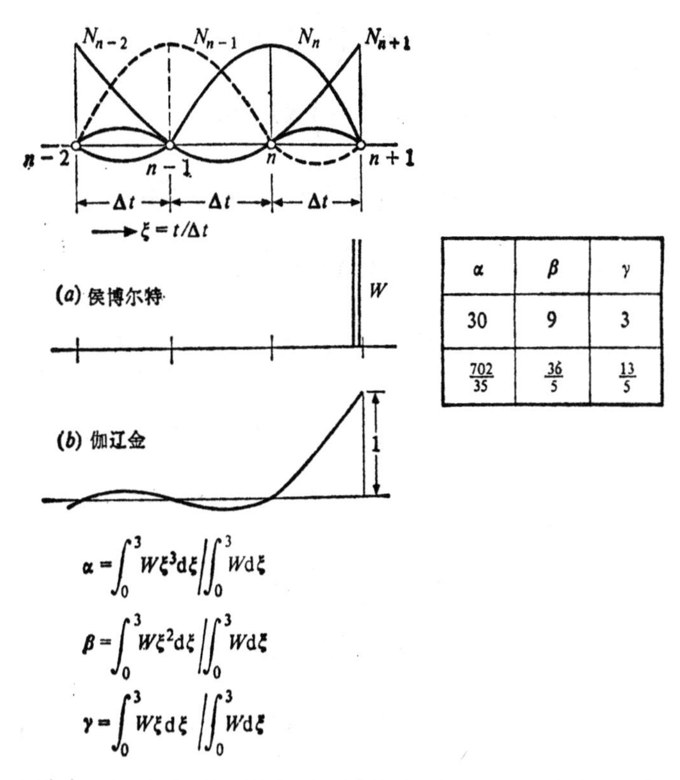

α	β	γ
30	9	3
$\frac{702}{35}$	$\frac{36}{5}$	$\frac{13}{5}$

图 21.10 采用三次形状函数的一般四点递归格式．侯博尔特（Houbolt）(a) 及伽辽金 (b) 格式是两种特殊的加权情况

标准的三次形状函数来得到展开式:

$$\mathbf{a} \approx \hat{\mathbf{a}} = \Sigma N_i a_i, \quad (i = n-2, n-1, n, n+1), \qquad (21.45)$$

并得到一种加权剩余形式．现在，请读者利用前面建立的方法，推导现在由三个独立参数，α，β，γ 给出的一般显式．

这种一般显式给出如下:

$$\Big[\mathbf{M}(\gamma - 1) + \left(\frac{1}{2}\beta - \gamma + \frac{1}{3}\right)\mathbf{C}\Delta t$$

$$+ \left(\frac{1}{6}\alpha - \frac{1}{2}\beta + \frac{1}{3}\gamma\right)\mathbf{K}\Delta t^2\Big]\mathbf{a}_{n+1}$$

$$
\begin{aligned}
&+\left[(-3\gamma+4)\mathbf{M}+\left(-\frac{3}{2}\beta+4\gamma-\frac{3}{2}\right)\mathbf{C}\Delta t\right.\\
&\left.+\left(-\frac{1}{2}\alpha+2\beta-\frac{3}{2}\gamma\right)\mathbf{K}\Delta t^2\right]\mathbf{a}_n\\
&+\left[(3\gamma-5)\mathbf{M}+\left(\frac{3}{2}\beta-5\gamma+3\right)\mathbf{C}\Delta t\right.\\
&\left.+\left(\frac{1}{2}\alpha-\frac{5}{2}\beta+3\gamma\right)\mathbf{K}\Delta t^2\right]\mathbf{a}_{n-1}\\
&+\left[(-\gamma+2)\mathbf{M}+\left(-\frac{1}{2}\beta+2\gamma-\frac{11}{6}\right)\mathbf{C}\Delta t\right.\\
&\left.+\left(-\frac{1}{6}\alpha+\beta-\frac{11}{6}\gamma+1\right)\mathbf{K}\Delta t^2\right]\mathbf{a}_{n-2}\\
&+\left(\frac{1}{6}\alpha-\frac{1}{2}\beta+\frac{1}{3}\gamma\right)\mathbf{f}_{n+1}\Delta t^2\\
&+\left(-\frac{1}{2}\alpha+2\beta-\frac{3}{2}\gamma\right)\mathbf{f}_n\Delta t^2\\
&+\left(\frac{1}{2}\alpha-\frac{5}{2}\beta+3\gamma\right)\mathbf{f}_{n-1}\Delta t^2\\
&+\left(-\frac{1}{6}\alpha+\beta-\frac{11}{6}\gamma+1\right)\mathbf{f}_{n-2}\Delta t^2=0,
\end{aligned}
\tag{21.46}
$$

式中

$$
\begin{aligned}
\alpha&=\int_0^3 W\xi^3\mathrm{d}\xi\Big/\int_0^3 W\mathrm{d}\xi,\\
\beta&=\int_0^3 W\xi^2\mathrm{d}\xi\Big/\int_0^3 W\mathrm{d}\xi,\\
\gamma&=\int_0^3 W\xi\mathrm{d}\xi\Big/\int_0^3 W\mathrm{d}\xi.
\end{aligned}
\tag{21.47}
$$

这里给出的一般表达式是由笔者[35]导出的，伍德[36]详细地讨论了它的一般稳定性质．正如前面由式(21.26)给出的三点广义纽马克表达式情况那样，对三个常数作一些置换，就得到一些已知的并且广泛采用的表达式．

令 $\alpha=30$，$\beta=9$，$\gamma=3$，就得到侯博尔特[37]公式．它是

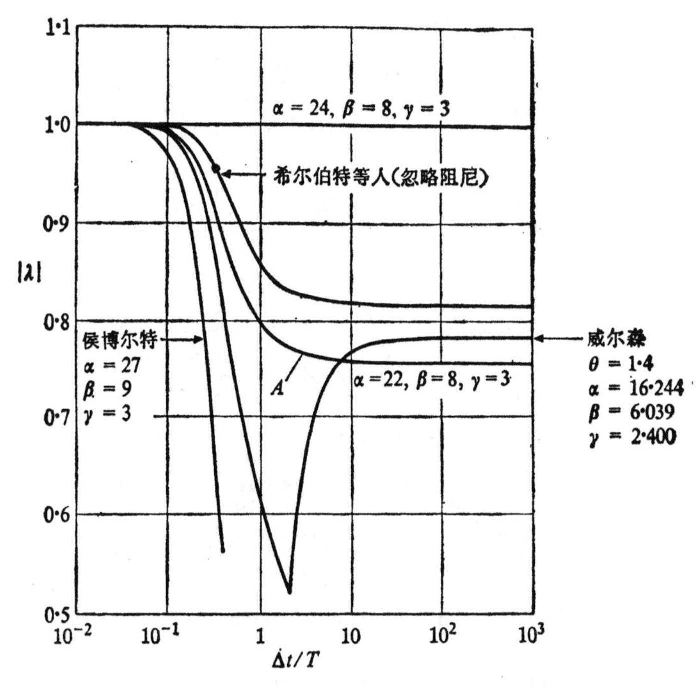

图 21.11　四级时间格式．几种 $\alpha,\ \beta,\ \gamma$ 组合下的谱半径 $|\lambda|$

无条件地稳定的，并具有图 21.11 及 21.12 中示出的特征，读者可把它同表示纽马克格式特征的图 21.8 及 21.9 进行比较。

令

$$\alpha = 2 + 4\theta + 3\theta^2 + \theta^3,$$
$$\beta = \frac{4}{3} + 2\theta + \theta^2, \tag{21.48}$$
$$\gamma = 1 + \theta,$$

就得到威尔森-θ 法[24,38]．引入这种方法是为了使高频模态的消去得到改善．这里常采用 $\theta = 1.4 - 2.0$，并且可以证明，无条件稳定性要求 $\theta > 1.366$[36]．值得指出，$\theta = 1$ 把无阻尼情况的四点算法化为纽马克算法 $\left(\gamma = \frac{1}{2},\ \beta = \frac{1}{6}\right)$.

希尔伯特等人[31]提出的算法，也可看成与引入了式(21.42)的

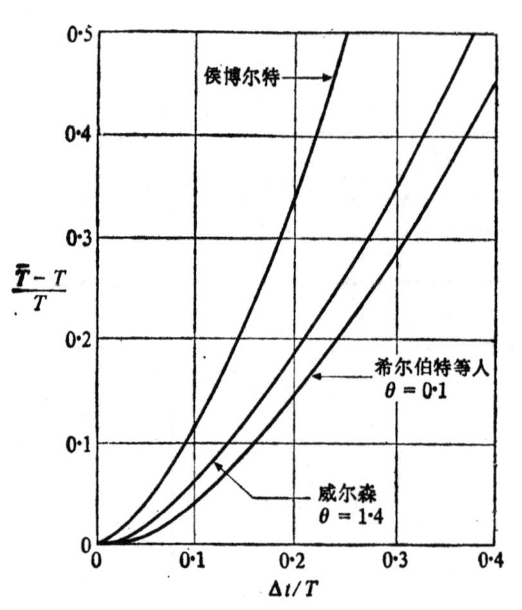

图 21.12 四级时间格式. 几种 α, β, γ 组合下周期的相对误差

人为(负或正)阻尼的一般四级格式一样.

显然，一般表达式(21.46)具有其它许多尚未在实践中充分检验的可能性. 只要适当选择 α, β, γ, 就可以导出显式的表达式.

无阻尼方程的一般稳定性条件不象采用三点表达式时那样简单,它可被概括为如下的要求[36]:

$$\frac{3}{2} < \gamma \leqslant \frac{\beta}{3} + \frac{1}{2},$$

$$\frac{3}{4} + \frac{9\beta}{2} - 5\gamma < \alpha \leqslant -9\gamma^2 + 3\beta\gamma + 13\gamma - 6. \tag{21.49}$$

当后一个关系式为等式时，该算法不显示人为阻尼. 图 21.11 表明，$\alpha = 22$，$\beta = 8$，$\gamma = 3$ 这种以前未曾命名的格式的性能很令人满意.

令 $\mathbf{M} = 0$，可以得到一系列一阶问题的四点格式. 克赖尔(Cryer)[39]已讨论过一些类型有点类似的公式.

21.8 递归公式的另一种推导方法

我们在本章中已经表明，用作递归方案的许多广泛适用的有限差分表达式，都不过是时间域中加权剩余有限元法的特殊情况。然而，在许多有关教科书中，讨论了推导递归方案的别的可能性。有一些方案是按完全不同的办法导出的。具体地讲，可以利用已知单自由度线性系统的精确解这一事实。例如，对于一阶标量方程(式(21.4))，我们已知

$$\lambda = e^{-\omega_i \Delta t}, \quad \omega_i = k_i / c_i, \tag{21.50}$$

而对于无阻尼的二阶方程，如同式 (21.34) 所示，我们已经确定:

$$\lambda = e^{i\omega\Delta t}. \tag{21.51}$$

显然，利用这种精确值的方法仅适用于分离模态（例如见图21.5，那里把精确的 λ 同以前导出的近似值作了对比）。然而在一般情况下，我们可以通过合理的矩阵展开来近似表示 λ。例如在一般的一阶方程情况下，我们可以写出

$$\begin{aligned} \lambda = e^{-\mathbf{C}^{-1}\mathbf{K}\Delta t} &\approx [1 + \beta_1 \mathbf{C}^{-1}\mathbf{K} + \beta_2 (\mathbf{C}^{-1}\mathbf{K})^2 + \cdots]^{-1} \\ &\times [1 + \alpha_1 \mathbf{C}^{-1}\mathbf{K} + \alpha_2 (\mathbf{C}^{-1}\mathbf{K})^2 + \cdots], \end{aligned} \tag{21.52}$$

并寻求使级数展开式给出最好近似的系数 α 及 β. 将会看到，这样得到的公式与已经建立的那些公式是一样的，但现在提供了不同的推导办法。

这种近似方法是与帕代 (Padé) 的名字联系在一起的，它对于线性问题有一定价值. 一种使人感兴趣的特殊形式由下式给出:

$$\lambda = [(\mathbf{I} + \beta \mathbf{C}^{-1}\mathbf{K})^n]^{-1}[\mathbf{I} + \alpha_1 \mathbf{C}^{-1}\mathbf{K} + \alpha_2 (\mathbf{C}^{-1}\mathbf{K})^2 + \cdots], \tag{21.53}$$

这里只须得到一个逆矩阵，并可反复使用. 这类近似方法已由诺塞特 (Nørsett)[40] 导出，并且最近发现它有一定实用价值[41-42]。

21.9 非线性时间步进格式

时间步进法的主要应用领域是非线性问题，在这种问题中，矩阵 $\mathbf{M}$, $\mathbf{C}$, $\mathbf{K}$ 及 $\mathbf{f}$ 中至少有一个依赖于未知向量 $\mathbf{a}$. 对于非线

性问题，并不存在线性情况下那种解析解法．显然，象式(21.7)及(21.25)那样给出的关于一阶及二阶系统的加权剩余表达式，现在仍然成立，但它们的简化了的已积分形式(式(21.9)及(21.26))则不成立．实际上，所有积分都只可按数值方式进行，而在一般情况下，看来必须在每一时间步长中进行迭代．此外，在每个时间步长中要求求解不同的方程组，这就使得方法的费用高．

在实际中，对于这种非线性问题经常采用点配置法（有限差分），以避免在时间域中积分的困难，这一积分现在是很容易进行的．这样做使该公式系统丧失了一些精度；而我们极力主张，在一个间隔中按数值方式进行有关量的积分．不过，在时间间隔中进行迭代的另一种办法是，由前已确定的各步外插出 **M, C, K** 及 **f** 的值．这种外插法导致更稳定的解[43-45]，因为在每个间隔中，实际上得到通常的线性化稳定性准则．此外，现在避免了只是由于迭代而有时可能出现的不稳定性．

在特定间隔中，一种非常简单的外插法是利用上一个已知矩阵的值，即令

$$\mathbf{M}_{n+1}=\mathbf{M}_n,\quad \mathbf{C}_{n+1}=\mathbf{C}_n,\ \text{等}, \tag{21.54}$$

对于一阶问题，可以直接采用前面建立的任何两点或三点公式．卡拉姆（Culham）与瓦尔加（Varga）[43]利用这种格式来求解具有变化的 **K** 的一阶方程，并把它同向后差分（$\theta=1$）数值格式结合起来．他们的结果表明，其精度比用其它迭代格式所得结果的精度好．

在具有聚缩矩阵的显格式中，利用式(21.54)的近似是很自然的．现在，

$$\mathbf{K}_n\mathbf{a}_n=\mathbf{p}_n \tag{21.55}$$

这一项是作为一个向量来计算的，它可由例如结构的非线性材料性态或非线性几何性态引起，而矩阵 **K** 实际上并不明显形成．这种格式在许多结构力学短周期问题[21-24]中看来极其有用，虽然时间间隔仍服从稳定性要求，但计算上的简单使得这种格式很受欢迎．在下面介绍例子的一节中，我们将更全面地讨论它．

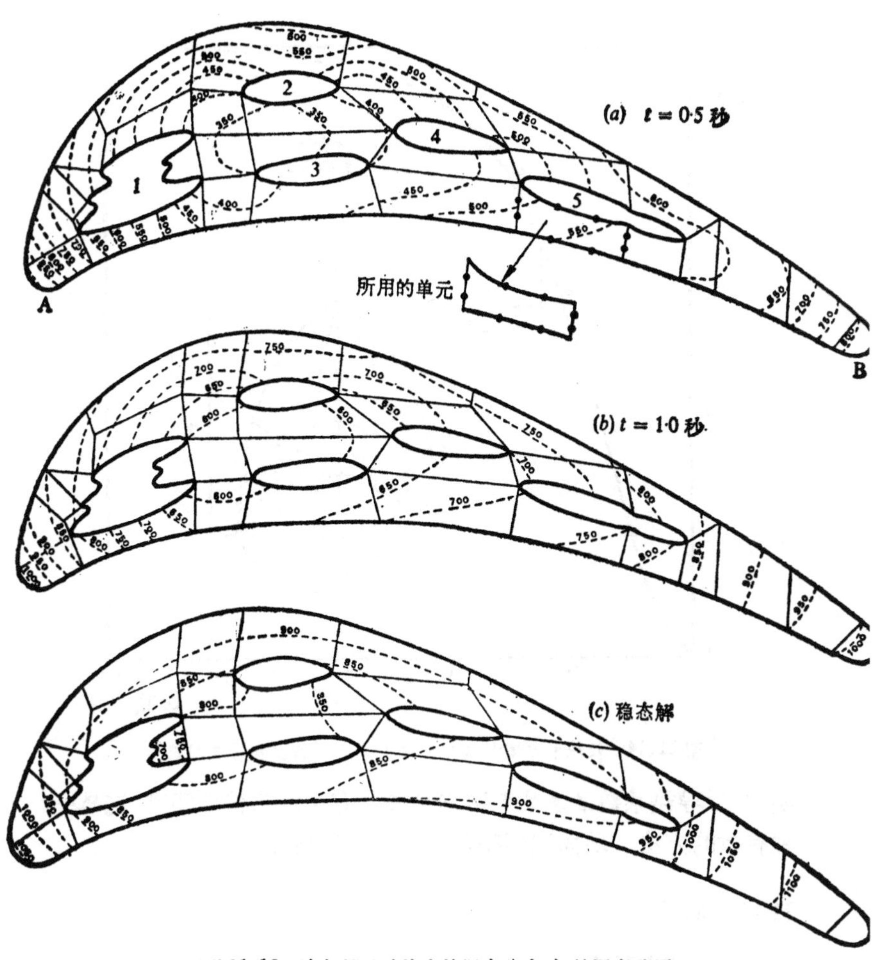

图 21.13　冷却转子叶片中的温度分布，初始温度为零

比热 $c = 0.11$ 卡/克·℃，密度 $\rho = 7.99$ 克/厘米³

传导系数 $k = 0.05$ 卡/秒·厘米℃，叶片周围燃气的温度 = 1145℃

在叶片外表面上(A-B)，热交换系数 α 由 0.390 变至 0.056

孔号	冷却孔温度	孔周边的 α
1	545℃	0.0980
2	587℃	0.0871

式(21.54)这一假设的又一应用，是在适用于所有矩阵都具有非线性的一阶方程的三点格式中．科米尼（Comini）等人[33]已证

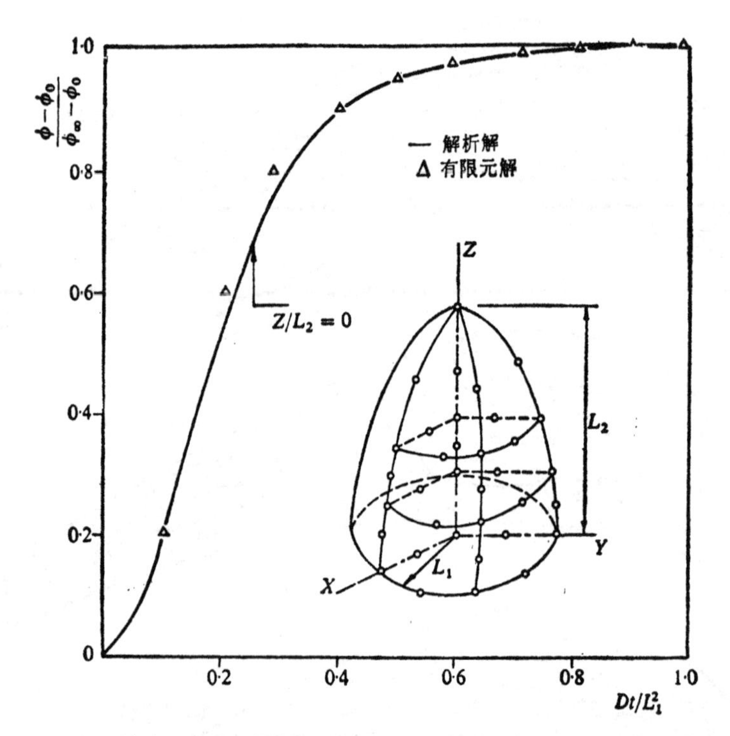

图 21.14　长球形固体中 $x=y=z=0$ 处温度随时间的变化

明,对于导热系数及发热系数均与温度有关的热传导问题,这是一种有效的方法. 后面我们将再次讨论这些例子.

21.10　例子

在当前文献中，读者会找到非常多对于线性及非线性问题应用时间步进法的例子.

瞬态热传导——线性问题　取自文献[14]的两个例子说明了 $\theta=\frac{1}{2}$ 的两点算法对于热传导问题的应用,该问题的控制方程是

$$\frac{\partial}{\partial x}\left(k\frac{\partial T}{\partial x}\right)+\frac{\partial}{\partial y}\left(k\frac{\partial T}{\partial y}\right)+\frac{\partial}{\partial z}\left(k\frac{\partial T}{\partial z}\right)+\rho c\frac{\partial T}{\partial t}-Q=0, \tag{21.56}$$

它具有如下线性化的辐射边界条件:

$$k\frac{\partial T}{\partial n}=-\alpha(T-T_a), \tag{21.57}$$

式中 α 被称为热交换系数.

在两个例子中,热传导系数 k,比热 c 及密度 ρ 都是不依赖于温度的常数. 在第一个例子中, 用二维的三次等参数单元研究了冷却转子叶片的过渡状态(图 21.13). 在第二个例子中,通过与解析解[46]比较,表明了时间步进法应用于一个三维问题时的精度(图 21.14).

瞬态热传导——非线性问题　在实际的热传导问题中, 有的非线性特性不强, 有的非线性特性则很强. 我们将援引两个例子来说明处理后一类问题的可能性. 第一个例子关系到地面冻结, 这时的冻结潜热用一狭窄区中随温度而变化的比热来表示, 这如图 21.15 所示. 此外,在由流体状态过渡到冻结状态时, 还出现传导系数的变化. 因此, 现在问题中的矩阵 $\mathbf{C}$ 及 $\mathbf{K}$ 是变化的; 图 21.16 的解答则表明了冻结区的扩展,这是用 $\mathbf{C}=\mathbf{C}_n,\mathbf{K}=\mathbf{K}_n$ 的

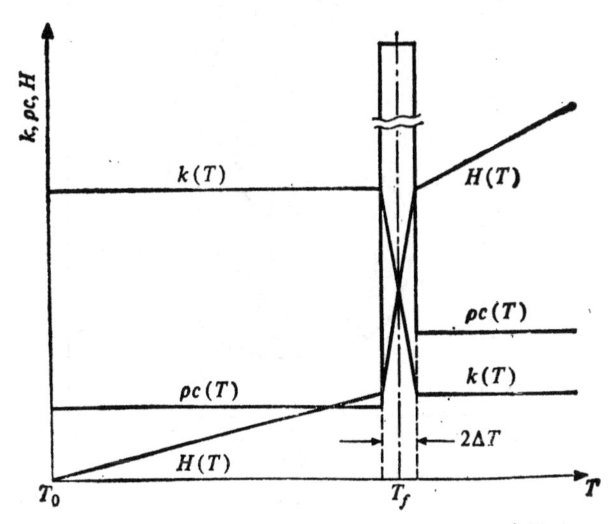

图 21.15　相变问题中热物理性质的估计. 用一个小温度间隔 $2\Delta T$ 上的大热容量来近似潜热效应

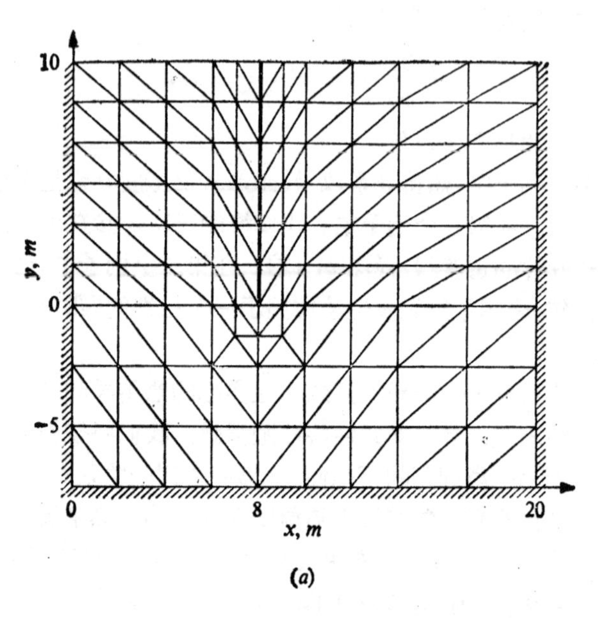

(a)

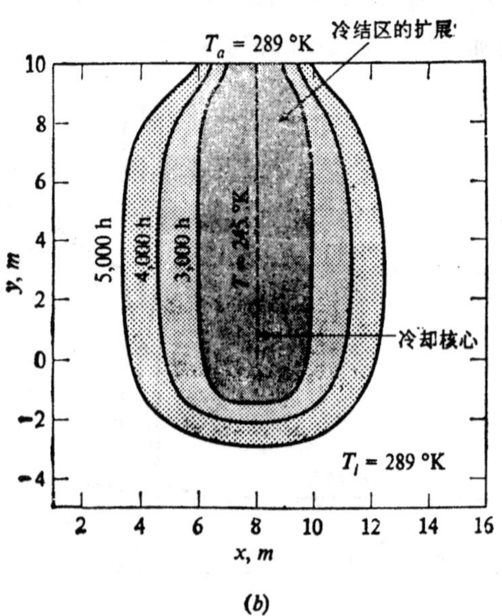

(b)

图 21.16 湿土(砂)的冻结

三点(利斯)算法导出的[32,33].

在这个问题中出现一个相当重要的计算上的特点，这是因为，如果温度步长包含着冻结点，则过渡区中比热的值变得非常高，并且可能在时间步进中被遗漏. 为了避免这一困难并保持热平衡，引入了如下定义的焓的概念:

$$H=\int_0^T \rho c \mathrm{d}T. \tag{21.58}$$

现在，每当考虑温度变化时，总是计算相应的 ρc 的值，以给出 H 值的正确变化.

在焊接及铸造工艺中，包含相变的热传导问题是相当重要的. 在文献[47]中，已经得到了这类问题的一些很有用的有限元解.

第二个非线性例子与自燃问题有关[48](也见第十八章). 在这里，所产生的热量取决于温度:

$$Q=\delta e^{T}, \tag{21.59}$$

随着温度不断升高到某一极大的值，该问题可能成为物理上不稳定的. 在图 21.17 中我们示出了浸在 500°K 的电解槽中的球的瞬态解，该球的初始温度是 $T=290$°K. 给出了两种 δ 值情况下的解，在这两种情况下均有 $k=\rho c=1$. 现在的非线性特性很强，以致在每个时间增量中都必须迭代求解. 对于 δ 值较大的情况，温度在有限时间内升高到无限大，考虑到这一点，在计算中时间间隔必须不断变化. 温度升至无限大时所经过的时间称为感应时间，在图 21.17 中示出了几种 δ 值情况下的感应时间.

没有详细地讨论过在计算中改变时间间隔的问题，但显然必须经常进行这种改变，以避免未知函数发生大变化而产生不精确性.

具有材料及几何非线性的动态结构力学瞬态问题 这个例子处理的是具有很强的非线性的动态结构力学问题，在这个问题中出现几何及材料这两种非线性. 忽略阻尼力，我们可以把离散系统的运动方程(式(21.1))写成

$$\mathbf{M}\ddot{\mathbf{a}}+\mathbf{P}(\mathbf{a})+\mathbf{f}=0, \tag{21.60}$$

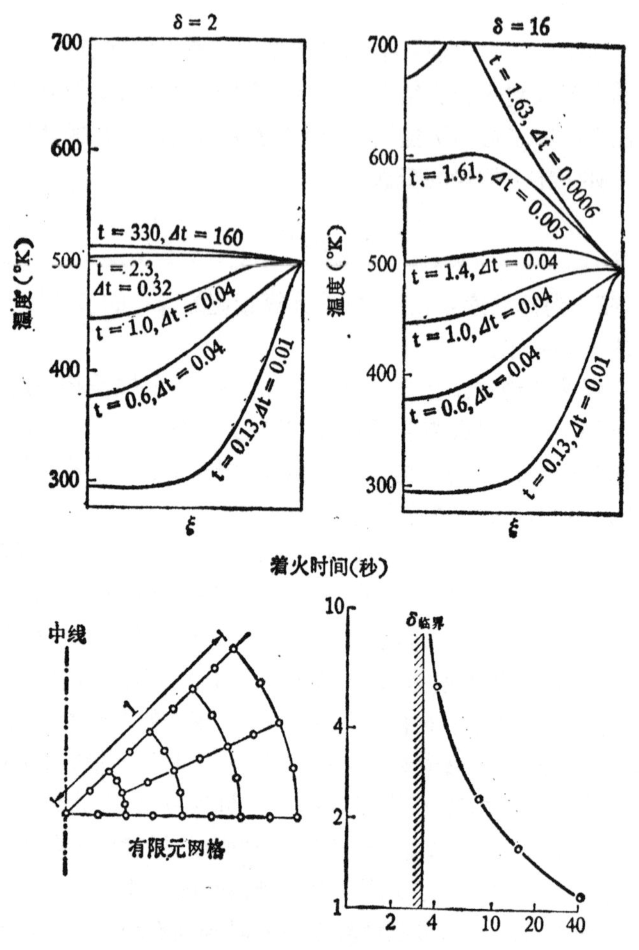

图 21.17 反应球(a)感应时间随弗兰克-卡麦莱茨基（Frank-Kamenetski）参数的变化，(b) 反应球在着火（$\delta = 16$）及不着火（$\delta = 2$）瞬态性态下的温度分布

式中

$$\mathbf{P}(\mathbf{a}) = \mathbf{K}\mathbf{a} \qquad (21.61)$$

是内部阻尼力向量．如同第十八章及第十九章所表明的，任一阶段的 $\mathbf{P}(\mathbf{a})$ 可由该阶段的应力算出：

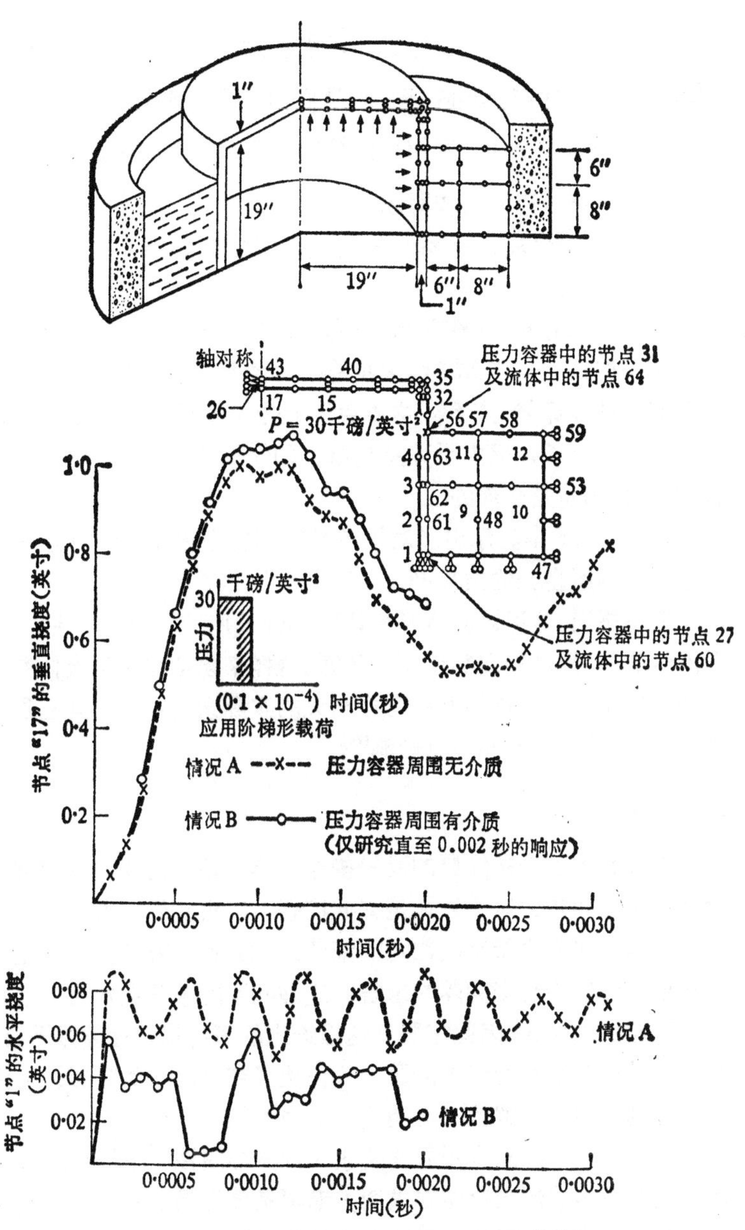

图 21.18　压力容器对于短脉冲的动态大弹塑性响应

$$\mathbf{P}(\mathbf{a}) = \int_{\Omega} \bar{\mathbf{B}}^{\mathrm{T}} \boldsymbol{\sigma} \, \mathrm{d}\Omega, \tag{21.62}$$

式中 $\bar{\mathbf{B}}$ 是非线性应变矩阵，而 $\boldsymbol{\sigma}$ 是应力向量．如果令式(21.26)中的 $\gamma = \frac{1}{2}$，$\beta = 0$，采用与此相应的三点显式加权表达式，那末我们可以把该递归格式写成

$$\mathbf{M}(\mathbf{a}_{n+1} - 2\mathbf{a}_n + \mathbf{a}_{n-1}) + \mathbf{P}_n + \mathbf{f}_n = 0 \tag{21.63}$$

或

$$\mathbf{a}_{n+1} = -\mathbf{M}^{-1}(\mathbf{P}_n + \mathbf{f}_n) + 2\mathbf{a}_n - \mathbf{a}_{n-1}. \tag{21.64}$$

采用对角型聚缩矩阵 $\mathbf{M}$ 时，求逆是一件轻而易举的事；此外，仅须逐个节点地计算 $\mathbf{P}_n$ 或 $\mathbf{f}_n$，这避免了大的存储要求．稳定性考虑限制了时间步长，但由于计算简单，即使采用数目很大的时间步长，总的费用也是合理的．

在图 21.18 中，示出了对于承受突加压力脉冲的压力容器进行这种计算所得到的结果[22]．

值得指出，这里对固体及流体两部分采用了同一公式系统．对于流体部分，简单地取剪切刚度为零，这样来模拟固体与流体性态之间的本质差别．这种办法有相当大的实际意义，已与其它积分格式配用，没有明显的不良影响[49]．

21.11 结语

本章介绍了许多经典的及一些非经典的递归格式，以求解与时间有关的问题．这一领域是如此广阔，以致我们不得不少介绍应用基本方法解决特定问题时的细节．尤其是，我们没有讨论第十八章处理过的蠕变问题的求解，这种问题的求解在本质上就是运用时间步进格式，因此它服从这里给出的所有稳定性要求[50]．此外，也没有介绍时间步进涉及到几何边界变化的一类问题．自由表面渗流问题的求解就在这类应用之中[51,52]．

读者一定已注意到用显格式求解动态非线性问题时的简单性，这在程序编制与存储要求两方面都是显而易见的．这种公式系统的一个自然结果是，可以简单地利用时间步进法来得到非线

性方程组

$$\mathbf{P(a)} = 0 \tag{21.65}$$

的解答. 如果增添(21.65)式左边的项, 引入人为的质量及阻尼矩阵,以形成

$$\mathbf{P(a)} + \mathbf{M\ddot{a}} + \mathbf{C\dot{a}} = 0, \tag{21.66}$$

然后进行明显的瞬态求解,直至达到稳态状态,亦即直至

$$\mathbf{\ddot{a}} = \mathbf{\dot{a}} = 0,$$

这样就得到了原非线性问题的解答. 这类方法是很有效的, 已经以“动力松弛”的名义成功地应用于有限差分分析范围中[53]. 在一般有限元分析范围中,应用这类方法的可能性则尚未被研究.

参 考 文 献

[1] R. D. Richtmyer and K. W. Morton, *Difference Methods for Initial Value Problems,* Wiley (Interscience), 1967.

[2] T. D. Lambert, *Computational Methods in Ordinary Differential Equations,* Wiley, 1973.

[3] L. Fox and E. T. Goodwin, 'Some new methods for the numerical integration of ordinary differential equations', *Proc. Camb. Phil. Soc.,* **49**, 373, 1953.

[4] F. B. Hildebrand, *Finite Difference Equations and Simulations,* Prentice-Hall, 1968.

[5] P. Henrici, *Discrete Variable Methods in Ordinary Differential Equations,* Wiley, 1962.

[6] O. C. Zienkiewicz, *The Finite Element Method in Engineering Science,* pp. 335—9, McGraw-Hill, 1971.

[7] M. Zlamal, 'Finite element methods in heat conduction problems', pp. 85—104, 'The mathematics of finite elements and applications II', ed. J. Whiteman, Academic Press, 1977.

[8] K. Washizu, *Variational Methods in Elasticity and Plasticity,* 2nd ed., Pergamon Press, 1975.

[9] M. Gurtin, 'Variational principles for linear elastodynamics', *Arch. Nat. Mech. Anal.,* **16**, 34—50, 1969.

[10] M. Gurtin, 'Variational principles for linear initial-value problems', *Quart. Appl. Math.,* **22**, 252—6, 1964.

[11] E. L. Wilson and R. E. Nickell, 'Application of finite element method to heat conduction analysis', *Nucl. Eng. Des.,* **4**, 1—11, 1966.

[12] I. Fried, 'Finite element analysis of time-dependent phenomena', *J. A. I. A. A.,* **7**, 1170—3, 1969.

[13] J. H. Argyris and D. W. Scharpf, 'Finite elements in time and space', *Nucl. Eng. Des.*, **10, 456—69, 1969.**

[14] O. C. Zienkiewicz and C. J. Parekh, 'Transient field problems—two and three dimensional analysis by isoparametric finite elements', *Int. J. Num. Meth. Eng.*, 2, 61—71, 1970.

[15] O. C. Zienkiewicz and R. H. Lewis, 'An analysis of various time stepping schemes for initial value problems', *Int. J. Earthquake Eng. Struct. Dynam.*, 1, 407—8, 1973.

[16] W. L. Wood and R. H. Lewis, 'A comparison of time marching schemes for the transient heat conduction equation', *Int. J. Num. Meth. Eng.*, 9, 679—89, 1975.

[17] D. G. Jones and R. D. Henshell, 'Oscillations in transient thermal calculations' (to be published).

[18] B. M. Irons, *Applications of a theorem on eigenvalues to finite element problems,* Univ. of Wales, Dept. of Civil Eng., Swansea, 1970 (CR/132/70).

[19] N. M. Newmark, 'A method for computation of structural dynamics', *Proc. Am. Soc. Civ. Eng.*, 85, EM3, 67—94, 1959.

[20] S. P. Chan, H. L. Cox and O. Benfield, 'Transient analysis of forced vibrations of complex structural mechanical systems', *J. Roy. Aero. Soc.*, 66, 457—60, 1962.

[21] T. Belytschko, R. L. Chiapetta and H. D. Bartel, 'Efficient large scale non-linear transient analysis by finite elements', *Int. J. Num. Meth. in Eng.*, **10**, 579—96, 1976.

[22] D. Shantaram, D. R. J. Owen and O. C. Zienkiewicz, 'Dynamic transient behaviour of two and three dimensional structures including plasticity, large deformation and fluid interaction', *Int. J. Earthquake Eng. Struct. Dynam.*, 4, 561—78, 1976.

[23] R. D. Kreig and S. W. Key, 'Transient shock response by numerical time integration', *Int. J. Num. Meth. Eng.*, 7, 273—86, 1973.

[24] C. C. Fu, 'On the stability of explicit methods for numerical integration of the equations of matrices in finite element methods', *Int. J. Num. Meth. Eng.*, 4, 95—107, 1972.

[25] K. J. Bathe and E. L. Wilson, 'Stability and accuracy analysis of direct integration methods', *Int. J. Earthquake Eng. Struct. Dynam.*, 1, 283—91, 1973.

[26] R. E. Nickell, 'On the stability of approximation operators in problems of structural dynamics', *Int. J. Solids Struct.*, 7, 301—19, 1971.

[27] R. S. Dunham et al., 'Integration operators for transient structural respones', *J. Comp. Struct.*, 2, 1972.

[28] G. L. Goudreau and R. L. Taylor, 'Evaluation of numerical integration methods in elasto dynamics', *Comp. Meth. Appl. Mech. Eng.*, 2, 69—97, 1972.

[29] L. Fox and E. T. Goodwin, 'Some new methods for the numerical

integration of ordinary differential equations', *Proc. Camb. Phil. Soc.*, **49**, 373—88, 1949.

[30] J. E. Grant, 'Response computation using Taylor series', *Proc. A. S. C. E.*, **97**, EM2, 295—303, 1971.

[31] H. M. Hilber, T. J. R. Hughes and R. L. Taylor, 'Improved numerical dissipation for time integration algorithms in structural mechanics' (to be published in *Int. J. Earthquake Eng. Struct. Dynam).*

[32] M. Lees, 'A linear three level difference scheme for quasilinear parabolic equations', *Maths. Comp.*, **20**, 516—622, 1966.

[33] G. Comini, S. del Guidice, R. H. Lewis and O. C. Zienkiewicz, 'Finite element solution of non-linear heat conduction problems with special reference to phase change', *Int. J. Num. Meth. Eng.*, **8**, 613—24, 1974.

[34] G. Dahlquist, 'A special stability problem for linear multistep methods', *B. I. T.*, **3**, 27—43, 1963.

[35] O. C. Zienkiewicz, 'A new look at the Newmark, Houbolt and other time stepping schemes. A weighted residual approach' (to be published in *Int. J. Earthquake Struct. Dynam.).*

[36] W. L. Wood, 'On the Zienkiewicz four time level scheme for the numerical integration of vibration problems' (to be published in *Int. J. Num. Meth. Eng.).*

[37] J. C. Houbolt, 'A recurrence matrix solution for the dynamic response of elastic aircraft', *J. Aero. Sci.*, **17**, 540—50, 1950.

[38] I. Farhoomand, *Non-linear dynamic stress analysis of two dimensional solids,* Ph. D. Dissertation, Univ. of California, Berkeley, 1970.

[39] C. H. Cryer, 'A new class of highly stable methods: A_0-stable methods', *B. I. T.*, **13**, 153—9, 1973.

[40] S. P. Norsett, 'One step methods of Hermite type for numerical integration of stiff systems', *B. I. T.*, **14**, 63—77, 1974.

[41] D. M. Trujillo, 'The direct numerical integration of linear matrix differential equations using Padé approximations, *Int. J. Num. Meth. Eng.*, **9**, 259, 1975.

[42] I. M. Smith, J. L. Siemieniuch, and I. Gladwell, *A comparison of old and new methods for large systems of ordinary differential equations,* Univ. of Manchester, Dept. of Mathematics, NAR 13, 1975.

[43] W. E. Culham and R. S. Varga, 'Numerical methods for time dependent non linear boundary value problems', *J. Soc. Petrol. Eng.*, 374—87, Dec. 1971.

[44] P. T., Boggs, 'The solution of non-linear systems of equations by a-stable integration techniques, *SIAM Jl.*, **8**, 767—85, 1975.

[45] J. A. Stricklin *et al.*, 'Non-linear dynamic analysis of shells of revolution by matrix displacement methods', *Proc. Conf. on Structural Dynamics,* A. S. M. E., Denver, 1971.

[46] A. Haji-Sheikh and E. M. Sparrow, 'Transient heat conduction in a prolate spheroidal solid', *J. Heat Transfer, Trans. Am. Soc. Mech. Eng.*,

88, 331—3, 1966.

[47] H. D. Hibbitt and P. V. Marcal, 'Numerical thermo-mechanical model for the welding and subsequent loading of a fabricated structure', *Comp. Struct.*, 3, 1145—74, 1973.

[48] C. A. Anderson and O. C. Zienkiewicz, 'Spontaneous ignition: finite element solutions for steady and transient conditions', *J. Heat Transfer, Trans. Am. Soc. Mech. Eng.*, 398—404, 1974.

[49] E. L. Wilson, 'Finite elements for foundations, joints and fluids', *Conf. on Numerical Methods in Soil and Rock Mechanics*, Karlsruhe Univ., 1975.

[50] I. C. Cormeau, 'Numerical stability in quasi-static elasto and visco plasticity', *Int. J. Num. Meth. Eng.*, 9, 109—27, 1975.

[51] P. W. France, C. J. Parekh, J. C. Peters and C. J. Taylor, 'Numerical analysis of linear free surface seepage problems', *Proc. Am. Soc. Civ. Eng.*, 97, IR1, 165—79, 1971.

[52] C. J. Taylor, P. W. France and O. C. Zienkiewicz, 'Some free surface transient flow problems of seepage and irrotational flow', pp. 313—26, *The Mathematics of Finite Elements and Applications* (ed. J. Whiteman), Academic Press, 1973.

[53] J. R. M. Otter, 'Dynamic relaxation', *Proc. Inst. Civ. Eng.*, 35, 633—56, 1966.

第 二 十 二 章

粘性流体的流动；对流输送现象中的某些特殊问题

22.1 引言

在这本书中，我们力图使读者了解如何用一种系统的方法来处理物理学中的各种问题，这些问题在以数学形式提出之后即可被离散化，从而可以按数值方式求解．然而，本书前面所讨论的主要是固体力学问题，为了完整起见，本章将研究流体力学问题．

虽然可以先写出适当的控制微分方程，然后应用第三章的一般原理来求解，但我们宁愿采取和固体力学问题进行类比的方法来处理粘性流体流动问题，本章的前几节就是这样做的．这将使读者可以直接（或稍加修改后）利用某些为解决固体力学问题而建立的程序，以解决一些流体力学问题．

流体力学问题和我们讨论过的其它问题的主要差别在于，它的方程中包含对流项．如果离散化时采用通常的伽辽金法，得到的最终方程组的系数矩阵将是非对称的．此外，求解时还可能产生不稳定现象，因此必须采用本书至此未用过的专门的离散方法，这将在 22.8 节中讨论．

由于篇幅限制，不允许我们在这里对流体力学问题作详尽的讨论．特别是高速可压缩流动（跨音速或超音速流动）问题，我们就不去考察它了．作为补充内容，读者可参考一系列的会议文集和教科书[1-6]．不过作者希望，通过本章，以及第十七、第二十、第二十三各章中对一些特殊流动问题的讨论，读者对于解决流体力学问题的可能性有一个较为充分的了解．我们当然假定读者已具有一定的流体力学知识——而关于基本问题的较为详细的处理，读者可参考那些著名的教科书[7-8]。

22.2 粘性的基本概念，微可压缩性流体

22.2.1 **平衡** 如果在某一时刻研究隔离出来的一定体积的流体(图 22.1)，那末和固体一样，在流体内部，应力 $\boldsymbol{\sigma}$ 必须和包括惯性力在内的体力 $\mathbf{b}$ 相平衡．而在流体的外表面，应力 $\boldsymbol{\sigma}$ 必须和外作用力 $\bar{\mathbf{t}}$ 相平衡．因此，不论是内部的平衡方程，还是边界的平衡条件，它们都和固体的一样．采用第三章的式 (3.40) 和第十二章的式 (12.14)，我们有

$$\mathbf{L}^{\mathrm{T}}\boldsymbol{\sigma} + \mathbf{b} = 0, \quad \Omega \text{ 内}, \tag{22.1a}$$

$$\mathbf{G}\boldsymbol{\sigma} = \bar{\boldsymbol{t}}, \qquad \Gamma_t \text{ 上}, \tag{22.1b}$$

式中 Ω 是问题的定义域，而 Γ_t 是给定了外力的边界．

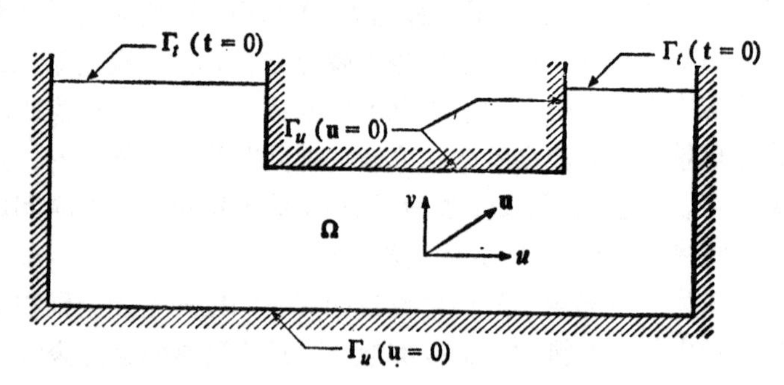

图 22.1 一个二维流体流动问题的定义域

因此，可以再次利用第二、第三两章中应用并讨论过的虚功原理．现在用虚速度 $\delta\mathbf{u}$ 来代替虚位移比较方便，并可用如下等价的表达形式来替换式 (22.1)：

$$\int_{\Omega} \delta\dot{\boldsymbol{\varepsilon}}^{\mathrm{T}}\boldsymbol{\sigma}\mathrm{d}\Omega - \int_{\Omega} \delta\mathbf{u}^{\mathrm{T}}\mathbf{b}\mathrm{d}\Omega - \int_{\Gamma_t} \delta\mathbf{u}^{\mathrm{T}}\bar{\mathbf{t}}\mathrm{d}\Gamma = 0, \tag{22.2}$$

式中 Γ_t 代表规定了外力且 $\delta\mathbf{u} \neq 0$ 的边界．

在以上式中，

$$\delta\dot{\boldsymbol{\varepsilon}} = \mathbf{L}\delta\mathbf{u} \ (\text{而} \ \dot{\boldsymbol{\varepsilon}} = \mathbf{L}\mathbf{u}) \tag{22.3}$$

为虚应变率，$\mathbf{L}$ 的形式同前面用来确定虚应变的一样（关于三维情况下 $\mathbf{L}$ 的形式，参见第六章式 (6.9)）。

在流体力学中，由于位移是不断变化着的，所以把注意力集中在研究速度上是自然的事．我们把空间一固定点处的速度用 $\mathbf{u}$ 来表示——这是以前用来表示位移的符号．利用达朗贝尔原理，象在固体力学中那样（见第二十章），单位体积的体力 $\mathbf{b}$ 可写为

$$\mathbf{b}=\mathbf{b}_0-\rho\mathbf{c}, \tag{22.4}$$

式中 $\mathbf{c}$ 为各质点的加速度向量，ρ 为密度．因为我们定义的 $\mathbf{u}$ 是空间中一点处的速度，而不是一个质点的速度，所以 $\mathbf{u}$ 对于时间的偏导数不足以确定加速度．加速度现在由 $\mathbf{u}$ 的全（或质点）导数给出，例如其 x 分量为

$$C_x=\frac{Du}{\mathrm{d}t}=\frac{\partial u}{\partial t}+\frac{\partial u}{\partial x}\cdot\frac{\partial x}{\partial t}+\frac{\partial u}{\partial y}\cdot\frac{\partial y}{\partial t}+\frac{\partial u}{\partial z}\cdot\frac{\partial z}{\partial t},\ \text{等} \tag{22.5a}$$

因为 $\partial x/\partial t=u$，等等，我们可把总加速度向量写成

$$\mathbf{c}=\frac{\partial\mathbf{u}}{\partial t}+(\nabla\cdot\mathbf{u}^{\mathrm{T}})^{\mathrm{T}}\mathbf{u}, \tag{22.5b}$$

式中 $\nabla^{\mathrm{T}}=[\partial/\partial x,\ \partial/\partial y,\ \partial/\partial z]$，而 $(\nabla\cdot\mathbf{u}^{\mathrm{T}})=\mathbf{J}(\mathbf{u})$ 为雅可比矩阵．

现在即使流动是稳态的，即 $\partial\mathbf{u}/\partial t=0$，也存在加速度，这正是和固体力学问题的主要差别．此外，加速度是速度 $\mathbf{u}$ 的非线性函数，流动问题显然具有非线性特性．

22.2.2 本构关系式　按照定义，除非存在运动，在流体中就不会出现应力偏量．因此，我们可以很概括地指出：应力偏量是应变率 $\dot{\boldsymbol{\varepsilon}}$ 的函数．

若把压力定义为

$$p=-\sigma_m=(\sigma_x+\sigma_y+\sigma_z)/3, \tag{22.6}$$

则应力偏量 σ' 和应变率之间有如下的一般线性关系：

$$\boldsymbol{\sigma}'=\boldsymbol{\sigma}+\mathbf{m}p=\mathbf{D}'\dot{\boldsymbol{\varepsilon}}, \tag{22.7}$$

式中

$$\mathbf{m}^{\mathrm{T}}=[1,1,1,0,0,0].$$

依照固体力学来推论，对于各向同性的不可压缩流体，只要一个称为粘滞系数的常数μ就可完全确定矩阵$\mathbf{D}'$：

$$\mathbf{D}'=\mu\begin{bmatrix}2 & & & & & 0\\ & 2 & & & & \\ & & 2 & & & \\ & & & 1 & & \\ & & & & 1 & \\ 0 & & & & & 1\end{bmatrix}. \tag{22.8}$$

显然，μ在这里起着弹性力学中的剪切模量G那样的作用(参见式(11.22))。

因此，本构关系式(22.7)的形式和不可压缩固体力学问题中的完全相同，只不过现在用应变率替换了应变；而这样一来，在试图求解之前则必须建立补充的约束条件。

22.2.3 连续方程 如果考虑一个无限小单元体，我们可以很概括地指出，此单元体的净质量流入率等于此单元体质量的增加率。因此，若ρ是密度，则有

$$\frac{\partial}{\partial x}(\rho u)+\frac{\partial}{\partial y}(\rho v)+\frac{\partial}{\partial z}(\rho w)-\frac{\partial\rho}{\partial t}$$

$$=\nabla^{\mathrm{T}}(\rho\mathbf{u})-\frac{\partial\rho}{\partial t}=0. \tag{22.9}$$

可以很概括地把压力p和密度ρ用一个适当的状态关系联系起来：

$$\rho=\rho(p). \tag{22.10}$$

如果密度ρ的变化很小，连续方程(22.9)可以简化为

$$\nabla^{\mathrm{T}}\mathbf{u}=\dot{\varepsilon}_{v}=0, \tag{22.11}$$

上式表明体积应变率为零。这和固体力学中不可压缩问题的约束条件相似。本章仅主要讨论不可压缩流体的流动问题。

22.2.4 概要 我们已经注意到，弹性力学问题和粘性流体力学问题之间存在着形式上的完全类似。

事实上，若不顾由于惯性力引起的差别，并且研究的是纯不可

压缩流体，则这种类似是严格的．因此，所有为求解不可压缩弹性固体力学问题而建立的方法，都可直接用来解略去惯性力项的稳态粘性不可压缩流体问题．

有必要对各物理量之间的对应关系作如下说明：

弹性力学		⟷	粘性流体力学	
位移	$\mathbf{u}$	⟷	速度	$\mathbf{u}$
应变	$\boldsymbol{\varepsilon}$	⟷	应变率	$\dot{\boldsymbol{\varepsilon}}$
应力	$\boldsymbol{\sigma}$	⟷	应力	$\boldsymbol{\sigma}$
剪切模量	G	⟷	粘滞系数	μ

加速度效应可以忽略的流动一般称为蠕变——而很明显，已经介绍过的求解不可压缩弹性力学问题的方法，都可直接用来求解蠕变问题．

我们已经遇到过的一些方法是（当然，还可以有其它更多的方法）：

1. 采用 $\mathbf{u}$ 和 p 作变量—— p 作为拉格朗日乘子进入变分表达形式(第十二章)．

2. 仅采用 $\mathbf{u}$ 作变量，而利用罚函数引入不可压缩条件(第十一章)．

3. 利用平衡公式系统(第十二章)．

4. 采用流函数(第十二章)．

如果不能忽略加速度效应，在离散化时引入它则是一件简单的事(若采用伽辽金离散法)，这可按第二十章中考虑结构动力效应的方法进行．不过，即使对稳态流动问题也不再可能利用变分原理，因为不再存在正确的变分原理[9]．下一节将具体地对各类问题进行离散化．

在本书的第二章及其它章节中，在对弹性力学问题建立有限元公式系统时，我们是从作为基础的虚功原理出发，并未显式地列出全部控制方程．如果采用位移型公式系统，通过从平衡方程中消去应力和应变，就能很容易地导得弹性力学的这些控制方程，它们叫作纳维（Navier）方程．事实上，本来是可以用这些方程来进行最初的有限元离散化的(但不大方便).

在流体力学中进行离散化时，较为方便的出发点通常是一组和纳维方程类似的方程[10-21]. 我们不准备采用这种方法，虽然这样做显然能导得和直接利用虚功原理[19]一样的结果. 但是，在此显式地列出纳维-斯托克斯（Stokes）控制方程还是有意义的.

利用关系式 (22.3—5) 及 (22.7)，从方程 (22.1a) 中消去 σ，就可导得一般的纳维-斯托克斯方程

$$\rho\left[\frac{\partial \mathbf{u}}{\partial t}+(\nabla\cdot\mathbf{u}^{\mathrm{T}})^{\mathrm{T}}\mathbf{u}\right]=-\mathbf{L}^{\mathrm{T}}\mathbf{m}p+\mathbf{L}^{\mathrm{T}}\mathbf{D}'\mathbf{L}\mathbf{u}+\mathbf{b}_0. \tag{22.12}$$

利用式 (22.8) 所给出的 $\mathbf{D}'$ 的形式及前面所确定的 $\mathbf{L}$，上式可被简化为更标准的形式. 于是，在 x 方向有

$$\begin{aligned}\rho\left(\frac{\partial u}{\partial t}+u\frac{\partial u}{\partial x}+v\frac{\partial u}{\partial y}+w\frac{\partial u}{\partial z}\right)=&-\frac{\partial p}{\partial x}+2\frac{\partial}{\partial x}\\&\times\left(\mu\frac{\partial u}{\partial x}\right)+\frac{\partial}{\partial y}\left(\mu\frac{\partial u}{\partial y}+\mu\frac{\partial v}{\partial x}\right)\\&+\frac{\partial}{\partial z}\left(\mu\frac{\partial u}{\partial z}+\mu\frac{\partial w}{\partial x}\right),\end{aligned} \tag{22.13}$$

y, z 方向的方程与方程 (22.13) 相似. 这组方程必须和方程(22.9)联立求解.

22.3 粘性流体流动方程的离散化

显然，利用上节所指出的类似性，可以略去粘性流体流动方程离散化的细节，因为这和处理固体力学中对应问题时所用过的方法完全一样. 不过为了完整起见，本节仍然简要地给出三种有用的离散形式的细节.

22.3.1 *以速度及压力作变量* 在这种离散形式中，用独立的参数对速度及压力进行离散，即

$$\mathbf{u}=\mathbf{N}^{u}\mathbf{a}^{u};\ \ p=\mathbf{N}^{p}\mathbf{a}^{p}. \tag{22.14}$$

利用式 (22.2) 的虚功表达形式，并注意到

$$\delta\mathbf{u}=\mathbf{N}^{u}\delta\mathbf{a}^{u};\ \ \delta\dot{\boldsymbol{\varepsilon}}=(\mathbf{L}\mathbf{N}^{u})\delta\mathbf{a}^{u}\equiv\mathbf{B}\delta\mathbf{a}^{u}, \tag{22.15}$$

我们可以写出

$$\delta \mathbf{a}^{u\mathrm{T}}\left[\int_{\Omega}\mathbf{B}^{\mathrm{T}}\boldsymbol{\sigma}\mathrm{d}\Omega-\int_{\Omega}\mathbf{N}^{u\mathrm{T}}\mathbf{b}\mathrm{d}\Omega-\int_{\Gamma_t}\mathbf{N}^{u\mathrm{T}}\bar{\mathbf{t}}\mathrm{d}\Gamma\right]=0. \quad (22.16)$$

注意到上式对所有的 $\delta\mathbf{a}^u$ 均成立，在将式(22.3—5)及(22.7)代入该式后，我们得到

$$\mathbf{K}\mathbf{a}^u+\bar{\mathbf{K}}\mathbf{a}^u+\mathbf{K}^p\mathbf{a}^p+\mathbf{M}\frac{\mathrm{d}\mathbf{a}^u}{\mathrm{d}t}+\mathbf{f}^u=0, \quad (22.17)$$

式中各矩阵的子矩阵给出如下：

$$\mathbf{K}_{ij}=\int_{\Omega}\mathbf{B}_i^{\mathrm{T}}\mathbf{D}'\mathbf{B}_j\mathrm{d}\Omega, \quad (22.18a)$$

$$\bar{\mathbf{K}}_{ij}=\int_{\Omega}\rho(\mathbf{N}_i^u)^{\mathrm{T}}(\nabla\cdot(\mathbf{N}\mathbf{a}^u)^{\mathrm{T}})^{\mathrm{T}}\mathbf{N}_j\mathrm{d}\Omega, \quad (22.18b)$$

$$\mathbf{K}_{ij}^p=-\int_{\Omega}\mathbf{B}_i^u\mathbf{m}\mathbf{N}_j^p\mathrm{d}\Omega, \quad (22.18c)$$

$$\mathbf{M}_{ij}=\int_{\Omega}(\mathbf{N}_i^u)^{\mathrm{T}}\rho\mathbf{N}_j^u\mathrm{d}\Omega, \quad (22.18d)$$

$$\mathbf{f}_i=-\int_{\Omega}(\mathbf{N}_i^u)^{\mathrm{T}}\mathbf{b}_0\mathrm{d}\Omega-\int_{\Gamma_t}(\mathbf{N}_i^u)^{\mathrm{T}}\bar{\mathbf{t}}\mathrm{d}\Gamma. \quad (22.18e)$$

我们立即注意到，除 $\bar{\mathbf{K}}_{ij}$ 外，其余四个子矩阵的表达式分别与弹性分析中的刚度矩阵，质量矩阵，载荷矩阵的标准形式相同．这一点完全在意料之中．

为了获得由约束方程所产生的第二个方程，我们将采用伽辽金法，简单地用 $(\delta p)^{\mathrm{T}}$ 前乘连续方程(22.11)两端，并对于完全不可压缩的情况积分．

于是，我们有

$$(\delta\mathbf{a}^p)^{\mathrm{T}}\int_{\Omega}(\mathbf{N}^p)^{\mathrm{T}}\dot{\varepsilon}_v\mathrm{d}\Omega=0. \quad (22.19)$$

若注意到上式对于所有的 $\delta\mathbf{a}^p$ 均成立，并写出

$$\dot{\varepsilon}_v=\mathbf{m}^{\mathrm{T}}\mathbf{L}\mathbf{u}=\mathbf{m}^{\mathrm{T}}\mathbf{L}\mathbf{N}^u\mathbf{a}^u=\mathbf{m}^{\mathrm{T}}\mathbf{B}\mathbf{a}^u, \quad (22.20)$$

则得到如下方程：

$$(\mathbf{K}^p)^{\mathrm{T}}\mathbf{a}^u=0, \quad (22.21)$$

式中 $\mathbf{K}^p$ 的子矩阵取式(22.18c)的形式．

方程组 (22.17) 与 (22.21) 可以写成

$$\begin{bmatrix} \mathbf{K}+\bar{\mathbf{K}} & \mathbf{K}^p \\ \mathbf{K}^{pT} & 0 \end{bmatrix} \begin{Bmatrix} \mathbf{a}^u \\ \mathbf{a}^p \end{Bmatrix} + \begin{bmatrix} \mathbf{M} & 0 \\ 0 & 0 \end{bmatrix} \frac{\mathrm{d}}{\mathrm{d}t} \begin{Bmatrix} \mathbf{a}^u \\ \mathbf{a}^p \end{Bmatrix} + \begin{Bmatrix} \mathbf{f} \\ 0 \end{Bmatrix} = 0, \quad (22.22)$$

它可被用来求解粘性流体的瞬态流动问题.

读者会注意到:

(a) 若速度大得使矩阵 $\bar{\mathbf{K}}$ 不能被忽略,则系数矩阵不对称,而且方程是非线性的.

(b) 若问题是稳态的,且可忽略 $\bar{\mathbf{K}}$,则重新导出了第十二章中不可压缩弹性力学问题的拉格朗日形式 (现在没有利用变分表达形式).

刚才给出的公式系统在流体力学问题的有限元分析中是最流行的,已被广泛地运用[11,14,21]. 以前关于过度约束的所有评论在这里仍然适用,并且使用者会发现,一般来说,为了避免过度约束,只要使 p 的插值阶数低于 $\mathbf{u}$ 的就可以了. 在这方面已用"一致性"的观点进行过论证, 不过我们并不认为它是这种混合插值改善性能的正确原因[20,21].

22.3.2 *流函数公式系统* 可以通过一组辅助函数来定义速度场 $\mathbf{u}$, 以便自动满足连续(不可压缩)条件.

虽然在三维情况下可以导得向量流函数, 但并未证明它们是成功的,流函数法一般只限于求解二维问题. 于是,我们写出

$$\mathbf{u} = \hat{\mathbf{L}}\psi; \ \hat{\mathbf{L}}^{\mathrm{T}} = \left[\frac{\partial}{\partial y}, \ -\frac{\partial}{\partial x}\right], \quad (22.23)$$

这样定义的速度场自动满足在二维空间中写出的式(22.11).

若将流函数作如下离散处理:

$$\psi = \hat{\mathbf{N}}\mathbf{a}, \quad (22.24)$$

则虚功方程 (22.2) 可以写成

$$\delta\mathbf{a}^{\mathrm{T}}\left[\int_{\Omega} \hat{\mathbf{B}}^{\mathrm{T}}\boldsymbol{\sigma}\mathrm{d}\Omega - \int_{\Omega} (\mathbf{L}\hat{\mathbf{N}})^{\mathrm{T}}\mathbf{b}\mathrm{d}\Omega - \int_{\Gamma_t} (\hat{\mathbf{L}}\hat{\mathbf{N}})^{\mathrm{T}}\bar{\mathbf{t}}\mathrm{d}\Gamma\right] = 0, \quad (22.25)$$

式中

$$\hat{\mathbf{B}} = \mathbf{L}\hat{\mathbf{L}}\hat{\mathbf{N}}. \quad (22.26)$$

把式 (22.5) 与 (22.7) 代入式 (22.25)，将发现角标为 p 的项消失了，并可写出一组如下标准形式的方程：

$$(\hat{\mathbf{K}}+\hat{\hat{\mathbf{K}}})\mathbf{a}+\hat{\mathbf{M}}\frac{\mathrm{d}\mathbf{a}}{\mathrm{d}t}+\mathbf{f}=0, \tag{22.27}$$

式中

$$\begin{aligned}
\hat{\mathbf{K}}_{ij}&=\int_{\Omega}\hat{\mathbf{B}}_i^{\mathrm{T}}\mathbf{D}\hat{\mathbf{B}}_j\mathrm{d}\Omega;\ \hat{\mathbf{M}}_{ij}=\int_{\Omega}(\hat{\mathbf{L}}\hat{\mathbf{N}}_i)^{\mathrm{T}}\rho\hat{\mathbf{L}}\hat{\mathbf{N}}_j\mathrm{d}\Omega,\\
\hat{\hat{\mathbf{K}}}_{ij}&=\int_{\Omega}(\hat{\mathbf{L}}\hat{\mathbf{N}}_i)^{\mathrm{T}}\rho(\nabla\cdot(\hat{\mathbf{L}}\hat{\mathbf{N}}\mathbf{a})^{\mathrm{T}})^{\mathrm{T}}\hat{\mathbf{L}}\hat{\mathbf{N}}\mathrm{d}\Omega,\\
\mathbf{f}_i&=-\int_{\Omega}(\hat{\mathbf{L}}\hat{\mathbf{N}}_i)^{\mathrm{T}}\mathbf{b}_0\mathrm{d}\Omega-\int_{\Gamma_t}(\hat{\mathbf{L}}\hat{\mathbf{N}}_i)^{\mathrm{T}}\bar{\mathbf{t}}\mathrm{d}\Gamma.
\end{aligned} \tag{22.28}$$

在上述公式系统中，除矩阵 $\hat{\hat{\mathbf{K}}}$ 的非线性与不对称性质之外，还有两点值得注意．第一，形状函数 $\hat{\mathbf{N}}$ 现在需要具有 C_1 连续性，这是因为在 $\hat{\mathbf{B}}$ 中存在着二阶导数．第二，这组公式和板弯曲问题的公式系统形式上(几乎)完全一样．事实上，用流函数公式系统求解流体力学问题时，总是利用了这种相似性，采用第十章中讨论过的许多单元[18,22]．

22.3.3 **“罚”函数公式系统** 在第十一章中，已将罚函数法作为一种求解不可压缩弹性力学问题的有效方法作了介绍，因此在这里可运用它来求解粘性流体的流动问题．不过现在不是以变分原理为基础来建立这种方法．

为了消去变量 p，将本构关系 (22.7) 中的 p 写成

$$p=\alpha\dot{\varepsilon}_v, \tag{22.29}$$

式中 α 是一个大数．因为根据约束方程 (22.11) 有 $\dot{\varepsilon}_v\to 0$，因此 p 将是一个有限量．

利用式 (22.29)，就不必对 p 进行离散化了，而对于离散化了的速度 $\mathbf{u}=\mathbf{N}\mathbf{a}$，我们有

$$\dot{\varepsilon}_v=\mathbf{m}^{\mathrm{T}}\mathbf{L}\mathbf{N}\mathbf{a}. \tag{22.30}$$

按照得到离散化的式 (22.17) 的作法，我们现在得到

$$\mathbf{K}\mathbf{a}+\bar{\mathbf{K}}\mathbf{a}+\bar{\bar{\mathbf{K}}}\mathbf{a}+\mathbf{M}\frac{\mathrm{d}}{\mathrm{d}t}\mathbf{a}+\mathbf{f}=0, \tag{22.31}$$

除 $\mathbf{K}$ 之外，方程(22.31)中的所有矩阵均由式(22.18)确定，而 $\mathbf{K}_{ij}$ 的表达式则为

$$\bar{\bar{\mathbf{K}}}_{ij}=\int_{\Omega}(\mathbf{m}^{\mathrm{T}}\mathbf{B}_i)^{\mathrm{T}}\alpha(\mathbf{m}^{\mathrm{T}}\mathbf{B}_j)\mathrm{d}\Omega. \tag{22.32}$$

此处之 α 仍可看成类似于弹性力学中的体积模量的量，事实上，当流速很小时，方程(22.31)就是第十一章中用来处理几乎不可压缩弹性力学问题的标准离散形式.

文献[19]首先提出了这种方法的公式系统. 后来，在蠕变流动问题中配合“降阶”积分单元应用了这种方法. 休斯(Hughes)等人[23]第一次有效地求解了粘性流体流动问题的全部方程，他们所用的单元是双线性四边形，对体积应变率项采用了单点数值积分.

22.4 粘性流体流动理论的某些应用及求解技术

22.4.1 **稳态牛顿(Newton)流体的蠕变流动** 牛顿流体的流动指的是粘滞系数为常数的线性流动问题. 因为所有的加速度项均被忽略，所以公式系统给出线性的方程，它的求解过程无需赘述.

入口流动问题 在图22.2示出的这第一个例子中，得到了轴对称入口流动问题的解[19].

(a) 采用流函数法，所用的单元是第十章的厄米特矩形单元；

(b) 利用标准的弹性力学程序，单元是八节点等参数单元，采用 2×2 高斯点的“降阶”数值积分(这里令与泊松比对应的系数为0.49995，以实现几乎不可压缩性)；

(c) 采用速度及压力均为变量的公式系统，速度为抛物线性插值，压力为线性插值[24].

三种方法以相差不大的代价获得几乎一样的结果，这些结果和对同一问题采用很精细的网格而得到的有限差分结果差不多[25].

虽然三种方法的求解技术并不存在明显的差异，但后两种方法却很容易推广到三维情况.

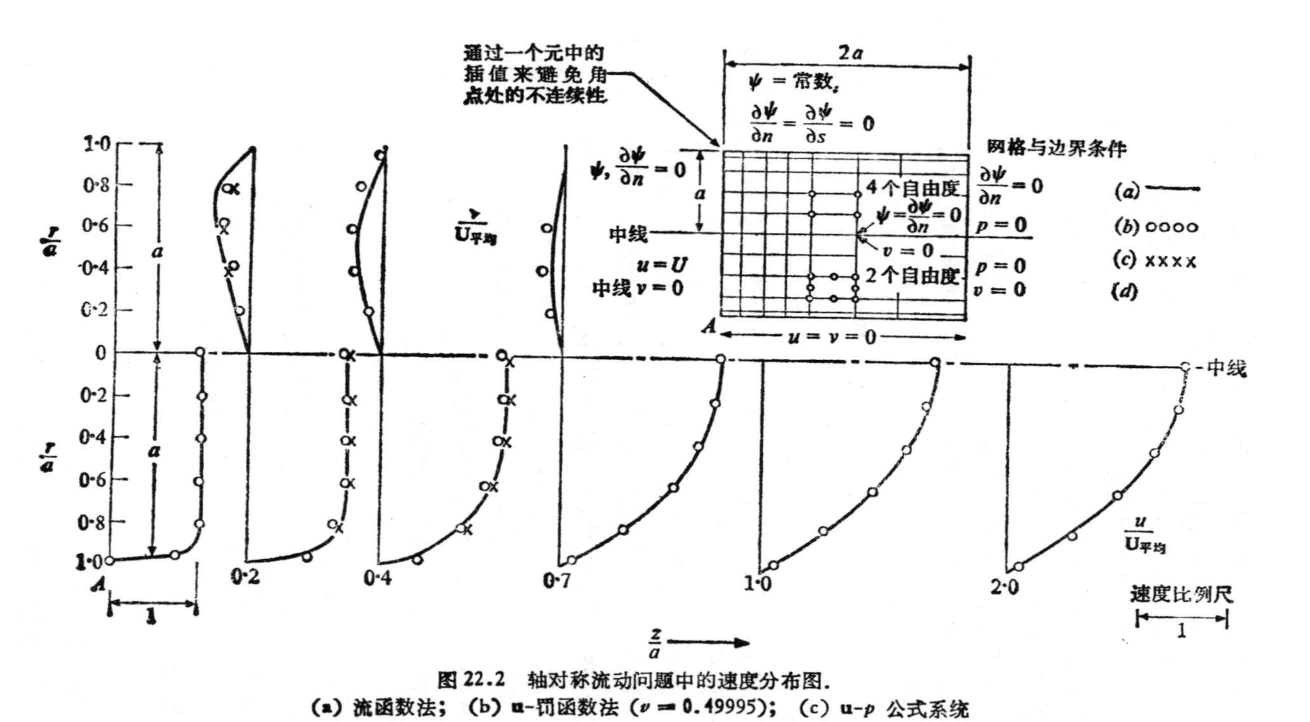

图 22.2　轴对称流动问题中的速度分布图.

(a) 流函数法；(b) u-罚函数法 ($\nu = 0.49995$)；(c) u-p 公式系统

文献[19]和[26]已给出了三维入口流动问题的解.

流场中有障碍物时的流动 在图 22.3 所示出的这个例子中，用流函数法及速度-罚函数法两种方法求得了解答.这个例子还表明了应用流函数法时所遇到的一个困难. 因为流场的分布最初是未知的，所以关于障碍物表面的流函数值，除它们应是常数之外，具体的数值事先并不知道.

现在必须引入附加的要求[27]. 这一要求可表达为：在静止障碍物表面上，物体对流体的作用力在单位时间内所作的功必须为零，即有

$$\int_{\Gamma} \delta \mathbf{u}^{\mathrm{T}} \bar{\mathbf{t}} \mathrm{d}\Gamma = \int_{\Gamma} (\hat{\mathbf{L}} \delta \psi)^{\mathrm{T}} \bar{\mathbf{t}} \mathrm{d}\Gamma = 0, \tag{22.33}$$

式中 Γ 是障碍物的边界面.

如果进行两次独立的求解，就可对流函数参数强加这一条件——这种方法显然既不方便又费时.

22.4.2 稳态非牛顿流体的蠕变流动，粘塑性金属的流动 我们对许多流体的慢速流动感兴趣，这种流体的粘滞系数是应变率 $\dot{\boldsymbol{\varepsilon}}$ 的函数. 许多油料、化学品、甚至金属都属于这类流体.

考查本构关系式(22.7)及(22.8)可以发现，对于各向同性材料，通过第二应力不变量 $\bar{\sigma}$ 和第二应变率不变量 $\dot{\bar{\varepsilon}}$（其定义见第十八章)来表示本构关系是很方便的.

该关系式可以简单地写成

$$\bar{\sigma} = \mu \dot{\bar{\varepsilon}}, \tag{22.34}$$

在图 22.4 中示出了牛顿流体情况下上式的形式. 对于非牛顿流体，其应力不变量-应变率不变量关系式可以有不同的形式——有代表性的一种是

$$\bar{\sigma} = \beta \dot{\bar{\varepsilon}}^{n}. \tag{22.35}$$

显然，若令

$$\mu = \beta \dot{\bar{\varepsilon}}^{n-1}, \tag{22.36}$$

式(22.35)就可被表示成标准形式.

宾汉流体的性态形式很有特色，它具有确定的屈服应力值.

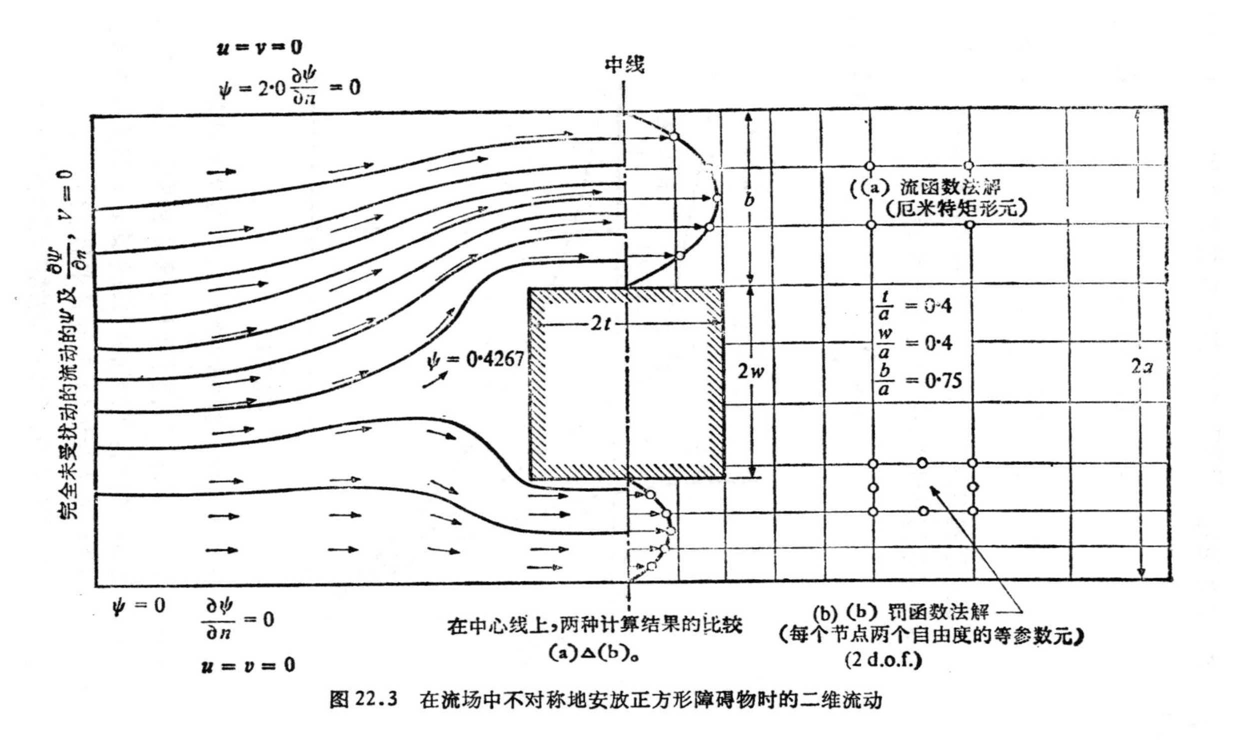

图 22.3　在流场中不对称地安放正方形障碍物时的二维流动

这种形式也可写成粘塑性力学的一种特殊情况，即（见图22.4）

$$\dot{\varepsilon}=\gamma(\bar{\sigma}-\bar{\sigma}_y). \tag{22.37}$$

若令

$$\mu=\frac{\dot{\varepsilon}/\nu+\bar{\sigma}_y}{\dot{\varepsilon}}, \tag{22.38}$$

我们又可把这种形式写成表达式（22.34），只不过粘滞系数 μ 现在是变量．对于理想塑性性态，式（22.38）退化为

$$\mu=\frac{\bar{\sigma}_y}{\dot{\varepsilon}}. \tag{22.39}$$

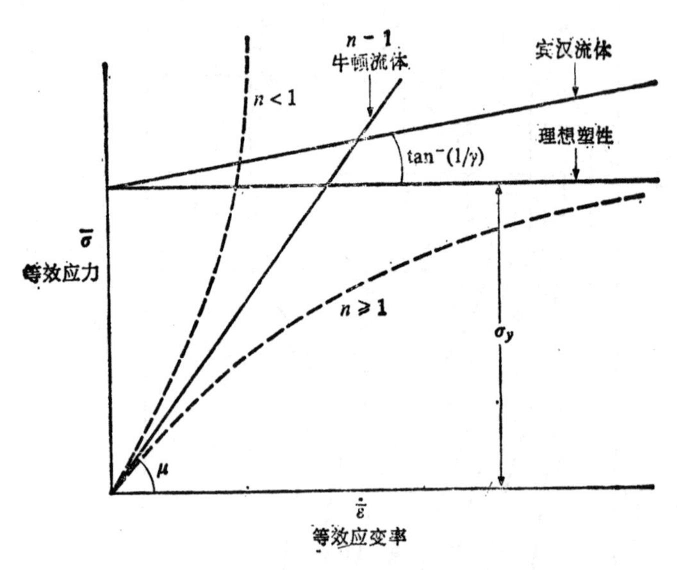

图 22.4　牛顿流体及非牛顿流体的等效应力-等效应变率关系曲线

在第十八章中，我们已讨论了多种材料的弹塑性及弹粘塑性性态．如果总变形中的弹性变形部分可以忽略，则这类固体材料的性态事实上和非牛顿流体的相同，并且求解也很容易．

对于前面各节讨论过的各种类型的蠕变流动公式系统，其一般形式是

$$\mathbf{K}\mathbf{a} + \mathbf{f} = 0. \tag{22.40}$$

现在$\mathbf{K} = \mathbf{K}(\mathbf{a})$是一个对称矩阵，它依赖于粘滞系数，从而也依赖于定义等效应变率$\dot{\bar{\varepsilon}}$的速度参数。

对于这个问题，可以采用各种非线性解法；在最简单的解法中，每次迭代要重新计算矩阵$\mathbf{K}$，这是因为有

$$\mathbf{a}^{m+1} = -(\mathbf{K}^{m})\mathbf{f}. \tag{22.41}$$

即使遇到式(22.31)给出的那种很严重的非线性性态，只要给定的是速度边界条件，这种简单解法收敛也很快。

文献[28,29]中给出了许多非牛顿流体流动问题的解，但是塑性流动问题[19,24,27,30]是最使人感兴趣的。

在图22.5中，我们示出了一个作为非牛顿流体流动情况来求解的稳态挤压问题[30]。通过把计算结果同经典滑移线解的结果作比较，表明了模拟这种流动时所能达到的精度。

22.4.3 *考虑对流加速度项的粘性流体的稳态流动* 前面曾经指出，在保留对流加速度项的粘性流体稳态流动情况下，所有公式系统均给出如下形式的非线性方程组（即使牛顿流体也是如此）：

$$(\mathbf{K} + \bar{\mathbf{K}}(\mathbf{a}))\mathbf{a} + \mathbf{f} = 0, \tag{22.42}$$

式中$\bar{\mathbf{K}}(\mathbf{a})$是一个依赖于解参数（速度）的非对称矩阵。

在流体力学中，流体的流动特性通常由称为雷诺数的无量纲参数R_n决定，R_n的定义为

$$R_n = \frac{\rho U d}{\mu}, \tag{22.43}$$

式中之U和d分别为特征速度及特征尺度。因此，我们前面已讨论过的蠕变流动是$R_n \to 0$的极限情况。以下研究雷诺数增加时的情况。

显然，非线性方程组解法的选择取决于R_n的大小。

对于低雷诺数流动，修正的牛顿-拉夫森（Raphson）法是有效的，它求解时只用到对称的常刚度矩阵。

对于高雷诺数流动，必须用全牛顿-拉夫森迭代法，这时要反

复求解一个系数矩阵不对称的方程组．其它的方法，例如摄动法等，也用得很成功[31]．

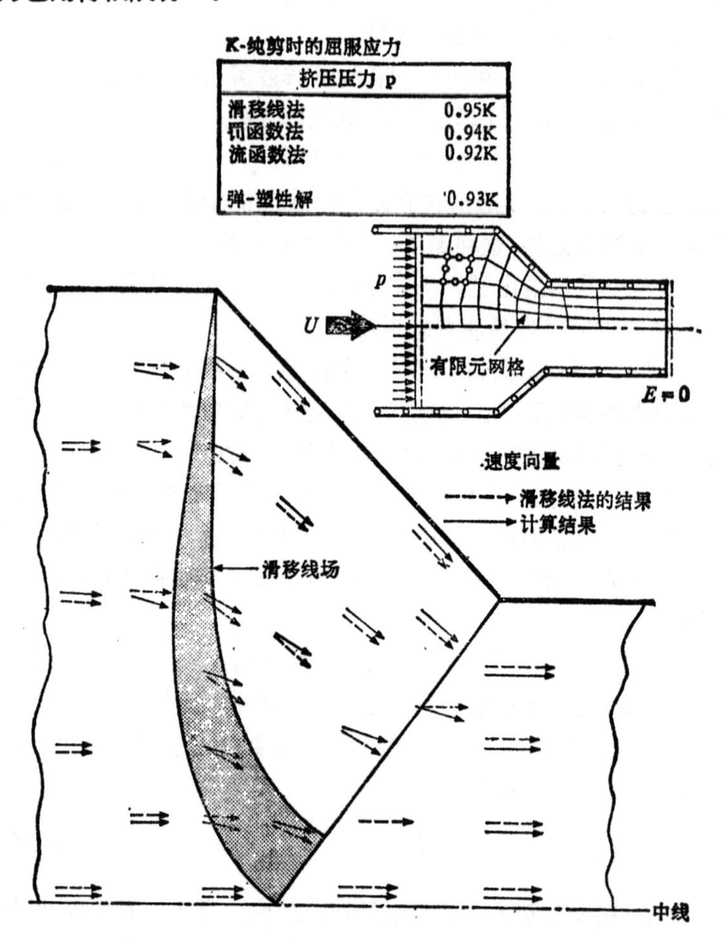

图 22.5 平面应变挤压；理想塑性；无摩擦边壁；罚函数解

当雷诺数变得很高时，对流项在方程中占主导地位，这时通常要失去收敛性．其原因有二：第一，当 R_n 达到某个值之后，从物理本质上讲，流动本身是极不稳定的；第二，在采用标准的伽辽金形式时，对流项的近似特性可能引起不稳定性．对于这种数值求解的不稳定性，下面将作深入一步的讨论。

只是为了说明在这种较高雷诺数下的计算情况，图 22.6 给出了用速度-压力法得到的圆柱绕流问题的几个解答[20]．

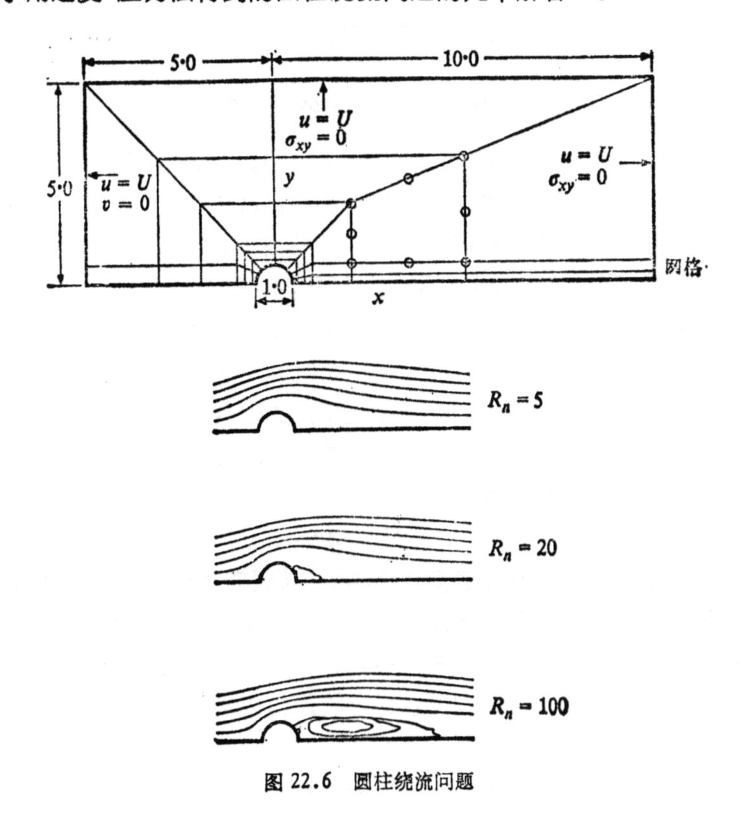

图 22.6　圆柱绕流问题

22.5　紊流

随着雷诺数的增高，将会出现紊流，它从大的孤立旋涡开始，最后发展到遍布于整个流体．如果考察平均速度，则紊流的影响和粘滞系数相类似，并且这种流动可用标准的粘性流动方程来描述，只不过现在用涡流粘性系数 $\bar{\mu}$ 来替代粘滞系数．$\bar{\mu}$ 依赖于整个速度场和速度的梯度．事实上，紊流的性态更可能是各向异性的，即需要用几个涡流粘性系数来描述它．因此从原则上来讲，这样来处理的紊流问题并不比非牛顿流体的流动问题更困难．遗憾的是，实际上不存在确定涡流粘性系数的普遍可用的明显表达式，因此最好也只能得到极其粗略的解．不过，我们将把这种紊流的概念应用于某些方面的浅水流动问题中．

22.6 与时间有关的瞬态流动及自由表面问题

从原则上来讲，瞬态流动方程 (22.22)，(22.27) 或 (22.31) 都可用第二十一章中讨论过的某种时间步进法来积分．事实上，用这种方法来获得稳态解(若解存在)也是很有效的．在这方面还没有做多少工作，但已经得到了一些简单问题的解[32,33]．

可以很容易地用时间步进法来研究自由表面的变化．在自由表面的初始位置已知的情况下，一个时间步长起始时刻的速度确定了该时间步长结束时自由表面上质点的位置．这里可以采用迭代法，不过若时间间隔不大，则一次向前积分法也是有效的，这时位置 $\mathbf{x}$ 的变化被给出为

$$\Delta \mathbf{x}^{m+1} = \mathbf{u}^m \Delta t. \tag{22.44}$$

对于忽略了所有加速度效应的低速(蠕变)流动问题，这种方法只需逐次地修改自由表面，并且逐次在新的几何形状下重新求解该问题．事实上，也可按这种方式修改整个网格，但是如果这造成形状不好的单元，则可在每个阶段构成新的网格以适应新的自由表面．

在研究各种金属成形及滚轧问题时[24,27,34—36]，这类方法是极其有用的．图 22.7 给出了几种压痕深度下冲头在一种理想塑性金属中引起的变形[27]．

在一定的意义上讲，求解稳态自由表面问题更为困难．我们在这里必须保证，自由表面作用力所产生的速度严格地和此表面相切[34,37]．在这种情况下，下述方法是比较方便的．首先，规定一个初始表面，据此获得一个速度解．然后，注意到所有点处的斜率均由速度向量的方向给出这一事实，由已知点积分而算出新的表面．一般来讲，重复三至四次这样的运算就可以了．在图 22.8 中，我们示出了一个将蠕变型牛顿流体由管中引出的轴对称拔丝问题．

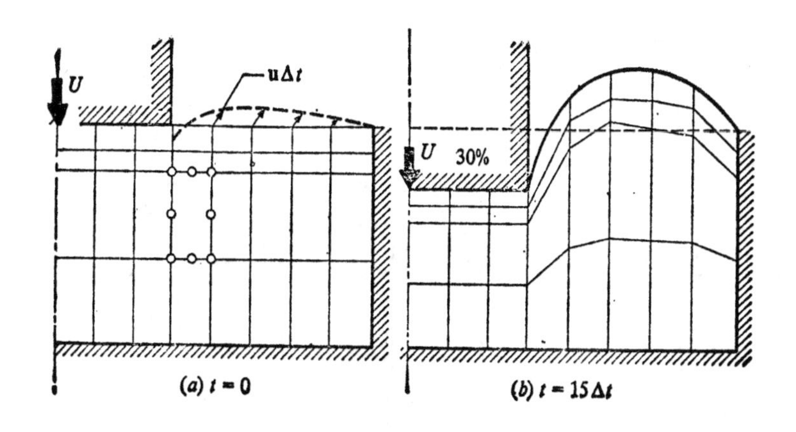

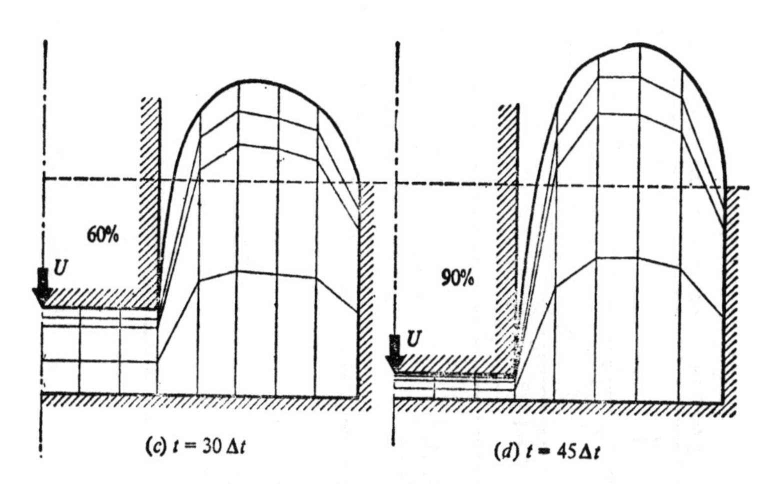

图 22.7　冲压加工的压痕问题(用罚函数法求解)．网格和外形轮廓的变化．24 个等参数单元．理想塑性材料；(a)，(b)，(c)，(d) 分别表示四种不同压痕深度时的情况

在玻璃纤维的拔丝过程中，这个问题具有一定的重要性．

22.7　浅水流动问题：港湾及湖泊

22.7.1　一般方程　在许多重要的工程实际问题中，我们感兴趣的流动问题发生在平面尺度远远大于深度的水域中．湖泊、港

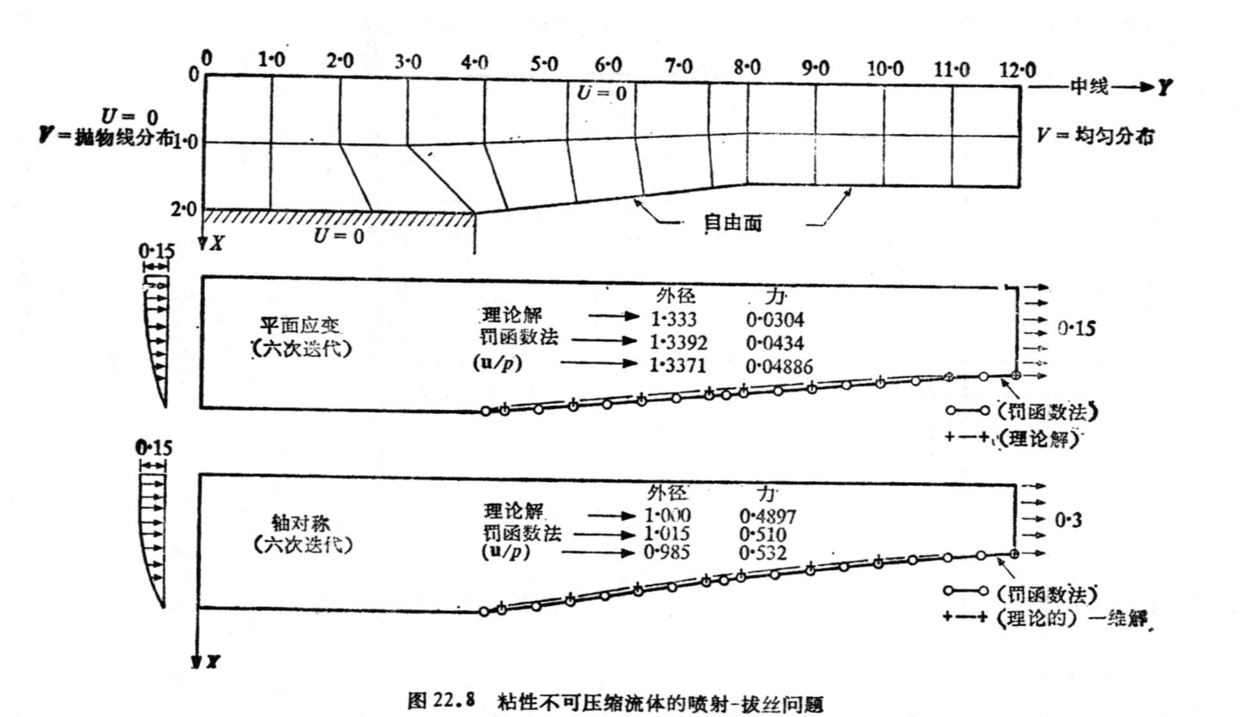

图 22.8 粘性不可压缩流体的喷射-拔丝问题

湾以及海洋都提供了这样的例子，此时所要研究的是由风力，周期性的潮汐力或波阻所引起的水流．和相应的平面应力问题不同，现在速度沿深度的分布是不均匀的，而且深度的变化往往是引起运动的主要驱动力．不过，对这类问题进行完全的三维分析是不切实际的，必须作二维的近似处理．可采用的二维近似形式有好多种[38-40]，这里将导出一组适用范围很广的方程．这组方程的形式仍与纳维-斯托克斯方程相似，只是包含了某些附加项．

本节还将给出这组方程的几种有实际意义的特殊的简化形式．

在推导浅水流动问题的基本方程时，假设垂直加速度可忽略，而垂直方向的压力是静水压力，即有（见图 22.9）

$$p = \rho g(\eta - z) + p_a, \tag{22.45}$$

式中 p_a 为大气压力．此外，我们只关心 x，y 方向的速度沿深度的平均值 U，V：

$$U = \frac{1}{H}\int_{-H+\eta}^{\eta} u \mathrm{d}z; \qquad V = \frac{1}{H}\int_{-H+\eta}^{\eta} v \mathrm{d}z. \tag{22.46}$$

利用这两个假设，就可以写出宏观意义上的连续关系和平衡关系．

为了具有尽可能大的普遍性，假设密度可随平面内的位置而变化（这在需要考虑密度流时是重要的）．对于图 22.9 所示具有单位平面面积的棱柱体，其连续条件可写出为

$$\frac{\partial}{\partial x}(\rho HU) + \frac{\partial}{\partial y}(\rho HV) - \rho\frac{\partial \eta}{\partial t} = 0, \tag{22.47}$$

上式左端最后一项代表由于液面上升而引起的棱柱体内液体的增加率．

为了研究平面方向的平衡，我们将按与推导一般粘性平衡方程完全类似的方式来处理．

首先我们看到，在基本棱柱体的侧面上作用有 T_x，T_y，T_{xy} 三种力，出现这些力的一个原因是液体的侧压力，另一个原因则是紊流质量转移（涡流粘性系数为 $\bar{\mu}$）．因此有

$$T_x = -\int_{-H+\eta} p\,dz + 2\bar{\mu}H\frac{\partial U}{\partial x} = -\rho g\,\frac{H^2}{2} - p_a H + 2\bar{\mu}H\frac{\partial U}{\partial x},$$

$$\tag{22.48a}$$

$$T_y = -\rho g\,\frac{H^2}{2} - p_a H + 2\bar{\mu}H\frac{\partial V}{\partial y}, \tag{22.48b}$$

$$T_{xy} = \bar{\mu}H\left(\frac{\partial U}{\partial y} + \frac{\partial V}{\partial x}\right). \tag{22.48c}$$

我们注意到，由紊流质量转移引起的作用力和式(22.7)中与粘滞系数有关的力具有完全相同的形式，但是“压力”现在由深度H所

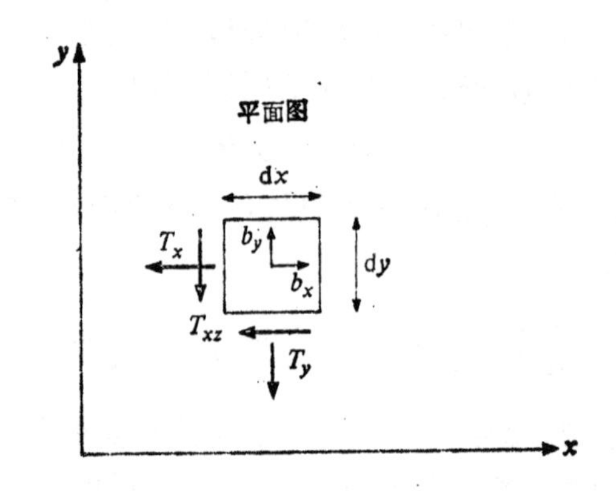

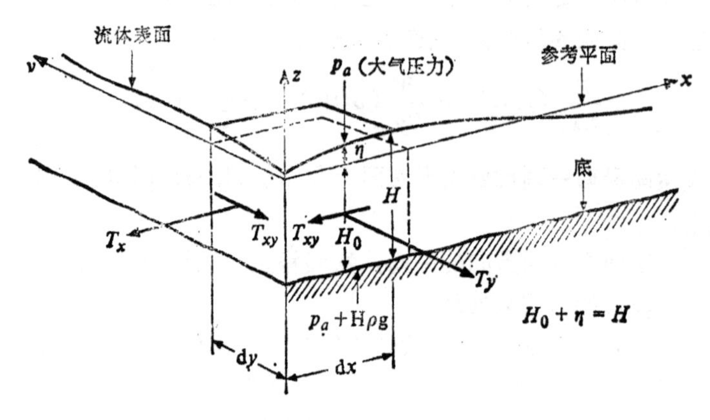

图 22.9 浅水流动问题中各量的定义

确定，H在浅水流动方程中所起的作用，同可压缩流体方程中密度的作用一样(事实上，我们将发现这两种方程极其相似).

由式(22.48)所给出的作用力必定和相应的体力向量 $\mathbf{b}$ 相平衡，而平衡方程(式(22.1a)及(22.1b))仍可利用二维问题的算子 $\boldsymbol{L}$ 写成

$$\boldsymbol{L}^{\mathrm{T}}\boldsymbol{T}+\mathbf{b}=0,\quad \mathbf{T}^{\mathrm{T}}=[T_x, T_y, T_{xy}]. \tag{22.49}$$

为了进行离散化，利用与式(22.2)相应的如下虚功方程比较方便:

$$\int_\Omega \delta\dot{\varepsilon}^{\mathrm{T}}\mathbf{T}\mathrm{d}\Omega-\int_\Omega \delta\mathbf{U}^{\mathrm{T}}\mathbf{b}\mathrm{d}\Omega-\int_\Gamma \delta\mathbf{U}^{\mathrm{T}}\bar{\mathbf{T}}\mathrm{d}\Gamma=0, \tag{22.50}$$

式中 $\bar{\mathbf{T}}$ 代表在某些边界上给定的边界“作用力”(它和深度H有关).

在确定体力向量之后，方程的离散化可通过标准的方法完成，在此不详述. 然而，确定体力向量是一件必不可少的工作，因为现在的问题中有几项是以前未曾遇到过的. 同前面一样，我们可以写出(注意考虑流体深度 H)

$$\mathbf{b}=\mathbf{b}_0-\rho\mathbf{c}H, \tag{22.51}$$

式中加速度 $\mathbf{c}$ 为

$$\mathbf{c}=\frac{\partial\mathbf{U}}{\partial t}+(\nabla\cdot\mathbf{U}^{\mathrm{T}})^{\mathrm{T}}\mathbf{U}, \tag{22.52}$$

而

$$\mathbf{U}^{\mathrm{T}}=[u, v].$$

现在具体地把向量 $\mathbf{b}_0$ 分解成由几种原因所引起的力——$\mathbf{b}_0$ 可写成以下一些成分之和:

(a) 柯里奥里(Coriolis)效应. 如果地球的旋转对流动问题起重要作用，则有柯里奥里力

$$-\rho f\begin{bmatrix}0 & 1\\ -1 & 0\end{bmatrix}\mathbf{U},$$

此处之 f 为柯里奥里参数($f=2\times$ 参考坐标系的旋转角速度).

(b) 由于风(或波)引起的表面作用力 $\boldsymbol{\tau}$.

(c) 底部的抗运动阻力 $-\beta\mathbf{U}$. 如果是紊流状态，β 为依赖于

$|\mathbf{U}|$的系数.

(d) 表面压力的水平分量 $p_a\nabla\eta$.

(e) 底部压力的水平分量 $(p_a+\rho gH)\nabla H_0$.

本问题的基本变量是 (平均) 速度向量 $\mathbf{U}$ 和相对于参考平面的水位 η, 后者满足下式:

$$H=H_0+\eta, \tag{22.53}$$

式中 H_0 是已知的平均水深. 注意到上述事实,即可利用虚功表达形式和加权形式的连续方程 (22.47),按照与 22.3.1 节中所述类似的方式,写出所有的离散化方程. 我们把详细推导留给读者去做,这件工作是容易完成的. 但在作进一步讨论之前, 我们将给出平衡方程的显式 (和建立方程 (22.13) 所用的方法相同), 因为它已是许多研究者进行离散化的出发点. 利用算子 $\mathbf{L}$ 的显式:

$$\mathbf{L}^{\mathrm{T}}=\begin{bmatrix}\dfrac{\partial}{\partial x} & 0 & \dfrac{\partial}{\partial y}\\[2ex] 0 & \dfrac{\partial}{\partial y} & \dfrac{\partial}{\partial x}\end{bmatrix}, \tag{22.54}$$

并将 $\mathbf{b}_0$ 及 $\mathbf{T}$ 的表达式代入方程 (22.49), 将得到两个微分方程, 即对于 x 方向有

$$\begin{aligned}H\rho\left(\frac{\partial U}{\partial t}+U\frac{\partial U}{\partial x}+V\frac{\partial U}{\partial y}-fV\right)=&-\rho gH\frac{\partial\eta}{\partial x}-g\frac{H^2}{2}\frac{\partial\rho}{\partial x}\\&-\beta U+H\frac{\partial p_a}{\partial x}+2\frac{\partial}{\partial x}\left(\bar{\mu}\frac{\partial}{\partial x}(HU)\right)+\frac{\partial}{\partial y}\\&\times\left(\bar{\mu}\frac{\partial}{\partial y}(HU)+\bar{\mu}\frac{\partial}{\partial x}(HV)\right)+\tau_x=0,\end{aligned} \tag{22.55}$$

y 方向的方程与上面这个方程类似.

因为 η 和 H 相比一般较小,为了简化问题,可假设

$$H\approx H_0.$$

作此假设之后, 读者会发现, 除多了几项之外, 方程 (22.55) 及 (22.47) 与二维情况下的纳维-斯托克斯方程 (22.13) 及 (22.9) 极为相似. 这两类问题的稳态及瞬态解法在本质上是相同的;因此,完全可以编制一个能求解这两类问题的程序.

图 22.10 是东京港潮汐流动问题的计算结果[41]．在这里，利用潮汐的周期特性来简化时间响应，其作法是，不管方程的非线性特性而进行调和分析．

22.7.2 简化的浅水流动方程 迄今为止，只有很少数研究者在即使某些力或效应不存在的情况下也采用完全的浅水流动方程[42,43]．

首先，经常忽略水平涡流粘性项[44,45]．采用这种简化时应该记住，只能在边界上规定一个速度分量(方程组现在从二阶降为一阶)．事实上，现在在边界上不再能规定“无滑动”条件了．

其次，通常也忽略对流项，若再设密度 ρ 为常数且取 $H=H_0$，则方程 (22.47) 和 (22.55) 变成更为简单的线性形式[46]：

$$
\begin{aligned}
&\frac{\partial}{\partial x}(H_0U)+\frac{\partial}{\partial y}(H_0V)-\frac{\partial \eta}{\partial t}=0,\\
&\rho H_0\left(\frac{\partial U}{\partial t}-fV\right)=-\rho gH_0\frac{\partial \eta}{\partial x}-H_0\frac{\partial p_a}{\partial x}-\beta U+\tau_x,\\
&\rho H_0\left(\frac{\partial V}{\partial t}-fU\right)=-\rho gH_0\frac{\partial \eta}{\partial y}-H_0\frac{\partial p_a}{\partial y}-\beta V+\tau_y.
\end{aligned}
\tag{22.56}
$$

对于稳态情况，再次引入流函数是很方便的．定义

$$
H_0U=\frac{\partial \psi}{\partial y};\quad H_0V=-\frac{\partial \psi}{\partial x},\tag{22.57}
$$

则式 (22.56) 的第一个方程(忽略 η 对时间的偏导数) 自动满足．

由式 (22.56)的后两个方程中消去 η，我们发现控制方程简化为拟调和形式(它已在第十七章中被讨论过)：

$$
\frac{\partial}{\partial x}\left(\frac{\beta}{H_0}\frac{\partial \psi}{\partial x}\right)+\frac{\partial}{\partial y}\left(\frac{\beta}{H_0}\frac{\partial \psi}{\partial y}\right)=\frac{\partial \tau_x}{\partial y}-\frac{\partial \tau_y}{\partial x}.\tag{22.58}
$$

很有趣的是，柯里奥里力和压力梯度引起的力现在对解没有影响．尽管作了这么大的简化，但显然可由方程(22.58)合理地算得风(或波)所引起的流场速度[47,48]．当然，我们希望在所有情况下都能确定这些假设所引起的误差；而这总是可以作到的，只要计算被忽略项所引起的贡献就行了．

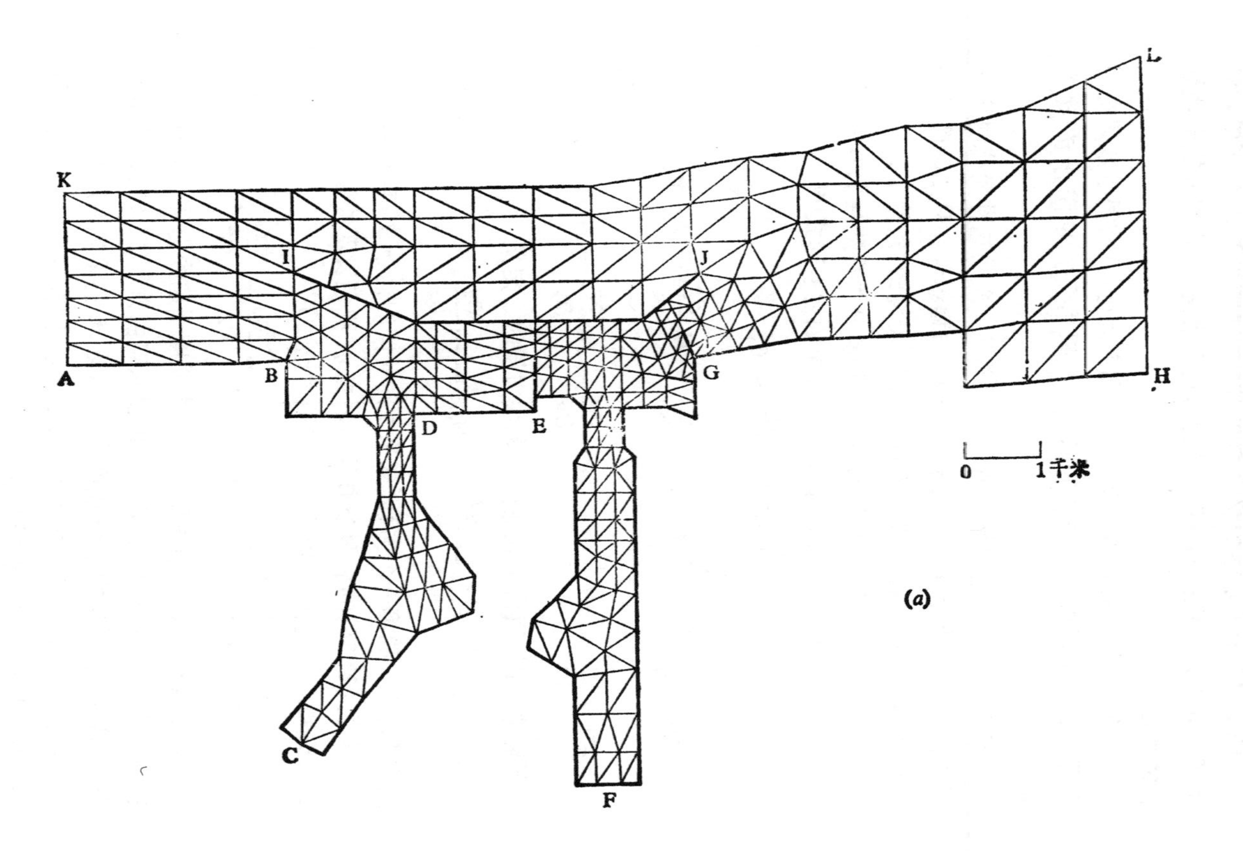

(a)

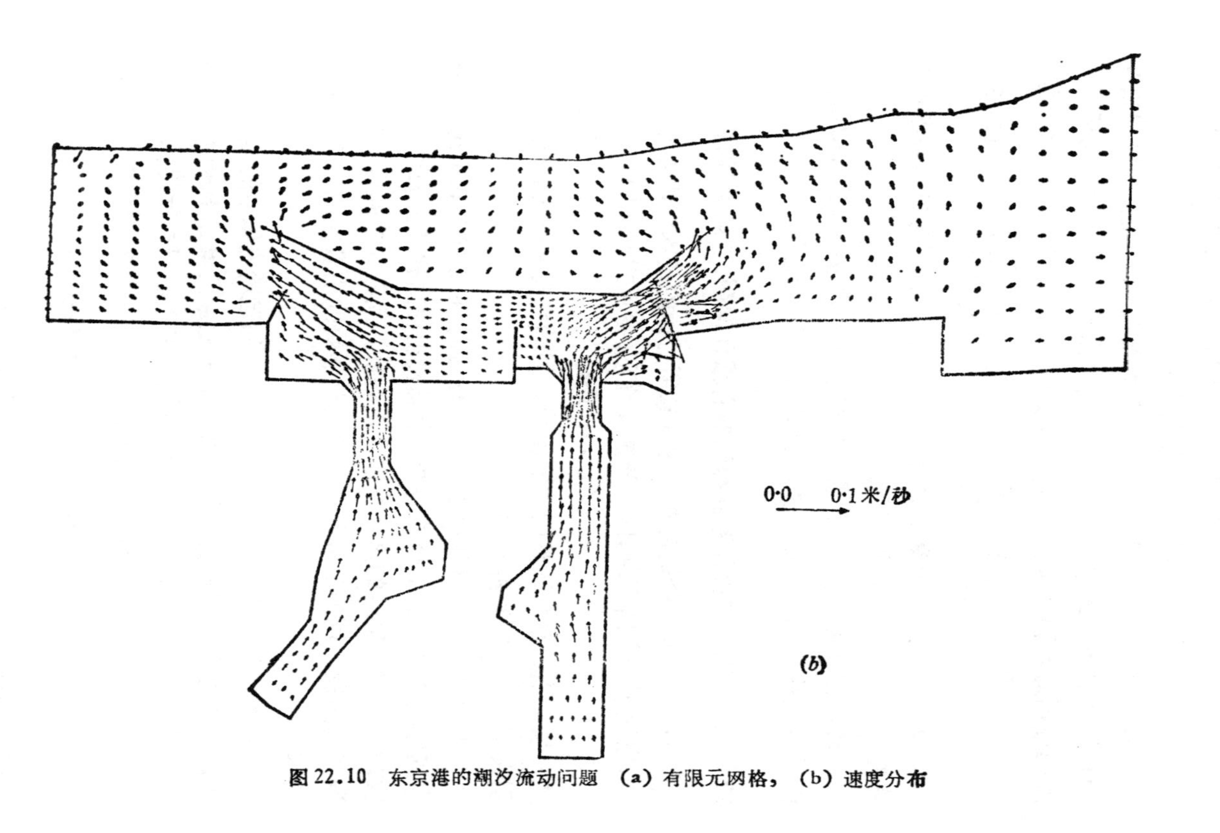

图 22.10 东京港的潮汐流动问题 （a）有限元网格，（b）速度分布

22.7.3　长波方程　如果在方程(22.56)中不能忽略对时间求导的项,则该方程是典型的波动方程.

例如,若阻力(柯里奥里力)和压力项被忽略,我们可以消去U和V(在(22.56)式中,第一个方程对t求偏导数,而第二、第三个方程分别对x和y求偏导数)并得到如下形式的经典的波动方程:

$$\frac{\partial}{\partial x}\left(H_0\frac{\partial\eta}{\partial x}\right)+\frac{\partial}{\partial y}\left(H_0\frac{\partial\eta}{\partial y}\right)-\frac{1}{\rho g}\frac{\partial^2\eta}{\partial t^2}=0. \qquad (22.59)$$

我们已在第二十章中讨论过这类方程,和它有关的某些问题将在第二十三章中再加研究.

若不能忽略阻尼项,只要在数学上作一些进一步的近似,就可以导得包括阻尼项而形式类似于式(22.59)的方程.

22.8　对流输送方程及某些特殊的有限元问题."迎流"加权

22.8.1　对流输送问题　在本章所讨论的基本流体力学方程中,出现了一个新型项,即对流加速度项(参见式(22.5))

$$\rho(\nabla\cdot\mathbf{u}^{\mathrm{T}})^{\mathrm{T}}\mathbf{u}. \qquad (22.60)$$

这一项是引起求解困难的主要原因,因为它在最终的离散方程中引入了一个不对称的矩阵.

当通过速度场$\mathbf{u}$来输送某一物理量时,在欧拉公式系统(即考察固定的空间单元的公式系统)中就要出现这种类型的项.在式(22.60)中,所输送的这个物理量是动量,而在许多问题中则可以是其它的量,例如溶解于流体中的化学物的质量或流体携带的热量等.

例如,若我们考察速度场$\mathbf{u}$为已知的运动流体中的热量输送问题,则推导热平衡方程的办法与第十七章及第二十章中处理热扩散问题(式(17.6)及式(20.1))的作法完全一样,而导出的方程中现在包含一个附加的项.该平衡方程现在取如下形式:

$$\nabla^{\mathrm{T}}(k\nabla\phi)+Q-c\frac{\partial\phi}{\partial t}-\nabla^{\mathrm{T}}(c\phi\mathbf{u})=0, \qquad (22.61)$$

上式左端最后一项是由运动流体所输送的热量$c\phi$引起的.

对于稳态流动，若速度满足不可压缩条件

$$\nabla^{\mathrm{T}} \cdot \mathbf{u} = 0, \tag{22.62}$$

则式(22.61)可以写成

$$\nabla^{\mathrm{T}}(k\nabla\phi) - \nabla^{\mathrm{T}}(c\phi)\mathbf{u} + Q = 0. \tag{22.63}$$

再若 c 与位置无关而扩散系数 k 是各向同性的，则有

$$\nabla^{\mathrm{T}}(k'\nabla\phi) - (\nabla^{\mathrm{T}}\phi)\mathbf{u} + Q' = 0, \tag{22.64}$$

式中 $k' = k/c$, $Q' = Q/c$.

在物理学及工程学的各个学科中，这类对流问题极其重要．流体机械中的热量输送以及浅水中污染的扩散等，只不过是这方面的几个例子．

在第三章(3.5 节)中，我们曾用伽辽金法处理过这方面的一个特殊例子，除了要指出现在方程中出现非对称矩阵这一点以外(这一点正和对应的流体力学问题中一样)，给人的印象是不会产生特殊的困难．然而，我们在分析高速流体流动问题时(22.4 节)已经指出，有时会出现数值不稳定性．以下就进一步研究这个问题，不过只是针对式(22.64)这种简单形式进行．然而，我们要作的全部评论都将适用于更复杂的形式，甚至也适用于基本的流体流动问题本身．

顺便应该指出，式(22.64)那种方程的前两项间的相对重要程度，对问题的性质显然起着决定性的作用．例如，若传导(扩散)项为零，则我们会得到一个一阶微分方程，它的边界条件的数目要减少，是一个初值-波动型方程[49]．事实上我们会看到，解答完全由进口处的温度状况所控制，不能施加下游边界条件．显然，若 k' 很小但不等于零，解仍必然具有类似的性质，下游的影响是极其局部的．这就是问题的本质．

22.8.2　一般的离散化形式与伽辽金近似　在第三章 3.5 节中，我们已经对式(22.64)那种形式的问题进行了离散处理，确定了伽辽金形式的加权剩余方程．利用任意权函数 W_i，我们可以类似地导出一种更一般的离散形式(读者可以作为练习检查一下这一推导过程)．

令

$$\phi = \Sigma N_i a_i = \mathbf{Na}, \tag{22.65}$$

则可导得标准形式的线性方程

$$\mathbf{Ka} + \mathbf{f} = 0, \tag{22.66}$$

式中(为了简单起见,忽略了所有的边界贡献)

$$\begin{aligned} \mathbf{K}_{ij} &= \int_\Omega (\nabla W_i)^{\mathrm{T}} k' (\nabla N_j) \mathrm{d}\Omega + \int_\Omega W_i \mathbf{u}^{\mathrm{T}} \nabla N_j \mathrm{d}\Omega, \\ \mathbf{f}_i &= \int_\Omega W_i Q \mathrm{d}\Omega. \end{aligned} \tag{22.67}$$

现在,可以利用所希望的任何一种单元形式或权函数,建立起公式系统并得到解答.

为了说明所遇到的困难,我们来考察一个简单的入口流动问题(图 22.11),这里假设其速度场已知(或象这个例子中那样,由求解粘性流动方程得到).设扩散系数 k' 为常数,则解答用如下无量纲(佩克莱特 (Péclet)) 数来表征:

$$P_e = Ud/k', \tag{22.68}$$

式中 U 为入口速度, d 为问题的特征尺度(在此取为导管宽度的一半).

取 $W_i = N_i$ (即采用标准的伽辽金法)并采用图 22.11 所示双线性等参数单元网格,我们发现: $P_e = 3.75$ 时所得到的解是合理的,但结果随 P_e 逐渐增加而变坏,当 $P_e = 37.5$ 时,得到的是没有意义的振荡解.显然,这种情况是不能接受的,必须采取某种矫正措施.

22.8.3 一维及二维问题——"迎流"权函数 在有限差分法中已多次注意到上述困难[50-52],而在有限元分析中,最近找到了解决这个困难的办法[53-56].

为了了解这个问题,先在一维空间中进行考察比较方便,这里采用图 22.12 所示标准的线性插值函数,单元长度均取为 h,而速度在整个区域内均为 u.不失一般性,采用齐次问题 ($Q = 0$),并假设每个单元内的权函数具有如下形式:

$$W_i = N_i(x) + \alpha F(x), \tag{22.69a}$$

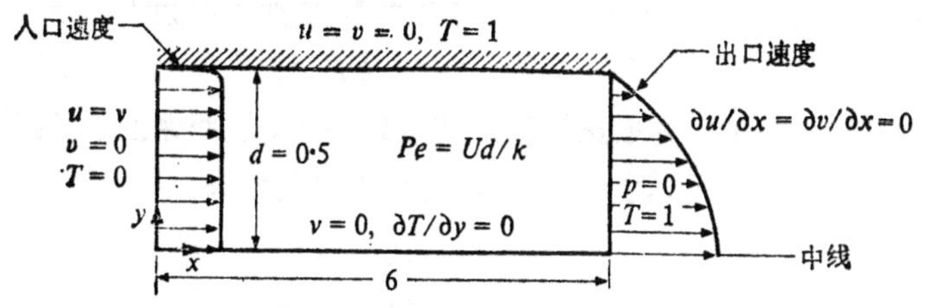

(a) 问题的几何尺寸及边界条件(速度分布已单独确定)

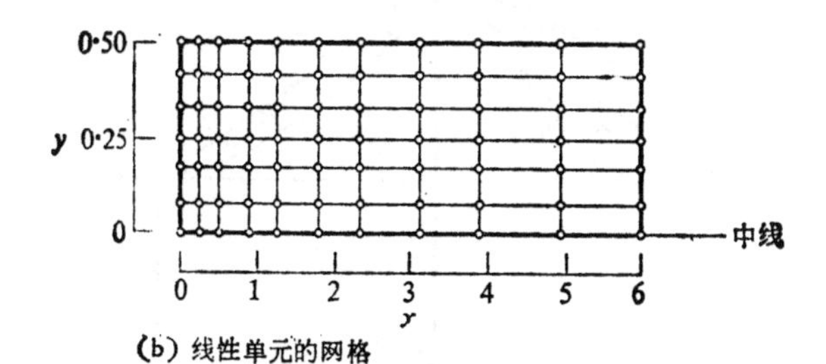

(b) 线性单元的网格

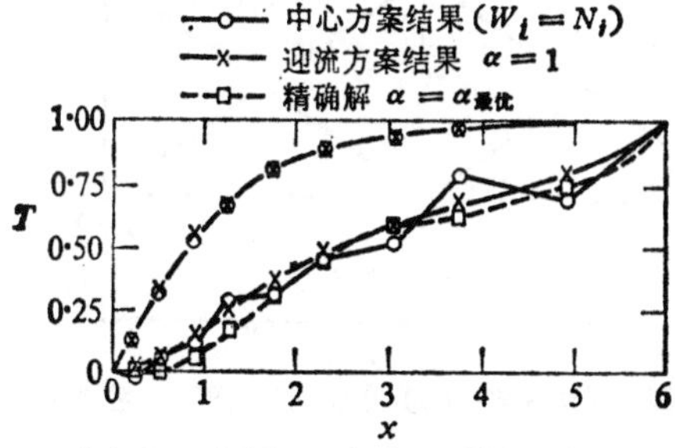

(c) $Pe=3.75$, 12.5 时沿 x 轴的温度分布

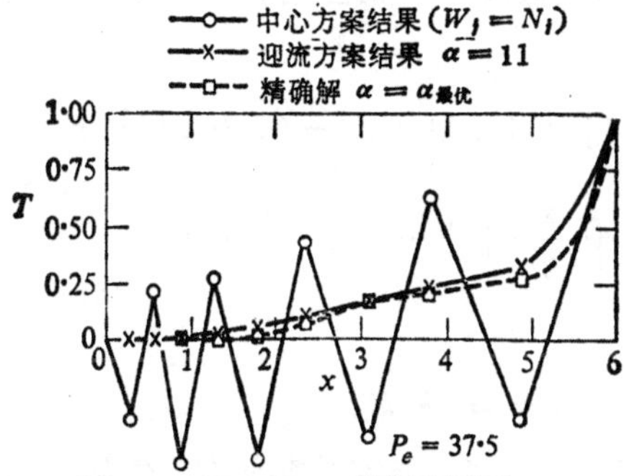

(d) $Pe=37.5$ 时沿 x 轴的温度分布

图 22.11 入口流动问题中的热对流-扩散

式中 α 在 u 指向节点时为正. $F(x)$ 的形式则选取如下:

$$F(x)=-3x(x-h)/h^2, \tag{22.69b}$$

这使 $F(x)$ 在单元内取正值而在节点处为零,从而保证了 C_0 连续性. 显然,当 $\alpha=0$ 时,就又成为经典的伽辽金法.

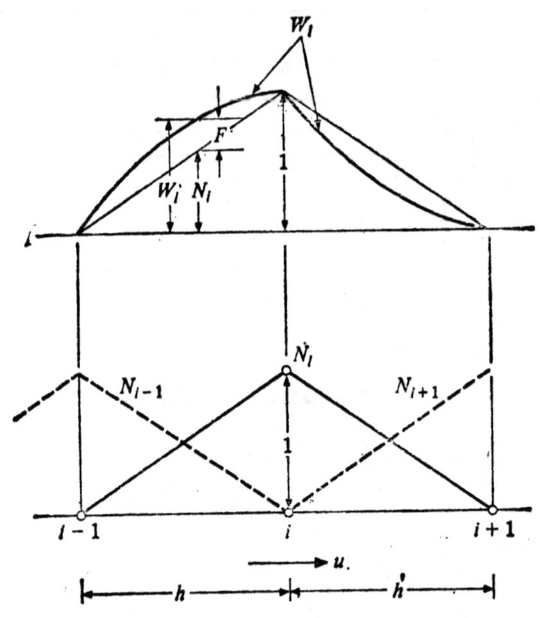

图 22.12 一维问题. 形状函数 (N_i) 和权函数 (W_i). 常速度 u

在对典型节点进行离散和方程集合之后,可得到如下的(差分)方程:

$$\left[1+\frac{\gamma}{2}(|\alpha|+1)\right]\phi_{i-1}-(2+\gamma|\alpha|)\phi_i+\left[1+\frac{\gamma}{2}(|\alpha|-1)\phi_{i+1}\right]=0, \tag{22.70}$$

式中参数 γ 被定义为

$$\gamma=uh/k'. \tag{22.71}$$

文献 [54] 给出了这个差分方程的"精确"解,它由下式给出:

$$\phi_i = A + B\left[\frac{1+(|\alpha|+1)\gamma/2}{1+(|\alpha|-1)\gamma/2}\right]^i, \tag{22.72}$$

式中 A 及 B 是由边界条件确定的常数. 解答将会是振荡的，除非

$$|\alpha| > \alpha_c = 1 - 2/\gamma;\quad (\text{或}\ \gamma \leqslant 2). \tag{22.73}$$

此外还可证明[54]，如果

$$|\alpha| = \alpha_0 = \coth\gamma/2 - \gamma/2, \tag{22.74}$$

则在节点处会得到原始微分方程的精确解.

实际上，在第三章中我们已经注意到，对于图 3.4 示出的 $\gamma = 0$ 的简单扩散问题，虽然网格不同，但在节点处都得到了这种精确解. 上述结果推广了这个结论，指出存在着选择最佳权函数的问题.

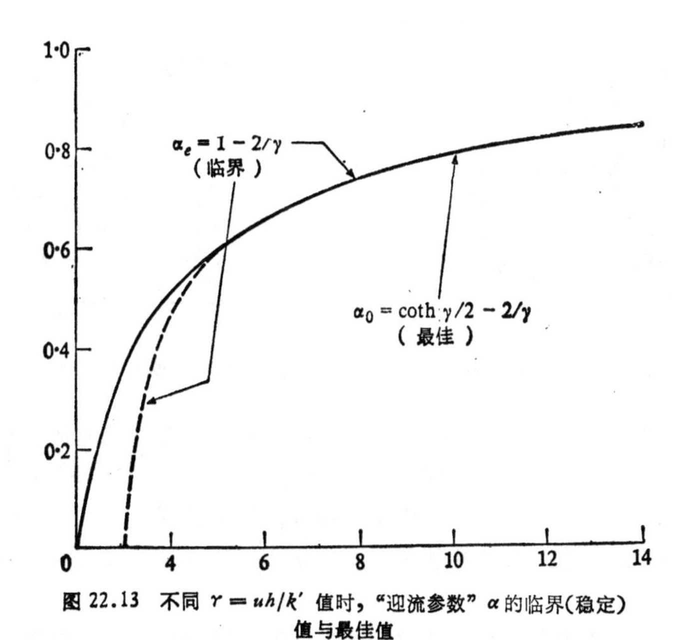

图 22.13 不同 $\gamma = uh/k'$ 值时，"迎流参数" α 的临界(稳定)值与最佳值

我们在图 22.13 中示出，α 的最佳值和临界（稳定）值是不同的，但当 γ 值较大时它们相差很小. 为了简化计算，可以优先选用表达式 (22.73). 这种方法得到的结果，和有限差分分析中利用"迎

流差分”得到的结果相当接近．在巴雷特（Barrett）最近发表的文献[57]里，也的确提到了利用这种最佳 α 值的可能性．

乍看起来，把一维问题的结果推广到二维（或三维）情况是困难的，因为现在不再存在简单的差分方程“精确”解．然而我们完全有把握完成这一推广工作．二维权函数可以简单地利用一维权函数的适当乘积导出，它们如图 22.14 所示．归根到底，这正是第七章中讨论过的推导二维问题形状函数的基本方法．

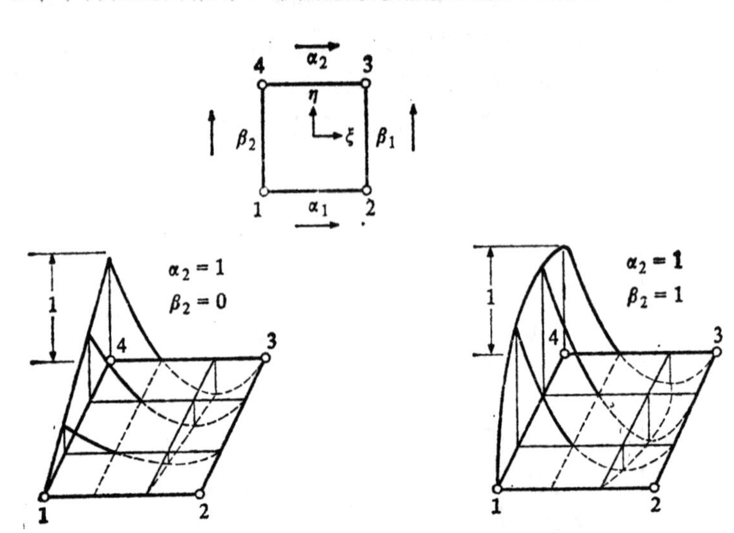

图 22.14　二维双线性单元的典型权函数（母体坐标）．速度符号的约定

为了考虑具有一般性的变速度场，我们根据沿单元边界的流速分量（例如从节点 i 到节点 j 的 u_{ij}），按表达式（22.74）来选择 α 的最佳值．图 22.14 示出了双线性函数的权函数是如何在节点间变化的．图 22.12 的例子表明，采用 $\alpha=\alpha_{最优}$ 是成功并且稳定的．

对于高阶单元可以建立一种类似的方法，虽然这在数学上更加困难．文献［56］已对二次单元这样作了，这时沿着每条边必须确定两个参数．之所以必须这样做，仍然在于振荡性的出现，并且振荡性对于这种高阶单元甚至会更为严重．例如，在图 22.15 中，我们示出了对一虚构港湾的扩散问题采用曲边二次等参数单元所得到的无意义的解，还示出了因采用“迎流”权函数而得到的改善结果.

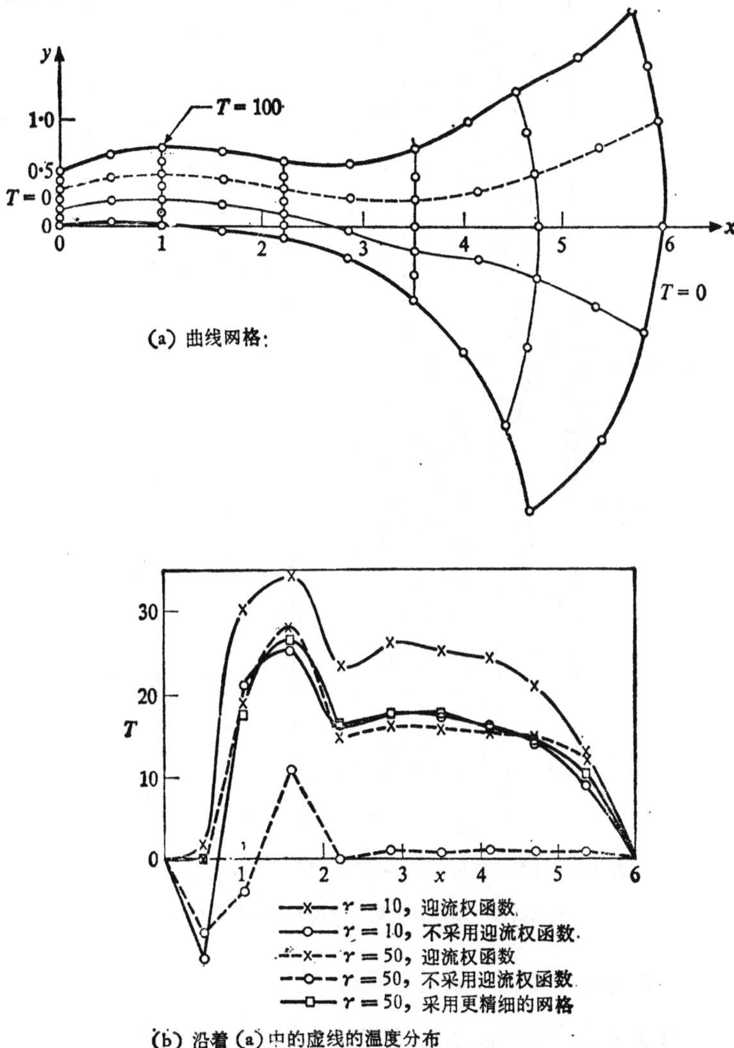

(b) 沿着 (a) 中的虚线的温度分布

图 22.15 某港湾中的污染稳态对流扩散问题

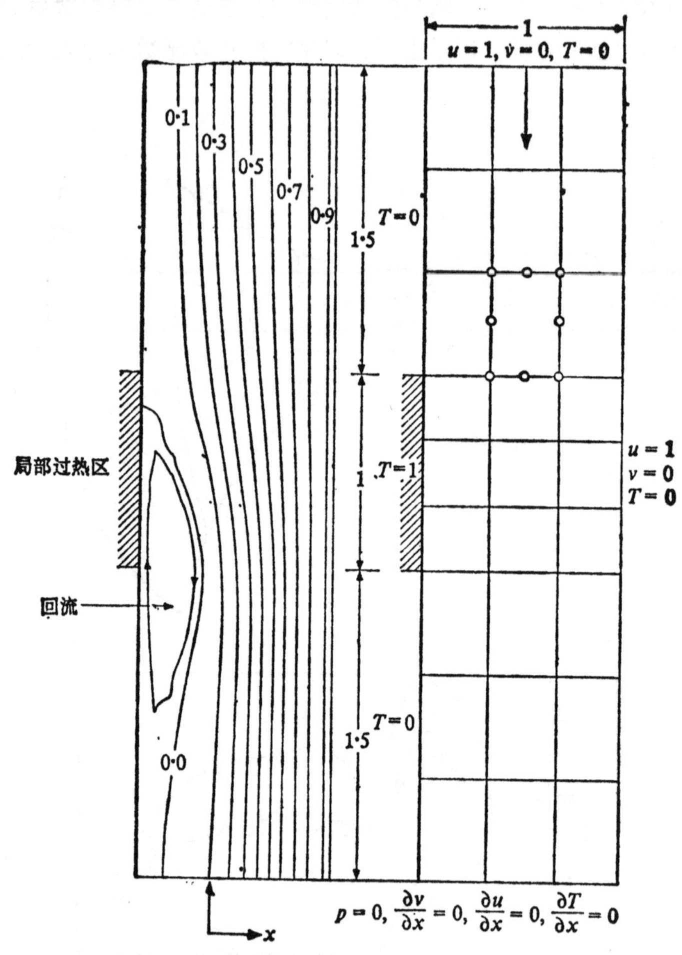

加热导管中的对流流线 $Re = 100$, $Gr = 20{,}000$, $Pr = 1.0$

图 22.16 均速通风管内由局部过热引起的回流

22.9 流体力学中的一些其它问题，结语

本章的篇幅只允许简略地提及流体力学的某些典型问题．尽管用有限元法处理可压缩流体的亚音速及超音速流动问题的文献已经很多[58-60]，我们却没有讨论它们．

即使对于不可压缩流体，许多使人感兴趣的耦合流动问题也未能讨论. 例如，由于温度变化而引起的密度改变经常对速度场产生重要的影响. 因为这种密度的变化反过来又将影响温度场，因此必须采用迭代形式的复杂公式系统. 图 22.16 引自文献[53]，它示出了一个通风管中的耦合问题的解. 文献 [24，34，56] 还在金属的塑性非牛顿流体流动范围内讨论了热量发生及随之产生的温度变化（它反过来又影响粘滞系数）等类似的耦合问题. 文献[56]还用上一节中讨论过的方法表明了考虑对流项的重要性.

虽然在经典流体力学领域内应用有限元法是十分明显的事实，但用它来研究以地质年代为时间尺度的岩石流动却是一个新的领域，本章论述过的一些原则在那里可以直接加以运用. 文献[61]给出了关于这种应用的可能性的评述.

参 考 文 献

[1] J. T. Oden, O. C. Zienkiewicz, R. H. Gallagher, and C. Taylor (eds.), *Finite Element Methods in Flow Problems* (Proceedings 1st Symp., Swansea, 1974), Univ. of Alabama Press, 1974.

[2] J. T. Oden, O. C. Zienkiewicz, R. H. Gallagher, and C. Taylor (eds.), *Finite Elements in Fluids,* Vols. I and II, J. Wiley and Sons, 1975.

[3] *Proc. 2nd Int. Symp. on Finite Elements in Fluid Problems ICCAD,* St. Margharita Ligure, Italy, 1976.

[4] *Finite Elements in Fluids,* Vol. III. Survey lectures presented at 2nd Int. Symp. at St. Margharita Ligure. To be published by J. Wiley and Sons, 1977.

[5] B. L. Hewitt, C. R. Illingworth, G. C. Lock, K. W. Mangler, T. H. McDonell, C. Richardson and F. Walkden (eds.), *Computational Methods and Problems on Aeronautical Fluid Dynamics,* Proc. of Conf. at Univ. of Manchester, Academic Press, 1976.

[6] J. J. Connor and C. A. Brebbia, *Finite Element Techniques for Fluid Flow,* Newnes-Butterworths, 1976.

[7] H. Lamb, *Hydrodynamics,* 6th ed., Cambridge Univ. Press, 1932.

[8] G. K. Batchelor, *An Introduction to Fluid Dynamics,* Cambridge Univ. Press, 1967.

[9] B. A. Finlayson, *The Method of Weighted Residuals and Variational Principles,* Academic Press, 1972.

[10] J. T. Oden and D. Somogyi, 'Finite element applications in fluid dynamics', *J. Eng. Mech. Div., Proc. Am. Soc. Civ. Eng.,* 95, EM4,

821—6, 1969.

[11] O. C. Zienkiewicz and C. Taylor, 'Weighted residual processes in finite elements with particular reference to some transient and coupled problems', pp. 415—58, *Lectures on Finite Element Method in Continuum Mechanics,* 1970, Lisbon (eds. J. T. Oden and E. R. A. Oliveira), Univ. Alabama Press, Huntsville, 1973.

[12] J. H. Argyris and G. Mareczek, 'Finite element analysis of slow incompressible viscous fluid motion', *Ingenieur Archiv.,* **43,** 92—109, 1974.

[13] (a) J. T. Oden, 'A finite element analog of the Navier-Stokes equations', *Proc. Am. Soc. Civ. Eng.,* **96,** EM4, 529—34, 1970.
(b) J. T. Oden, 'The finite element in fluid mechanics', pp. 151—86, *Lectures on Finite Element Method in Continuum Mechanics,* 1970, Lisbon (eds. J. T. Oden and E. R. A. Oliveira), Univ. Alabama Press, Hunstville, 1973.

[14] C. Taylor and P. Hood, 'A numerical solution of the Navier-Stokes equations using the finite element techniques', *Comp. Fluids,* **1,** 73—100, 1973.

[15] M. Kawahara, N. Yoshimura, and K. Nakagawa, 'Analysis of steady incompressible viscous flow', *Finite Element Methods in Flow Problems,* pp. 107—20, (eds. J. T. Oden, O. C. Zienkiewicz, R. H. Gallagher, and C. Taylor), Univ. Albama Press, Huntsville, 1974.

[16] J. T. Oden and L. C. Wellford Jr., 'Analysis of viscous flow by the finite element method', *J. A. I. A. A.* **10,** 1590—9, 1972.

[17] A. J. Baker, 'Finite element solution algorithm for viscous incompressible fluid dynamics', *Int. J. Num. Meth. Eng.,* **6,** 89—101, 1973.

[18] M. D. Olson, 'Variational finite element methods for two dimensional and Navier-Stokes equations', Ref. 2, Vol. 1, pp. 57—72, J. Wiley and Sons, 1974.

[19] O. C. Zienkiewicz and P. N. Godbole, 'Viscous incompressible flow with special reference to non-Newtonian (plastic) flow', Ref. 2, Vol. 1, Ch. 2, pp. 25—71, J. Wiley and Sons, 1975.

[20] P. Hood and C. Taylor, 'Navier-Stokes equations using mixed interpolation', *Finite Element Method in Flow Problems,* pp. 121—32 (eds. J. T. Oden, O. C. Zienkiewicz, R. H. Gallagher, and C. Taylor), Univ. Alabama Press, Huntsville, 1974.

[21] M. D. Olson and S. Y. Tuenn, 'Primitive variables versus stream function finite element solutions of the Navier-Stokes equation', pp. 55—68 of ref. 3.

[22] B. Atkinson, C. C. M. Card, and B. M. Irons, 'Application of the finite element method to creeping flow problems', *Trans. Inst. Chem. Eng.,* **48,** 276—84, 1970.

[23] T. J. R. Hughes, R. L. Taylor, and J. F. Levy, 'A finite element method for incompressible viscous flows', pp. 1—16 of ref. 3.

[24] P. C. Jain, *Plastic flow in solids. Static, quasistatic and dynamic*

situations including temperature effects, Ph. D. Thesis, Univ. of Wales Swansea, to be submitted, 1976.

[25] H. S. Lew and Y. C. Fung, 'On low Reynolds number entry flow into a circular tube', *J. Bio-mech.,* **2,** 105—19, 1969.

[26] P. N. Godbole, 'Creeping flow in rectangular ducts by the finite element method', *Int. J. Num. Meth. Eng.,* **9,** 727—30, 1975.

[27] O. C. Zienkiewicz and P. N. Godbole, 'Folw of plastic and visco-plastic solids with special reference to extrusion and forming processes', *Int. J. Num. Meth. Eng.,* **8**, 3—16, 1974.

[28] K. Palit and R. T. Fenner, 'Finite element analysis of two dimensional slow non-Newtonian flows', *A. I. Ch. E. Jl.* **18,** 1163—9, 1972.

[29] K. Palit and R. T. Fenner, 'Finite element analysis of slow non-Newtonian channel flow', *A. I. Ch. E. Jl,* **18,** 628—33, 1972.

[30] O. C. Zienkiewicz and P. N. Godbole, 'Penalty function approach to problems of plastic flow of metals with large surface deformations', *J. Strain Analysis,* **10,** 180—3, 1975.

[31] M. Kawahara, N. Yoshimura, K. Nakagawa and H. Ohsaka, 'Steady and unsteady finite element analysis of incompressible viscous flow', *Int. J. Num. Meth. Eng.,* **10,** 437—56, 1976.

[32] S. L. Smith and C. A. Brebbia, 'Finite element solution of Navier-Stokes equations for transient 2-dimensional incompressible flow', *J. Comp. Phys.,* **17,** 235—45, 1975.

[33] C. H. Lee, 'Finite element method for transient linear viscous flow problems', *Proc. Int. Conf. on Numerical Methods in Fluid Dynamics,* 1973.

[34] O. C. Zienkiewicz, P. C. Jain and E. Onate, *Flow of solids during forming and extrusion. Some aspects of numerical solutions,* Univ. College of Swansea, Report No. C/R/283/76.

[35] G. C. Cornfield and R. H. Johnson, 'Theoretical prediction of plastic flow in hot rolling including the effect of various temperature distriburins,' *J. Iron Steel Inst.,* **211,** 567—73, 1973.

[36] J. W. H. Price and J. M. Alexander, 'The finite element analysis of two high temperature metal deformation processes', pp. 715—20 of ref. 3.

[37] R. E. Nickell, R. I. Tanner, and B. Caswell, 'The solution of viscous incompressible iet and free surface flows using finite element methods', *J. Fluid Mech.,* **65**, Part 1, 189—206, 1974.

[38] J. J. Dronkers, 'Tidal computation for rivers, coastal waters and seas', *Proc. Am. Soc. Civ. Eng.,* **95,** H71, 29—77, 1969.

[39] P. Welander, 'Wind action on shallow sea, some generalisations of Eckmann's theory', *Tellus,* **9,** 47—52, 1957.

[40] R. T. Cheng, T. M. Powell and T. M. Dillon, 'Numerical models of wind driven circulation in lakes', *Appl. Math. Modelling,* **1,** 141—59, 1976.

[41] M. Kawahara and K. Hasegawa, 'Periodic Galerkin finite element method of tidal flow' (to be published in *Int. J. Num. Meth. Eng.*).

[42] T. Tenaka, T. Hirai and T. Katayama, 'Finite element applications to lake circulations on diffusion problems in Lake Drive', *Proc. 2nd Int. Symp. on Finite Elements in Fluid Problems,* St. Margharita, Italy, 1976.

[43] J. Connor and J. Wang, 'Finite element modelling of hydrodynamic circulation' from *Numerical Methods in Fluid Dynamics* (eds. C. Brebbia and J. Connor), Pentech Press, 1974.

[44] C. Taylor and J. M. Davis, 'Tidal propagation and dispersion in estuaries', Ref. 2, Vol. 1, Ch. 5, pp. 95—118, J. Wiley, 1975.

[45] P. F. Hamblin, 'Finite element methods approach to the modelling of circulation, seiches, tides and storm surges in large lakes', (see ref. 3).

[46] R. T. Cheng, 'Numerical investigation of Lake circulation around islands by the finite element method', *Int. J. Num. Meth. Eng.,* **5**, 103—12, 1972.

[47] F. Arrizebalaya, G. M. Kovadi, and R. J. Krizek, 'Variational model for lake circulation' (see ref. 3).

[48] R. T. Cheng and C. Tung, 'Wind driven lake circulation by the finite element method', *Proc. 13th Conf. on Great Lakes Research,* 1970.

[49] S. Crandall, *Engineering Analysis,* McGraw-Hill, 1956.

[50] R. Courant, E. Isaacson, and M. Rees, 'On the solution of non-linear hyperbolic differential equations by finite differences', *Comm. Pure Appl. Math.,* V, 243—55, 1952.

[51] A. K. Runchal and M. Wolfstein, 'Numerical integration procedure for the steady state Navier-Stokes equations', *J. Mech. Eng. Sci.*, **11**, 445—53, 1969.

[52] D. B. Spalding, 'A novel finite difference formulation for differential equations involving both first and second derivatives', *Int. J. Num. Meth. Eng.,* **4**, 551—9, 1972.

[53] O. C. Zienkiewicz, R. H. Gallagher, and P. Hood, 'Newtonian and non-Newtonian viscous incompressible flow. Temperature induced flows. Finite element solutions', *The Mathematics of finite elements and applications II,* ed. J. Whiteman, Academic Press, 1977.

[54] I. Christie, D. F. Griffiths, A. R. Mitchell and O. C. Zienkiewicz, 'Finite element methods for second order differential equations with significant first derivatives', *Int. J. Num. Meth. Eng.,* **10**, 1389—96, 1976.

[55] O. C. Zienkiewicz, J. C. Heinrich, P. S. Huyakorn and A. R. Mitchell, 'An upwind finite element scheme for two dimensional convective transport equations', *Int. J. Num. Meth. Eng.,* **11**, 131—44, 1977.

[56] J. C. Heinrich and O. C. Zienkiewicz, 'Quadratic finite element schemes for two dimensional convective-transport problems', *Int. J. Num. Meth. Eng.,* to be published 1977.

[57] K. E. Barrett, 'The numerical solution of singular perturbation boundary

value problems', *Q. J. Mech. Appl. Math.*, **27**, 57—68, 1974.

[58] J. Periaux, 'Three dimensional analysis of conpressible potential flow', *Int. J. Num. Mech. Eng.*, 9, 775—83, 1975.

[59] T. E. Laskaris, 'Finite element analysis of compressible and incompressible viscous flow and heat transfer problems', *Physics of Fluids*, **18**, 1639—48, 1975.

[60] S. G. Margolis, 'Finite element methods for compressible gas dynamic steam review', **17**, 385, 1975.

[61] O. C. Zienkiewicz, "The finite element method and the solution of some geophysical problems', *Phil. Trans. R. Soc. Lond. A.*, 283, 139—51, 1976.

第二十三章

“边界解”法与有限元法．无限域；断裂力学中的奇异性

23.1 引言

尽管有限元法的适应性极强，并具有广阔的应用领域，但这种利用局部定义的多项展开式来实现的方法仍有某些不足之处．具体来讲，困难出现在如下两种情况下：(a)问题的定义域为无限域时，(b)存在奇异性(部分或全部导数为无穷大)时．

显然，无限域无法用有限的单元来得到；而用多项展开式来描述奇异性时则近似程度很差．事实上，收敛定理在后一个问题中已不再能使用，因为在奇异点附近泰勒展开式不再收敛．

在着重于实用的工程方法中，常常十分正确地迴避了这两种困难，因为实际上无限域及奇异性只是数学上的假设——这使我们能用大而有限的区域及接近奇异的点得到有用的结果．然而这两种数学“假设”都是有用的，因为利用它们能使计算工作量有本质性的下降．实际上大家都知道，对于“无限域”和“奇异性”问题，存在着许多极为简单的精确解，只要有可能，利用这些解答总是值得的．因此，本章的任务就是论述如何在数值离散化方法中利用这些解析解．可以用许多其它的办法把问题转变(或简单地修正)一下，以避免无限域及奇异性[1-5]，但最有效的还是所谓“边界解”法或特雷弗茨(Trefftz)法[6]．因此，我们将首先较为详细地讨论这种方法和有限元法的异同，并且指出：只要表述和处理都得当，边界解法的所有长处均可在有限元分析中得到保留．我们将会发现，这里所用的一些方法和第十二章中推导各种杂交单元的方法是一样的．

边界解法的本质是：按标准形式为未知函数选择一组试探函数，即写出

$$\hat{\mathbf{u}} = \Sigma \mathbf{N}_i \mathbf{a}_i = \mathbf{N}\mathbf{a}, \tag{23.1}$$

但和标准的有限元法不同，现在所选择的这些试探函数应使控制方程（总是线性方程，见第三章式(3.6)）

$$\mathbf{A}(\mathbf{u}) \equiv \bar{\mathbf{L}}\mathbf{u} + \mathbf{p} = 0 \tag{23.2}$$

在Ω中自动得到满足，或至少是控制方程的齐次形式在Ω中自动得到满足，即有

$$\bar{\mathbf{L}}\mathbf{N} \equiv 0, \tag{23.3}$$

这样一来，通过叠加就给出一组满足该域中所有要求的试探函数$\mathbf{N}$。

只要简单地增加一项特解并相应地修改边界条件，在域Ω中就可以不考虑非齐次项$\mathbf{p}$；因此现在唯一的约束是边界条件，参数$\mathbf{a}$通过近似满足这些约束来确定，即在某种平均的意义上保证下式成立：

$$\mathbf{B}(\hat{\mathbf{u}}) = 0, \quad 在\,\Gamma\,上. \tag{23.4}$$

显然，这里可以采用各种不同的方法，而第三章中讨论过的所有一般方法仍然适用。按上述方式表述的边界解法和普通有限元法的差别在于：

(1) 选择形状函数时要满足式(23.3)。

(2) 只在问题的边界条件上作出近似。

由于现在的离散处理仅涉及边界，所以其参数的数目可以比标准有限元法所用的少很多，已证明在某些情况下这使求解更为经济。从六十年代初期以来，边界解法与有限元法同时得到迅速的发展，其原因就在于此。边界解法的第二个优点是，现在显然可以采用处理奇异性及无限域的解析试探函数，从而克服了前述普通有限元法的困难。

边界解法也有不足之处。显然，它难以处理非线性及非均质问题，并且最终线性代数方程组的系数矩阵是满阵（而普通有限元素法的系数矩阵通常是窄带状的）。很明显，希望能将这两种方法

“嫁接”起来，以便利用它们的优点.

在此，简要地提及边界解法的历史及发展情况是有意义的.

最重要的分类按选取的试探函数的性质进行. 这里存在着两种选择的方案:

(a) 把具有任意参数 **a** 的函数级数叠加起来;

(b) 建立表示精确解的边界积分方程，然后再借助于参数 **a** 将其离散化，通常可取边界上某些点处未知函数的值作为参数 **a**.

第二种方法通常还能保证展开式的完备性，它是目前用得最普遍的方法. 我们推荐一篇最近的评述文章[7]，它对于用边界积分法来处理弹性力学问题及位势问题等作了基础性的调查研究. 和有限元法的历史一样，追溯边界解法的起源也是困难的. 1930年，冯·卡门 (von Karman)[8] 在研究空气流动问题时引入了源分布法，这种方法包含着积分方程法的一些基本思想. 以后贾斯万 (Jaswon)[9–10] 和西姆 (Symm)[11] 在位势理论方面; 马森内特 (Massonet)[12] 和奥利维拉 (Oliveira)[13]，克鲁斯 (Cruse)[14]，里佐 (Rizzo)[15] 以及其它一些研究者[17–20] 在弹性力学方面，又对积分方程法作了进一步的完善. 现在，这种方法在其它领域内已经获得了广泛的应用及发展，文献 [7, 21, 22] 给出了范围广泛的文献目录.

与此同时，级数解法也在发展，在这方面值得提及的有赫斯 (Hess)[22]，昆兰 (Quinlan)[23] 及其他一些研究者[24]的工作. 这种方法的优点是，可以比较自由地选择能描述奇异性和其它特殊性态的试探函数，但是一般来说，要满足完备性条件是相当困难的.

23.2 与普通有限元区相结合的边界解“单元”

我们来研究图 23.1 所示的问题，在该图的区域 Ω^I 中规定了级数型“边界”解，Ω^I 四周是普通的有限元区. 我们规定用线性弹性力学问题的术语来进行讨论，不过若用数学形式为自伴椭圆型方程的其它场问题的术语来进行讨论，当然也是可以的.

在区域 Ω^I 内，位移场 $\mathbf{u}$ 和应力场 $\boldsymbol{\sigma}$ 通过有限个参数所组成的

一组参数 **b** 来表示，以保持协调性和平衡（即满足相应的微分方程(23.2)）。于是，在 Ω^I 和其它单元相连接的界面 Γ_I 上，我们可以把位移写成

$$\mathbf{u} = \mathbf{N}(s)\mathbf{b}, \tag{23.5}$$

而把"边界力"写成

$$\mathbf{t} = \mathbf{M}(s)\mathbf{b}, \tag{23.6}$$

上式中的 s 确定点在 Γ_I 上的位置。这里读者会发现 $\mathbf{N}(s)$ 和 $\mathbf{M}(s)$ 之间存在着联系。若对于整个区域有

$$\mathbf{u} = \mathbf{N}\mathbf{b}, \tag{23.7}$$

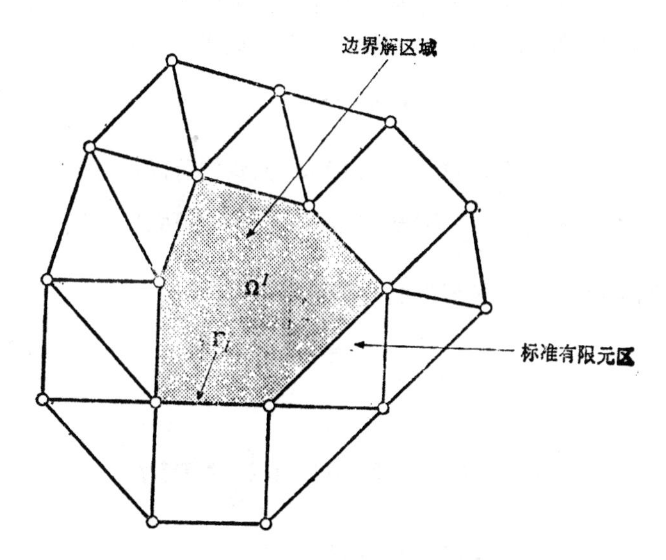

图 23.1　在标准有限元区内的边界解"单元" Ω^I

那末利用适当的应变算子 **L**，并引入弹性矩阵 **D**，可以得到应力 $\boldsymbol{\sigma}$ 的表达式

$$\boldsymbol{\sigma} = \mathbf{D}\mathbf{L}\mathbf{u} = \mathbf{D}\mathbf{L}\mathbf{N}\mathbf{b}, \tag{23.8}$$

而在 s 处确定的边界力则是

$$\mathbf{t} = \mathbf{G}\mathbf{D}\mathbf{L}\mathbf{N}\mathbf{b} \equiv \mathbf{M}(s)\mathbf{b}. \tag{23.9}$$

这样就确定了 $\mathbf{M}(s)$。

在普通有限元区内，要取极小值的总位能是通过由参数 $\mathbf{a}$ 所给出的节点位移来表示的．因此在 Γ_I 上，位移被规定为

$$\bar{\mathbf{u}}=\bar{\mathbf{N}}\mathbf{a}, \tag{23.10}$$

式中 $\bar{\mathbf{N}}$ 为相应的有限元形状函数．

这样一来，区域 Ω^I 的位能可表达为

$$\Pi^I=\int_{\Omega^I}\frac{1}{2}\,\boldsymbol{\sigma}^{\mathrm{T}}\boldsymbol{\varepsilon}\mathrm{d}\Omega-\int_{\Gamma_I}\bar{\mathbf{u}}^{\mathrm{T}}\mathbf{t}\mathrm{d}\Gamma, \tag{23.11}$$

上式右端的第二项将内部的 $\boldsymbol{\sigma}$-$\mathbf{u}$ 场和有限元位移场 $\bar{\mathbf{u}}$“耦合”起来了．

因为假定的 $\boldsymbol{\sigma}$-$\mathbf{u}$ 场满足所有的控制方程，所以容易证明，式(23.11)右端的第一个体积积分可以用边界积分来代替：

$$\int_{\Omega}\frac{1}{2}\,\boldsymbol{\sigma}^{\mathrm{T}}\boldsymbol{\varepsilon}\mathrm{d}\Omega\equiv\frac{1}{2}\int_{\Gamma_I}\mathbf{u}^{\mathrm{T}}\mathbf{t}\mathrm{d}\Gamma. \tag{23.12}$$

将式(23.5)及(23.6)代入式(23.11)，我们可以写出

$$\Pi^I=\mathbf{b}^{\mathrm{T}}\left(\frac{1}{2}\int_{\Gamma_I}\mathbf{N}^{\mathrm{T}}\mathbf{M}\mathrm{d}\Gamma\right)\mathbf{b}-\mathbf{a}^{\mathrm{T}}\left(\int_{\Gamma_I}\bar{\mathbf{N}}^{\mathrm{T}}\mathbf{M}\mathrm{d}\Gamma\right)\mathbf{b}. \tag{23.13}$$

在确定边界解的“单元”内，立刻就有

$$\frac{\partial\Pi^I}{\partial\mathbf{b}}\equiv 0=\mathbf{K}_b^I\mathbf{b}+\mathbf{K}_{ba}^I\mathbf{a}, \tag{23.14}$$

式中

$$\mathbf{K}_b^I=\frac{1}{2}\left[\int_{\Gamma_I}\mathbf{N}^{\mathrm{T}}\mathbf{M}\mathrm{d}\Gamma+\int_{\Gamma_I}\mathbf{M}^{\mathrm{T}}\mathbf{N}\mathrm{d}\Gamma\right],$$

$$\mathbf{K}_{ba}^I=-\int_{\Gamma_I}\mathbf{M}^{\mathrm{T}}\bar{\mathbf{N}}\mathrm{d}\Gamma,$$

并且可以消去 $\mathbf{b}$，得到标准的“刚度型”表达式

$$\frac{\partial\Pi^I}{\partial\mathbf{a}}=\mathbf{K}^I\mathbf{a}. \tag{23.15}$$

式(23.15)可和任何其它单元的刚度型表达式相结合．由于该式是通过变分得到，刚度矩阵 $\mathbf{K}^I$ 照例是对称的．读者容易证明：

$$\mathbf{K}^I=(\mathbf{K}_{ba}^I)^{\mathrm{T}}(\mathbf{K}_b^I)^{-1}(\mathbf{K}_{ba}^I). \tag{23.16}$$

事实上，上面所采用的方法和第十二章（12.3 节）中推导杂交单元及平衡单元时所用的一样，只是这里所选用的 $\boldsymbol{\sigma}$-$\mathbf{u}$ 场是精确的，因而允许用边界积分替代体积积分。

要选择既满足平衡又满足协调性的 $\boldsymbol{\sigma}$-$\mathbf{u}$ 场决非易事，特别是为了保证解的收敛性，还必须满足一定的完备性条件。由于这些明显原因，必须假定区域 Ω^I 内的材料性质是均匀的——这是以前介绍的有限元法中从未遇到过的一类限制。下节要介绍的边界积分方程法将引入一种确定适当函数的较为通用的方法。

在所有情况下都可将域 Ω^I 处理成一个标准的“有限元”，但是如同我们下面将要指出的那样，也很容易考虑各种复杂形状的域。此外，只要形状函数选择得当，能渐近地满足无限远处的边界条件，则新单元可以不是“有限的”（图 23.2(a)）。类似地，容易建立起在尖角点附近或裂纹尖端附近具有奇异性的特殊单元[25,26]。后面我们还将回到这些例子上来。

这里值得指出，在本书的前面，我们已经遇到过一种属于这里所介绍的边界解单元范畴的单元，虽然当时它是以直接的方式导出的。这就是简单的平面三角形单元（或三维情况下的四面体单元）。在这些单元中，所假定的线性位移场和常应力场都自动地满足协调性及内部的平衡方程。

23.3 “边界积分方程”单元

23.3.1 **弹性力学中的一般公式系统** 我们已经指出，要构成满足所有控制方程的形状函数是很困难的。

一般的方法是对连续分布的单位奇异解（格林 (Green) 函数）求和，对于均质系统，这导致仅需在边界上得到满足的积分方程。在这类积分方程中，非常方便的一种形式是，用边界上的变量本身（如位移 $\mathbf{u}$）及其共轭变量（如 $\mathbf{t}$）作为基本变量。这被称为直接公式系统。

例如在线性弹性力学范围内，对于图 23.2 中围绕域 Ω^I 的边界 Γ_I 上的任意一点，我们可以写出

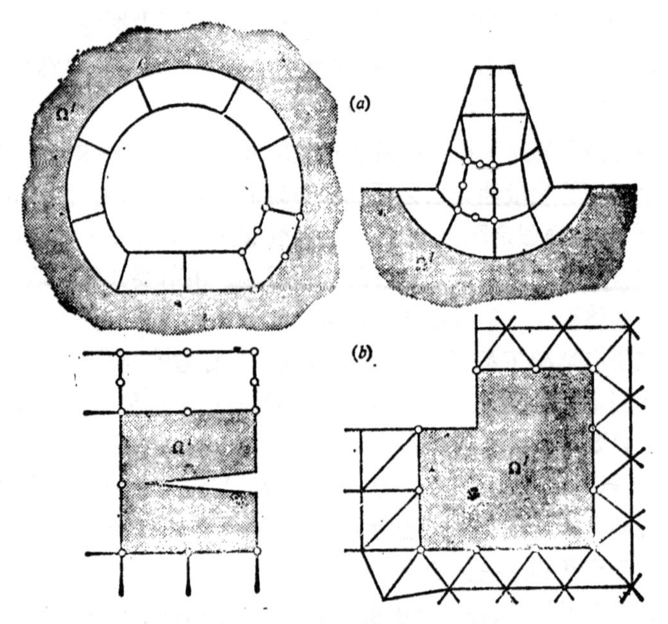

图 23.2 一些可能有用的边界解单元 Ω^I. (a) 作为外部区域的无限边界解单元，(b) 求解奇异区域用的边界解单元

$$\mathbf{u}(s)/2=\int_{\Gamma_I}\mathbf{T}(s,\Gamma)\mathbf{u}(\Gamma)\mathrm{d}\Gamma+\int_{\Gamma_I}\mathbf{U}(s,\Gamma)\mathbf{t}(\Gamma)\mathrm{d}\Gamma,\qquad(23.17)$$

式中

$$\mathbf{T}=\mathbf{T}(s,\Gamma)\text{ 及 }\mathbf{U}=\mathbf{U}(s,\Gamma)$$

这两个矩阵分别与无限介质中作用点载荷时应力及位移的精确解有关. 式(23.17)即为著名的萨密格利安纳(Samigliana)恒等式——它的推导过程可见有关的参考书[15,27,28]. 不过,在下一节中我们将推导关于位势问题的较为简单的恒等式.

现在有了在域 Ω^I 的边界 Γ_I 上确定的位移和边界力之间的精确关系，而在作进一步处理之前，必须把积分方程(23.17)离散化. 我们仍可采用式(23.5)及(23.6)所给出的那种形式的插值，不过现在形状函数 $\mathbf{N}(s)$ 和 $\mathbf{M}(s)$ 仅需要在界面上定义,因而两者可以完全独立地确定. 显然,在界面上令 $\mathbf{N}(s)$和普通有限元描述的形状函数 $\bar{\mathbf{N}}$ 相同是很便利的,这样可以作到直接组合.

于是，我们可以写出

$$\mathbf{u} = \bar{\mathbf{u}} = \bar{\mathbf{N}}\mathbf{a}, \quad \bar{\mathbf{N}} = \bar{\mathbf{N}}(\Gamma), \tag{23.18a}$$

$$\mathbf{t} = \mathbf{M}\mathbf{c}, \qquad \mathbf{M} = \mathbf{M}(\Gamma), \tag{23.18b}$$

式中 $\mathbf{c}$ 为定义边界力分布的参数向量(即 $\mathbf{t}$ 的节点值).

至此，方程(23.17)已可通过适当的配置法进行离散．例如，对于每个节点写出 $\mathbf{u}(s_i) \equiv \mathbf{a}_i$，并可按矩阵形式把这组参数表示成

$$\mathbf{A}\mathbf{a} = \mathbf{B}\mathbf{c}, \tag{23.19}$$

而系数矩阵则可通过对所有的 s_i 值逐次作围线积分得到.

方程(23.19)正是边界积分方程解法的基础，由此可导得能与普通有限元的系数矩阵进行组合的矩阵．由于点 s 处 $\mathbf{t}$ 和 $\mathbf{u}$ 的表达式具有奇异性，所以在积分时会出现一定的困难．此外，矩阵 $\mathbf{A}$ 及 $\mathbf{B}$ 均不对称．在求解时，给定一定数目的边界力/位移的数值，而其余的边界力及位移则可通过解方程得到.

在利用边界积分方程的早期方法中，因为方程(23.17)中的积分并不要求 $\mathbf{u}$ 或 $\mathbf{t}$ 是连续的，所以一般把边界围线分成若干直线段，而在每一直线段上取 $\mathbf{u}$ 及 $\mathbf{t}$ 的值为常数，以描述参数 $\mathbf{a}$ 及 $\mathbf{c}$．然而，新近等参数插值十分流行，它对 $\mathbf{u}$ 及 $\mathbf{t}$ 采用相同的连续分布形式[19]．在建立这里所考察的问题的公式系统时，我们假设 $\bar{\mathbf{N}}$ 为等参数形状函数，而 $\mathbf{t}$ 的分布，即形状函数 $\mathbf{M}$，却可以是不连续的．有关这两个变量的最佳插值形式仍在研究之中[28].

为了将区域 Ω^I 的解和有限元区结合起来，我们必须象在上一节中那样确定域 Ω^I 的位能．现在这可直接进行，因为参数 $\mathbf{a}$ 代表了两个区域共同的节点变量，并且 $\mathbf{u}$ 的连续性是得到保证的.

因此，根据方程(23.19)，经过求逆运算，我们可以写出

$$\mathbf{c} = \mathbf{B}^{-1}\mathbf{A}\mathbf{a}, \tag{23.20}$$

而由式(23.18b)可得

$$\mathbf{t} = \mathbf{M}\mathbf{B}^{-1}\mathbf{A}\mathbf{a}. \tag{23.21}$$

于是边界解单元的位能被给出如下：

$$\Pi^I = \frac{1}{2}\int_{\Gamma_I} \mathbf{u}^{\mathrm{T}}\mathbf{t}\mathrm{d}\Gamma = \frac{1}{2}\mathbf{a}^{\mathrm{T}}\left(\int_{\Gamma_I} \bar{\mathbf{N}}^{\mathrm{T}}\mathbf{M}\mathrm{d}\Gamma\right)\mathbf{B}^{-1}\mathbf{A}\mathbf{a}, \tag{23.22}$$

从上式可直接得到 $\mathbf{K}^I$:

$$\mathbf{K}^I = \frac{1}{2}\left[\left(\int_{\Gamma_I} \bar{\mathbf{N}}^{\mathrm{T}}\mathbf{M}\mathrm{d}\Gamma\right)\mathbf{B}^{-1}\mathbf{A} + \left(\left(\int_{\Gamma_I} \bar{\mathbf{N}}^{\mathrm{T}}\mathbf{M}\mathrm{d}\Gamma\right)\mathbf{B}^{-1}\mathbf{A}\right)^{\mathrm{T}}\right]. \tag{23.23}$$

这里所给出的建立公式系统的方法，与通常的直接边界积分法中所用的一样．然而我们要指出，$\mathbf{u}$ 及 $\mathbf{t}$ 是独立地插值的，这并不保证控制方程完全得到满足，而且上面导出的“刚度”不象有限元“刚度”那样满足完全的平衡条件．为了改善性能，文献 [18] 提出了“施加平衡约束”的办法，用它来修改方程 (23.19)．这使性能得到了改善．

作为利用上述边界积分方程的另一种方法，采用一种间接的公式系统，以避免出现上述困难．它原则上采用式 (23.5) 那种级数型展开式，但用一个分布的奇异解替代有限项．有关文献中有这种公式系统的细节，这里就不讨论它了．

23.3.2　*位势场问题的一些例子*　在各种场问题中应用边界积分方程法时，所遵循的步骤和上一小节中给出的建立弹性力学公式系统的完全一样．例如，让我们来研究如图 23.1 所示相同类型的问题，但需求解之方程为拟调和方程(见第十七章)

$$\frac{\partial}{\partial x}\left(k\frac{\partial \phi}{\partial x}\right) + \frac{\partial}{\partial y}\left(k\frac{\partial \phi}{\partial y}\right) = 0 \tag{23.24}$$

的问题．若再设 Ω^I 中材料是均匀各向同性的，则方程 (23.24) 化为

$$k\left(\frac{\partial^2 \phi}{\partial x^2} + \frac{\partial^2 \phi}{\partial y^2}\right) \equiv k\nabla^2\phi = 0. \tag{23.25}$$

我们(在第十七章中)已经注意到，

$$q \equiv k\frac{\partial \phi}{\partial n} \tag{23.26}$$

在边界上起着和相应弹性力学问题中的边界力相同的作用．

普通有限元区的"位能"可以利用标准表达式(见第十七章)写出，故这里仅研究域 Ω^I 的"位能"。利用分部积分（见附录 3)，我们注意到

$$\Pi^I = \frac{1}{2}\int_{\Omega^I}\left(k\left(\frac{\partial\phi}{\partial x}\right)^2 + k\left(\frac{\partial\phi}{\partial y}\right)^2\right)d\Omega \equiv -\int_{\Omega^I} k\nabla^2\phi d\Omega + \frac{1}{2}\int_{\Gamma_I} k\frac{\partial\phi}{\partial n}\phi d\Gamma, \tag{23.27a}$$

如果 ϕ 是方程 (23.25) 的解，则我们可以类似于式 (23.22) 写出

$$\Pi^I = \frac{1}{2}\int_{\Gamma_I} q\phi d\Gamma. \tag{23.27b}$$

为了获得边界积分方程，可如下进行．首先我们注意到，对于任意两个函数 ψ 和 ϕ，利用分部积分原理(格林恒等式)，可写出如下恒等式:

$$\int_{\Omega^I}\phi\nabla^2\psi d\Omega - \int_{\Omega^I}\psi\nabla^2\phi d\Omega = \int_{\Gamma_I}\phi\frac{\partial\psi}{\partial n}d\Gamma - \int_{\Gamma_I}\frac{\partial\phi}{\partial n}\psi d\Gamma. \tag{23.28}$$

如果我们现在选 ψ 为满足方程 (23.25)（除极点外)的奇异函数，象二维情况下的源函数

$$\psi = \log_e r, \tag{23.29}$$

而 ϕ 是方程 (23.25) 的精确解，那末对于 Ω^I 内的点 p，我们可以写出[1)]

$$2\pi\phi_p = \int_{\Gamma_I}\phi\frac{\partial\psi}{\partial n}d\Gamma - \int_{\Gamma_I}\frac{\partial\phi}{\partial n}\psi d\Gamma, \tag{23.30}$$

而对于 Ω^I 之边界 Γ_I 上的点 p 则有

$$\pi\phi_p = \int_{\Gamma_I}\phi\frac{\partial\psi}{\partial n}d\Gamma - \int_{\Gamma_I}\frac{\partial\phi}{\partial n}\psi d\Gamma. \tag{23.31}$$

---

1) 请注意，在式 (23.28) 左端，唯一剩下的一项是对于 p 的奇异性进行积分．对于内点，这给出

$$\phi_p\int_{\Omega^I}\nabla^2\psi d\Omega = \phi_p\oint\frac{\partial\psi}{\partial n}d\Gamma = 2\pi\phi_p,$$

而对于边界上的点，积分值为 $\pi\phi_p$．详细的讨论请见文献 [27,28].

这就提供了我们需要的边界积分方程，它替代了上一节的方程(23.17).

由此往后的建立单元矩阵公式系统的方法，与上一节中所介绍的几乎完全一样. 我们把详细推导留给读者去做.

然而在这里必须指出，该积分在 p 点总是包含奇异性，而 r 则为点 p 和被积微段之间的距离(图 23.13). 除了在奇异点邻近，可以用标准的高斯求积法进行数值积分；而在奇异点邻近，则可或者采用精度更高的数值积分方法，或者局部采用精确积分.

图 23.3 积分中的奇异性. 奇异极点与微线段 $d\Gamma$ 的定义

图 23.4 至 23.6 给出了一些由简单的线性有限元配用适当的边界积分方程元而求得的解. 在这种边界积分方程元中，ϕ 为线性插值函数，而在边界的每一直线段上 $\frac{\partial \phi}{\partial n}$ 取为常数. 图 23.4 示出的是扇形区域内的热传导问题，在该扇形区中采用了任意剖分的线性三角形单元及边界积分方程单元.

图 23.5 所处理的是一个利用了无限单元的"外部"问题. 图中示出了两块带电平板间的电位分布. 这里采用了与上例相同的标准单元. 奇异解 ϕ 在无限远处趋于零，这提供了 ϕ 在无限远处趋于零这一必需的边界条件. 西尔维斯特 (Silvester)[29] 也讨论过这个问题，但他用了另一种"外部"描述形式.

在图 23.6 中，我们所考察的是理想流体的绕流这样一个航空

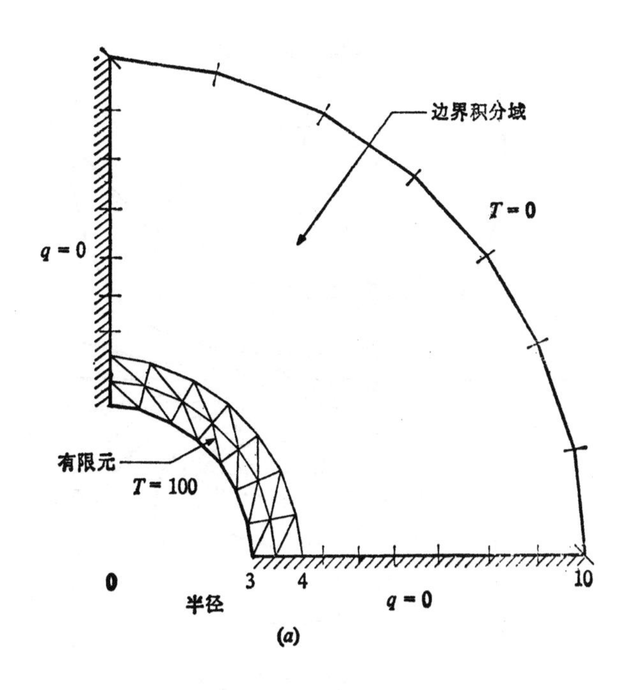

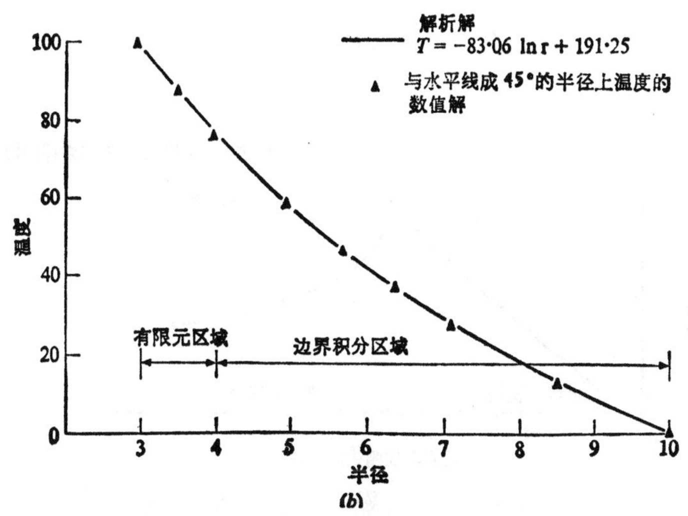

图 23.4 有限元与边界积分方程联合求解法——盘的热传导.
(a) 单元剖分. (b) 与水平线成 45° 的半径上的温度分布

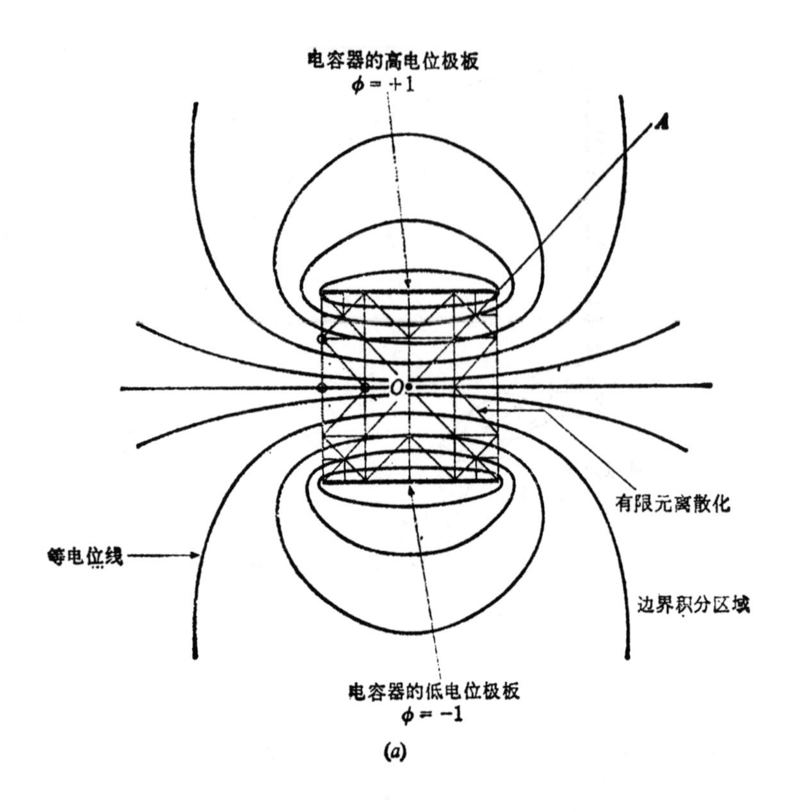

(a)

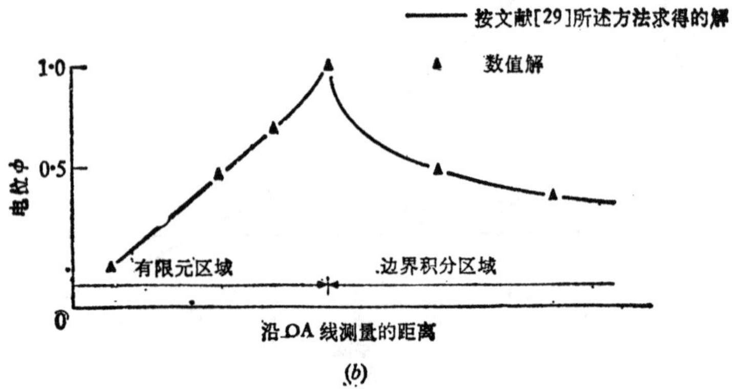

(b)

图 23.5 有限元和边界积分方程联合求解法——平行平板电容器的电场.
(a) 单元剖分及等电位线图. (b) 电位沿 OA 线的变化

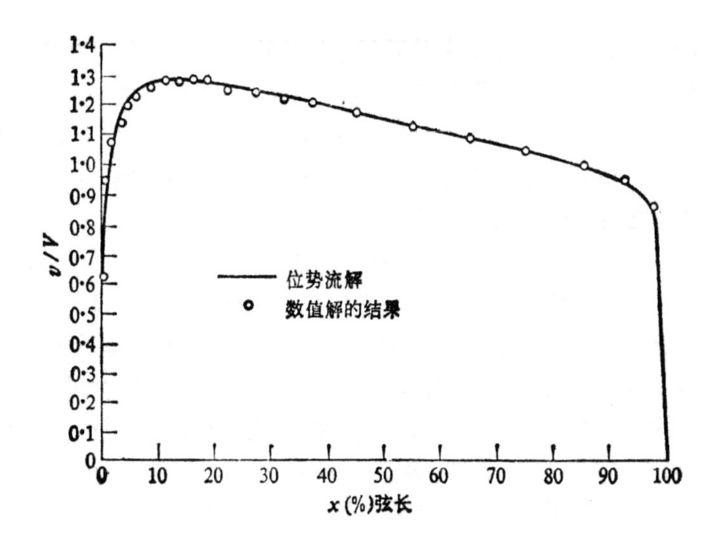

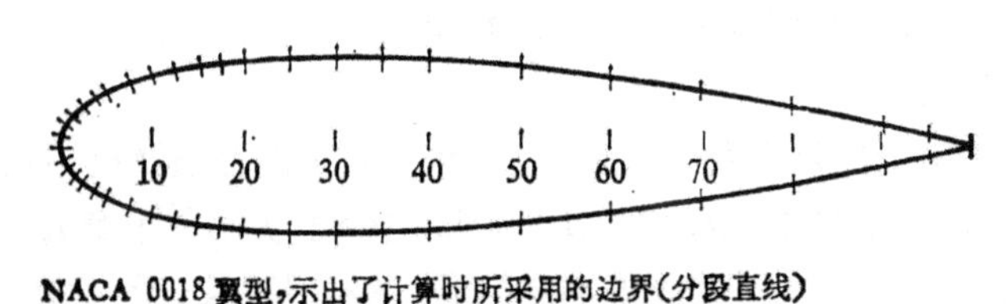

NACA 0018 翼型，示出了计算时所采用的边界（分段直线）

图 23.6 无旋流场中绕对称物体的流动

学上的问题．一般来讲，这类问题中要发生“环量”，而流势是多值的．因此，现在用流函数法来求解这个问题．流函数 ϕ 把流动速度定义为：

$$u = \frac{\partial \phi}{\partial x}, \qquad v = -\frac{\partial \phi}{\partial y}, \tag{23.32}$$

而 ϕ 必须满足条件[30]

$$\nabla^2 \phi = 0. \tag{23.33}$$

由于无限远处必须有均匀速度场 $u = U$，故将流函数分成如下两部分是比较方便的：

$$\phi = \phi_1 + \phi_2,\ \phi_1 = Uy. \tag{23.34}$$

我们注意到，ϕ_1 的定义满足无限远处的边界条件，故 ϕ_2 在无限远处趋于零．此外，利用式(23.33)及(23.34)还可得到

$$\nabla^2\phi_2 = 0, \tag{23.35}$$

因此现在该问题已以简化为 ϕ_2 的求解．由于在障碍物边界 Γ_I 上 ϕ 为常数，故 ϕ_2 的边界条件是

$$\phi_2 = 常数 - Uy,\ 在\ \Gamma_I\ 上. \tag{23.36}$$

在环量绕任意截面发生的情况下，必须确定式(23.36)中常数的值，以使后缘的速度是有限值（库塔-儒柯夫斯基(Жуковский)条件）．这必须由两次单独计算的结果叠加而成．对于图 23.6 所示的对称翼型，一次求解就能获得速度分布．在求解这个问题时，只采用了一个无限边界积分方程单元．

文献中广泛地讨论了这类解答，它是标准的气动力计算的一部分[8,30–32]．

显然，来源各不相同的许多问题都可用外部边界积分方程单元求解．

第二个场问题涉及到控制浅水、可压缩介质及电磁场中波的传播问题的赫尔姆霍兹 (Helmholz) 方程(见第二十章)．对于激励输入正比于 $e^{i\omega t}$ 的稳态响应问题，赫尔姆霍兹方程变成

$$\frac{\partial}{\partial x}\left(k\frac{\partial\phi}{\partial x}\right) + \frac{\partial}{\partial y}\left(k\frac{\partial\phi}{\partial y}\right) + \omega^2\phi = 0, \tag{23.37}$$

并且一般来说，ϕ 是一个复数量(见第二十章)．在各向同性的均匀介质中，方程(23.37)简化成

$$k\nabla^2\phi + \omega^2\phi = 0. \tag{23.38}$$

读者可以验证，只要奇异解满足方程(23.38)，则边界积分方程仍然成立．对于二维问题，汉克尔 (Hankel) 函数提供了这种解答，它给出

$$\phi_p = \frac{i}{2}\int_{\Gamma_I}\left[H_0(\alpha r)\frac{\partial\phi}{\partial n} - \phi\frac{\partial H_0(\alpha r)}{\partial n}\right]\mathrm{d}\Gamma \quad (\alpha = \omega/\sqrt{k}). \tag{23.39}$$

作为一个典型情况，我们来研究入射波和障碍物之间的相互

作用问题，式 (23.34) 那种分解在这里是必要的．反射波 ϕ_2 在无限远处要变成零且不再返回(不反射)．构成的边界积分方程使这一条件自动得到满足．图 23.7 是均匀波场中的圆柱所引起的波反射这样一个外部问题．由于存在精确解，图 23.7 将其与计算结果作了比较，表明计算结果精度很高．虽然不是特别有利，这里仍将整个场分成一组普通的有限元(现在是二次等参数单元)及一个外

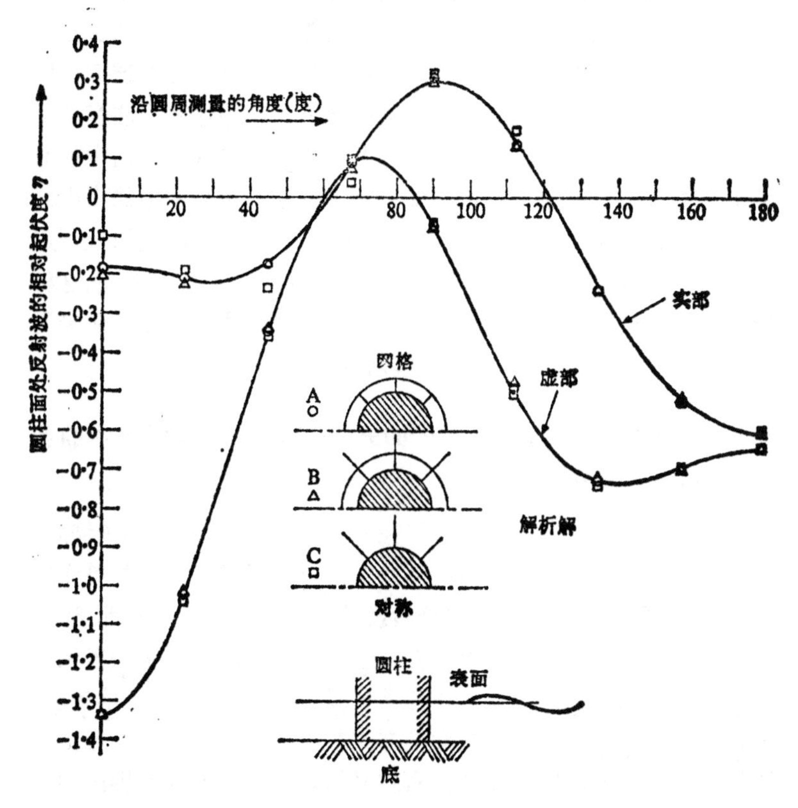

图 23.7　沿圆柱的反射波的起伏度．(A) 外部域用边界积分方程法求解，内部采用一排 8 节点等参数单元．(B) 外部采用八个无限单元，内部仍采用一排 8 节点等参数单元．(C)仅采用八个无限单元

部边界积分方程单元．

对于这个问题，已用 23.2 节中讨论过的那种边界解单元得到

了类似的结果，该单元具有非奇异形式的独立展开式．两种方法的精度看来是相同的[24,33-35]．

可以用类似的公式系统有效地处理电磁振荡(波导)问题，也可用它来为解决结构-流体耦合振荡问题提供简单的单元．

23.3.3 同时利用边界积分方程及其它展开式 在有些情况下，可以把构成边界解"单元"的两种方法有效地结合起来．如果我们事先知道某种形式的解答必定占优势，那末上述作法会是有利的．也可以对于整个区域应用这种办法，即把这种解推广于所有的单元——不论是边界单元还是普通单元，而这就把注意力集中在总变量中不大重要的那一部分上了．例如，文献[1,2]中就介绍了这种方法，在那里就是这样来消去弹性力学分析中的集中载荷效应的．在应力分析中，莫特 (Mote)[36] 十分广泛地引入了这种概念．不过，也可以仅在单元阶段将两种解法综合起来，而这种作法对边界型单元特别有效．有关这类方法的使用可能性还未受到充分研究，读者可能会发现一些新的应用领域．

23.4 处理无限域及奇异性问题的另一些方案（区域积分中的特殊形状函数）

在本章的前几节中，研究了在某些单元内(或问题的子域内)直接利用精确的解析解的可能性．这使我们能避免在这些单元或子域内进行积分，而把这种积分转换为只对边界进行．然而，还存在另外一种利用解析解的可能性．这时，仅利用解析解来得到应当采用的形状函数的形式；在通常情况下，既采用标准多项式项，又采用这种形式．积分仍按标准方式在整个单元区域上进行，不过为了保证单元间的协调性，有时必须采用一些附加的界面项．

如果除了简单的多项式项之外，我们还规定了这样的函数，则可保证本书前面所指意义上的收敛性(如果这样来模拟奇异性，收敛性甚至会得到改善)．另一方面，我们也可以简单地采用这种解析解答来近似子域的性态，而不考虑单元细化时结果是否会收敛．

贝特斯 (Bettess) 与监凯维奇[37-39]以及其他一些研究者[40]引

入的所谓无限单元就是一个典型例子．这里的无限单元是外部区域中向无限远处延伸的辐射状窄条．这种单元的形状函数在无限远处衰减为零，利用这一事实而采用了数值积分．

我们以上一节中方程(23.38)所代表的那类问题为例来讲述这种方法．单元的形状示于图23.8．为了定义坐标，采用了标准的拉格朗日映射，其参考点选在有限远处．然而，形状函数是通过坐标 η 和 r 来规定的，其中 r 为 ξ 方向的标度距离．这些函数本质上仍为拉格朗日多项式，不过乘以了下面这样一项：

$$e^{-r/L}e^{ikr}, \tag{23.40}$$

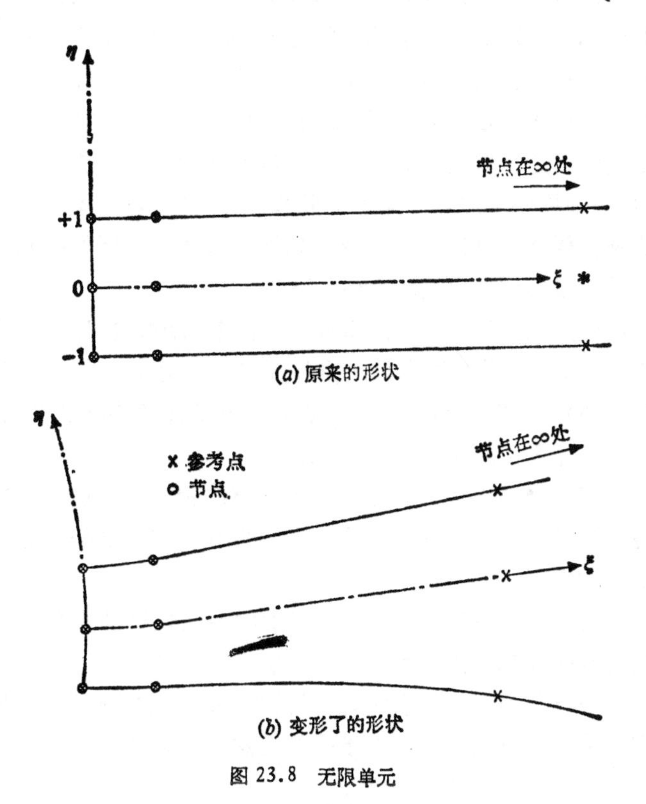

(a) 原来的形状

(b) 变形了的形状

图 23.8 无限单元

这里的 k 是波数 ($=2\pi/$波长)，L 是衰减程度的量度．式(23.40)中的第一项保证了 r 很大时形状函数的衰减，而第二项用来描述

基本的周期性态．对于这种无限单元中的第 s 排节点，利用 r 的拉格朗日展开式，其形状函数可以写成

$$e^{(r_s-r)/L}e^{ikr}l_s^n(r), \tag{23.41}$$

这里共有 n 排节点，最后一排在无限远处．在圆周方向（η 方向），把这些函数同普通的拉格朗日多项式结合起来（见第七章）．

这样构成的形状函数能保证无限单元的 ϕ 与内部有限单元的 ϕ 在界面处协调，而且在延伸于无限远的单元边界上，可安排的节点排数是完全任意的．

为计算单元性态矩阵而进行的数值积分——它仍保持标准的有限形式——需要作相当周密的安排，文献 [39] 中给出了这方面的细节．虽然在此不能讨论单元尺度减小时的收敛性问题，但是只要简单地将有限单元/无限单元的界面逐步向外扩展，就能解决这个问题．这个单元的近似性是极其良好的；对于图 23.7 所示的问题，在圆柱外采用八个无限单元和八个有限单元（图 23.7b），所得结果和精确解已经难以区分．如果只采用八个无限单元，所得的结果和精确解相差也不大（图 23.7c）．

这种方法虽然公式系统很简单，但精度却很高，这一点可从图 23.9 及 23.10 所示结果中再次得到证实．这里处理的是一个浅水区域的绕射/反射问题．对变深度区采用了普通的有限单元，而对外部的等深度区则采用无限单元．

与完全采用边界积分方程单元的方法相比，用这里所述方法所得到的最终方程组的系数矩阵呈窄带状，这显然是它的一个有吸引力的特点．

在文献 [38，40] 中，讨论了用于稳态粘性流动及弹性力学问题的类似的外部无限单元．

在下一节中我们将看到，通过简单的单元曲线映射，有时可以得到利用了解析上“可疑”的结果的特殊单元形式．

23.5　关于断裂力学的一些情况

23.5.1　基本概念　关于断裂力学的一般文献及与断裂力学

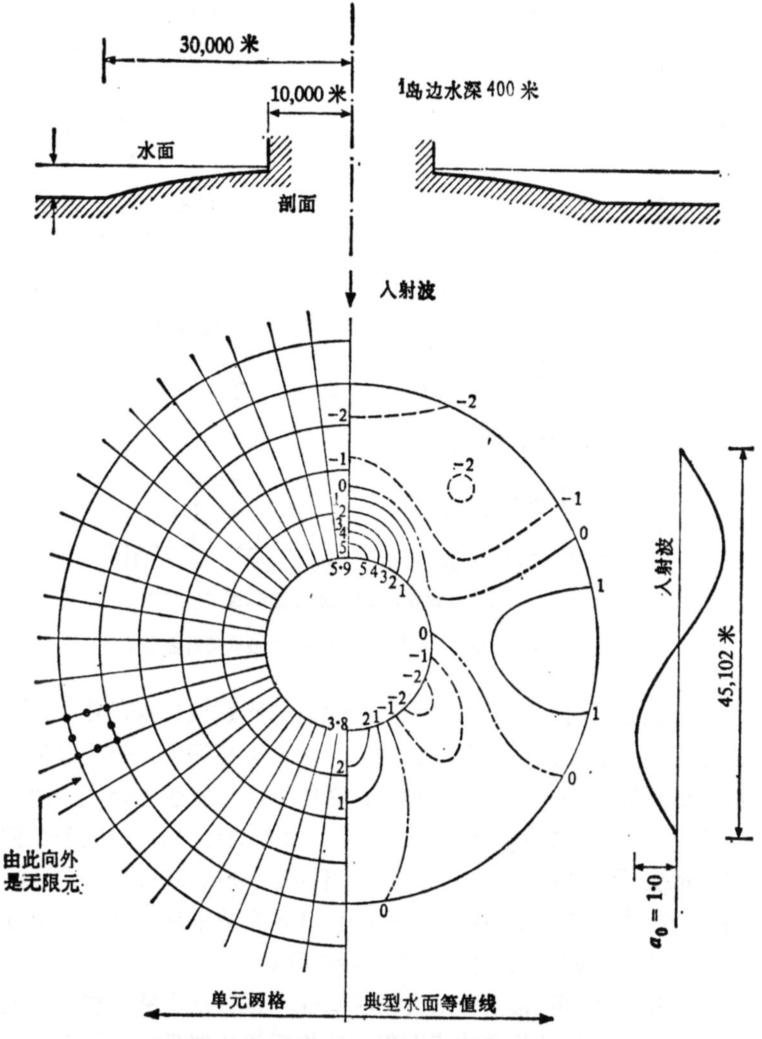

图 23.9　抛物线形浅滩及圆柱形岛屿区波的绕射

有关的实际问题是大量的，用有限元法来处理断裂力学问题的出版物也很多．这一事实说明，我们有必要通过本节向读者介绍有关断裂力学的基本概念，并很有选择地讲述几种流行的解法．至于有关这个问题的全面评述，请参考文献［45—51］．

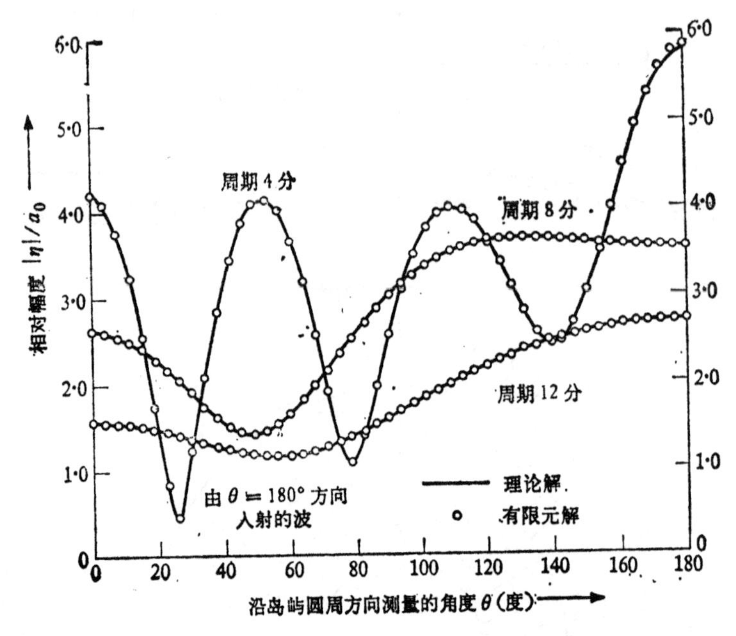

图 23.10　上图所示问题中圆柱岛屿处波的相对幅度

我们把在断裂力学中应用有限元法的问题放在本章中讨论，因为它的本质就是引起裂纹扩展的应力奇异性问题．裂纹通常在具有奇异性的凹角及固体中总是存在的孔穴处发生．众所周知，从理论上讲，在这种奇异点处将出现无限大的应力，而裂纹是否扩展则取决于在离裂纹尖端的一定距离内这一应力衰减的方式．如果应力在比材料原子结构短得多的距离内衰减下来，则它不足以破坏原子间的相互结合力，裂纹不会扩展．

早在 1920 年，格里菲斯 (Griffiths)[52] 就提出了裂纹扩展的准则，该准则把裂纹扩展的表面积与结构释放的能量联系起来了．例如，如果我们研究图 23.11 所示的均匀拉应力场中的裂纹，并注意裂纹增长一距离 $\mathrm{d}a$ 时外力所作的功(或每单位厚度的变形能变化)，那末裂纹失稳扩展时必有

$$\mathrm{d}\Pi = \text{能量释放} \geqslant \mathrm{d}a\mathscr{G} \quad \text{或} \quad \frac{\mathrm{d}\Pi}{\mathrm{d}a} \geqslant \mathscr{G}, \qquad (23.42)$$

式中$\mathscr{G}$的值与给定材料的特性有关.

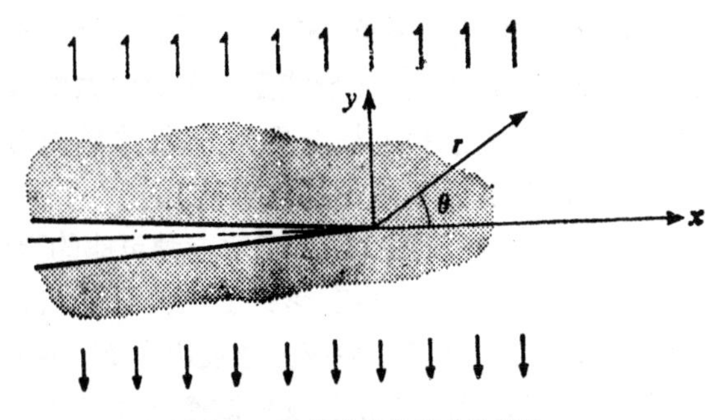

图 23.11 拉伸应力场中的裂纹

如果我们详细考察裂纹尖端邻近弹性应力的分布,就会发现,决定该处应力及位移分布的主项为

$$
\begin{aligned}
\sigma_x &= \frac{K_I}{\sqrt{2\pi r}}\cos\frac{\theta}{2}\left(1-\sin\frac{\theta}{2}\sin\frac{3\theta}{2}\right),\\
\sigma_y &= \frac{K_I}{\sqrt{2\pi r}}\cos\frac{\theta}{2}\left(1+\sin\frac{\theta}{2}\sin\frac{3\theta}{2}\right),\\
\tau_{xy} &= \frac{K_I}{\sqrt{2\pi r}}\sin\frac{\theta}{2}\cos\frac{\theta}{2}\cos\frac{3\theta}{2},\\
u &= \frac{K_I}{4G}\sqrt{\frac{r}{2\pi}}\left[(2\kappa-1)\cos\frac{\theta}{2}-\cos\frac{3\theta}{2}\right],\\
v &= \frac{K_I}{4G}\sqrt{\frac{r}{2\pi}}\left[(2\kappa-1)\sin\frac{\theta}{2}-\sin\frac{3\theta}{2}\right],
\end{aligned}
\tag{23.43}
$$

式中

$$
\kappa=\begin{cases}(3-4\nu), & \text{平面应变状态},\\ (3-\nu)/(1+\nu), & \text{平面应力状态},\end{cases}
$$

而 K_I 为取决于外作用力大小的一个常数.

可以证明,也可把能量释放率同这个常数联系起来:

$$
\frac{\mathrm{d}\Pi}{\mathrm{d}a}=K_I^2(\kappa+1)/8G. \tag{23.44}
$$

艾尔温 (Irwin)[41] 建议,在采用裂纹扩展准则时,应当用被称为应

力强度因子的 K_I 这个量，而不要用临界能量释放率$\mathscr{G}$. 然而，如果考虑的只是刚才介绍的 I 型裂纹，K_I 和$\mathscr{G}$显然等价，实际上没有任何差别. 在有限元分析中，变形能是一个比应力更容易计算的量，所以利用临界能量释放率的概念更为方便(虽然通常报道的是应力强度因子的临界值，而不是$\mathscr{G}$的临界值).

在三维问题中，存在着图 23.12 所示三种可能的裂纹扩展模型. 每一种情况下局部应力分布在形式上均类似于式(23.43)，而在一般的情况下，常常是报告三种应力强度因子 K_{I}，K_{II}，K_{III}. 这些应力强度因子的临界值与临界能量释放率之间有如下关系:

$$\mathscr{G}=\frac{1}{E}\left(K_{\mathrm{I}}^{2}+K_{\mathrm{II}}^{2}+K_{\mathrm{III}}^{2}\right). \tag{23.45}$$

对于综合模型，能量准则完全象分别判断每一个应力强度因子那样有效.

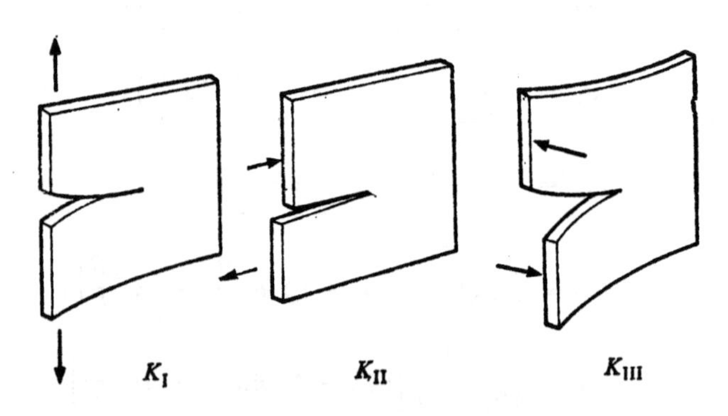

图 23.12　三种断裂模型

虽然以上所有讨论均建立在纯弹性性态的假设上，但其结论当裂纹尖端塑性区的范围很小时还是有效的. 对于裂纹尖端塑性区较大的情况，裂纹扩展的概念则完全不同，读者可适当查阅最近的一些有关参考文献[50,53-57]. 赖斯与特雷西 (Tracey)[50] 对弹塑性断裂力学的某些特殊内容作了详尽的讨论. 然而，在用有限元法来处理这种问题时，仍然存在着奇异性这样一个困难，而这正是我们主要关心的问题.

23.5.2 临界能量释放率(或应力强度因子) 不管采用的是哪一种有限元公式系统，有关计算临界能量释放率(或对应的应力强度因子)的最佳方法问题，在文献中是很令人注目的．在一些早期工作中，把裂纹尖端邻近的应力(或位移)分布画成曲线，通过与表达式(23.43)相比较而求出应力强度因子．但是，更为有效的办法是直接计算裂纹扩展时引起的位能变化．例如，可计算两种不同裂纹长度时的位能．在图 23.13 中，较为粗略地表示了一个含裂纹结构的有限元离散模型．现在分别对裂纹长度相差 Δa 的两种情况计算位能，并近似地有

$$\frac{d\Pi}{da} \approx \frac{\Pi_1 - \Pi_2}{\Delta a}. \tag{23.46}$$

这种方法是由狄克逊(Dixon)和波克(Pook)[58] 首先提出，并被其他一些人加以发展的[59-61]．

这种方法需要单独求解两次，因而不经济，通过一次分析直接确定因子 K 的办法看来更好一些．然而，利用帕克斯(Parks)[62]和海伦(Hellen)[63] 提出的简单改进，就可以避免这种两次求解．

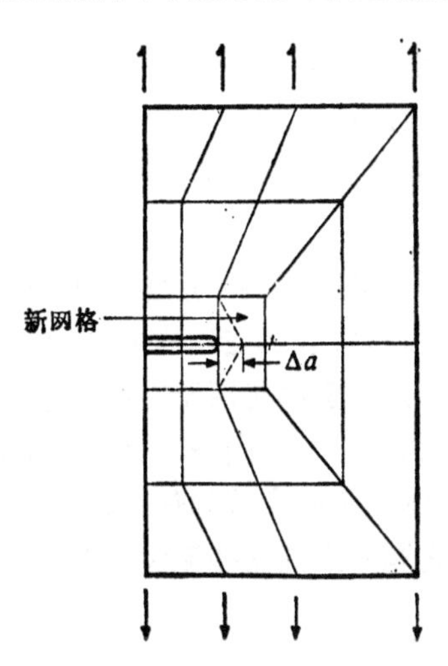

图 23.13 裂纹长度增加 Δa 之后网格的调整

为了说明这种现在广为采用的方法，我们再次来考察图 23.13

所示系统．令 $\mathbf{K}$，$\mathbf{a}$，$\mathbf{f}$ 分别为具有原始裂纹的结构的刚度矩阵，位移参数向量及载荷向量．而 $\Delta\mathbf{K}$ 及 $\Delta\mathbf{a}$ 则为裂纹长度增加 Δa 时，刚度矩阵 $\mathbf{K}$ 及位移参数向量 $\mathbf{a}$ 的变化（$\mathbf{f}$ 不变化）．

对于具有原始裂纹的结构，我们有

$$\mathbf{K}\mathbf{a} + \mathbf{f} = 0, \tag{23.47}$$

而该结构的位能则为

$$\Pi = \frac{1}{2}\mathbf{a}^{\mathrm{T}}\mathbf{K}\mathbf{a} + \mathbf{a}^{\mathrm{T}}\mathbf{f}. \tag{23.48}$$

现在，我们可以把位能的变化写成

$$\Delta\Pi = \frac{1}{2}(\mathbf{a} + \Delta\mathbf{a})^{\mathrm{T}}(\mathbf{K} + \Delta\mathbf{K})(\mathbf{a} + \Delta\mathbf{a}) + (\mathbf{a} + \Delta\mathbf{a})^{\mathrm{T}}\mathbf{f} - \frac{1}{2}\mathbf{a}^{\mathrm{T}}\mathbf{K}\mathbf{a} - \mathbf{a}^{\mathrm{T}}\mathbf{f}. \tag{23.49}$$

忽略二阶项，并利用方程（23.47），可把上式改写成

$$\Delta\Pi = \frac{1}{2}\mathbf{a}^{\mathrm{T}}\Delta\mathbf{K}\mathbf{a}. \tag{23.50}$$

显而易见，为了确定 $\Delta\Pi/\Delta a$，仅需

（a）通过一次求解算出 $\mathbf{a}$，

（b）计算裂纹长度改变 $\Delta\mathbf{a}$ 时相应单元的刚度变化，以确定 $\Delta\mathbf{K}$．

在式（23.50）给出的方法中，所增加的工作量只是，重新计算裂纹尖端周围几何形状发生了变化的单元的刚度矩阵．这种局部的计算是很经济的，并且容易应用于二维及三维情况．

赖斯[64]提出了另外一种仅由一次分析即可直接求得释放能量的方法．这需要对围绕裂纹尖端的任一路径计算一个积分．这个积分称为 J 积分，它和所选的路径无关．对于二维应力场，J 积分的具体形式为

$$J = \int_{\Gamma}\left(U - \sigma_x\frac{\partial u}{\partial x} - \tau_{xy}\frac{\partial v}{\partial x}\right)\mathrm{d}y + \int_{\Gamma}\left(\tau_{xy}\frac{\partial u}{\partial x} + \sigma_y\frac{\partial v}{\partial x}\right)\mathrm{d}x. \tag{23.51}$$

上式中的 U 为变形能密度，在线性弹性情况下它由下式给出：

$$U = \frac{1}{2}\boldsymbol{\sigma}^{\mathrm{T}}\boldsymbol{\varepsilon}, \tag{23.52}$$

而 x 则为扩展裂纹的方向。

上述积分形式的特别有利之处在于，它也适用于非线性弹性情况——而在作适当修正之后，甚至可用于弹塑性研究[50]。

因为

$$J = -\frac{\partial \Pi}{\partial a}, \tag{23.53}$$

所以可用 J 作为断裂判据。

显然，无论通过什么途径来确定能量释放率，适当地模拟应力奇异性都是最重要的。

可以采取简单地用标准有限元将网格细化的办法，但会发现收敛速度很慢——实际上，这时收敛速度几乎与形状函数的多项式次数无关，采用高阶单元并无好处[65]。因此，显然必须采取本章23.1节及23.2节中讨论过的那几种特殊方法，而在下一小节中，我们将介绍一些可被采用的单元。

23.5.3 *用于断裂力学分析的单元* 对于弹性分析情况，在裂纹尖端邻近起主要作用的奇异性的形式是已知的（见式(23.43)）。因此，试图使有限元模型包含这种奇异性是很自然的事。按照本章开头讨论过的一般方法，实现这一点主要有两种方案。它们是：

(a) 在包含裂纹的特殊单元内部，采用精确解构成的级数，这种单元的界面/边界和相邻的普通单元是协调的。如23.2节及23.3节所述，这时积分仅需在单元的界面上进行。

(b) 对于形状函数采用包括或逼近精确奇异解形式的（位移）假设，但这时的形状函数仍是作为普通形状函数给出的，以便通过区域积分来形成单元矩阵。这种方法实际上就是23.4节介绍的那种形式。

董平与卞学镄[25,26]所建立的单元是方案(a)的最早的例子。他们在图23.14所示单元中采用了一个满足裂纹边缘上边界条件的级数展开式。当级数包括 31 项时，这个单元能获得极其精确的结果。建立公式系统的步骤与 23.2 节所述完全一样。

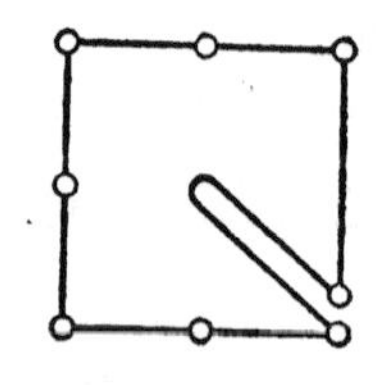

图 23.14　裂纹单元

显然，在此可不加任何修改地采用 23.3 节的边界积分方程法。克鲁斯与冯·伯恩 (von Buren)[66] 得到的结果表明，虽然表达式中没有明显包含裂纹奇异性，但精度却是极高的。文献[66] 求解时没有配用普通有限单元，但是只要按 23.3 节的方式处理，这显然是可以做到的。边界积分方程法的吸引力即在于此，因为现在不再需要特殊单元。

在 (b) 类方案中存在着更多的可能性，事实上，一些最花钱的求解尝试就是采用的这类方案。最初的尝试是由别斯柯夫 (Byskov)[67] 作出的。他所用的单元含有董平与卞学镄[25]的单元中那样的奇异性，但他在三角形中把这种奇异性同标准的有限元展开式结合在一起，并在整个单元上进行积分，这时在边界上存在某些不协调性。

其它一些研究者[68-77]按同一思路导得了一些单元，这些单元在使用中都取得了不同程度的成功。在这些单元中，有两种由于简单而使人特别感兴趣，下面我们来比较详细地讨论这两种单元。

第一种单元是由伯恩兹雷 (Benzley)[77] 提出的，它除采用标准的 C_0 单元形状函数(见第七章)外，还附加了能产生如式 (23.43) 的那种位移奇异性的函数。例如，对于发生在图 23.15 所示典型单元角点处的这种奇异性，我们可以写出(在平面分析情况下)

$$\begin{aligned} u' &= K_{\mathrm{I}} Q_{u\mathrm{I}} + K_{\mathrm{II}} Q_{u\mathrm{II}}, \\ v' &= K_{\mathrm{I}} Q_{v\mathrm{I}} + K_{\mathrm{II}} Q_{v\mathrm{II}}, \end{aligned} \tag{23.54}$$

式中 K_{I} 和 K_{II} 为应力强度因子，而函数 $Q(r,\theta)$ 对应于位移分布的主项，其表达式为

$$
\begin{aligned}
Q_{u\mathrm{I}} &= \frac{1}{G\sqrt{2\pi}}\cos\frac{\theta}{2}\left[\frac{\kappa-1}{2}+\sin^2\frac{\theta}{2}\right]\sqrt{r},\\
Q_{u\mathrm{II}} &= \frac{1}{G\sqrt{2\pi}}\sin\frac{\theta}{2}\left[\frac{\kappa+1}{2}+\cos^2\frac{\theta}{2}\right]\sqrt{r},\\
Q_{v\mathrm{I}} &= \frac{1}{G2\pi}\sin\frac{\theta}{2}\left[\frac{\kappa+1}{2}-\cos^2\frac{\theta}{2}\right]\sqrt{r},\\
Q_{v\mathrm{II}} &= \frac{1}{G2\pi}\cos\frac{\theta}{2}\left[-\frac{\kappa-1}{2}+\cos^2\frac{\theta}{2}\right]\sqrt{r}.
\end{aligned}
\tag{23.55}
$$

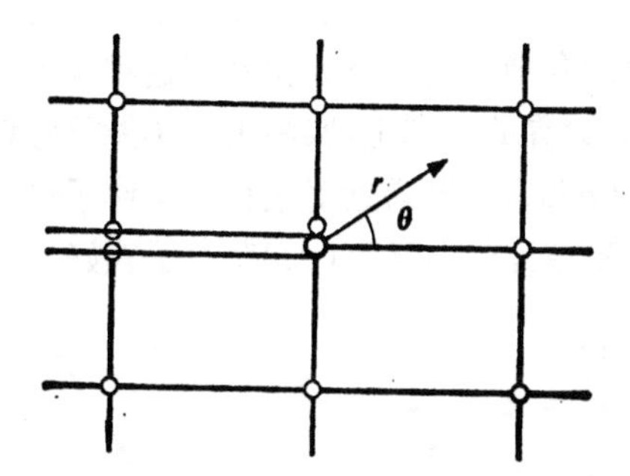

图 23.15　具有附加的奇异性函数的线性类单元

为了在分析中考虑这种位移场，可按常规方式处理，令位移为节点参数，写出

$$
\mathbf{u}=\alpha_1+\alpha_2x+\cdots+K_{\mathrm{I}}Q_{u\mathrm{I}}+K_{\mathrm{II}}Q_{u\mathrm{II}},\tag{23.56}
$$

用节点变量 $\mathbf{u}_i$ 及参数 K_{I}, K_{II} 来得到单元的形状函数．或者，对所有单元采用节点参数并不与总位移相应的标准表达式，并采用式(23.54)的各项．

在前一种处理办法中，把奇异性的影响仅限于裂纹周围的几个单元，并且利用伯恩兹雷[77]提出的一种修正方法就可得到完全协调的形状函数．在后一种处理办法中，所有单元都含有奇异性，并且这时参数 K_{I} 及 K_{II} 要出现于最终集合矩阵的每一项中，这就破坏了该矩阵的带状结构．不过，在采用波前法[78]时非带状结构

并不重要，而且这种做法也有其优点[79].

第二种单元处理奇异性的办法还要简单，它利用的是构成等参数单元时所引入的坐标映射的性质. 在第十八章中我们已经注意到，当雅可比行列式变成零时，在这种单元中能够产生奇异性. 一般来讲，出现这种情况是不方便的，但现在可以利用这种性质来使插值具有适当的奇异性.

图 23.16(a)所示四边形单元就属于这一类，它是由亨歇尔[73]和巴松 (Barsoum)[74,75] 几乎同时地建立的，他们简单地把二次等参数单元的边中节点移至距角节点的距离为边长的四分之一处.

可以证明(我们把这留给读者作为练习)，沿着单元的边界，导数 $\partial u/\partial x$ (或应变)按$1/\sqrt{r}$ 的规律变化，这里的 r 为计算应变点到产生奇异性的角节点的距离. 虽然用这种单元获得的结果是好的，但在非单元边界的方向上，实际上并不能很好地描述奇异性. 为此，希别特 (Hibbitt)[76] 最近对这种方法作了进一步的发展，利用二次的三角形单元(图 23.16(b))获得了较好的结果.

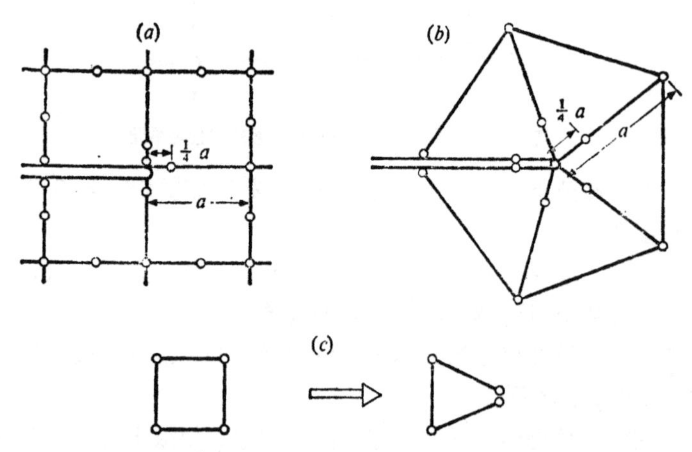

图 23.16 从等参数单元退化而成的奇异单元

实际上，畸变或退化等参数单元的应用并不限于弹性奇异性的情况. 赖斯[64]表明，在塑性情况下出现 $1/r$ 型的剪应变奇异性，而利维 (Levy) 等人[57] 利用等参数线性四边形单元得到了这种奇异性．他们的办法很简单：让两个节点重合，但它们的位移是独立的。这种单元的另一种形式是赖斯与特雷西[50]建立的．

显然，标准有限元程序不作任何修改就可简单地实现刚才讨论的这种单元。

23.6 结语

虽然本章处理了各种问题，但其主要思路则是在数值计算中利用现成的解析解。

我们还注意到，作为一种有效的数值分析方法的边界解法，事实上也可看作是试探函数/有限元法的一种特殊情况，因此被划入有限元法的范畴中。

用引入上述这些概念来作为本书的结束语或许是最合适不过的．我们希望，我们已在本书中说明了有限元法所固有的能力及其应用的范围．然而，如果读者被有限元法的能力所迷惑，而忽略了利用由解析法及正确的物理判断所获得的有用知识，那末他就不是一个够格的工程师或物理学家，他将在可以不计算或至少可以大大减少计算工作量的地方浪费宝贵的计算机时间．只有将所有这些知识综合起来，才能最有效地利用有限元法。

参 考 文 献

[1] O. C. Zienkiewicz and R. W. Gerstner, 'The method of interface stress adjustment and its uses in some plane elasticity problems', *Int. J. Mech. Sci.*, 2, 267—76, 1961.

[2] O. C. Zienkiewicz and R. W. Gerstner, 'Stress analysis and special problems of prestressed dams', *Proc. Am. Soc. Civ. Eng.*, 87, PO1, 7—43, 1961.

[3] M. J. M. Bernal and J. R. Whiteman, 'Numerical treatment of biharmonic boundary value problems with re-entrant boundaries', *Comp. J.*, 13, 87—91, 1970.

[4] R. Wait and A. R. Mitchell, 'Corner singularities in elliptic problems by finite element methods', *J. Comp. Phys.*, 8, 45—52, 1971.

[5] Y. Yamamoto, 'Finite element approaches with the aid of analytical solutions', *Recent Advances in Matrix Method of Structural Analysis and Design*, pp. 85—103 (eds. R. H. Gallagher, Y. Yamada and T. J.

Oden), Univ. of Alabama Press, Huntsville, 1970.

[6] E. Trefftz, 'Gegenstück zom Ritz'schen Verfahren', *Proc. Sec. Int. Congress Applied Mechanics,* Zurich, 1926.

[7] T. A. Cruse and F. J. Rizzo (eds.), 'Boundary-integral equation method: computational applications in applied mechanics', *Proc. Am. Soc. Mech. Eng.,* Sp. Publ., **11, 1975.**

[8] T. von Karman, *Calculation of pressure distribution on airship hulls,* NACA TM 574, 1930.

[9] M. A. Jaswon, 'Integral equation methods in potential theory: I', *Proc. Roy. Soc., A,* **275,** 23—32, 1963.

[10] M. A. Jaswon and A. R. Ponter, 'An integral equation solution of the torsion problem', *Proc. Roy. Soc.,* **A273,** 237—46, 1963.

[11] G. T. Symm, 'Integral equation methods in potential theory: II', *Proc. Roy. Soc.,* **A275,** 33—46, 1963.

[12] C. E. Massonnet, 'Numerical use of integral procedures', Chapter 10 of Stress Analysis (eds. O. C. Zienkiewicz and G. S. Holister), Wiley, 1965.

[13] E. R. A. Oliveira, 'Plane stress analysis by a general integral method', *J. Eng. Mech. Div., Proc. Am. Soc. Civ. Eng.,* pp. 79—101, Feb. 1968.

[14] T. A. Cruse, 'Application of the boundary-integral equation method to 3D stress analysis', *J. Comp. Struct.,* **3,** 509—27, 1973.

[15] F. J. Rizzo, 'An integral equation approach to boundary value problems of classical elastostatics', *Q. J. Appl. Math.,* **25,** 83—95, 1967.

[16] F. J. Rizzo and D. J. Shippy, 'A formulation and solution procedure for the general non-homogeneous elastic inclusion problem', *Int. J. Solids Struct.,* **5,** 1161—73, 1968.

[17] R. Butterfield and P. K. Bannerjee, 'The elastic analysis of compressible piles and pile groups', *Geotechnique,* **21** (No. 1), 43—60, 1971.

[18] J. M. Boissenot, J. C. Lachat and J. Watson, 'Etude par équations integrales d'une éprouvette C. T. 15', *Rev. Phys. Appliq.,* **9,** 611—15, Dept. D. T. E.-CETIM, Senlis, France, July 1974.

[19] J. C. Lachat and J. O. Watson, 'Effective numerical treatment of boundary integral equations; A formulation for three-dimensional elastostatics', *Int. J. Num. Meth. Eng.,* **10,** 991—1006, 1976.

[20] W. Vanburen, *The indirect potential method for three-dimensional boundary value problems of classical elastic equilibrium,* Research Report 68-ID7-MEKMA-R2, Westinghouse Research Laboratories, Pitsburg, 1968.

[21] O. C. Zienkiewicz, D. W. Kelly and P. Bettess, 'The coupling of the finite element method and boundary solution procedures' *Int. J. Num. Meth. Eng.,* **11,** 355—76, 1977.

[22] J. L. Hess, 'Review of integral-equation techniques for solving potential-flow problems with emphasis on the surface-source method', Comp.

Meth. Appl. Mech. Eng., **5**, 145—96, 1975.

[23] P. M. Quinlan, 'The edge-function method in elasto-statics' from *Studies in Numerical Analysis*, Academic Press, 1974.

[24] H. S. Chen and C. C. Mei, 'Oscillations and wave forces in a man-made harbor in open sea'. (Paper presented at 10th Naval Hydrodynamics Symposium, June 1974.) Dept. of Civil Eng., M. I. T., Cambridge, Mass.

[25] P. Tong and T. H. H. Pian, 'A hybrid-element approach to crack problems in plane elasticity', *Int. J. Num. Meth. Eng.*, **7**, 297—308, 1973.

[26] P. Tong and T. H. H. Pian, 'On the convergence of the finite element method for problems with singularity', *Int. J. Solids Struct.*, **9**, 313—21, 1972.

[27] C. Somigliana, 'Sopra l'equilibrio di un corpo elastico isotropo', *Il Nuovo Ciemento*, t. 17—19, 1885—86.

[28] O. C. Zienkiewicz, D. W. Kelly and P. Bettess, '"Marriage a la mode", Finite elements and boundary integrals', in *Proc. Conf. Innovative Numerical Analysis in Engineering Science* CETIM, Paris, 1977 (to be published).

[29] P. Sil Vester and M. S. Hsieh, 'Finite-element solution of 2D exterior field problems', *Proc. I. E. E.*, **118** (No. 12), 1943—7, Dec. 1971.

[30] G. K. Batchelor, *An Introduction to Fluid Dynamics*, Cambridge Univ. Press, 1967.

[31] I. H. Abbott and A. E. von Doenhoff, *Theory of wing sections*. Dover, 1959.

[32] I. Fried, *Finite element analysis of problems formulated by an integral equation, application to potential flow*, Institut fur Statik and Dynamik der Luft-und Raumfahrtkonstruktionene, Universität Stuttgart, Oct. 1968.

[33] S. Homma, 'On the behaviour of seismic sea waves round circular island', *Geophys. Mag.*, **XXI**, 199—208, 1950.

[34] A. Karałossifidis, *A comparison of solution methods for exterior surface wave problems*, M. Sc. Thesis, Univ. College of Wales, Swansea, 1976.

[35] O. C. Zienkiewicz, P. Bettess and D. W. Kelly, 'The finite element method for determining fluid loadings on right structures', Ch. 4, of *Numerical Methods in Offshore Engineering*, ed. O. C. Zienkiewicz, R. Lewis and K. G. Stagg, J. Wiley and Son, 1977.

[36] C. D. Mote, Jr., 'Global-local finite element', *Int. J. Num. Meth. Eng.*, **3**, 565—74, 1971.

[37] O. C. Zienkiewicz and P. Bettess, 'Infinite elements in the study of fluidstructure interaction problems'. *Second Int. Symp. in Computing Methods in Applied Science and Engineering*, IRIA, Versailles, France, 1975.

[38] P. Bettess, 'Infinite elements', *Int. J. Num. Meth. Eng*, **11**, 53—64,

1977.

[39] P. Bettess and O. C. Zienkiewicz, 'Diffraction and refraction of surface waves using finite and infinite elements', *Int. J. Num. Meth. Eng.*, **11**, 1271—90, 1977.

[40] D. K. Gartling and E. B. Becker, 'Finite element analysis of viscous incompressible fluid flow', *Comp. Meth. Appl. Mech. Eng.*, **8**, 51—60, 1976.

[41] G. R. Irwin, 'Fracture', *Handbuch der Physik*, Vol. 6, 551—90, Springer, Berlin, 1958.

[42] G. R. Irwin, 'Fracture mechanics', in *Structural Mechanics*, pp. 557—94, *Proc. Ist Symp. on Naval Structural Mechanics* (eds. J. N. Goodier and N. J. Hoff), Pergamon Press, 1960.

[43] G. C. Sih (ed.), *Mechanics of Fracture—Vol. 1: Methods of Analysis and Solutions of Crack Problems*, Noordhoff, 1973.

[44] Y. Tada, P. C. Paris and G. R. Irwin, *The Stress Analysis of Cracks Handbook*, Del Research Corp., Hellertown, Penn, 1973.

[45] J. F. Knott, *Fundamentals of Fracture Mechanics*, Butterworths, 1973.

[46] R. H. Gallagher, 'Survey and evaluation of the finite element method in fracture mechanics analysis', *Proc. Ist Int. Conf. on Structural Mechanics in Reactor Technology*, Vol. **6**, Part L, 637—53, Berlin, 1971.

[47] N. Levy, P. V. Marcal and J. R. Rice 'Progress in three-dimensional elastic-plastic stress analysis for fracture mechanics', *Nucl. Eng. Des.*, **17**, 64—75, 1971.

[48] J. J. Oglesby and O. Lomacky, 'An evaluation of finite element methods for the computation of elastic stress intensity factors', *J. Eng. Ind.*, **95**, 177—83, 1973.

[49] T. H. H. Pian, 'Crack elements' in *Proc. World Congress on Finite Element Methods in Structural Mechanics*, Vol. 1, pp. F1-F39, Bournemouth, 1975.

[50] J. R. Rice and D. M. Tracey, 'Computational fracture mechanics' in *Numerical and Computer Methods in Structured Mechanics*, pp. 555—624 (eds. S. J. Fenves *et al.*), Academic Press, 1973.

[51] E. F. Rybicki and S. E. Benziey (eds.), *Computational fracture mechanics*, A. S. M. E. Special Publication, 1975.

[52] A. A. Griffiths, 'The phenomena of flow and rupture in solids', *Phil. Trans. Roy. Soc. (London)*, **A221**, 163—98, Oct. 1920.

[53] B. Aamodt and P. G. Bergan, 'Propagation of elliptical surface cracks and nonlinear fracture mechanics by the finite element method', *5th Conf. on Dimensioning and Strength Calculations*, Budapest, Oct. 1974.

[54] P. G. Bergan and B. Aamodt, 'Finite element analysis of crack propagation in three-dimensional solids under cyclic loading' in *Proc. of 2nd Int. Conf. on Structural Mechanics in Reactor Technology*, Vol. **III**, Part G-H.

[55] J. L. Swedlow, 'Elasto-plastic cracked plates in plane strain', *Int. J. Fract. Mech.*, **5**, 33—44, March 1969.
[56] T. Yokobori and A. Kamei, 'The size of the plastic zone at the tip of a crack in plane strain state by the finite element method', *Int. J. Fract. Mech.*, **9**, 98—100, 1973.
[57] N. Levy, P. V. Marçal, W. J. Ostergren and J. R. Rice, 'Small scale yielding near a crack in plane strain: a finite element analysis', *Int. J. Fract. Mech.*, **7**, 143—57, 1967.
[58] J. R. Dixon and L. P. Pook, 'Stress intensity factors calculated generally by the finite element technique', *Nature*, **224**, 166, 1969.
[59] J. R. Dixon and J. S. Strannigan, 'Determination of energy release rates and stress-intensity factors by the finite element method', *J. Strain Analysis*, **7**, 125—31, 1972.
[60] V. B. Watwood, 'Finite element method for prediction of crack behavior', *Nucl. Eng. Des.*, **II** (No. 2), 323—32, March 1970.
[61] D. F. Mowbray, 'A note on the finite element method in linear fracture mechanics', *Eng. Fract. Mech.*, **2**, 173—6, 1970.
[62] D. M. Parks, 'A stiffness derivative finite element technique for determination of elastic crack tip stress intensity factors', *Int. J. Fract*, **10**, 487—502, 1974.
[63] T. K. Hellen, 'On the method of virtual crack extensions', *Int. J. Num. Meth. Eng.*, **9** (No. 1), 187—208, 1975.
[64] J. R. Rice, 'A path-independent integral and the approximate analysis of strain concentration by notches and cracks', *J. Appl. Mech., Trans. Am. Soc. Mech. Eng.*, **35**, 379—86, 1968.
[65] P. Tong and T. H. H. Pian, 'On the convergence of the finite element method for problems with singularity', *Int. J. Solids Struct.*, **9**, 313—21, 1972.
[66] T. A. Cruse and W. Vanburen, 'Three dimensional elastic stress analysis of a fracture specimen with edge crack', *Int. J. Fract. Mech.*, **7**, 1—15, 1971.
[67] E. Byskov, 'The calculation of stress intensity factors using the finite element method with cracked elements', *Int. J. Fract. Mech.*, **6**, 159—67, 1970.
[68] P. F. Walsh, 'Numerical analysis in orthotropic linear fracture mechanics', *Inst. Eng. Australia, Civ. Eng. Trans.*, **15**, 115—19, 1973.
[69] P. F. Walsh, 'The computation of stress intensity factors by a special finite element technique', *Int. J. Solids Struct.*, **7**, 1333—42, Oct. 1971.
[70] A. K. Rao, I. S. Raju and A. Murthy Krishna. 'A powerful hybrid method in finite element analysis', *Int. J. Num. Meth. Eng.*, **3**, 389—403, 1971.
[71] W. S. Blackburn, 'Calculation of stress intensity factors at crack tips using special finite elements', in *The Mathematics of Finite Elements,*

pp. 327—36 (ed. J. R. Whiteman), Academic Press, 1973.
[72] D. M. Tracey, 'Finite elements for determination of crack tip elastic stress intensity factors', *Eng. Fract. Mech.*, **3**, 255—65, 1971.
[73] R. D. Henshell and K. G. Shaw, 'Crack tip elements are unnecessary', *Int. J. Num. Meth. Eng.*, **9**, 495—509, 1975.
[74] R. S. Barsoum, 'On the use of isoparametric finite elements in linear fracture mechanics', *Int. J. Num. Meth. Eng.*, **10**, 25—38, 1976.
[75] R. S. Barsoum, 'Triangular quarter point elements as elastic and perfectly elastic crack tip elements', *Int. J. Num. Meth. Eng.*, **11**, 85—98, 1977.
[76] H. D. Hibbitt, 'Some properties of singular isoparametric elements', *Int. J. Num. Meth. Eng.*, **11**, 180—4, 1977.
[77] S. E. Benzley, 'Representation of singularities with isoparametric finite elements', *Int. J. Num. Meth. Eng.*, **8** (No. 3), 537—45, 1974.
[78] B. M. Irons, 'A frontal solution program for finite element analysis', *Int. J. Num. Meth. Eng.*, **2**, 5—32, 1970.
[79] A. J. Fawkes, D. R. J. Owen and A. R. Luxmoore, *Finite elements applied to crack tip singularities— an assessment of current models*, Internal Civil Engineering Report, Univ. College, Swansea, (To be published.)

第 二 十 四 章

有限元分析的计算机程序

（R. L. 泰勒）

24.1 引言

在本章中，我们将考察研制有限元计算机程序时的一些方法和步骤，以便按以上各章给出的理论分析问题．这里所讨论的计算机程序可用来求解一维、二维以及三维问题，这些问题可以是线性的，非线性的，稳态的或瞬态的．

有限元程序可分成两个基本的部分（图 24.1 为简化的框图）：

（a）数据输入模块及预处理程序，

（b）实现实际分析的求解及输出模块．

这两个模块本身，在实际中可以是极其复杂的．在本章以下各节中，我们将较为详细地讨论这两个模块的程序设计．笔者假定读者熟悉程序设计，特别是用 FORTRAN IV 进行程序设计．对于只企求利用本章最后所附程序的读者，可以越过本节及 24.2 节，并且只需阅读 24.3 节及 24.4 节的程序使用说明．

本章共分八节．24.2 节及 24.3 节分别讨论描述一个有限元问题时采用的数据输入方法以及和准备数据卡片有关的指令．数据基本上包括节点量（例如坐标，边界条件数据，载荷等）及单元量（例如联络性数据，材料特性等）两类．

24.4 节讨论各类有限元分析的求解算法．为了建立一个能求解多种有限元问题的计算机程序，引入了宏程序语言．宏程序语言涉及一组紧凑的子程序，每一个子程序被设计成仅实现有限元分析中的一个或至多是少数几个基本步骤．作为宏语言的例子，有构成总体刚度矩阵的宏指令，以及求解方程组与打印计算结果的宏指令．宏程序语言这一概念的引入，使得本章给出的计算机程序能包括多种求解算法．

24.5 节讨论建立单元矩阵的常用方法．具体地说，是用数值积分来导出线性热传导问题与弹性力学问题中的单元“刚度”矩阵、单元“质量”矩阵及单元“载荷”矩阵．这里利用了基本形状函数例行程序(见第八章)．

在 24.6 节中，给出了求解由有限元公式系统所得到的大型代数方程组的方法．本章程序所采用的求解方法是按列存放的变带宽解法，它的基础是高斯消去法中的克洛特（Crout）法．这种方法将总刚度矩阵分解成一个下三角矩阵与一个上三角矩阵的乘积．当采用活动列变带宽存储格式时，程序极为紧凑，并且无需增加多少程序设计工作量就可具有再求解能力（即对新的载荷情况求解）．由于具有这种再求解能力，求解新的载荷情况的费用将极大幅度地降低．本程序既包括了在对称系数矩阵情况下求解的子程序，也包括了在不对称系数矩阵情况下求解的子程序，因此可以处理所导得的刚度矩阵不对称的有限元公式系统，例如流体问题(第二十二章)．与方程组的求解有关，24.6 节还讨论了从单元刚度矩阵集合成总体刚度矩阵的问题．

今天，工程实际中已经有了许多复杂而有效的有限元分析程序系统，它们能处理的变量数目极大，包含的公式系统也种类繁多．由于这种系统极端复杂，在需要引入新发展的方法时，修改这种系统是困难的．本章的程序是专门作为研究与教育工具而编制的，如同所望，它的各种“模块”可以修改和增添．事实上，为了现在看来并非明显需要的一些目的，可以将例行程序作完全不同的组合．

为了简单起见，所有的方程都存储在磁心中；因此本程序的能力受到所用计算机的限制．利用某些现代计算机中可用的磁心规模，本程序可以处理未知量达几百个的实际工程问题．如果希望处理更大的问题，本程序还可以扩充(以增加复杂性和降低效率作代价). 24.7 节就将讨论这个问题.

最后,在 24.8 节中给出了本章所讨论的程序的全部清单. 此外,这一节还包括了分析二维的线性弹性力学问题、热传导问题及流体力学问题(纳维-斯托克斯方程)的单元例行程序. 读者掌握了本章内容之后,利用这些单元例行程序的格式,就能编制可用于其它问题的例行程序,大大扩充本程序的能力.

24.2 数据输入模块

图 24.1 中的数据输入模块必须将足够的信息传送给其它模块,以使每个问题得以求解. 在本章所讨论的程序中,数据输入模块的功能是从卡片读入必要的几何、材料及载荷数据,以便能建立所有随后的有限元数组. 在本程序中,建立了一组一定规模的数组,这些数组被用来存储节点坐标,单元联络性,材料性质,边界约束,给定的节点力、节点位移及节点温度等数据. 表 24.1 列出了这些数组的名称及规模.

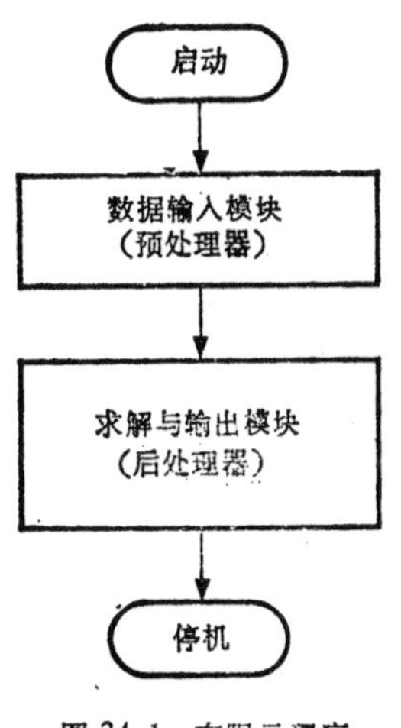

图 24.1 有限元程序的简化框图

这些数组所用的记号和本书以前各章中所用的不一致. 例如,以前各章用 x_i, y_i, z_i 来表示节点坐标,这在当时是比较方便的;而本程序则用 $X(1, i)$, $X(2, i)$, $X(3, i)$ 来表示这些量. 记号的这种变化,使得本程序中所用的各数组都是动态数组;因此,如果分析的是二维问题,就无需为坐标 $X(3, i)$ 保留单元,类似地,对于一维问题,也无需为 $X(2, i)$ 保留单元.

此外,以前各章用 a_i 表示节点位移,而本程序则采用 $U(i)$ 或 $U(1, i)$, $U(2, i)$ 等来表示.这里的第一个下标表示是节点的第几个自由度(从 1 至 NDF).

24.2.1 存储分配 本程序把一个数组 M 加以分割,以存储所有的数据数组及刚度、载荷等总体数组. 表2 4.1 中每一个数组的规模，都可以按照控制程序(见图 24.2)中确定的一组指示字准确地改变为具体问题所要求的规模. 采用这种方法存储数据，不会产生存储单元的浪费，将为存储总体数组保留尽可能多的单元.由于采用了这种自动调整规模的方法，材料种类，节点数目或单元数

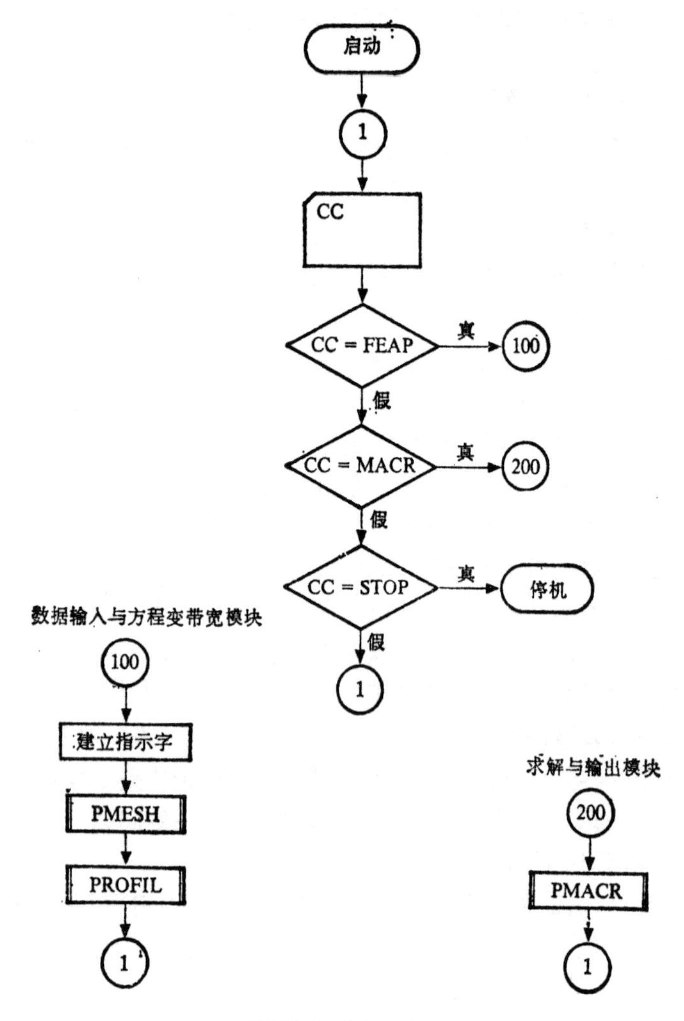

图 24.2 控制程序

目都不存在绝对的许可最大值.

表 24.1 数据存储中采用的 FORTRAN 变量名称

变量名称(规模)	说明
D(10, NUMMAT)	材料性质数据组,每组限于 10 个字.
F(NDF, NUMNP)	节点力及节点位移.
ID(NDF, NUMNP)	边界约束条件数组,在数据输入后,用它来更改总体数组中的方程数目.
IE(NUMMAT)	各组材料的单元种类.
IX(NEN1, NUMEL)	单元的节点联络性及所属材料组的编号.
T(NUMNP)	节点温度.
X(NDM, NUMNP)	节点坐标.
NDF	节点自由度数目的最大值(不能超过 6).
NDM	问题的维数(最大为 3).
NEN	一个单元所关联的节点数目的最大值.
NEN1	NEN + 1.
NUMEL	单元总数.
NUMMAT	材料性质数据组的数目.
NUMNP	节点总数.

在M中,存储网格数据所需的单元数为

$$\begin{aligned}NE = {} & IPR*[NEN*(NDM + 1)+NST*(NST+3)+10*NUMMAT \\ & + NUMNP*(NDM + NDF + 1) + 2*NEQ] + [NST \\ & + NUMMAT + NDF*NUMNP + NUMEL*(NEN + 1) \\ & + NEQ],\end{aligned} \tag{24.1}$$

在这里,除表 24.1 已定义的变量之外,IPR 是实变量的精度,NEQ 为有效方程数(它等于 NDF*NUMNP 减去边界约束数). 程序将检查是否有足够的单元来求解所给的问题,若不够,将打印出错信息. 程序的总解题能力受到主程序空白公用区中数组M的规模和相应的 MAX 值的限制.

24.2.2 **单元及坐标数据** 在问题的网格剖分确定之后,就可准备计算机程序所需的数据(卡片的具体格式见 24.3 节). 作为一个示例,考虑如何规定图 24.3 所示二维(即 NDM=2)矩形域的节点坐标及单元联络性数据. 网格由九个四节点矩形单元(NUMEL = 9, NEN = 4)组成,节点数为16(NUMNP = 16). 为了描述节点坐标,必须给出每一个$X(i, j)$ $(i = 1, 2; j = 1, 2, \cdots, 16)$的值;而为了描述单元联络性,则必须给出每一个$IX(k, n)$ $(k = 1, 2, \cdots, 4; n = 1, 2, \cdots, 9)$的值. 在$X(i, j)$中,下标$i$表示坐标方向,$j$表示节点编号. 因此,$X(1, 3)$是节点3的$x$坐标,而$X(2, 3)$是节点3的$y$坐标. 与此相似,单元联络性数组IX中的下标$k$表示单元中的局部节点编号,而$n$为单元编号,$IX(k, n)$则是对应节点的总体编号.局部编号的起始节点可以是任意的. 例如对于图24.3中的单元3,总体编号为3,4,7,8的任一节点,其局部编号均可定为1. 一旦局部编号的起始节点选定了,其它各节点就可按具体单元类型所采用的约定进行局部编号. 例如四节点的四边形单元可按图24.4所示进行编号. 如果仍考察图24.3中单元3,则有四种规定数组$IX(k, 3)$的方案. 这四种方案是

方案编号	局部节点编号			
	1	2	3	4
a	3	4	8	7
b	4	8	7	3
c	8	7	3	4
d	7	3	4	8

不论按上面的哪一种方案计算单元性质矩阵,它们对总性质矩阵的贡献肯定都是一样的.

当网格规模很大时,准备一个个网格的数据是一件乏味的事情;因此,一个程序应当具备自动形成大量数据的能力. 一种自动形成节点的简单办法是:输入任一线段的两个端点的信息,然后根据某种方案,例如本章程序中所采用的线性插值方案,自动生成内部节点. 因此对于图24.3所示网格,我们仅需要输入节点1及4的坐标,而节点2及3的坐标则可自动生成. 即使是这么简单

的一个问题，这样做也能使节点坐标数据的准备工作量减半.

单元联络性信息一般存在某种规律，可以按照这种规律来生

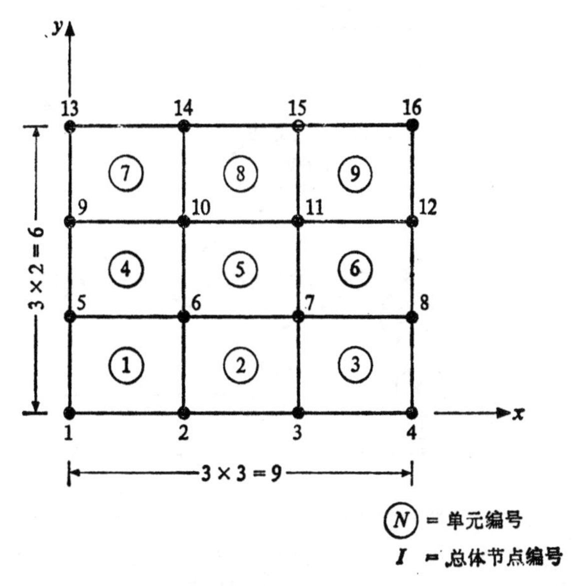

图 24.3 简单网格

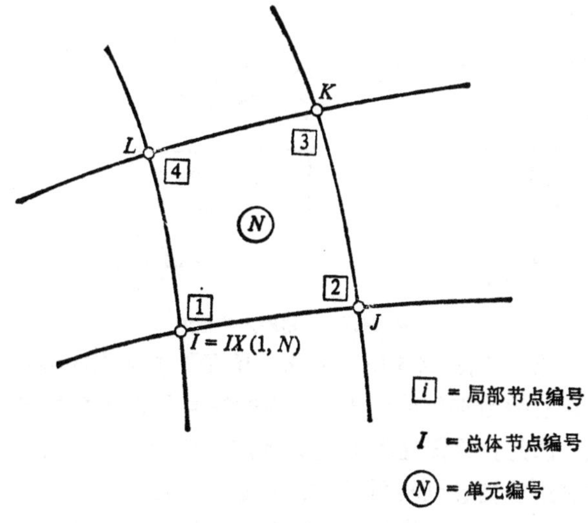

图 24.4 典型的四节点单元

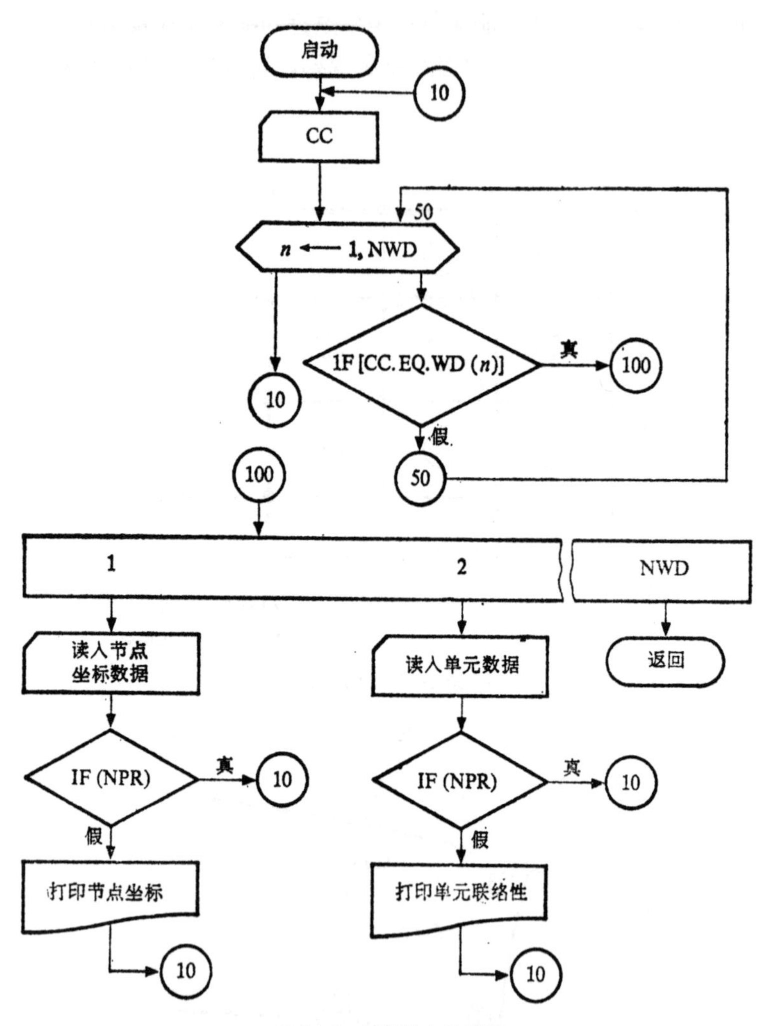

图 24.5 网格输入的框图

成单元．仍考察图 24.3 所示网格．单元 2 的节点的编号是单元 1 对应节点的编号加1;单元 3 的节点的编号是单元 2 对应节点的编号加 1．因此，仅需输入单元 1，4，7 的节点联络性信息,而其余单元的联络性信息则利用规定的增量来生成．

可以建立更复杂的网格生成方案,请见例如文献[1]．一个程序所采用的输入网格数据的方案，必须和使用者想要分析的问题的具体类型相协调，并与可用的设备相协调．本程序采用的数据输入方案比较简单，但它对本程序能分析的大多数问题来说已经足够了．如果使用者希望建立自己专用的输入数据生成方案，可以很容易地把它接到例行子程序 PMESH 上，因为各输入程序段之间并不相互影响．图 24.5 是 PMESH 的框图.

24.2.3 *材料性质的规定——不同的单元例行程序* 以上仅讨论了有关节点坐标及单元联络性的数据数组．除此之外，还需规定每个单元的材料性质,载荷及每个节点的约束条件.

每个单元都有与其相关的材料性质．例如对于各向同性的线性弹性材料,用杨氏（Young）模量 E 及泊松比 ν 来描述等温状态下的材料本构特性．在大多数问题中，总有一些单元具有一样的材料性质，因此没有必要单独规定每个单元的材料性质．在这种情况下，一个单元可通过该单元的卡片上的一个数同一组材料性质联系起来,属于同一组的材料性质可只规定一次．例如,如果图 24.3 所示区域是一种材料,则仅需一组材料性质数据,每个单元都可用这一组数据.

第一章的图 1.4 是一个较为复杂的例子,其中单元 1，2，4，5 是平面单元,而单元 3 是桁架单元．（在工程实际问题中，常需要同时使用几种单元．）在这种情况下,至少需要按两种公式系统计算单元的刚度矩阵．用本章的计算机程序分析任一问题时，最多可使用四种不同的单元例行程序．编制本程序时,已经作了考虑,使得任何一种单元的全部计算均可由一个单元例行子程序 ELMT nn 来完成,这里的 nn 取值在 θ1 与 θ4 之间(有关如何组织 ELMT nn 的讨论,请见 24.5.3 节)．分析中要用到的每一种单元类型，作为材料性质数据的一部分加以规定．例如，如果用例行子程序 ELMTθ1 来计算的第 1 种单元是平面线性弹性三节点或四节点单元,而第 2 种单元是桁架单元,用例行子程序 ELMTθ2 进行计算,那末图 1.4 所示例子的数据可给出如下:

（a）材料性质

材料性质数据组编号	单元种类	材料性质数据
1	2	E_1, A_1
2	1	E_2, ν_2, NG_2

(b) 单元联络性

单　　元	所属材料性质数据组编号	联络性
1	2	1,3,4
2	2	1,4,2
3	1	2,5
4	2	3,6,7,4
5	2	4,7,8,5

此处 E 是杨氏模量，ν 是泊松比，A 为横截面积，NG 是计算单元刚度矩阵时所用数值积分点的数目(见第八章及 24.5 节). 由此可见,单元 1, 2, 4, 5 的材料性质属第二组，这组性质对应着第 1 种单元,即图 1.4 所示的平面线性弹性单元. 类似地，单元 3 的材料性质属于第一组,这组性质对应着第 2 种单元,即桁架单元. 以后将会看到,上述方案使我们得以建立一个单元例行程序,这个例行程序输入材料性质数据组,并算出有限元分析所需要的所有数组.

24.2.4　*边界条件——方程编号*　给定边界条件的方式及按规定位移修正方程的办法，与总体数组（例如刚度矩阵及质量矩阵)的存储方法有关. 在本程序中,对总体数组采用的是按变带宽存储的方法.

和通常采用的等带宽存储方式相比，方程组系数矩阵的变带宽存储形式能节省很多存储单元[1]. 此外,删去方程中与规定边界

1) 24.6 节将指出,变带宽按列存储导致一种很有效的直接解法,

位移相应的行及列这种办法，通常更有效一些．作为一个例子，考察图 1.1 所示问题的刚度矩阵．按变带宽存储上半带内所有单元需要 54 个单元，若删去相应于约束节点 1 及 6 的方程，存储该紧凑刚度矩阵仅需要 32 个单元(见图 24.6)．仅仅从刚度矩阵来说，就节省了 40% 多一点的存储单元．采用变带宽法时，解方程的工作量(以计算机时间来量度)近似正比于各列高平方之和．对于图 24.6 所示的例子，紧凑存储格式在求解方程组时也要节省 40% 以上的计算机时间．

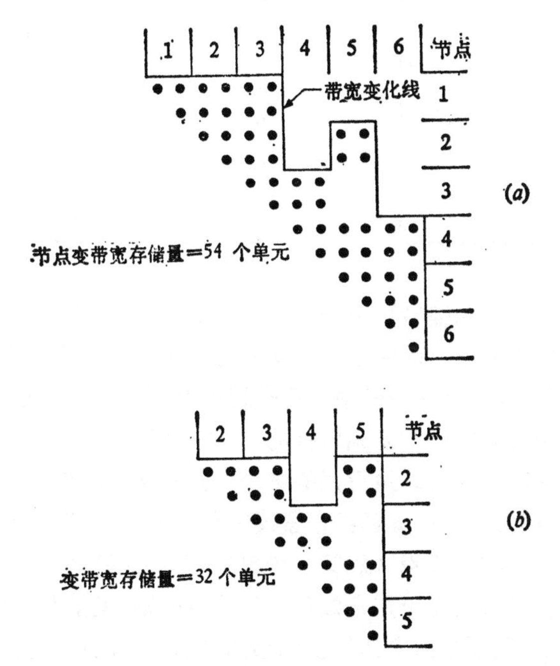

图 24.6 刚度矩阵．(a) 存储完整的矩阵，(b) 删去与边界条件相应的方程后再存储

为了便于实现这种紧凑存储形式，对于每个节点，都要向边界条件数组输入数据．这个数组称为 ID，其规模如表 24.1 中所示．在数据输入时，对于事先规定其值的节点自由度或不存在未知量的节点自由度(即不同节点可以有不同个数的自由度)，使 ID 中相

应系数为非零值;而对于其它自由度,使ID中相应系数为零值.表24.2a给出了第一章图1.1所示例子的ID值. 很明显,这里的节点1及6是完全被约束的.

表24.2a 图1.1所示问题,数据输入后的边界约束代码值

节点	自由度	
	1	2
1	1	1
2	0	0
3	0	0
4	0	0
5	0	0
6	−1	1

紧凑的方程的编号可由表24.2a构成,其办法是将表中的每个非零值换成零值,而将表中原来的每一个零值换成相应的方程编号.本程序中,这一步骤由例行子程序PROFIL来完成,它是由与节点1相应的自由度开始执行的. 表24.2b是图1.1所示例子在例行子程序PROFIL执行后的结果.这一结果除包含边界约束信息之外,还告诉我们如何集合紧凑方程.于是,与图24.6b中第一个方程相应的是节点2的第一个自由度,如此等等.

这种编号方案还可用来处理重复边界问题(见第九章9.5节).在这种情况下,要求两个边界上的节点具有同样的位移,但它们的值是未知的.这可通过将相应的方程编成一个号(抛弃不用的那个编号)来实现.这时要修正带宽变化线以调整联络性(见24.2.7节).

24.2.5 *载荷* 必须规定与每个自由度相应的非零节点力或非零位移.在本程序中,这两种数据都存储在数组F中.对于每一个自由度,所规定的到底是载荷还是位移,可通过对应的边界约

表 24.2b　图 1.1 所示问题的紧凑方程的编号

节　点	自　由　度	
	1	2
1	0	0
2	1	2
3	3	4
4	5	6
5	7	8
6	0	0

束条件的值(由方程编号表得到)来确定. 对于图1.1所示的例子，如果 $F(1, 1)$ 为 0.01，则表示节点 1 第一个自由度的位移(即 u_1)为 0.01 个单位;若 $F(2, 3)$ 为 5,则表明作用在节点 3 第二个自由度方向的力为 5 个单位. (应该强调指出，有限元程序(如本章的程序)很少采用固定的单位制,而是由使用者选用一种一致的单位制.)

在很多问题中,载荷呈分布状态. 在这种情况下,分布载荷必须首先转换成节点力. 这可以通过在数据输入模块中加入一条新的宏指令 DIST 来实现. 宏指令 DIST 调用例行子程序 SLDnn 来计算等效节点载荷. 一旦分布载荷转换成广义力，就可象通过 FORC 输入的载荷那样加以处理. 需要注意的是：当集中节点力和分布载荷引起的节点力作用于同一节点时，或分布载荷引起的节点力作用于被约束的节点时,宏指令 DIST 必须遵守指令 FORC 或 BOUN 的规定.

本程序的数据还包括节点温度 (在这里是和结构问题的热载荷有关;对于其它种类的问题,使用者可作其它解释). 每个节点的温度都要输入,其方式与输入力及坐标的方式相同.

对于以上讨论的各种数据，准备数据卡片时所需遵守的具体规定见 24.3 节。

24.2.6 网格数据的检查 在输入了有关几何尺寸，材料性质及载荷的全部数据之后，程序就准备开始执行求解模块了；不过在执行这一步骤之前，通常最好能对输入的数据作某些检查．最简单的检查方法是查看输入数据(及生成数据)的打印结果．对于大量的问题，就数据的准确性而论，用这种方法来进行任何检查都是很值得怀疑的——因为容易误穿出肉眼检查不能发现的数据．作为另一种检查数据准确性的方法，希望能用某种自动绘图系统将网格按一定比例画出．此外，如同第八章中所指出的，对于等参数单元还可检查其雅可比行列式的值，本程序就具有这种检查功能．在本书的前一版[2]中，给出了绘制二维网格图的程序，要在这里插入这个程序是很容易的．对于三维问题，也可编制绘出网格图的例行程序；不过，如果这种例行程序不具备擦去隐线、旋转及画剖面图等功能，那末除了最简单的问题之外，得到的网格图一般是看不懂的．自动绘图这个大题目超出了本书的范围．自动绘图在任何一个实用的有限元解题程序包中都是极其重要的一个方面，关于它的进一步内容读者可参考文献[3]．

24.2.7 带宽变化线的确定 如同以上所讨论的，关于刚度及质量的总体数组要按图 24.6 所示的紧凑变带宽形式存储．对于对称数组，仅需按列存储主对角线以上的部分；而对于非对称数组，还要按行存储主对角线以下部分．24.6 节将指出，这种存储形式导致非常有效的用直接法解方程组的算法．对于总体数组不对称的问题，我们假设带宽变化线是对称的，以变分法或伽辽金法为基础的公式系统就确实是这种情况．必须首先知道方程组系数矩阵的带宽变化情况．这可如下来完成．首先，象前面介绍过的那样对有效方程进行编号；然后，利用单元联络性数组 IX，方程编号及边界条件数组来确定每一个方程的最大列高．最后，将系数矩阵变带宽内的系数组成一个向量，而由各个列高来建立对角线元素在该存储向量中的地址．在本程序中，以上工作由例行子程序 PRO FIL 完成．有效方程的总数由数组 ID 中的最大值确定，它的标识符是 NEQ．变带宽系数矩阵的上半带或下半带的总存储要求，由第 NEQ 个对角线单元的地址（即 JDIAG(NEQ)）给出．因此，对于每一个所需要的变带宽矩阵，存储要求都必须比本章引言中给出的增加上述的量，例如对于线性对称稳态问题，必须增加的存储量是 JDIAG(NEQ)。

24.3 计算机程序的使用指南

利用本章末给出的有限元程序求解一个问题时，首先应将要分析的区域画成一张网格图．如果边界是曲的，则这种网格在形状上只是该区域的一种近似(例如，见图 24.7)．在作网格图时，必须考虑单元的类型及阶次(线性，二次等)：对于二维的三角形单元，网格由三角形网络组成；而对于四节点等参数四边形单元，求解区域由四边形网络组成．使用者可能希望同时使用三角形单元及四边形单元．在这种情况下，必须有两种单元例行程序：一种是三角形单元的例行程序，一种是四边形单元的例行程序．本章给出的四边形单元形状函数例行程序 SHAPE 包含着一种三节点三角形单元，它是通过把两个节点的形状函数结合在一起而构成的．因此，在这种情况下，仅需用到一个单元例行程序．然而，如果采用二次单元，将两个节点接合起来这一简单技巧就不再有效了，需要增加程序设计工作量[4]．

在作出网格图之后，单元及节点均按连续的次序分别加以编号．单元的编号次序无关紧要，而节点的编号次序则强烈地影响着系数矩阵非零单元的分布情况．一般来讲，对节点编号时，应使每个单元的节点差(最大节点编号减去最小节点编号)最小．节点编号通常可用自动的节点再编号方案加以改善，以使带宽最小，或者最好是使变带宽存储总量最小．关于这方面的内容，可见文献[5,6]．

在网格图及网格编号完成之后，使用者可开始准备程序所规定的数据．第一步是规定问题的标题及表 24.3 中给出的控制信息，在随后的数据输入及分配存储单元时要用到这些控制信息．

除了给出了输入数据卡片格式之外，表 24.3 也给出了程序中

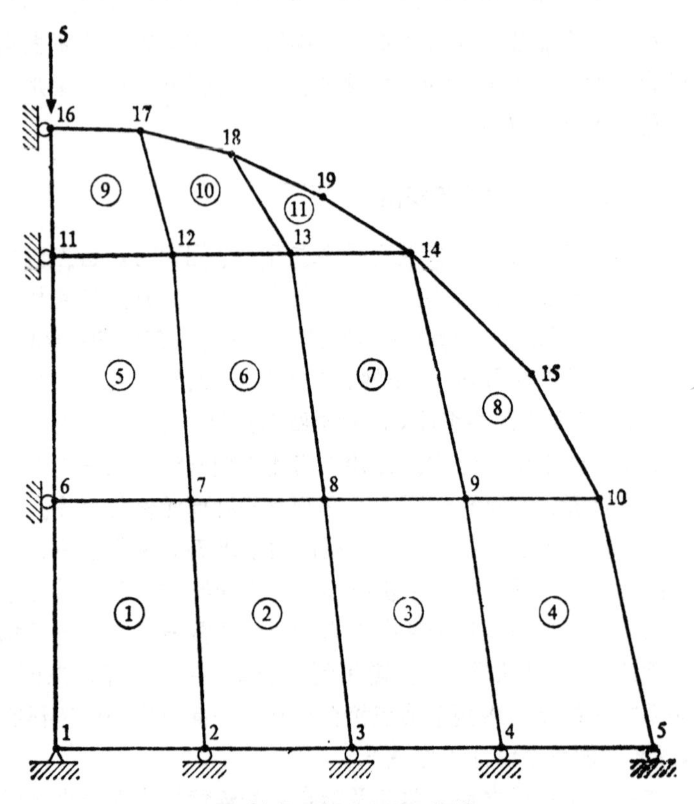

图 24.7 圆盘问题的网格图

所用的变量名. 变量 NDF, NEN 和 NAD 用来计算单元数组 NST 的规模. 一般地讲, 对于位移型公式系统, NDF＊NEN 即为NST; 但若单元具有非节点变量,或者是采用杂交单元,则单元数组的规模还需增加 NAD 个单元.

在控制数据输入之后, 本程序要求接着输入描述网格的数据卡片,例如节点坐标,单元联络性等. 每一个问题或每一类问题会要求不同类型及不同数量的数据; 因此数据的输入要受到一组宏指令的控制. 表 24.4 中给出了可用的宏指令; 通过适当修改例行子程序 PMESH 中的数据表 WD,还可添加其它的宏指令. 使用

表 24.3　标题及控制信息格式

标题卡片——格式 (20A4)

标题卡片也作为问题卡片的起始卡片. 头四列必须是起始字 FEAP.

列　号	说　　明	变　量
1—4	必须是起始字 FEAP	TITL (1)
5—80	作为页首打印输出的字母信息	TITL(I), I = 2,20

控制卡片——格式 (7I5)

列　号	说　　明	变　量
1—5	节点数目	NUMNP
6—10	单元数目	NUMEL
11—15	材料参数组的数目	NUMMAT
16—20	空间维数(≤3)	NDM
21—25	每个节点的未知量数目(≤6)	NDF
26—30	单元所包含的节点数目	NEN
31—35	单元矩阵所含单元数超过 NDF*NEN 的数目	NAD

者可用宏指令 PRINt[1] 及 NOPRint 分别命令计算机打印出或不打印随后输入的任何数据. 于是,如果网格数据已作过充分检查,希望马上进行分析,那就没有必要再打印出所有的网格数据.

要进行一次计算分析,至少需要

(a) 在宏指令 COOR 之后输入的坐标数据,其格式见表 24.5;

(b) 在宏指令 ELEM 之后输入的单元数据,其格式见表 24.6;

(c) 在宏指令 MATE 之后输入的材料数据,其格式见表 24.7.

另外还要输入每种具体单元所需的数据(见 24.8.3 节).

1) 只有大写字母才是数据.

此外，大多数分析还要求规定节点的边界约束条件（宏指令BOUN）及相应的节点力或位移值（宏指令 FORC），它们的格式分别见表 24.8 及表 24.9. 某些分析还可能有规定载荷的辅助节点量. 例如在弹性力学问题的分析中，温度可以引起载荷. 本程序能利用宏指令 TEMP 来规定温度(或相应的节点载荷)，放在该指令之后的数据卡片按表 24.10 准备.

任何网格数据都用宏指令卡片 END 来表示其结束. 该宏指令卡片的应用，使得使用者可仅规定每次分析所实际需要的那些数据项目. 宏指令卡片 END 标志着网格数据输入的结束.此外，这也减少了外来空白卡片引起数据输入出错的可能性. 仅在每个宏指令段内，数据卡片才需要遵守严格的顺序. 在问题的真正的数据卡片之后，可以存在一些空白卡片，这不会影响程序的执行.

表 24.4 数据输入：宏控制语句

宏输入控制卡片——格式 (A4)

每一数据段的输入受 CC 所赋值控制. 如下给出的值是许可的，而每一张 CC 卡片后应紧跟(表 24.5 至 24.9 中所介绍的)相应的数据

CC 值	要输入的数据
COOR	坐标数据
ELEM	元素数据
MATE	材料数据
BOUN	边界条件数据
FORC	规定的节点力数据
TEMP	温度数据
PRIN	打印随后的网格数据 (缺席方式)
NOPR	不打印随后的网格数据
END	这必须是网格数据卡片的最后一张卡片，其作用为终止网格数据的输入

除 END 卡片之外，各数据段的前后次序是任意的. 如果 BOUN, FORC, TEMP 的值是零，则不需输入相应数据.

表 24.5 坐标数据

坐标数据的格式为 (2I5, 7F10.0)，它必须紧跟在宏指令卡片 COOR 之后. 坐标数据卡片包含节点编号N及该节点的坐标值. 只用到 (XL(I), I = 1, NDM) 这些值，这里的 NDM 是由控制卡片输入的值.

沿着相继两张卡片的输入值所确定的直线段，可自动生成节点坐标. 自动形成的节点的编号，由第一张卡片上给出的N及 NG 值按 N, N + NG, N + 2NG…等计算. NG 可以作为一个负数输入. 若发现符号错误，程序将会自动改变符号. 节点坐标数据卡片不必按节点编号的次序排列.

列　号	说　　明	变　　量
1—5	节点编号	N
6—10	节点自动生成增量	NG
11—20	X1 坐标	XL(1)→X(1, N)
21—30	X2 坐标	XL(2)→X(2, N)
31—40	X3 坐标	XL(3)→X(3, N)

注意：坐标数据用空白卡片终止.

表 24.6 单元数据

单元数据的格式为 (16I5)，它必须紧跟在 ELEM 卡片之后. 单元数据卡片包含单元编号，所属材料数据组的编号(它也决定了单元种类，见表 24.7)及此单元所包含的节点编号(按规定次序排列). 如果一个单元的节点总数少于 NEN 个(关于 NEN 的输入请见表 24.1)，则可将适当位置留为空白，或者是把这些位置穿成零值.

单元数据卡片必须按单元编号次序排列. 如果某些单元的数据卡片被省略，则其数据将由前一个单元的数据自动生成：它的材料数据组编号同前一单元的一样，它的所有节点的编号均以前一单元的 LX 为增量. 当遇到空白卡片时，就执行自动生成功能，直至最大单元编号.

列　号	说　　明	变　　量
1—5	单元编号	L
6—10	所属材料数据组编号	IX(NEN1, L)
11—15	局部节点 1 的总体编号	IX(1, L)
16—20	局部节点 2 的总体编号	IX(2, L)
⋮	⋮	⋮
⋮	局部节点NEN的总体编号	IX(NEN, L)
⋮	自动生成增量	LX

表 24.7 材料性质数据

各组材料性质数据必须紧跟在宏指令卡片 MATE 之后．每一材料性质数据组也确定了单元的种类，后者也被用作为材料性质数据．

卡片 1)，格式 (I5, 4X, I1, 17A4)

列 号	说 明	变 量
1—5	材料性质数据组编号	MA
6—9	未用	
10	单元种类编号(1 至 4)	IEL
11—78	需要输出的文字信息	XHED

每张材料性质卡片 1) 之后必须紧跟着由所用单元种类 IEL 所要求的材料性质数据(见 24.8.3 节)．

表 24.8 边界约束数组

边界条件卡片的格式为 (16I5)，它必须紧跟在宏指令卡片 BOUN 之后．

对于至少有一个自由度的位移被规定的节点，必须输入一张边界条件卡片．对于边界约束所采用的规定是

$=0$，　位移不约束，规定作用力，

$\neq 0$，　位移被约束，规定位移．

力或位移的数值由宏指令 FORC 输入(表 24.9)．

列 号	说 明	变 量
1—5	节点编号	N
6—10	自动生成增量	NX
11—15	自由度 1 的边界条件代码	IDL(1)→ID(1, N)
16—20	自由度 2 的边界条件代码	IDL(2)→ID(2, N)
⋮	⋮	⋮
⋮	自由度 NDF 的边界条件代码	IDL(NDF)→ID(NDF,N)

注意：生成随后节点的边界条件代码时，如果输入的值大于等于零，则 IDL 置零，如果输入的是负值，则 IDL 置－1．设所有具有非零代码的自由度固定．边界约束数据以空白卡片终止．

在输入了所有必须的网格数据之后，使用者可以决定是否对问题求解．若仅要求作网格数据检查，就可插入一条宏指令STOP

表 24.9 节点力边界值数据

节点力卡片的格式是 (2I5, 7F10.0)，它必须紧跟在宏指令卡片 FORC 之后. 对于每个具有非零节点力或非零位移的节点，都必须输入一张力卡片，或者是自动形成节点力(位移)数据. 自动生成的办法和形成坐标数据的办法相同（见表 24.5). 如果相应的约束代码为零，则被规定的值是力，而如果相应的约束代码不为零，则被规定的是位移.

列　号	说　　明	变　　量
1—5	节点编号	N
6—10	自动生成增量	NG
11—20	第 1 个自由度的作用力(位移)	XL(1)→F(1, N)
21—30	第 2 个自由度的作用力(位移)	XL(2)→F(2, N)
⋮	⋮	⋮
⋮	第 NDF 个自由度的作用力(位移)	XL(NDF)→F(NDF,N)

注意：以空白卡片结束.

表 24.10 节点温度数据

节点温度数据卡片的格式为 (2I5,F10.0)，它必须紧跟在宏指令卡片 TEMP 之后.

对于温度不为零的节点，必须输入温度值. 节点温度数据的自动生成办法，和自动生成坐标数据的办法相同(见表 24.5).

列　号	说　　明	变　　量
1—5	节点编号	N
6—10	自动生成增量	NG
11—20	节点温度	XL(1)→T(N)

注意：以空白卡片结束.

以中止程序的执行，或按表 24.1 所介绍那样开始一个新的问题. 若需要求解这个问题，则需象下一节所讨论的那样补充数据.

作为描述网格数据输入的例子，考察图 24.7 所示四分之一圆盘的网格. 这个问题的数据卡片影象示于表 24.11.

表 24.11　盘问题的数据输入卡片的影象

```
FEAP**QUADRANT OF A CIRCUIAR DISK (EXAMPLE PROBLEM)    1
   19   11    1    2    2    4                          2
COORD                                                   3
    1    1   0.        0.                               4
    5    0   5.        0.                               5
    6    1   0.        2.                               6
   10    0   4.5828    2.                               7
   11    1   0.        4.                               8
   14    0   3.0       4.                               9
   15    0   4.0       3.                              10
   16    0   0.        5.                              11
   17    0   0.75      4.9434                          12
   18    0   1.5       4.7697                          13
   19    0   2.25      4.4651                          14
                                                       15
ELEM                                                   16
    1    1    1    2    7    6    1                    17
    5    1    6    7   12   11    1                    18
    9    1   11   12   17   16    1                    19
                                                       20
BOUN                                                   21
    1    1    1   -1                                   22
    5    0    0    1                                   23
    6    5   -1    0                                   24
   16    0    1    0                                   25
                                                       26
FORC                                                   27
   16    0   0.   -5.                                  28
                                                       29
MATE                                                   30
    1    1                                             31
  100.       0.3   0.0    2    1    1                  32
                                                       33
END                                                    34
```

24.4　有限元问题的求解——宏程序语言

在完成数据输入及网格检查之后，我们就准备开始进行问题的求解．在这里，程序必须有供使用者选用的特定类型的求解模式．在现有的许多程序中，均只有少数几种固定的求解模式可供使用者选用．例如，本程序就仅能用于求解线性稳态问题．另外，它或许还能用于求解线性瞬态问题．在实际工程问题中，算法固定的程序经常太受限制，因此使用者必须为了求解自己的问题而不断地修改程序——这常常是以牺牲别的使用者的利益为代价的！为此，希望一个程序具有使算法可变的模块，且在必要时可作修改而不影响别人的使用．本章所讨论的程序事实上只是一个基础程序．毫无疑问，读者会发现许多可以改进的地方，并可将此程序扩充，以求解其它类型的问题．一个重要的扩充是引入矩阵解释语言，以便为了特殊需要而修改单个的项或方程．

24.4.1 *线性稳态问题* 可变算法程序的基本特点是使用宏指令语言．可以用这种语言按需要构成具体算法的模块．对于应用来说，使用者只需学习宏指令语言的助记符号．例如，如果我们希望构成总体刚度矩阵，则使用宏指令 TANG（TANG 是对称切线刚度矩阵的助记符号，对于非线性情况，按当前位移状态计算单元刚度矩阵并将其集合成总体刚度矩阵；对于线性情况，这正是线性刚度矩阵）．对于具有非对称切线刚度矩阵的问题，则使用宏指令 UTAN．如果我们希望形成根据规定位移修改过的方程组的右端项，则使用宏指令 FORM．最终方程组用宏指令 SOLV 求解．用宏指令 DISP 可以得到打印出的位移，而用宏指令 STRE 则可打印出单元变量，例如应变及应力．对于求解线性稳态问题，以上这些宏指令已经足够了，即宏指令

TANG（或 UTAN）
FORM
SOLV
DISP
STRE

正好是求解任一线性稳态问题所需要的指令．读者在这里一定会发现，有时候宏指令的次序可以改变而不会影响算法．例如，宏指令段

FORM
TANG（或 UTAN）
SOLV
STRF
DISP

所产生的算法与前一宏指令段所产生的一样，只是现在在打印节点位移之前先打印出单元量．

因为这种可变算法程序是用宏程序语言来描述的，所以必要时可以进行扩充. 例如，在分析有多组载荷的问题时，由于总体刚度矩阵总是一样的，因此它只需形成一次. 右端项是变化的，必须计算新的位移. 对于解两组载荷情况的程序，要求改变节点载荷或规定的边界位移值. 宏指令 MESH 使程序再次进入数据输入模块，可在这一模块中改变载荷. 数据放在宏指令之后，用 END 语句结束. 因此，对于两组载荷的情况，其宏程序及数据如下：

TANG（或 UTAN）

MESH
FORM
SOLV
DISP
STRE } 关于问题 1 的宏指令

MESH
FORM
SOLV
DISP
STRE } 关于问题 2 的宏指令

END　　宏程序结束

FORC

问题 1 的载荷

END　结束网格数据输入

FORC

问题 2 的载荷

END　结束网格数据输入

读者应该注意，上面把同样的指令块重复了两次，若要分析十组载荷，在准备宏指令数据卡片时要浪费相当大的工作量. 为了避免这种浪费，引入由如下的一对指令所组成的循环语句：

LOOP　n

⋮

```
NEXT
```

它的含义是将 LOOP 与 NEXT 之间的所有指令重复执行 n 次。因此，对于两组载荷的情况，宏程序现可改为

```
TANG（或 UTAN）
LOOP  2
MESH
FORM
SOLV
DISP
STRE
NEXT
END
FORC
问题 1 的载荷
END
FORC
问题 2 的载荷
END
```

对于这一程序，除 FORC 数据之外，十组载荷的情况和两组载荷的情况一样简单。

读者将会注意到，在上述程序中，TANG 指令只执行一次，而 SOLV 指令要执行两次。本程序会自动考虑到第二次运行时采用的刚度矩阵是已经完成了三角分解的，将会选择**再求解**操作模式（见 24.6 节的方程解法）。

应用表 24.12 所列出的简单宏指令，可以求解多种问题。以下将概括地给出几类问题的算法。

24.4.2 非线性稳态问题

（a）**牛顿-拉夫森迭代** 牛顿-拉夫森迭代算法被定义为（参见第十八章 18.2.3 节）

表 24.12 宏程序指令表

以下是可用来构成各类算法的宏指令表. 第一张指令卡片必须是在 1—4 列填写 MACR 的卡片.

列号	列号	列号	说　明
1—4	6—9	11—15	
CHEC			进行网格数据的检查(ISW = 2)[1]
CMAS			一致质量公式系统 (ISW = 5)
CONV			位移收敛性检验.
DATA	**		读数据**的宏指令(插入一张宏卡片**，作为宏程序后的数据)
DISP		N	在循环中每隔N步打印节点位移
**DT		V	把时间增量定为值 V
EIGE			计算相应于当前质量矩阵及对称刚度矩阵的主特征值及主特征向量.
EXCD			对采用聚缩质量矩阵的运动方程进行显式中心差分积分. 第一次调用时仅留存储.
FORM			形成方程组的右端项 (ISW = 6).
LMAS			聚缩质量公式系统 (ISW = 5).
LOOP		N	将 LOOP 与配对的 NEXT 之间的所有指令循环执行N次.
MESH			变化输入的网格数据 (不允许变化边界条件). 数据放在宏程序后.
NEXT			循环指令的结束.
PROP		1	输入比例载荷表(数据放在宏程序后).
REAC			计算节点反力 (ISW = 6).
SOLV			求解切线刚度方程组. 更新节点位移.
STRE		N	在循环中每隔N步打印一次单元变量 (如应力).
TANG			对称切线刚度公式系统 (ISW = 3).
TIME			按值 DT 增加时间.
**TOL		V	把收敛容限定为值 V.
UTAN			不对称切线刚度公式系统 (ISW = 3).
END			宏程序指令的结束. 其后是按输入次序排列的数据.

1) 每个单元例行程序利用这里给出的 ISW 值来进行相应的计算. 见24.5.3节.

$$\mathbf{K}_T(\mathbf{a}^i)\mathbf{v}^i = -\mathbf{f} - \mathbf{P}(\mathbf{a}^i) = -\boldsymbol{\Psi}^i,$$
$$\mathbf{a}^{i+1} = \mathbf{a}^i + \mathbf{v}^i. \tag{24.2}$$

通常我们从 $\mathbf{a}^0$ 等于零开始迭代，但是也可用其它一些向量作为 $\mathbf{a}^0$. 如果我们将式(24.2)的算法和线性稳态问题的算法相比较，我们发现，唯一的差别是现在必须求解数次线性问题，因此该算法为

```
LOOP  10
TANG (或 UTAN)
FORM
SOLV
DISP  2
NEXT
STRE
DISP
END
```

上述算法要求进行十次迭代. 此外，指令 DISP 中的数字 2 表示每两次迭代后打印一次位移值.

这个程序具有对 $|\boldsymbol{\Psi}^i|$ 的值进行内部检查的功能，此处，

$$|\boldsymbol{\Psi}^i| = [\boldsymbol{\Psi}^i \cdot \boldsymbol{\Psi}^i]^{1/2}.$$

当

$$|\boldsymbol{\Psi}^i| < \text{TOL} \max_j |\boldsymbol{\Psi}^j| \quad (j = 1, 2, \cdots, i)$$

时，迭代停止，转而执行紧跟在 NEXT 后面的宏指令，这里的 TOL 为预先规定的容限值，如可取 10^{-9} 为停止执行循环的值. 因此，如果在例如第七次迭代时收敛条件得到满足，则程序将转而执行宏指令 STRE.

循环内的宏指令 DISP 使得使用者能观察到位移是如何收敛的(或观察到任何不收敛的倾向).

(b) 修正的牛顿-拉夫森迭代法 修正的牛顿-拉夫森算法由下式给出(参见第十八章 18.2.4 节):

$$\mathbf{K}_T(\mathbf{a}^j)\mathbf{v}^i = -\mathbf{f} - \mathbf{P}(\mathbf{a}^i) = -\boldsymbol{\Psi}^i \quad (j \leqslant i),$$
$$\mathbf{a}^{i+1} = \mathbf{a}^i + \mathbf{v}^i. \tag{24.3}$$

当取 $j=0$ 时，相应的宏程序为

```
TANG
LOOP    10
FORM
SOLV
DISP    2
NEXT
STRE
DISP
END
```

它和未修正的牛顿-拉夫森算法的差别仅在于，它只需形成(并分解)一次切线刚度矩阵．该宏程序的另一种形式是

```
LOOP    2
TANG
LOOP    5
FORM
SOLV
DISP
NEXT
NEXT
STRE
DISP
END
```

在这个程序中，每隔五次迭代就重新计算一次切线刚度矩阵．还可以编制出各种其它形式的程序．特别是，使用者可能希望能够检查位移收敛性：

$$|v^i| < \text{TOL} \max_j |v^j| \quad (j=1, 2, \cdots, i).$$

这可以通过在循环中插入宏指令卡片 CONV 来实现．

24.4.3 *增量载荷法* 以下给出用增量载荷法求解非线性稳态问题的宏指令程序(参见第十八章 18.2.5 节)．在每一载荷增量

中，此程序不进行迭代计算以获得收敛解，但要执行载荷修正. 如果需要，可将 24.4.1 节及 24.4.2 节的程序和此程序结合起来，给出一个以增量形式施加载荷的牛顿-拉夫森解法.

DT	.1	$\Delta t = -1$
PROP	1	$\mathbf{f} = t\mathbf{f}_0$
LOOP	10	增量循环
TIME		$t = t + \Delta t$
TANG		计算 $\mathbf{K}_T$
FORM		计算$-\mathbf{f} - \mathbf{P}(\mathbf{a})$
SOLV		计算 $\Delta\mathbf{a}$, $\mathbf{a} = \mathbf{a} + \Delta\mathbf{a}$
DISP		打印 $\mathbf{a}$
STRE		打印应力
NEXT		
END		

允许采用一种简化的比例加载方案，这时有

$$\text{PROP} = A_1 + A_2 t + A_3(\sin(A_4 t + A_5))^L,$$

式中系数 $A_i (i = 1 - 5)$ 是跟在宏指令卡片 END 之后输入的数据，其卡片格式如下表所示:

比例载荷卡片——格式 (2I5, 6F10.0)

列　　号	说　　明
6—10	L
11—20	t_{min}, 计算 PROP 的最小时间.
21—30	t_{max}, 计算 PROP 的最大时间.
31—40	A_1
41—50	A_2
51—60	A_3
61—70	A_4
71—80	A_5

24.4.4 **基础特征值的计算** 用反迭代法计算

$$\mathbf{Ka} = \lambda\mathbf{a}$$

的主(最小)特征值的算法如下:

(1) 取 $\mathbf{a}^0 = \mathbf{v}$ 作初始向量,设 λ^{-1} 为零. 这里的角标表示迭代次数.

(2) 计算 $\mathbf{y}^i = \mathbf{Ma}^i$, $i = 0, 1, 2, \cdots$.

(3) 构成雷利商,估算特征值:

$$\lambda^i = \frac{\mathbf{a}^{iT}\mathbf{Ka}^i}{\mathbf{a}^{iT}\mathbf{y}^i}.$$

(4) 若 $|\lambda^i - \lambda^{i-1}| < \mathrm{TOL}|\lambda^i|$, 停止迭代.

(5) 令 $\mathbf{z}^i = \mathbf{y}^i/|y^i|$, 这里 $|y^i| = (\mathbf{y}^{iT}\cdot\mathbf{y}^i)^{1/2}$.

(6) 解 $\mathbf{Ka}^{i+1} = \mathbf{z}^i$, 求出 $\mathbf{a}^{i+1}$.

(7) 重复(2)—(6),直至(4)的条件得到满足或迭代次数达到限定的最大值.

如果采用一致质量矩阵,反迭代法的宏程序指令为

TANG

CMAS

EIGE (利用例行子程序 PEIGS).

应该指出,如同 24.6 节中所述,雷利商算式中的分子可在步骤(6)的解方程时同时算出.

还可研究更一般的特征值问题. 读者如果想获得有关这个问题的更详细的知识,请参考文献[7, 8].

24.4.5 **运动方程的显式积分** 在采用聚缩质量矩阵时,结构系统运动方程的显式积分是容易进行的. 该方程的形式为

$$\mathbf{M\ddot{a}} + \mathbf{P}(\mathbf{a}, \mathbf{\dot{a}}) = -\mathbf{f},$$

这里假定问题是非线性的. 运用中心差分格式, 显式相容算法为

$$\mathbf{\ddot{a}}_{n+1} = \mathbf{M}^{-1}(-\mathbf{f} - \mathbf{P}(\mathbf{a}_{n+1}, \mathbf{\dot{a}}_{n+\frac{1}{2}})),$$

$$\mathbf{a}_{n+1} = \mathbf{a}_n + \Delta t_n \mathbf{\dot{a}}_{n+\frac{1}{2}},$$

$$\mathbf{\dot{a}}_{n+\frac{1}{2}} = \mathbf{\dot{a}}_{n-\frac{1}{2}} + \bar{\Delta} t_n \mathbf{\ddot{a}}_n,$$

$$\bar{\Delta}t_n = \frac{1}{2}(\Delta t_n + \Delta t_{n-1}).$$

如果内力向量是利用新的位移和速度（它放在 UL（NDF+1, i）中)计算的，并且采用聚缩质量矩阵，则新的加速度可简单地由力除以对应的质量项得到．为了完成这些运算，可加入宏指令 EXCD（显示中心差分）．宏程序

```
EXCD
PROP  1
LMAS
DT    Δt
LOOP  n
FORM
EXCD
DISP
STRE
NEXT
END
```

将按常增量 Δt 及规定的比例加载完成 n 次显示积分，规定 Δt 及比例载荷系数的卡片接在宏指令卡片 END 之后．

至此，读者应该对能用表 24.12 所列宏指令来求解的问题类型比较熟悉了．在下一节中，我们将讨论与编制一个宏指令模块有关的某些问题．宏程序的概念使得程序模块化，而读者在例行子程序 PMACR 中可以看到，模块结构如何使得完成每一条指令的语句都很紧凑．新模块应完全不影响已有的模块，以便在满足一个使用者的要求时不至于损害另一个使用者的要求．

24.4.6 *宏指令的程序设计* 现在要讨论的宏指令模块名为例行子程序 PMACR．这个子程序读入与打印出所有的宏指令，进行编译，然后执行宏程序．数组 WD 中放置可能有的宏指令．因此，要想增加一条宏指令，首先必须扩大数组 WD，并对整型变量 NWD 赋予新的上限值．其次，必须同样扩大 GO TO 表，以便包

括转向新的宏指令模块的转移指令．最后，还要增加相应的语句．如果读者希望在本程序中增添新的模块，建议您先仔细地研究已有的各模块的结构．特别是当新的模块需要更多的存储单元时，数组*M*中必须增加新的指示字．这可比较容易地做到，办法是利用例行子程序 PSETM，使它的逻辑变量预置为.TRUE.，以保证一次就加上存储单元．例行子程序 PSETM 自动检查M中是否有足够的存储单元可用，以便增加新的数组．

24.5 有限单元数组计算模块

在建立单元计算的宏指令(如 TANG 及 FORM) 时，许多运算是一样的．本节将讨论在单元数组计算阶段所需进行的工作．第一步是将计算单元数组所需的所有几何，材料及位移数据定位．需要计算的单元量包括刚度，质量，内力，应力及应变等．我们在24.5.2 节中以线性弹性力学问题及热传导问题为例来讨论这些量的计算．关于如何组织例行程序的问题，将在 24.5.3 节中介绍．

24.5.1 *单元数据的定位* 当我们想要计算一个单元数组，例如刚度矩阵 **S** 或内力向量 **P** 时，需要的只是与此单元有关的单元数据，而所有其它的数据都是多余的．所需要的节点及材料性质数据，可依据存储于每个单元的 IX 数组中的节点编号及所属材料数据组编号得到．本程序中，在调用适当的单元例行程序，即调用例行子程序 ELMTnn 之前，先将这些必须的数据从总体数组调入一组局部数组中．这个过程称为定位．需要定位的量包括：

（1）节点坐标，它将存储于数组 XL 中．

（2）节点位移，它将存储于数组 UL 中．

（3）节点温度，它将存储于数组 TL 中．

（4）方程编号，它将存储于指示数组 LD 中．

数组 LD 用于将单元刚度(或质量) 矩阵及单元载荷或内力向量分别映射到总体刚度(或质量)矩阵及载荷向量中．因此，对于下列单元数组

$$[LD(1)\quad LD(2)\quad LD(3)\cdots]$$

$$\begin{bmatrix} S(1,1) & S(1,2) & S(1,3) \\ S(2,1) & S(2,2) & \\ \vdots & & \end{bmatrix}\begin{bmatrix} P(1) \\ P(2) \\ \\ \end{bmatrix},$$

$S(i, j)$ 这一项应该集合到总体刚度(或质量)矩阵中相应于 LD(i) 行，LD(j) 列的位置上，即数组 LD 包含着总体方程组的方程编号．类似地，P(i) 应集合到总体载荷向量的 LD(i) 行上．

各类有限元的定位处理都是一样的，因此可集中到一个例行子程序 PFORM 中去完成，此例行子程序安排与单元有关的所有计算，包括对于象数组 IX 那样给出的单元表进行循环．单元性质存储于正方数组 S 及向量 P 中．数组 LD 是一个包含总体方程编号的单元指示向量，它被用来将 S 及 P 映射到总体数组中去．

在定位处理时，一个单元到底有几个节点(即 NEL，它可以小于 NEN)，是由数组 IX 中相应于这个单元的列所具有的最大非零项数来确定的．中间的零值被解释为不存在对应节点．由于采用了这种方法，本程序允许具有不同节点数的单元混在一起，例如三个节点的三角形单元与四个节点的四边形单元就可混在一起．

为进行所有单元计算而定位的节点位移值是其当前值，因此本程序可用于求解非线性问题．事实上，与线性问题相比，唯一要增加的信息就是这组当前节点位移值，如同第十八章及第十九章中所讨论的，求解非线性问题时需要用它来计算刚度矩阵等．

在介绍单元数组计算之前，应该指出，定位处理(除位移的当前值之外)可以一次完成，然后总体数组就可以被取消．这样做将会使程序复杂一些，但能更有效地利用缓冲及后备存储器，以便为随后的总体数组的确定保留较多的磁心工作单元．

24.5.2 *单元数组的计算*　有效地计算单元数组(在程序设计者及所耗计算机时间这两方面)，对于任何有限元程序都是一个至关重要的问题．计算单元刚度矩阵(或切线刚度矩阵)及载荷向量的例行程序，可通过适当数值方法的组合来建立．为了说清这个问题，首先给出基本步骤，然后针对平面应力/应变情况说明某些细节。

计算单元刚度矩阵 **S** 的基本步骤概括表示于图 24.8. 关键步骤是：数值积分，形状函数例行程序(它们对于连续性要求相同的所有问题是一样的)，计算三个矩阵连乘积的高效率公式.

通常利用高斯数值积分公式来计算所有的单元积分，这是因为在花费同样工作量的情况下，它们可给出最高的精度（见第八章）. 在某些情况下，希望采用其它种类的数值积分公式. 例如，若采用仅以节点为样点的数值积分公式来计算质量项，就能得到对角型质量矩阵，而这对于动力分析经常是更为有利的.

由于采用了形状函数例行子程序，使得程序设计者能够迅速而可靠地建立处理各类问题的单元. 该子程序不仅计算形状函数本身，还计算形状函数对于总体坐标的导数. 作为一个例子，我们来考察仅需计算形状函数 N_i 的一阶导数的二维 C_0 问题. 对于四节点等参数四边形单元，我们有

$$N_i = \frac{1}{4}(1 + \xi_i\xi)(1 + \eta_i\eta), \tag{24.4}$$

式中 ξ_i, η_i 是节点 i 的 ξ, η 坐标值.

利用等参数的概念，有

$$\begin{aligned} x &= N_i x_i, \\ y &= N_i y_i, \end{aligned} \tag{24.5}$$

而导数则为

$$\begin{Bmatrix} N_{i,\xi} \\ N_{i,\eta} \end{Bmatrix} = \begin{bmatrix} x_{,\xi} & y_{,\xi} \\ x_{,\eta} & y_{,\eta} \end{bmatrix} \begin{Bmatrix} N_{i,x} \\ N_{i,y} \end{Bmatrix}, \tag{24.6}$$

$$\begin{Bmatrix} N_{i,x} \\ N_{i,y} \end{Bmatrix} = \frac{1}{J} \begin{bmatrix} y_{,\eta} & -y_{,\xi} \\ -x_{,\eta} & x_{,\xi} \end{bmatrix} \begin{Bmatrix} N_{i,\xi} \\ N_{i,\eta} \end{Bmatrix}, \tag{24.7}$$

式中 J 为雅可比行列式，而$(\ )_{,x}$表示偏导数 $\partial(\ )/\partial x$, $\cdots$等等. 图 24.9 给出的形状函数子程序就是按上述这些关系式编制的，这里假设已将节点坐标定位于局部坐标数组 XL.

这个形状函数例行程序可用于所有采用四节点元素的二维 C_0 问题(例如二维平面或轴对称弹性力学问题，热传导问题，多孔

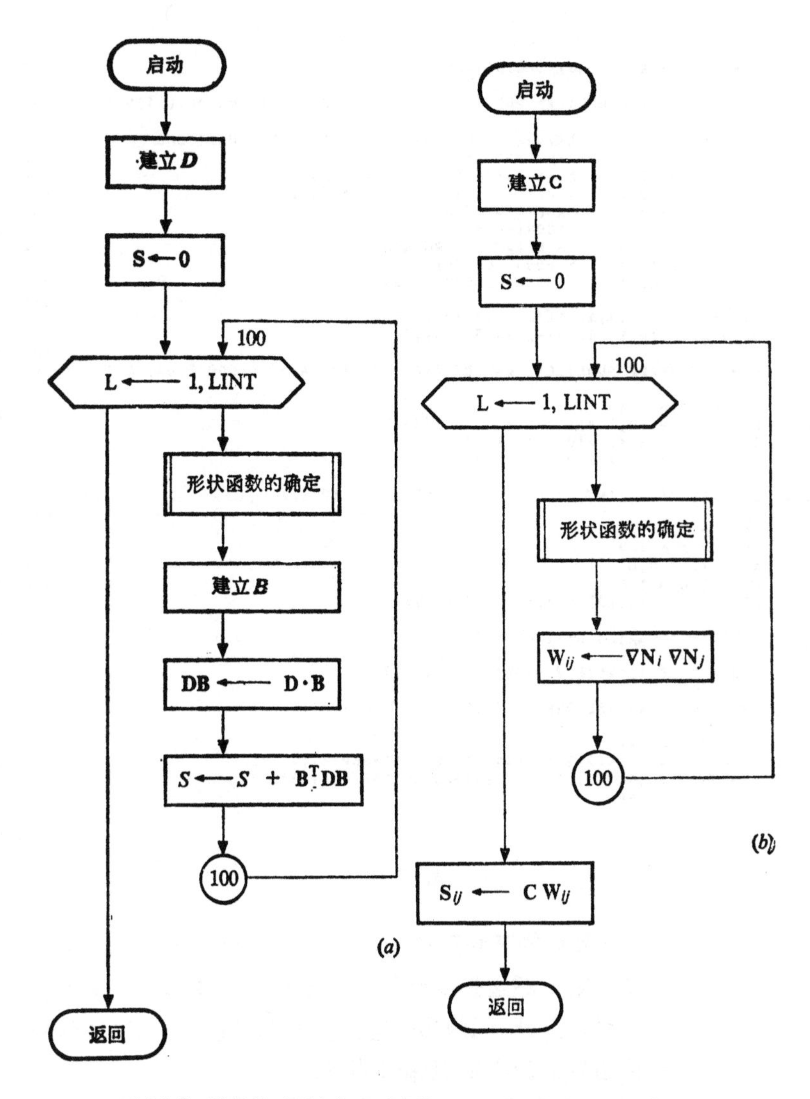

图 24.8　计算单元刚度矩阵的方法．(a) 利用形状函数例行程序及数值积分．(b) 单元材料性质不变的情况

介质的渗流问题，流体动力学问题等)．形状函数子程序也可用于网格数据的自动生成[1]．建立高阶单元的形状函数例行程序也很容易．作为一个例子，例行程序 SHAPE 及 SHAP2 (见 24.8.3

```
      SUBROUTINE SHAPEF(S,T,XL,XSJ,SHP)                                  SHA   1
C                                                                        SHA   2
C.... SHAPE FUNCTION ROUTINE FOR FOUR NODE ISOPARAMETRIC QUADRILATERAL    SHA   3
C                                                                        SHA   4
C              S,T        NATURAL COORDINATES WHERE SHAPE FUNCTIONS      SHA   5
C                         ARE EVALUATED.                                 SHA   6
C              SHP(1,I)   X DERIVATIVE OF SHAPE FUNCTIONS                SHA   7
C              SHP(2,I)   Y DERIVATIVE OF SHAPE FUNCTIONS                SHA   8
C              SHP(3,I)   SHAPE FUNCTIONS                                SHA   9
C              XS         JACOBIAN ARRAY                                 SHA  10
C              XSJ        JACOBIAN DETERMINANT                           SHA  11
C              XL(1,I)    X NODAL COORDINATES                            SHA  12
C              XL(2,I)    Y NODAL COORDINATES                            SHA  13
C                                                                        SHA  14
      DIMENSION SHP(3,4),XL(2,4),XS(2,2),SI(4),TI(4)                     SHA  15
      DATA SI,TI/-.5,.5,.5,-.5,-.5,-.5,.5,.5/                            SHA  16
C                                                                        SHA  17
C.... COMPUTE SHAPE FUNCTIONS AND DERIVATIVES IN NATURAL COORDINATES     SHA  18
C                                                                        SHA  19
      DO 100 I = 1,4                                                     SHA  20
      SHP(3,I) = (0.5+SI(I)*S)*(0.5+TI(I)*T)                             SHA  21
      SHP(1,I) = SI(I)*(0.5+TI(I)*T)                                     SHA  22
100   SHP(2,I) = TI(I)*(0.5+SI(I)*S)                                     SHA  23
C                                                                        SHA  24
C.... COMPUTE JACOBIAN TRANSFORMATION FROM X,Y TO S,T                    SHA  25
C                                                                        SHA  26
      DO 200 I = 1,2                                                     SHA  27
      DO 200 J = 1,2                                                     SHA  28
      XS(I,J) = 0.0                                                      SHA  29
      DO 200 K = 1,4                                                     SHA  30
200   XS(I,J) = XS(I,J) + XL(I,K)*SHP(J,K)                               SHA  31
C                                                                        SHA  32
C.... COMPUTE JACOBIAN DETERMINANT                                       SHA  33
C                                                                        SHA  34
      XSJ = XS(1,1)*XS(2,2)-XS(1,2)*XS(2,1)                              SHA  35
C                                                                        SHA  36
C.... TRANSFORM NATURAL DERIVATIVES TO X,Y DERIVATIVES                   SHA  37
C                                                                        SHA  38
      DO 300 I = 1,4                                                     SHA  39
      TEMP     = ( XS(2,2)*SHP(1,I)-XS(2,1)*SHP(2,I))/XSJ                SHA  40
      SHP(2,I) = (-XS(1,2)*SHP(1,I)+XS(1,1)*SHP(2,I))/XSJ                SHA  41
300   SHP(1,I) = TEMP                                                    SHA  42
      RETURN                                                             SHA  43
      END                                                                SHA  44
```

图 24.9

节）给出了从三节点的三角形单元直到八节点的 Serendipity 单元及九节点的拉格朗日四边形单元的形状函数．这些单元甚至可以沿一个边界为线性展开，而沿另一些边界则为二次展开，这只要简单地删去线性边界的边中节点编号即可．

由于矩阵 **B** 及 **D** 中常有大量的零元素，所以如何获得三个矩阵的连乘积应该受到专门的注意．为了减少运算次数，可以采用几种方法．第一种是构成三个矩阵连乘的显示表达式．初看起来，这需做太多的手算工作，但若表达式是针对节点给出的，那末这种手算工作实际上是比较简单的．例如，对于二维的平面线性弹性

力学问题，有

$$\mathbf{B}_i = \begin{bmatrix} N_{i,x} & 0 \\ 0 & N_{i,y} \\ N_{i,y} & N_{i,x} \end{bmatrix}, \tag{24.8}$$

如果材料是各向同性的，则有

$$\mathbf{D} = \begin{bmatrix} D_{11} & D_{12} & 0 \\ D_{12} & D_{11} & 0 \\ 0 & 0 & D_{33} \end{bmatrix}, \tag{24.9}$$

式中的 D_{33} 可通过 D_{11} 及 D_{12} 来表示(参见第四章 4.2.4 节).

对于典型节点对 i 与 j，刚度矩阵 $\mathbf{k}_{ij}$ 的表达式为

$$\mathbf{k}_{ij} = \mathbf{B}_i^T \mathbf{Q}_j, \tag{24.10a}$$

式中

$$\mathbf{Q}_j = \mathbf{D}\mathbf{B}_j. \tag{24.10b}$$

利用式 (24.8) 及 (24.9)，有

$$\mathbf{Q}_j = \begin{bmatrix} D_{11}N_{j,x} & D_{12}N_{j,y} \\ D_{12}N_{j,x} & D_{11}N_{j,y} \\ D_{33}N_{j,y} & D_{33}N_{j,x} \end{bmatrix}, \tag{24.11}$$

从而有

$$\mathbf{k}_{ij} = \begin{bmatrix} (N_{i,x}Q_{11} + N_{i,y}Q_{31}) & (N_{i,x}Q_{12} + N_{i,y}Q_{32}) \\ (N_{i,y}Q_{21} + N_{i,x}Q_{31}) & (N_{i,y}Q_{22} + N_{i,x}Q_{32}) \end{bmatrix}. \tag{24.12}$$

因此，对于每一对节点，为了计算 $\mathbf{k}_{ij}$，需要进行 14 次乘法运算，而 $\mathbf{B}_i^T\mathbf{D}\mathbf{B}_j$ 的形式展开式则包含 30 个乘法运算. 另外，如果单元矩阵是对称的，则数值积分时只要形成一半的项(另一半项可通过转置得到). 图 24.10 给出了典型的计算单元刚度的例行程序，这里假设高斯积分点的坐标与对应的权系数数值分别存储于数组 SG, TG 与 WG 中.

只要将各向同性材料的矩阵 $\mathbf{D}$ 换成相应于各向异性材料的弹性矩阵，并重算矩阵 $\mathbf{Q}_j$ 及 $\mathbf{k}_{ij}$，就可推广到各向异性的情况.

对于单元内的材料性质数据为常数的问题，单元刚度矩阵的计算还可改得更有效些. 这是因为，采用求和规约，内能可以写成

```
C.... ISOPARAMETRIC ELEMENT STIFFNESS COMPUTATION FOR ISOTROPIC LINEAR    RIC   1
C.... ELASTICITY * * PLANE STRESS AND PLANE STRAIN DIFFER ONLY IN VALUES  RIC   2
C.... OF THE CONSTANTS D(1),D(2),D(3) SUPPLIED                            RIC   3
C                                                                         RIC   4
C             D(1)  IS A MATERIAL PROPERTY                                RIC   5
C                   FOR PLANE STRESS                                      RIC   6
C                     D(1) = E/(1.-NU*NU)                                 RIC   7
C                   FOR PLANE STRAIN                                      RIC   8
C                     D(1) = E*(1.-NU)/((1.+NU)*(1.-2.*NU))               RIC   9
C             D(2)  IS A MATERIAL PROPERTY                                RIC  10
C                   FOR PLANE STRESS                                      RIC  11
C                     D(2) = NU*D(1)                                      RIC  12
C                   FOR PLANE STRAIN                                      RIC  13
C                     D(2) = NU*D(1)/(1.-NU)                              RIC  14
C             D(3)  IS A MATERIAL PROPERTY                                RIC  15
C                     D(3) = E/(2.*(1.+NU))                               RIC  16
C             DV    IS AN AREA WEIGHTING                                  RIC  17
C             LINT  IS THE NUMBER OF INTEGRATION POINTS                   RIC  18
C             NEL   IS THE NUMBER OF NODES ON THE ELEMENT                 RIC  19
C             S     IS THE ELEMENT STIFFNESS                              RIC  20
C             SG,TG ARE INTEGRATION POINTS IN NATURAL COORDINATES         RIC  21
C             SHP   CONTAINS VALUES OF X,Y DERIVATIVES OF SHAPE FUNCTIONS RIC  22
C             XL    IS THE ARRAY OF NODAL COORDINATES                     RIC  23
C             XSJ   IS THE JACOBIAN DETERMINANT                           RIC  24
C             WG    IS THE INTEGRATION WEIGHT                             RIC  25
C                                                                         RIC  26
C.... FOR EACH INTEGRATION POINT COMPUTE CONTRIBUTION TO STIFFNESS         RIC  27
      DO 100 L = 1,LINT                                                   RIC  28
      CALL SHAPEF(SG(L),TG(L),XL,XSJ,SHP)                                 RIC  29
      DV = XSJ*WG(L)                                                      RIC  30
      D11 = D(1)*DV                                                       RIC  31
      D12 = D(2)*DV                                                       RIC  32
      D33 = D(3)*DV                                                       RIC  33
C                                                                         RIC  34
C.... FOR EACH J NODE COMPUTE DB = D*B                                     RIC  35
C                                                                         RIC  36
      DO 100 J = 1,NEL                                                    RIC  37
      DB11 = D11*SHP(1,J)                                                 RIC  38
      DB12 = D12*SHP(2,J)                                                 RIC  39
      DB21 = D12*SHP(1,J)                                                 RIC  40
      DB22 = D11*SHP(2,J)                                                 RIC  41
      DB31 = D33*SHP(2,J)                                                 RIC  42
      DB32 = D33*SHP(1,J)                                                 RIC  43
C                                                                         RIC  44
C.... FOR EACH I NODE COMPUTE S = BT*DB                                   RIC  45
C                                                                         RIC  46
      DO 100 I = 1,J                                                      RIC  47
      S(I+I-1,J+J-1) = S(I+I-1,J+J-1) + SHP(1,I)*DB11+SHP(2,I)*DB31       RIC  48
      S(I+I-1,J+J  ) = S(I+I-1,J+J  ) + SHP(1,I)*DB12+SHP(2,I)*DB32       RIC  49
      S(I+I  ,J+J-1) = S(I+I  ,J+J-1) + SHP(1,I)*DB31+SHP(2,I)*DB21       RIC  50
  100 S(I+I  ,J+J  ) = S(I+I  ,J+J  ) + SHP(1,I)*DB32+SHP(2,I)*DB22       RIC  51
C                                                                         RIC  52
C.... COMPUTE LOWER TRIANGULAR PART BY SYMMETRY                            RIC  53
C                                                                         RIC  54
      NL = NEL+NEL                                                        RIC  55
      DO 200 I = 2,NL                                                     RIC  56
      DO 200 J = 1,I                                                      RIC  57
  200 S(I,J) = S(J,I)                                                     RIC  58
      RETURN                                                              RIC  59
      END                                                                 RIC  60
```

图 24.10

$$(u_k)_i C_{klmn} \int_{V^e} (N_{i,l})(N_{j,n}) \mathrm{d}V (u_m)_j,$$

式中下标 i, j 为节点的编号，它们在一个单元内的变化范围均为 1 至 NEL。对于节点对 i, j，单元的刚度矩阵为

$$(K_{km})_{ij} = (W_{ln})_{ij} C_{klmn},$$

式中

$$(W_{ln})_{ij} = \int_{V^e} (N_{i,l})(N_{j,n}) dV.$$

对于各向同性材料，弹性常数的表达式为

$$C_{klmn} = \delta_{kl}\delta_{mn}\lambda + (\delta_{km}\delta_{ln} + \delta_{lm}\delta_{kn})\mu,$$

式中 λ 及 μ 是拉梅 (Lamé) 常数，它们与通常所用的弹性常数 E, ν 的关系为 $\lambda = \nu E/(1+\nu)(1-2\nu)$, $\mu = E/2(1+\nu)$.

因此，刚度矩阵由下式计算：

$$(K_{km})_{ij} = \lambda(W_{km})_{ij} + \mu(W_{mk})_{ij} + \delta_{km}(W_{mn})_{ij}.$$

图 24.8(b) 是利用这种方法计算平面弹性力学问题的单元刚度矩阵的框图。在文献 [9] 中提到了这种计算刚度矩阵的方法。与图 24.8(a) 所示方法相比，这种方法能节省 25% 的计算时间。对于三维问题，节省还要更大些。

24.8.3 节中的线性弹性例行子程序采用了上述方法，该节给出了图 24.8(b) 所示框图的程序设计步骤。

采用形状函数例行程序也可提高其它单元数组的计算效率。例如，瞬态或特征值问题中单元质量矩阵的计算就可利用此例行程序进行。二维平面问题的质量矩阵为

$$\mathbf{M}_{ij}^e = \mathbf{I} \int_{V^e} N_i \rho N_j dV, \tag{24.13}$$

此处 $\mathbf{I}$ 为 2×2 的单位矩阵，ρ 为质量密度。质量矩阵总是对称的，因此数值计算时仅需计算其上(或下)三角部分。另外，各自由度的质量系数是一样的，如果对于每一对节点仅计算一项，其它几项均由此得到，则可进一步减少数值积分的计算工作量。图 24.11 给出了计算平面问题质量矩阵的一组语句，那里把单元的一致质量矩阵存储于数组 S 中，而如果需要，聚缩质量矩阵则存储于数组 P 中。

形状函数例行程序还可用于计算单元的应变，应力及内力。对于二维的平面问题，应变的表达式为

$$\boldsymbol{\varepsilon} = \mathbf{B}_i \mathbf{a}_i, \tag{24.14}$$

应力的表达式为

```
C.... ISOPARAMETRIC ELEMENT MASS MATRICES FOR PLANE ELASTICITY         RIC   1
C                                                                      RIC   2
C          P      IS THE LUMPED MASS MATRIX                            RIC   3
C          S      IS THE CONSISTENT MASS MATRIX                        RIC   4
C          OTHER ARRAYS AND VARIABLES ARE DEFINED IN FIG 24.10         RIC   5
C                                                                      RIC   6
C.... COMPUTE MASS MATRICES AT EACH INTEGRATION POINT                  RIC   7
      DO 500 L = 1,LINT                                                RIC   8
C.... COMPUTE SHAPE FUNCTIONS                                          RIC   9
      CALL SHAPEF(SG(L),TG(L),XL,XSJ,SHP)                              RIC  10
      DV = WG(L)*XSJ*D(4)                                              RIC  11
C.... FOR EACH NODE J COMPUTE DB = RHO*SHAPE*DV                        RIC  12
      DO 500 J = 1,NEL                                                 RIC  13
      DB = SHP(3,J)*DV                                                 RIC  14
      P(J+J) = P(J+J) + DB                                             RIC  15
C.... FOR EACH NODE I COMPUTE MASS MATRIX (UPPER TRIANGULAR PART)      RIC  16
      DO 500 I = 1,J                                                   RIC  17
500   S(I+I,J+J) = S(I+I,J+J) + SHP(3,I)*DB                            RIC  18
C.... COMPUTE MISSING PARTS AND LOWER TRIANGULAR PART BY SYMMETRIES    RIC  19
      NL = NEL + NEL                                                   RIC  20
      P(1) = P(2)                                                      RIC  21
      S(1,1) = S(2,2)                                                  RIC  22
      DO 510 I = 4,NL,2                                                RIC  23
      P(I-1) = P(I)                                                    RIC  24
      DO 510 J = 2,I,2                                                 RIC  25
      S(I,J) = S(J,I)                                                  RIC  26
      S(I-1,J-1) = S(J,I)                                              RIC  27
510   S(J-1,I-1) = S(J,I)                                              RIC  28
      RETURN                                                           RIC  29
      END                                                              RIC  30
```

图 24.11　四节点四边形的一致质量矩阵

$$\boldsymbol{\sigma} = \mathbf{D}\boldsymbol{\varepsilon} = \mathbf{Q}_i\mathbf{a}_i. \tag{24.15}$$

式 (24.14) 中的 $\mathbf{B}_i$ 是针对二维情况给出的，它仅和形状函数的导数有关．在计算单元刚度矩阵时，已算出了高斯点处的形状函数导数值．如果应力计算点也采用高斯点，则可把矩阵 $\mathbf{B}$ 存储在磁带或磁盘上，而在计算应力及应变时重新调用它(事实上，存储 $\mathbf{Q}$ 也行)．文献 [10] 所给出的程序就采用了这种方法．不过一般来讲，应力计算点并不与计算刚度矩阵时所用的高斯点相一致．在这种情况下，必须重算矩阵 $\mathbf{B}$．对于非线性问题，必须直接计算应变及应力；所以希望程序具有按需要计算应变及应力的功能．此外，在宏指令 FORM 中，由

$$\mathbf{P}_i = \int_V \mathbf{B}_i^{\mathrm{T}} \boldsymbol{\sigma} \mathrm{d}V \tag{24.16}$$

给出的内力是用当前位移值(包括所有规定的边界位移)进行计算的．按照这种方式，位移边界条件被适当地处理．图 24.12 给出了计算二维问题的应变、应力及节点力的程序．应变及应力计算点的局部坐标 ξ, η 被称为 SG, TG．使用者可将它们作为数据输入，或者通过事先安排来规定特定的输出点；它们当然也可以就是

```
C.... ISOPARAMETRIC ELEMENT STRESSES, STRAINS, AND INTERNAL FORCES      RIC   1
C                                                                       RIC   2
C           P      IS THE INTERNAL FORE VECTOR                          RIC   3
C           UL     IS THE ARRAY OF NODAL DISPLACEMENTS                  RIC   4
C           OTHER ARRAYS AND VARIABLES DEFINED IN FIGS 24.10 AND 24.11  RIC   5
C                                                                       RIC   6
C.... COMPUTE ELEMENT STRESSES, STRAINS, AND FORCES                      RIC   7
      DO 600 L = 1,LINT                                                 RIC   8
C.... COMPUTE ELEMENT SHAPE FUNCTIONS                                    RIC   9
      CALL SHAPEF(SG(L),TG(L),XL,XSJ,SHP)                               RIC  10
C.... COMPUTE STRAINS AND COORDINATES                                    RIC  11
      DO 410 I = 1,3                                                    RIC  12
410   EPS(I) = 0.0                                                      RIC  13
      XX = 0.0                                                          RIC  14
      YY = 0.0                                                          RIC  15
      DO 420 J = 1,NEL                                                  RIC  16
      XX = XX + SHP(3,J)*XL(1,J)                                        RIC  17
      YY = YY + SHP(3,J)*XL(2,J)                                        RIC  18
      EPS(1) = EPS(1) + SHP(1,J)*UL(1,J)                                RIC  19
      EPS(2) = EPS(2) + SHP(2,J)*UL(2,J)                                RIC  20
420   EPS(3) = EPS(3) + SHP(1,J)*UL(2,J) + SHP(2,J)*UL(1,J)             RIC  21
C.... COMPUTE STRESSES                                                   RIC  22
      SIG(1) = D(1)*EPS(1) + D(2)*EPS(2)                                RIC  23
      SIG(2) = D(2)*EPS(1) + D(1)*EPS(2)                                RIC  24
      SIG(3) = D(3)*EPS(3)                                              RIC  25
C.... OUTPUT STRESSES AND STRAINS                                        RIC  26
      IF(MCT.GT.0) GO TO 430                                            RIC  27
      WRITE(6,2001) O,HEAD                                              RIC  28
      MCT = 50                                                          RIC  29
430   WRITE(6,2003) N,MA,XX,YY,SIG,EPS                                  RIC  30
C.... COMPUTE INTERNAL FORCES                                            RIC  31
      DV = XSJ*WG(L)                                                    RIC  32
      DO 610 J = 1,4                                                    RIC  33
      P(J+J-1) = P(J+J-1) + (SHP(1,J)*SIG(1) + SHP(2,J)*SIG(3))*DV      RIC  34
610   P(J+J  ) = P(J+J  ) + (SHP(1,J)*SIG(3) + SHP(2,J)*SIG(2))*DV      RIC  35
600   CONTINUE                                                          RIC  36
      RETURN                                                            RIC  37
      END                                                               RIC  38
```

图 24.12 应力、应变及内力计算

高斯点.

如果在高斯点处计算应力,则可将它们外插至节点,并进行应力光顺处理[11,12]. 这时也可采用形状函数子程序.

为了编制用于其它类型问题的单元例行程序，可利用等参数 C_0 形状函数例行程序的一般原则. 例如，图 24.13 就给出了计算第十七章中所讨论的线性热传导问题的单元“刚度”矩阵的必要指令.

24.5.3 单元例行程序的组织 以上的讨论集中于计算单元数组的方法. 读者会注意到,所有的单元方阵均存储于数组 S 中,而单元向量则存储于数组 P 中. 这种存储方式是有意采用的，因为本程序要把单元数组的一切计算工作都并入一个被称为“单元例行程序”的子程序中. 单元例行程序由子程序 ELMLIB 调用，后者是单元库生成例行程序. 在本章的程序中，单元库在任何时候都能提供四个单元子程序,单元例行程序的名称分别为 ELMT

```
C.... ISOPARAMETRIC ELEMENT CONDUCTIVITY COMPUTATION FOR LINEAR HEAT      RIC   1
C.... TRANSFER ANALYSIS                                                    RIC   2
C                                                                          RIC   3
C           D(1)    CONDUCTIVITY IN ELEMENT                                RIC   4
C           DV      AREA WEIGHTING                                         RIC   5
C           LINT    NUMBER OF INTEGRATION POINTS                           RIC   6
C           NEL     NUMBER OF NODES CONNECTED TO ELEMENT                   RIC   7
C           S       ELEMENT CONDUCTIVITY MATRIX                            RIC   8
C           SG,TG   INTEGRATION POINTS IN NATURAL COORDINATES              RIC   9
C           SHP     X,Y DERIVATIVES AND SHAPE FUNCTIONS                    RIC  10
C           XL      NODAL COORDINATES OF ELEMENT                           RIC  11
C           XSJ     JACOBIAN DETERMINANT                                   RIC  12
C           WG      INTEGRATION WEIGHT                                     RIC  13
C                                                                          RIC  14
C.... FOR EACH INTEGRATION POINT COMPUTE CONTRIBUTION TO CONDUCTIVITY      RIC  15
C                                                                          RIC  16
      DO 100 L = 1,LINT                                                    RIC  17
      CALL SHAPEF(SG(L),TG(L),XL,XSJ,SHP)                                  RIC  18
      DV = XSJ*WG(L)                                                       RIC  19
      D11 = D(1)*DV                                                        RIC  20
C                                                                          RIC  21
C.... FOR EACH J NODE COMPUTE DB = D*B                                     RIC  22
C                                                                          RIC  23
      DO 100 J = 1,NEL                                                     RIC  24
      DB11 = D11*SHP(1,J)                                                  RIC  25
      DB21 = D11*SHP(2,J)                                                  RIC  26
C                                                                          RIC  27
C.... FOR EACH I NODE COMPUTE S = BT*DB                                    RIC  28
C                                                                          RIC  29
      DO 100 I = 1,J                                                       RIC  30
100   S(I,J) = S(I,J) + SHP(1,I)*DB11 + SHP(2,I)*DB21                      RIC  31
C                                                                          RIC  32
C.... COMPUTE LOWER TRIANGULAR PART BY SYMMETRY                            RIC  33
C                                                                          RIC  34
      DO 200 I = 2,NEL                                                     RIC  35
      DO 200 J = 1,I                                                       RIC  36
200   S(I,J) = S(J,I)                                                      RIC  37
C                                                                          RIC  38
      RETURN                                                               RIC  39
      END                                                                  RIC  40
```

图 24.13 线性热传导的刚度矩阵

θ1, ELMTθ2, ELMTθ3, ELMTθ4. 只要在 ELMLIB 中增加更多的单元例行程序名,单元库是很容易扩大的. 例行子程序 ELMLIB 本身又由例行子程序 PFORM 调用. 如同前面已提到过的,例行子程序 PFORM 对于所有的单元进行循环,建立局部坐标数组 (XL),位移数组 (UL) 及指示数组 (LD). 例行子程序 PFORM 还调用例行子程序 ADDSTF,把单元数组集合到总体数组中. 当访问一个单元例行程序时, 在 1 至 6 中规定参数 ISW 的值. 这个参数规定了单元例行程序如何工作. 每个单元例行程序必须为每个 ISW 值提供适当的转移指令. 图 24.14 示出了一个虚拟的单元例行程序.

24.6 线性代数方程组的解法

在用有限元法解题时, 最后总要求解一个大型的线性代数方程组. 例如,分析线性稳态问题时,单元刚度矩阵的直接集合导致

```
      SUBROUTINE ELMTNN(D,UL,XL,IX,TL,S,P,NDF,NDM,NST,ISW)             ELM    1
C                                                                      ELM    2
C.... MOCK ELEMENT ROUTINE                                             ELM    3
C                                                                      ELM    4
      DIMENSION D(10),UL(NDF,1),XL(NDM,1),IX(1),TL(1),S(NST,1),P(1)    ELM    5
      COMMON /CDATA/ O,HEAD(20),NUMNP,NUMEL,NUMMAT,NEN,NEQ,IPR         ELM    6
      COMMON /ELDATA/ DM,N,MA,MCT,IEL,NEL                              ELM    7
C                                                                      ELM    8
C.... TRANSFER TO APPROPRIATE SEGMENT                                  ELM    9
C                                                                      ELM   10
      GO TO (1,2,3,4,5,6), ISW                                         ELM   11
C                                                                      ELM   12
C.... READ ANS PRINT MATERIAL PROPERTY DATA                            ELM   13
C                                                                      ELM   14
1         THE ARRAY D(10) IS USED TO STORE UP 10 10 WORDS OF INFORMATION ELM 15
          FOR EACH MATERIAL SET.  AFTER COMPLETION THEN                ELM   16
C                                                                      ELM   17
      RETURN                                                           ELM   18
C                                                                      ELM   19
C.... COMPUTE JACOBIANS, ETC. TO CHECK AN ELEMENT FOR ERRORS           ELM   20
C                                                                      ELM   21
2         COMPUTE AND REQUIRED ERROR CHECKS AND PRINT ERROR MESSAGE    ELM   22
          THEN                                                         ELM   23
C                                                                      ELM   24
      RETURN                                                           ELM   25
C                                                                      ELM   26
C.... COMPUTE ELEMENT (TANGENT) STIFFNESS MATRIX                       ELM   27
C                                                                      ELM   28
3         THE S(NST,NST) ARRAY IS USED TO STORE THE ELEMENT STIFFNESS, ELM   29
          THEN                                                         ELM   30
C                                                                      ELM   31
      RETURN                                                           ELM   32
C                                                                      ELM   33
C.... COMPUTE AND OUTPUT ELEMENT QUATITIES (E.G., STRESSES)            ELM   34
C                                                                      ELM   35
4         MCT IS USED AS ALINE COUNTER AND IS SET TO ZERO IN *PFORM* EACH ELM 36
          TIME A NEW ELEMENT TYPE IS ENCOUNTERED, AFTER OUTPUT THEN    ELM   37
C                                                                      ELM   38
      RETURN                                                           ELM   39
C                                                                      ELM   40
C.... COMPUTE MASS MATRIX                                              ELM   41
C                                                                      ELM   42
5         THE S(NST,NST) ARRAY IS USED TO SDTRE A CONSISTENT MASS MATRIX. ELM 43
          THE P(NST) ARRAY IS USED TO STORE A LUMPED MASS MATRIX, THEN ELM   44
C                                                                      ELM   45
      RETURN                                                           ELM   46
C                                                                      ELM   47
C.... COMPUTE INTERNAL FORCES                                          ELM   48
C                                                                      ELM   49
6         THE P(NST) ARRAY IS USED TO STORE THE INTERNAL FORCES        ELM   50
          (I.E.,  P(A) IN CHAPTER 1B), THEN                            ELM   51
C                                                                      ELM   52
      RETURN                                                           ELM   53
C                                                                      ELM   54
      END                                                              ELM   55
```

图 24.14 虚拟的单元例行程序设计

一个线性代数方程组；而对于非线性问题，一次线性化或一次迭代也产生一个大型线性代数方程组．本节将考察求解线性代数方程组的两大类方法：直接法，可事先算出它的数值运算次数；间接法或迭代法，不能事先估计它的运算次数。

24.6.1 *直接解法* 首先讨论代数方程组

$$\mathbf{Ka} = \mathbf{r} \tag{24.17}$$

的直接解法的一般问题,式中 $\mathbf{K}$ 是系数方阵, $\mathbf{a}$ 是未知量向量, $\mathbf{r}$ 是规定量向量. 读者可把这些矩阵向量与以前介绍过的量联系起来,即与刚度矩阵,节点未知量及规定的节点力联系起来.

在以下讨论中,假设系数矩阵是良态的,不必为了解方程而进行行或列的交换. 当 $\mathbf{K}$ 是对称正定(或负定)矩阵时, 情况确实如此. 如果方程组的系数矩阵是不对称或不定的(在以混合变分原理或某些加权剩余法为基础建立有限元公式系统时, 可能出现这些情况),此假设不一定成立. 在这种情况下, 必须作某些检查或附加分析, 以确保获得的方程组是可解的[8]. 如果必须进行行或列交换处理,就必须修改本章给出的方程组求解子程序;关于这方面的内容,例如可见文献[8, 13, 14].

暂假设系数矩阵可写成一个对角线元素均为 1 的下三角矩阵与一个上三角矩阵的乘积,即有

$$\mathbf{K} = \mathbf{LU}, \tag{24.18}$$

式中

$$\mathbf{L} = \begin{bmatrix} 1 & 0 & \cdots & 0 \\ L_{21} & 1 & \cdots & 0 \\ \vdots & \vdots & \ddots & \vdots \\ L_{n1} & L_{n2} & \cdots & 1 \end{bmatrix}, \tag{24.19}$$

$$\mathbf{U} = \begin{bmatrix} U_{11} & U_{12} & \cdots & U_{1n} \\ 0 & U_{22} & \cdots & U_{2n} \\ \vdots & & \ddots & \vdots \\ 0 & 0 & \cdots & U_{nn} \end{bmatrix}. \tag{24.20}$$

此运算称为矩阵 $\mathbf{K}$ 的三角分解. 现在, 可通过求解如下的一对方程来得到原方程的解:

$$\begin{aligned} \mathbf{Ly} &= \mathbf{r}, \\ \mathbf{Ua} &= \mathbf{y}, \end{aligned} \tag{24.21}$$

式中 $\mathbf{y}$ 是为了便于分两步求解而引入的，关于这方面的情况可见例如文献 [13，14]。

读者容易看出，求解式 (24.21) 的这两个方程组是轻而易举的事。解答利用方程的系数求出：

$$y_1 = r_1,$$

$$y_i = r_i - \sum_{j=1}^{i-1} L_{ij} y_j \quad (i = 2, 3, \cdots, n), \tag{24.22}$$

$$a_n = y_n / U_{nn},$$

$$a_i = \left(y_i - \sum_{j=i+1}^{n} U_{ij} a_j \right) / U_{ii} \ (i = n-1, n-2, \cdots, 1). \tag{24.23}$$

式 (24.22) 被称为"前向消元"，式 (24.23) 被称为"后向代入"。

剩下的问题是如何进行系数矩阵的三角分解。这可通过紧凑存储的克洛特法来实现，克洛特法是一种高斯消元法。事实上，三角分解所必须进行的运算是直接在系数数组内完成的；但为了把过程讲解得清楚一些，在表 24.13 中，用几个不同的数组示出了运算的基本步骤。三角分解这一任务由子程序 UACTCL 及ACTCOL 按同样的方式来完成。因此，只要读者掌握了表 24.13 所示的运算步骤，就很容易了解这两个例行程序的详情。

用高斯消去法中的克洛特法逐次地把原系数数组化为上三角矩阵形式。如表 24.13 所示，下三角部分实际上并未置零，而是用来构成 $\mathbf{L}$。如上所述，原系数矩阵用这个上三角矩阵及这个下三角矩阵来替换；因此这时不可能同时保留 $\mathbf{L}$ 及 $\mathbf{U}$ 的主对角线元素。我们不存储 $\mathbf{L}$ 的主对角线元素，因为根据定义可知它们都是 1。

按表 24.13 的组织方式，方便的作法是把系数数组分成三个部分：第一部分是已经完全约化了的区域；第二部分是正在约化的区域(称为活动区域)；第三部分是包含原来的未约化系数的区域。图 24.15 示出了这三个区域的划分情况。图中第 i 列的对角线元素以上部分及第 i 行的对角线元素左侧部分构成活动区域。$n \times n$

表 24.13 K 的三角分解

活动区

$$\begin{bmatrix} K_{11} & K_{12} & K_{13} \\ K_{21} & K_{22} & K_{23} \\ K_{31} & K_{32} & K_{33} \end{bmatrix} \quad \begin{bmatrix} L_{11}=1 & & \\ & & \\ & & \end{bmatrix} \quad \begin{bmatrix} U_{11}=K_{11} & & \\ & & \\ & & \end{bmatrix}$$

第 1 步．活动区是 K_{11}．

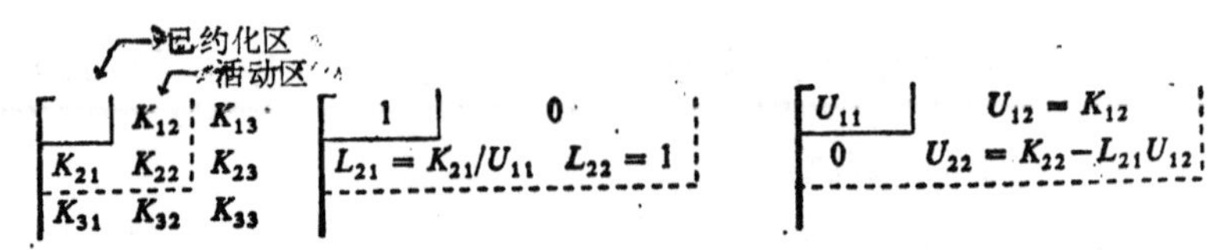

第 2 步． 活动区是第 2 行主对角线元素左侧部分及第 2 列主对角线元素以上部分．用 **K** 的第一行来消去 $L_{21}U_{11}$． 活动区只利用活动区中的 **K** 的值及已在第 1 步和第 2 步中算出的 **L** 和 **U** 的值．

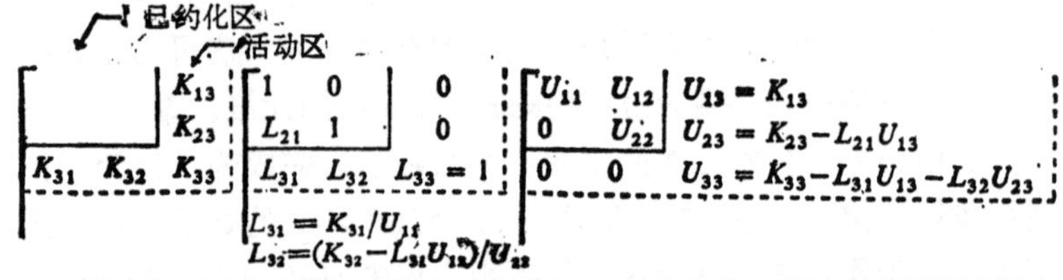

第 3 步． 活动区是第 3 行的主对线元素左侧部分及第 3 列的主对角线元素以上部分． 用第一行来消去 $L_{31}U_{11}$；用约化了的第 2 行来消去 $L_{32}U_{22}$（约化了的系数K_{32}）．约化第 3 列，以反映对角线以下部分的消去．

阶方阵三角分解的算法可由表 24.13 及图 24.16 推出如下：

$$U_{11}=K_{11},\quad L_{11}=1; \tag{24.24a}$$

对于活动区域 $j(j=2,3,\cdots,n)$，有

$$L_{j1}=K_{j1}/U_{11},\quad U_{1j}=K_{1j}; \tag{24.24b}$$

然后有

$$L_{ji}=\left(K_{ji}-\sum_{m=1}^{i-1}L_{jm}U_{mi}\right)/U_{ii},\quad U_{ij}=K_{ij}-\sum_{m=1}^{i-1}L_{im}U_{mj};\qquad (i=2,\cdots,j-1) \tag{24.24c}$$

最后则有

$$
\begin{aligned}
&L_{jj}=1,\\
&U_{jj}=K_{jj}-\sum_{m=1}^{j-1}L_{jm}U_{mj}.
\end{aligned}
\tag{24.24d}
$$

约化过程的顺序及所用到的项示于图 24.16．读者可用表24.14所示例子来验证由表 24.13 及式 (24.24) 所得结果的正确性．

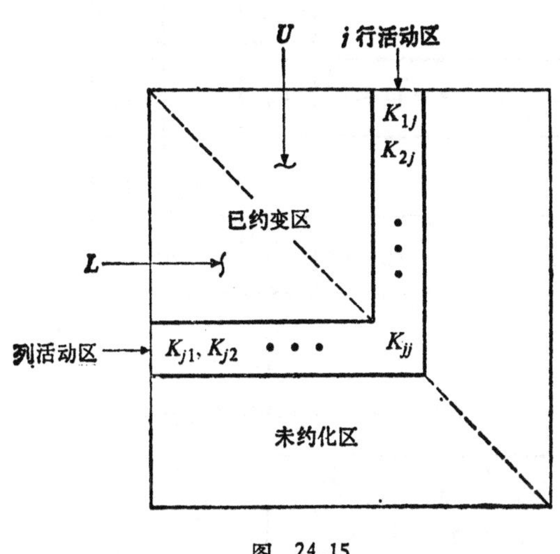

图 24.15

一旦完成了系数矩阵的三角分解，就可用式(24.22)及(24.23)计算相应于几组不同右端项 **r** 的解．这个过程通常称为再求解过程，因为这时不再需要重新计算 **L** 及 **U**．当系数矩阵规模很大时，三角分解过程是很费钱的，而再求解则比较便宜．因此，任何有限元求解系统都必须具有再求解能力．

以上讨论的是求解方程的(不进行行或列交换)一般情况．从有限元法得到的系数矩阵一般总具有某些特殊的性质．刚度矩阵通常是对称的 ($K_{ji}=K_{ij}$)，在这种情况下，很容易证明存在下列关系式：

$$
U_{ij}=L_{ji}U_{ii}. \tag{24.25}
$$

对于这类问题，无需存储整个系数数组，只要存储主对角线以上

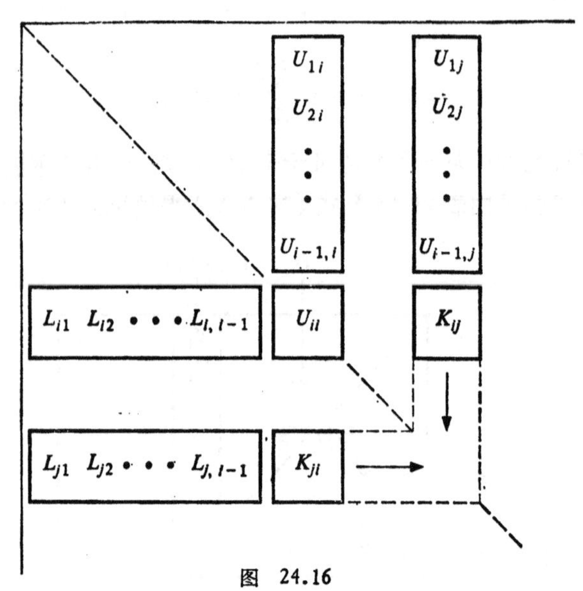

图 24.16

表 24.14 例：3×3 矩阵的三角分解

K	L	U
$\begin{bmatrix} 4 & 2 & 1 \\ 2 & 4 & 2 \\ 1 & 2 & 4 \end{bmatrix}$	$\begin{bmatrix} 1 & & \\ & & \\ & & \end{bmatrix}$	$\begin{bmatrix} 4 & & \\ & & \\ & & \end{bmatrix}$
第 1 步: $L_{11}=1$, $U_{11}=4$		
$\begin{bmatrix} & 2 & 1 \\ 2 & 4 & 2 \\ 1 & 2 & 4 \end{bmatrix}$	$\begin{bmatrix} 1 & & \\ 0.5 & 1 & \\ & & \end{bmatrix}$	$\begin{bmatrix} 4 & 2 & \\ & 3 & \\ & & \end{bmatrix}$
第 2 步: $L_{21}=\frac{2}{4}=0.5$, $U_{12}=2$, $L_{22}=1$, $U_{22}=4-0.5\times 2=3$		
$\begin{bmatrix} & & 1 \\ & & 2 \\ 1 & 2 & 4 \end{bmatrix}$	$\begin{bmatrix} 1 & & \\ 0.5 & 1 & \\ 0.25 & 0.5 & 1 \end{bmatrix}$	$\begin{bmatrix} 4 & 2 & 1 \\ & 3 & 1.5 \\ & & 3 \end{bmatrix}$
第 3 步: $L_{31}=\frac{1}{4}=0.25$; $U_{13}=1$, $L_{32}=\frac{2-0.25\times 2}{3}=\frac{1.5}{3}=0.5$ $U_{23}=2-0.5\times 1=1.5$ $L_{33}=1$ $U_{33}=4-0.25\times 1-0.5\times 1.5=3$		

$$\begin{bmatrix} 1 & & \\ 0.5 & 1 & \\ 0.25 & 0.5 & 1 \end{bmatrix}\begin{bmatrix} 4 & 2 & 1 \\ & 3 & 1.5 \\ & & 3 \end{bmatrix}=\begin{bmatrix} 4 & 2 & 1 \\ 2 & 4 & 2 \\ 1 & 2 & 4 \end{bmatrix}$$

第 4 步：检查

(或以下)部分的系数就足够了，另一部分系数利用式(24.25)就可构成．这使该系数数组所需要的存储量差不多减少了一半．如果仅存储带内的项，则会节省更多的存储单元．在有限元公式系统中，一般可使非零系数的最大“带宽”比未知量的数目小——前者常常只是后者的 10—20%；对于对称的问题，这使存储量从 $n(n+1)/2$ 降至 $(0.1—0.2)n^2$．本书第二版[2] 所附程序采用的就是这种存储方法．图 24.17 示出了对称带状矩阵的典型存储方法．迈耶(Meyer)[15,16] 对于这种等带宽存储解法作过讨论，并给出了有关文献的详尽目录．

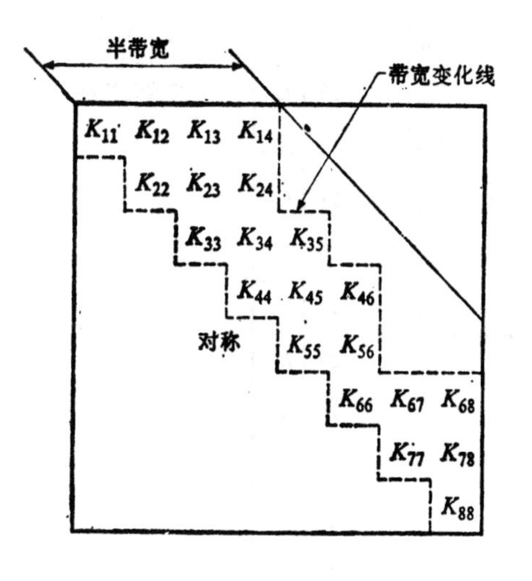

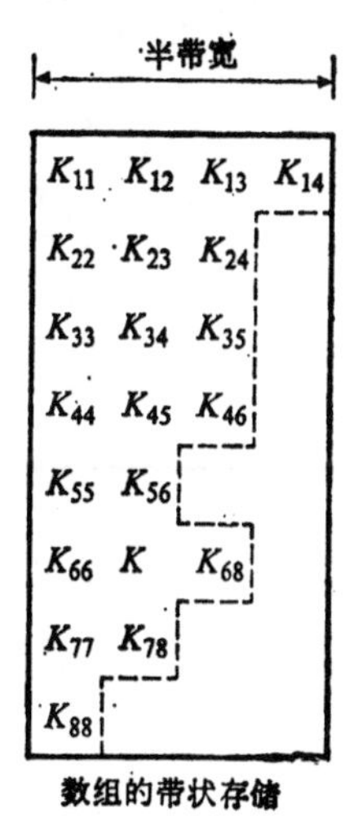

数组的带状存储

图 24.17

还可以进一步减少存储要求及计算工作量，办法是按列存储刚度矩阵上三角区中的必要部分，而按行存储下三角区中的必要部分，这如图 24.18 所示．关于对称矩阵的这种存储方法，可见文献 [7, 17, 18, 19]．现在，仅需存储并计算刚度矩阵带宽变化线之内的部分(变带宽方法)．这种方法肯定比等带宽存储法有利．首先，它的存储要求较低(除非刚度矩阵是对角型矩阵！)；其次，如图 24.18 所示，在刚度矩阵中出现少数非常长的列的情况下，存储

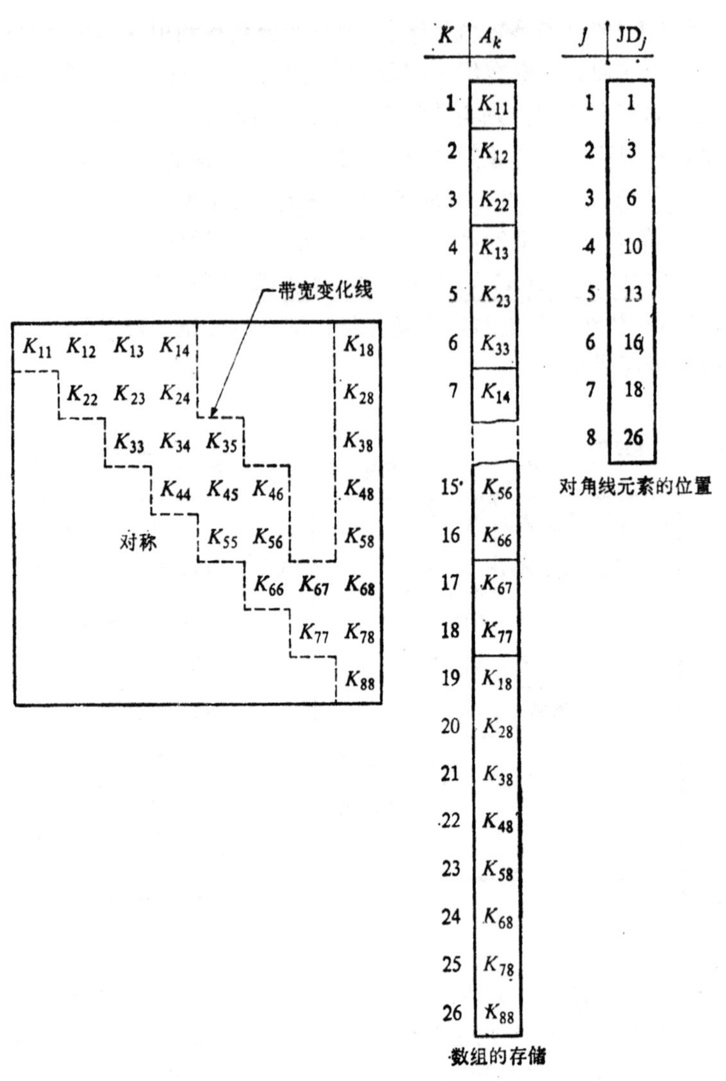

图 24.18

要求不会剧烈增加；最后，很容易利用向量点积例行程序，以使三角分解及前向消元更为有效[19]。最后这一点对于面向向量的现代计算机非常重要。

在本章程序中，有两种活动区变带宽解方程子程序可用．求解对称矩阵情况的子程序称为 ACTCOL，求解不对称矩阵情况的称为 UACTCL．两种情况下的带宽变化线都应是对称的．如图 24.18 所示，系数矩阵的主对角线以上部分按列，或主对角线以下部分按行存储在一个一维数组中．系数矩阵对角线元素的位置用一个指示字数组来确定．表 24.15 定义了解方程子程序 ACTCOL 及 UACTCL 中所用的变量．

表 24.15　方程组求解子程序 ACTCOL 及 UACTCL 中所用的变量

A(NAD)	调用时为矩阵上三角部分的系数，返回时则放 **U**.
B(NEQ)	调用时为右端向量，在返回调用程序时则放解向量.
C(NAD)	调用时为矩阵下三角部分的系数，返回时则放 **L**（仅用在 UACTCL 中）.
JDIAG(NEQ)	确定A或C中对角线元素位置的指示字数组.
NEQ	要求解的方程的数目.
NAD	数组A或C的长度；它的值等于 JDIAG(NEQ).
AFAC	逻辑变量：若取真值，表明完成系数矩阵三角分解.
BACK	逻辑变量：若取真值，表明完成前向消元及后向代入

集合变带宽刚度矩阵的办法将在 24.6.4 节中讨论．下面先对间接解法作一简要的介绍．这里所给出的方法是逐次超松弛高斯-赛德尔（Seidel）迭代法．

24.6.2　迭代解法　为了进行高斯-赛德尔迭代，我们首先将系数矩阵作如下相加分解[14]：

$$\mathbf{K}=\mathbf{L}+\mathbf{U}, \tag{24.26}$$

式中 **L** 是下三角矩阵，且

$$L_{ij}=K_{ij}\ (i=1,2,\cdots,n;\ j=1,2,\cdots,i), \tag{24.27}$$

U 是上三角矩阵，且

$$U_{ij}=K_{ij}(i=1,2,\cdots,n-1;\ j=i+1,i+2,\cdots,n), \tag{24.28}$$

矩阵 **L** 及 **U** 的其余元素均为零．

基本高斯-赛德尔迭代格式由如下算法给出：

$$\begin{aligned}\mathbf{a}^0&=\mathbf{V},\\ \mathbf{L}\mathbf{a}^{n+1}&=\mathbf{r}-\mathbf{U}\mathbf{a}^n,\end{aligned} \tag{24.29}$$

式中 $\mathbf{V}$ 为初始向量，上标表示迭代次数．如果系数矩阵是对称正定的，已经知道高斯-赛德尔迭代是收敛的(例如见文献[14])；不过，收敛速度可能慢得无法接受．在这种情况下，采用超松弛因子通常可显著减少计算工作量．为了便于采用超松弛法，我们在式(24.29)两边同时减去 $\mathbf{La}^n$，这给出

$$\mathbf{L}\Delta\mathbf{a} = \mathbf{r} - \mathbf{Ka}^n, \tag{24.30}$$

而解答用下式来改进：

$$\mathbf{a}^{n+1} = \mathbf{a}^n + \omega\Delta\mathbf{a}, \tag{24.31}$$

式中的 ω 是取决于问题的超松弛因子，它的值在 0 与 2 之间．上述方法称为“逐次超松弛法”，即 SOR 法．迭代法的主要优点是降低了对中央存储器的容量要求，避免了直接解法的最费钱的三角分解运算．其缺点是：在求解前无法估计需要多少次迭代才能获得具有希求精度的解(通常要几百次或几千次)；ω 的取值对收敛速度的影响极其显著（许多人用求解时连续变化 ω 值的办法来确定最佳 ω 值)；这种迭代法不能用于求解系数矩阵不定或不对称的方程组；最后，对于非线性问题或多组载荷作用的情况，迭代法没有什么优点(或许除最佳 ω 值之外)，因为整个迭代过程都必须重复进行．在直接解法中，一旦完成了三角分解，再求解是相当便宜的．SOR 法的缺点远远超过它的优点，因此今日大多数有限元程序用直接法来求解代数方程组．

24.6.3　**能量的计算**　在求解由最小(或最大)原理产生的有限元问题时，通常希望算出对应泛函的最小(或最大)值．在离散问题中，这相当于计算由下式给出的能量：

$$-2\Pi(\mathbf{a}) = \mathbf{a}^{\mathrm{T}}\mathbf{Ka} = \mathbf{a}^{\mathrm{T}}\mathbf{r}, \tag{24.32}$$

式中 $\mathbf{K}$ 是对称的，因为我们现在考察的只是建立在最小(或最大)原理上的问题．通常，在中央存储器中同时存储右端项与解向量是不方便的，在这种情况下，能量泛函的值可在求解方程的过程中计算．利用三角分解及 K_{ij} 的对称条件，式(24.32)可写成

$$\sum_{m=1}^{n}\sum_{i=1}^{n}\sum_{j=1}^{n} a_i U_{mi} U_{mm}^{-1} U_{mj} a_j = \sum_{i=1}^{n} a_i r_i. \tag{24.33}$$

利用式(24.21),上式可变成

$$\sum_{m=1}^{n} y_m^2 U_{mm}^{-1} = \sum_{i=1}^{n} a_i r_i. \tag{24.34}$$

因此,可在右端项前向消元时计算这个能量值,而不必在内存中同时存储右端项及解向量.

算出的离散系统的能量值可用于雷利商表达式中. 这一能量值也可用来估计能量的收敛速度，因为位移误差的能量就等于能量的误差(见例如文献[20]). 已经证明,

$$\Pi(a - a^h) = \Pi(a) - \Pi(a^h), \tag{24.35}$$

式中Π表示能量.于是,可通过画 $\log(\Pi(a) - \Pi(a^h)) - \log h$ 曲线的办法来估计能量的收敛速度,这里的 h 为网格尺寸的度量,a 及 a^h 分别为精确解及近似解.

24.6.4 由单元数组到总体数组的集合 前面几节已经介绍了刚度矩阵等单元数组的计算方法，以及用总体数组来描述的代数方程组的直接解法. 但是，还未介绍把单元数组集合成总体数组这一环节.

利用指示字数组 JDIAG 来实现变带宽形式存储的总体刚度矩阵的集合. 为了便于集合,对于每个单元建立一个指示向量.在本章的程序中,此向量被称为 LD,它由子程序 PFORM 根据数组 ID 及 IX 在单元数据定位处理时构成. 对于单元数组中相应的行或列，LD 的每一项就是总体数组中的一行或一列的方程的编号. 总体刚度数组、总体质量数组及总体力数组的集合,则由例行子程序 ADDSTF 来完成. 哪些数组需要集合是由安排的逻辑变量来确定的.

24.7 本章程序的扩充与修改

以上各节介绍了24.8节中所列出的程序. 这个程序的解题能力虽然已很可观，但还可进一步扩充改进. 改进的内容包括：增大处理大型问题的能力,扩充宏程序语言的能力,增加后处理器以备解的图象输出之用.

要完成许多工程问题的有限元分析，本程序的能力是不够的．这首先在于，能够处理的未知量的数目太少——主要受刚度及质量矩阵规模的限制．通过如图 24.19 所示的分块存储方案[21]，可以扩大解题的能力．按照这种方案，任何时刻都只需在磁心中存储两个系数块，不必同时存储整个系数矩阵．当采用大型计算机时，单利用这种分块存储方案就可使本程序能处理几千个未知量的问题．如果在进行方程求解时将网格数据存储于后备磁心存储器，以便有最大的磁心容量来存储总体数组，则可使方程分块时的效率提高．此外，既然不需要同时用到整个系数矩阵，总体方程组的集合过程也必须修改．现在单元数组应存储在后备存储器中，方程的集合可逐块地进行(见例如文献[10])．如果把许多单元归并为一个数组，并按磁心的许可存储容量把它们存储在一起，则效率可大大提高．与一次写入一个单元的办法相比，单元的这种缓冲存储法将会大大地降低内外存交换所花费的代价．

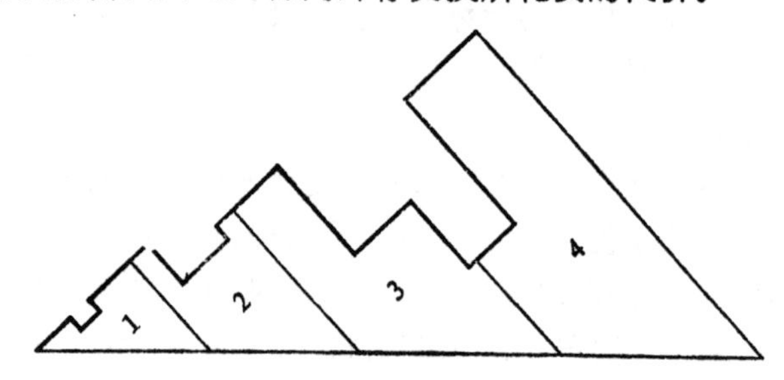

图 24.19　变带宽解法的分块存储方案

如果要进一步增大解题能力，就必须对数据数组的存储方式作根本的修改．数据数组也必须分块，存储于后备存储器并在需要时进行检索．在这种情况下，必须编制专门的软件，以便有效地处理大量的内外存交换．这时，一次完成定位处理是很有利的．

“波前法”是另一种分块存储的变带宽解法，文献[22，23，24，25]中介绍了这种方法．这种方法在有限元求解程序中用得相当成功，它是一种和有限元法密切相关的直接解法．要在本章程序中插入波前法子程序是很容易的．必要的修改是：用确定方程消元次序的波前处理子程序替代子程序 PROFIL；只形成并集合含波前节点的单元的数组，以代替子程序 ADDSTF；用波前求解子程序替代子程序 ACTCOL 及 UACTCL。

已经有人[23]指出，波前解法比等带宽解法更有效，因为系数矩阵的波前宽度比其带宽要小（当单元存在边中节点时）。即使和活动列变带宽解法相比，情况也是如此。不过，用比较波前宽度与带度的办法来度量方程组求解的费用是过于简单了。对于这里进行的讨论，我们限于系数矩阵对称的情况。在进行三角分解时，变带宽解法及等带宽解法都是从始至末按方程编号依次做下去。与此不同，波前解法是逐个单元地进行的（求解的效率是单元编号而不是节点编号的函数），只要形成刚度矩阵中属于波前的部分（见图 24.20）。在引入一个单元之后，对于已集合完全的方程（例如图 24.20 中的方程 x），则用高斯消去法进行消元。这些方程可以处在波前刚度矩阵的任意位置处，例如图 24.20 中的方程 x——但很少是最前面的未消元方程。因此，必须对其前面和后面的方程都进行消元。波前刚度矩阵通常按列存储对角线以上部分。按照这种方法，可以增加列而不改变前面各列的存储形式。方程 x 的消去不能利用克洛特紧凑消元法的优点，而这将使三角分解中有决定性作用的内循环（即 ACTCOL 及 UACTCL 中的点积调用）编码更细致。在文献[24]中，这种内循环包括一次不在寄存器进行的变址，要查找两次（一次加法与一次存储）的一个附加语句，一次乘法以及一次除法[1)]。这比 ACTCOL 内循环的运算要多。波前解法的主要缺点即在于此。另一个限制则是磁心一定要能容纳波前刚度矩阵，且在消元之前系数通常要进行大量的移动。另一方面，在总刚度矩阵要分成许多块存储时，活动列变带宽解法总刚度矩阵的集合需要很大的工作量。至于到底哪一种方法更好些，结论难以作出。各使用者必须在二者之中作出选择。不过，活动列变带宽解法无疑是优于等带宽解法的。

---

1) 对程序稍作改进，可以把除法运算移出内循环。

除了提高程序求解大规模问题的能力之外，还必须增加宏指令，以扩大程序所能处理的问题的类型．在 24.4 节中，我们只给出了少数可能的宏指令，用我们提供的程序并不能求解例如一般的时间步进算法问题．(对我们建立的宏指令种类的主要限制是计算机的容量．)为了求解这类一般的时间步进算法问题，必须增加两种重要的宏指令．一是将质量矩阵和刚度矩阵线性组合以形成时间步进格式的系数矩阵的宏指令（见第十七章中关于特殊格式及其系数矩阵的讨论）．二是在每一时间步长结束时必须用到的更新解向量的宏指令．对于所用的每种时间步进格式，这两种

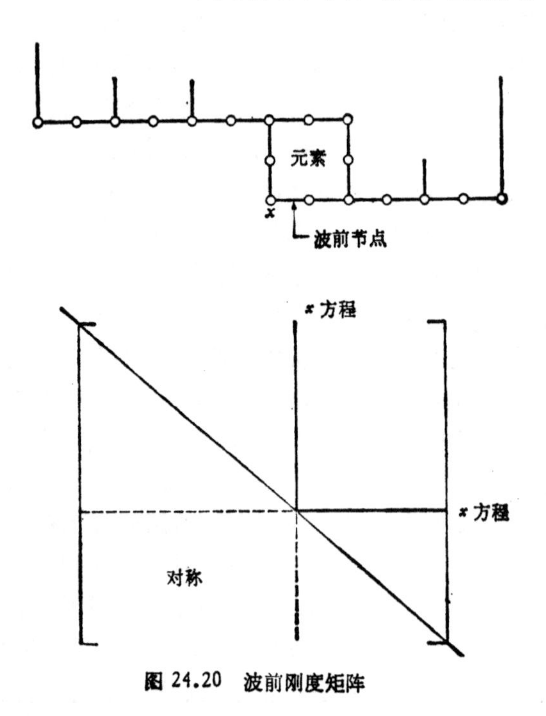

图 24.20 波前刚度矩阵

宏指令是不同的．

对于一阶问题(即只出现一阶导数)，如果建立一种特殊单元，它将质量矩阵与刚度矩阵的线性组合作为单元的切线刚度矩阵(单元例行程序中 ISW = 3)，并将相应的修正右端项作为单元的

内力向量(单元例行程序中 ISW = 6)，就无需增添上述那两种宏指令．由于仅 t_n 时刻的解进入方程中，这样更新是正确的（见第十七章)．

还可以增加其它许多宏指令，以使本程序能包含别的算法或处理器．

最后，我们曾经提到过检查网格数据的问题，并且指出过，一个有生命力的解题程序必须具备图象显示子程序．对于数据检查来说是这样，对于解释输出结果来说无疑也是这样．在分析大规模的问题，特别是与时间有关的问题时，要解释大量的打印结果是不可能的．在这种情况下，图象显示程序就是必不可少的．这种图象显示程序应能绘制变形后的网格图（必要时可把位移放大)、应力应变图及时间历史图[3]．

在图 24.21 至图 24.24 中示出了少数几个图形的例子，这是几种应有的绘图能力．

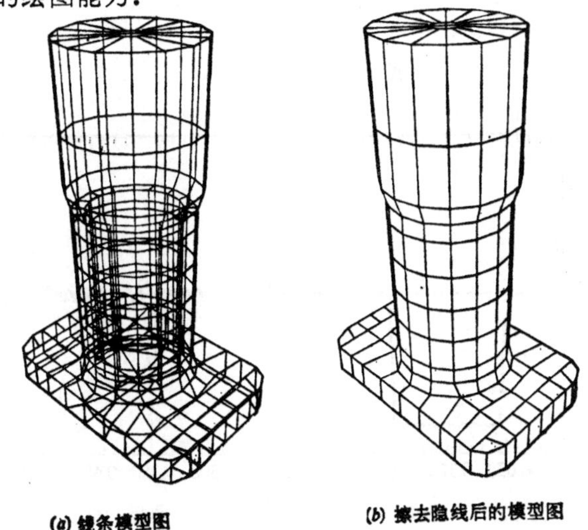

(a) 线条模型图　　(b) 擦去隐线后的模型图

图 24.21　三维网格图(承犹他州，普罗沃，布里格姆·扬 (Brigham Young) 大学克里斯琴森 (H. N. Christiansen) 教授许可引用)

利用宏程序语言来控制绘图数据文件的生成，也可为本程序增加一般的绘图程序．

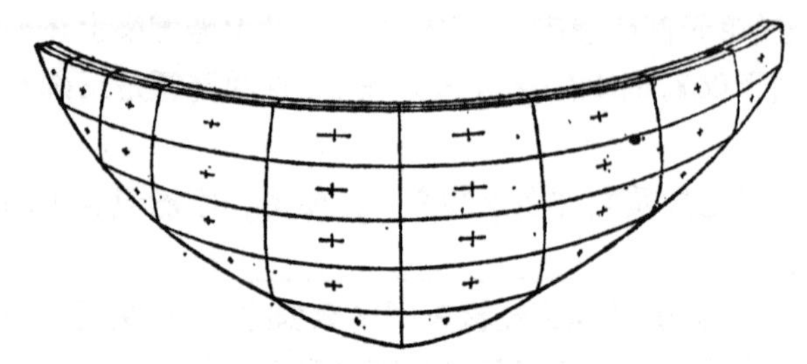

图 24.22 用向量表示的应力图(给出大小及方向)

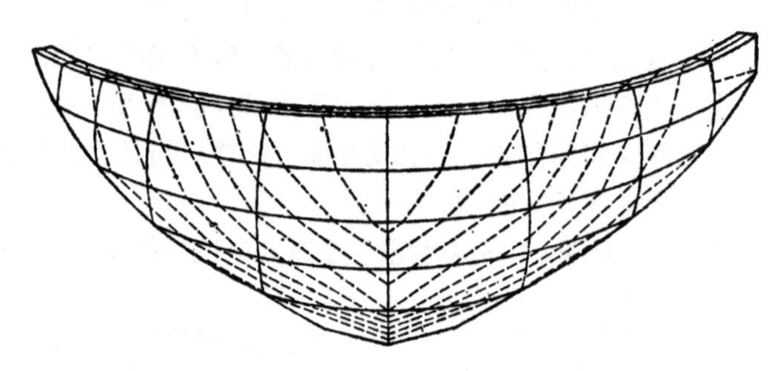

图 24.23 等应力线图

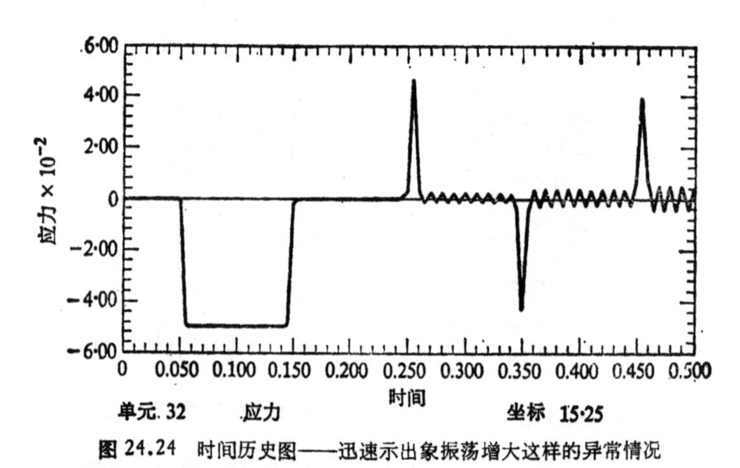

图 24.24 时间历史图——迅速示出象振荡增大这样的异常情况

24.8 有限元计算机程序清单

这里给出本章所讨论的程序的全部 FORTRAN 清单。本节分三个部分．第一部分是与控制及数据输入模块有关的例行程序；第二部分是与求解及输出模块有关的例行程序；第三部分是单元例行程序，它包括线性弹性力学、线性热传导及稳态流动三种问题的单元．

24.8.1 *控制与数据输入模块* 本程序的控制与数据输入模块由例行子程序 PCONTR，PMESH，GENVEC，SETMEM 及主程序组成．例行子程序 PCONTR 起控制问题求解过程的作用；在 PCONTR，PMESH 与 GENVEC 中完成网格参数及数组的数据输入．子程序 GENVEC 通过线性插值生成实际数组中未输入的数据．最后，SETMEM 用于监控空白公用数组M中的可用存储容量．对于可以在执行中改变空白公用数组长度的机器(如CDC6000及 7000 系列的计算机)，空白公用数组的容量可以从 M(1)，MAX 变到中央存储器的最大许用存储量．这时 SETMEM 作如下修改，即将指令

```
          K = J
          IF(K.LE.MAX)RETURN
```

用指令

```
          K = LOCF(M) + J
          IF(K.GT.MAX) GO TO 100
          用适当的卡片重新安排存储容量
          RETURN
      100 CONTINUE
```

来替代．现在场的长度可按需要调整，每个问题实际需要多少，就使用多少．

只要把数据块中的变量O设置为/1H0/，就可以防止所有的页都排空．至于实变量的精度，则受数据块中的变量 IPR 控制．当需要双精度时，IPR 置/2/；而单精度时则置/1/．

24.8.2 *求解与输出模块* 每个问题的求解与输出由例行子程序 PMACR 控制．根据每次分析所用的宏指令，也可采用本节中列出的一组相应的例行程序．

```
      MASTER MINIFEM                                                   IFEM   1
C.... SET PROGRAM CAPACITY + MAX MUST AGREE WITH DIMENSION OF M          IFEM   2
      COMMON M(2000)                                                   IFEM   3
      COMMON/PSIZE/ MAX                                                IFEM   4
      MAX = 2000                                                       IFEM   5
      CALL PCONTR                                                      IFEM   6
      STOP                                                             IFEM   7
      END                                                              IFEM   8
      SUBROUTINE PCONTR                                                PCO    1
C                                                                      PCO    2
C.... FINITE ELEMENT ANALYSIS PROGRAM (FEAP)  FOR SOLUTION OF GENERAL   PCO    3
C.... PROBLEM CLASSES USING THE FINITE ELEMENT METHOD.  PROBLEM SIZE    PCO    4
C.... IS CONTROLLED BY THE DIMENSION OF BLANK COMMON AND VALUE OF MAX   PCO    5
C.... AS SET IN MAIN PROGRAM.  ALL ARRAYS MUST RESIDE IN CENTRAL MEMORY. PCO   6
C                                                                      PCO    7
C.... PROGRAMMED BY PROF. R.L. TAYLOR, DEPARTMENT OF CIVIL ENGINEERING, PCO    8
C.... UNIVERSITY OF CALIFORNIA, BERKELEY, CALIFORNIA 94720, U.S.A.      PCO    9
C                                                                      PCO   10
      LOGICAL PCOMP                                                    PCO   11
      COMMON/CDATA/ O,HEAD(20),NUMNP,NUMEL,NUMMAT,NEN,NEQ,IPR          PCO   12
      COMMON/LABEL/ PDIS(6),A(6),BC(2),DI(6),CD(3),TE(3),FD(3)         PCO   13
      COMMON M(1)                                                      PCO   14
      DIMENSION TITL(20),WD(3)                                         PCO   15
      DATA WD/4HFEAP,4HMACR,4HSTOP/                                    PCO   16
C.... READ A CARD AND COMPARE FIRST 4 COLUMNS WITH MACRO LIST            PCO   17
1     READ(5,1000) TITL                                                PCO   18
      IF(PCOMP(TITL(1),WD(1))) GO TO 100                               PCO   19
      IF(PCOMP(TITL(1),WD(2))) GO TO 200                               PCO   20
      IF(PCOMP(TITL(1),WD(3))) RETURN                                  PCO   21
      GO TO 1                                                          PCO   22
C.... READ AND PRINT CONTROL INFORMATION                                PCO   23
100   DO 101 I = 1,20                                                  PCO   24
101   HEAD(I) = TITL(I)                                                PCO   25
      READ(5,1001) NUMNP,NUMEL,NUMMAT,NDM,NDF,NEN,NAD                  PCO   26
      WRITE(6,2000) HEAD,NUMNP,NUMEL,NUMMAT,NDM,NDF,NEN,NAD            PCO   27
C.... SET POINTERS FOR ALLOCATION OF CATA ARRAYS                        PCO   28
      PDIS(2) = A(NDM)                                                 PCO   29
      NEN1 = NEN + 1                                                   PCO   30
      NST = NEN*NDF + NAD                                              PCO   31
      N0 =  1 + NST*2*IPR                                              PCO   32
      N1 = N0 + NEN*NDM*IPR                                            PCO   33
      N2 = N1 + NEN*IPR                                                PCO   34
      N3 = N2 + NST                                                    PCO   35
      N4 = N3 + NST*IPR                                                PCO   36
      N5 = N4 + NST*NST*IPR                                            PCO   37
      N6 = N5 + NUMMAT                                                 PCO   38
      N7 = N6 + 10*NUMMAT*IPR                                          PCO   39
      N8 = N7 + NDF*NUMNP                                              PCO   40
      N9 = N8 + NDM*NUMNP*IPR                                          PCO   41
      N10 = N9  + NEN1*NUMEL                                           PCO   42
      N11 = N10 + NDF*NUMNP*IPR                                        PCO   43
      N12 = N11 + NUMNP*IPR                                            PCO   44
      N13 = N12 + NDF*NUMNP                                            PCO   45
C.... CHECK THAT SUFFICIENT MEMORY EXISTS                               PCO   46
      CALL SETMEM(N13)                                                 PCO   47
      CALL PZERO(M,N12)                                                PCO   48
C.... CALL MESH INPUT SUBROUTINE TO READ AND PRINT ALL MESH DATA        PCO   49
      III = 0                                                          PCO   50
      CALL PMESH(M(N2),M(N5),M(N6),M(N7),M(N8),M(N9),M(N10),M(N11),NDF, PCO  51
     1   NDM,NEN1,III)                                                 PCO   52
C.... ESTATLISH PROFILE OF RESULTING EQUATIONS FOR STIFFNESS, MASS, ETC PCO   53
      CALL PROFIL(M(N12),M(N7),M(N9),NDF,NEN1,NAD)                     PCO   54
C.... SET POINTERS FOR SOLUTION ARRAYS + CHECK FOR SUFFICIENT MEMORY    PCO   55
      N13 = N12 + NEQ                                                  PCO   56
      N14 = N13 + NEQ*IPR                                              PCO   57
      NE  = N14 + NUMNP*NDF*IPR                                        PCO   58
      CALL SETMEM(NE)                                                  PCO   59
      GO TO 1                                                          PCO   60
C.... CALL MACRO SOLUTION MODULE FOR ESTABLISHING SOLUTION ALGOTITHM    PCO   61
200   CALL PMACR(M,M(N0),M(N1),M(N2),M(N3),M(N4),M(N5),M(N6),M(N7),M(N8) PCO 62
     1   ,M(N9),M(N10),M(N11),M(N12),M(N13),M(N14),M(NE),NDF,NDM,NEN1,  PCO   63
     2    NST,NE)                                                      PCO   64
      GO TO 1                                                          PCO   65
```

```
C.... INPUT/OUTPUT FORMATS                                                  PCO  66
1000  FORMAT(20A4)                                                          PCO  67
1001  FORMAT(16I5)                                                          PCO  68
2000  FORMAT(1H1,20A4//5X,30HNUMBER OF NODAL POINTS        =,I6/5X,30HNUM  PCO  69
     1BER OF ELEMENTS              =,I6/5X,30HNUMBER OF MATERIAL SETS      PCO  70
     2=,I6/5X,30HDIMENSION OF COORDINATE SPACE=,I6/5X,30HDEGREE OF FREED   PCO  71
     3OMS/NODE      =,I6/5X,30HNODES PER ELEMENT (MAXIMUM)  =,I6/5X,30HE   PCO  72
     4XTRA D.O.F. TO ELEMENT      =,I6)                                    PCO  73
      END                                                                  PCO  74

      BLOCK DATA                                                                  1
      COMMON /CDATA/ O,HEAD(20),NUMNP,NUMEL,NUMMAT,NEN,NEQ,IPR                    2
      COMMON /LABEL/ PDIS(6),A(6),BC(2),DI(6),CD(3),TE(3),FD(3)                   3
      DATA A/2H,1,2H,2,2H,3,2H,4,2H,5,2H,6/,CD/4H COO,4HRDIN,4HATES/             4
      DATA TE/4H TEM,4HPERA,4HTURE/,FD/4H FOR,4HCE/D,4HISPL/                      5
      DATA PDIS/4H(I10,2H, ,4HF13.,4H4,  ,4H6E13,4H.4) /                          6
      DATA BC/4H B.C,2H. /,DI/4H DIS,2HPL,4H VEL,2HOC,4H ACC,2HEL/                7
      DATA O/1H0/,IPR/2/                                                          8
      END                                                                         9

      SUBROUTINE GENVEC(NDM,X,CD,PRT,ERR)                                  GEN   1
C                                                                          GEN   2
C.... GENERATE REAL DATA ARRAYS BY LINEAR INTERPOLATION                    GEN   3
C                                                                          GEN   4
      LOGICAL PRT,ERR,PCOMP                                                GEN   5
      COMMON /CDATA/ O,HEAD(20),NUMNP,NUMEL,NUMMAT,NEN,NEQ,IPR             GEN   6
      DIMENSION X(NDM,1),XL(7),CD(2)                                       GEN   7
      DATA BL/4HBLAN/                                                      GEN   8
      N = 0                                                                GEN   9
      NG = 0                                                               GEN  10
102   L = N                                                                GEN  11
      LG = NG                                                              GEN  12
      READ(5,1000) N,NG,XL                                                 GEN  13
      IF(N.LE.0.OR.N.GT.NUMNP) GO TO 108                                   GEN  14
      DO 103 I = 1,NDM                                                     GEN  15
103   X(I,N) = XL(I)                                                       GEN  16
      IF(LG) 104,102,104                                                   GEN  17
104   LG = ISIGN(LG,N-L)                                                   GEN  18
      LI =(IABS(N-L+LG)-1)/IABS(LG)                                        GEN  19
      DO 105 I = 1,NDM                                                     GEN  20
105   XL(I) = (X(I,N)-X(I,L))/LI                                           GEN  21
106   L = L + LG                                                           GEN  22
      IF((N-L)*LG.LE.0) GO TO 102                                          GEN  23
      IF(L.LE.0.OR.L.GT.NUMNP) GO TO 110                                   GEN  24
      DO 107 I = 1,NDM                                                     GEN  25
107   X(I,L) = X(I,L-LG) + XL(I)                                           GEN  26
      GO TO 106                                                            GEN  27
110   WRITE(6,3000) L,(CD(I),I=1,3)                                        GEN  28
      ERR = .TRUE.                                                         GEN  29
      GO TO 102                                                            GEN  30
108   DO 109 I = 1,NUMNP,50                                                GEN  31
      IF(PRT) WRITE(6,2000) 0,HEAD,(CD(L),L=1,3),(L,CD(1),CD(2),L=1,NDM)   GEN  32
      N = MIN0(NUMNP,I+49)                                                 GEN  33
      DO 109 J = I,N                                                       GEN  34
      IF(PCOMP(X(1,J),BL).AND.PRT) WRITE(6,2008) N                         GEN  35
109   IF(.NOT.PCOMP(X(1,J),BL).AND.PRT) WRITE(6,2009) J,(X(L,J),L=1,NDM)   GEN  36
      RETURN                                                               GEN  37
1000  FORMAT(2I5,7F10.0)                                                   GEN  38
2000  FORMAT(A1,20A4//5X, 5HNODAL,3A4//6X,4HNODE,9(I7,A4,A2))              GEN  39
2008  FORMAT(I10,32H HAS NOT BEEN INPUT OR GENERATED)                      GEN  40
2009  FORMAT(I10,9F13.4)                                                   GEN  41
3000  FORMAT(5X,43H**FATAL ERROR 02** ATTEMPT TO GENERATE NODE,I5,3H IN    GEN  42
     1  ,3A4)                                                              GEN  43
      END                                                                  GEN  44
```

```
      SUBROUTINE PMESH(IDL,IE,D,ID,X,IX,F,T,NDF,NDM,NEN1,III)          PME   1
C                                                                       PME   2
C.... DATA INPUT ROUTINE FOR MESH DESCRIPTION                           PME   3
C                                                                       PME   4
      LOGICAL PRT,ERR,PCOMP                                             PME   5
      COMMON /CDATA/ O,HEAD(20),NUMNP,NUMEL,NUMMAT,NEN,NEQ,IPR          PME   6
      COMMON /ELDATA/ DM,N,MA,MCT,IEL,NEL                               PME   7
      COMMON /LABEL/ PDIS(6),A(6),BC(2),DI(6),CD(3),TE(3),FD(3)        PME   8
      DIMENSION IF(1),D(10,1),ID(NDF,1),X(NDM,1),IX(NEN1,1),XHED(7)    PME   9
     1  ,IDL(6),XL(3),F(NDF,1),FL(6),T(1),WD(10),VA(2)                  PME  10
      DATA WD/4HCOOR,4HELEM,4HMATE,4HBOUN,4HFORC,4HTEMP,4HEND ,4HPRIN, PME  11
     1  4HNOPR,4HPAGE/,BL/4HBLAN/,VA/4H VAL,2HUE/,LIST/10/,PRT/.TRUE./  PME  12
C.... INITIALIZE ARRAYS                                                 PME  13
      ERR = .FALSE.                                                     PME  14
      IF(III.LT.0) GO TO 10                                             PME  15
      DO 101 N = 1,NUMNP                                                PME  16
      DO 100 I = 1,NDF                                                  PME  17
      ID(I,N) = 0                                                       PME  18
100   F(I,N) = 0.0                                                      PME  19
101   T(N) = 0.0                                                        PME  20
10    READ(5,1000)CC                                                    PME  21
      DO 20 I = 1,LIST                                                  PME  22
20    IF(PCOMP(CC,WD(I))) GO TO 30                                      PME  23
      GO TO 10                                                          PME  24
30    GO TO (1,2,3,4,5,6,7,8,9,11),I                                    PME  25
C.... NODAL COORDINATE DATA INPUT                                       PME  26
1     DO 102 N = 1,NUMNP                                                PME  27
102   X(1,N) = BL                                                       PME  28
      CALL GENVEC(NDM,X,CD,PRT,ERR)                                     PME  29
      GO TO 10                                                          PME  30
C.... ELEMENT DATA INPUT                                                PME  31
2     L = 0                                                             PME  32
      DO 206 I = 1,NUMEL,50                                             PME  33
      IF(PRT) WRITE(6,2001) O,HEAD,(K,K=1,NEN)                          PME  34
      J = MIN0(NUMEL,I+49)                                              PME  35
      DO 206 N = I,J                                                    PME  36
      IF(L-N) 200,202,203                                               PME  37
200   READ(5,1001) L,LK,(IDL(K),K=1,NEN),LX                             PME  38
      IF(L.EQ.0) L = NUMEL+1                                            PME  39
      IF(LX.EQ.0) LX=1                                                  PME  40
      IF(L-N) 201,202,203                                               PME  41
201   WRITE(6,3001) L,N                                                 PME  42
      ERR = .TRUE.                                                      PME  43
      GO TO 206                                                         PME  44
202   NX = LX                                                           PME  45
      DO 207 K = 1,NEN1                                                 PME  46
207   IX(K,L) = IDL(K)                                                  PME  47
      IX(NEN1,L) = LK                                                   PME  48
      GO TO 205                                                         PME  49
203   IX(NEN1,N) = IX(NEN1,N-1)                                         PME  50
      DO 204 K = 1,NEN                                                  PME  51
      IX(K,N) = IX(K,N-1) + NX                                          PME  52
204   IF(IX(K,N-1).EQ.0) IX(K,N) = 0                                    PME  53
205   IF(PRT) WRITE(6,2002) N,IX(NEN1,N),(IX(K,N),K=1,NEN)              PME  54
206   CONTINUE                                                          PME  55
      GO TO 10                                                          PME  56
C.... MATERIAL DATA INPUT                                               PME  57
3     WRITE(6,2004) O,HEAD                                              PME  58
      DO 300 N = 1,NUMMAT                                               PME  59
      READ(5,1002) MA,IEL,XHED                                          PME  60
      WRITE(6,2003)MA,IEL,XHED                                          PME  61
      IE(MA) = IEL                                                      PME  62
300   CALL ELMLIB(D(1,MA),DUM,X,IX,T,S,P,NDF,NDM,NST,1)                 PME  63
      GO TO 10                                                          PME  64
C.... READ IN THE RESTRAINT CONDITIONS FOR EACH NODE                    PME  65
4     IF(PRT) WRITE(6,2000) O,HEAD,(I,BC,I=1,NDF)                       PME  66
      III = 1                                                           PME  67
      N = 0                                                             PME  68
      NG = 0                                                            PME  69
402   L = N                                                             PME  70
      LG = NG                                                           PME  71
      READ(5,1001) N,NG,IDL                                             PME  72
```

```
      IF(N.LE.0.OR.N.GT.NUMNP) GO TO 60                                PME  73
      DO 51 I = 1,NDF                                                  PME  74
      ID(I,N) = IDL(I)                                                 PME  75
51    IF(L.NE.0.AND.IDL(I).EQ.0.AND.ID(I,L).LT.0) ID(I,N) = -1         PME  76
      LG = ISIGN(LG,N-L)                                               PME  77
52    L = L + LG                                                       PME  78
      IF((N-L)*LG.LE.0) GO TO 402                                      PME  79
      DO 53 I = 1,NDF                                                  PME  80
53    IF(ID(I,L-LG).LT.0) ID(I,L) = -1                                 PME  81
      GO TO 52                                                         PME  82
60    DO 58 N = 1,NUMNP                                                PME  83
      DO 56 I = 1,NDF                                                  PME  84
56    IF(ID(I,N).NE.0) GO TO 57                                        PME  85
      GO TO 58                                                         PME  86
57    IF(PRT) WRITE(6,2007) N,(ID(I,N),I=1,NDF)                        PME  87
58    CONTINUE                                                         PME  88
      GO TO 10                                                         PME  89
C.... FORCE/DISPL DATA INPUT                                            PME  90
5     CALL GENVEC(NDF,F,FD,PRT,ERR)                                    PME  91
      GO TO 10                                                         PME  92
C.... TEMPERATURE DATA INPUT                                            PME  93
6     CALL GENVEC(1,T,TE,PRT,ERR)                                      PME  94
      GO TO 10                                                         PME  95
7     IF(ERR) STOP                                                     PME  96
      RETURN                                                           PME  97
8     PRT = .TRUE.                                                     PME  98
      GO TO 10                                                         PME  99
9     PRT = .FALSE.                                                    PME 100
      GO TO 10                                                         PME 101
11    READ(5,1000) ●                                                   PME 102
      GO TO 10                                                         PME 103
1000  FORMAT(A4,75X,A1)                                                PME 104
1001  FORMAT(16I5)                                                     PME 105
1002  FORMAT(I5,4X,I1,17A4)                                            PME 106
2000  FORMAT(A1,20A4//5X,17HNUDAL B.C.        //6X,4HNODE,9(I7,A4,A2)/1X)  PME 107
2001  FORMAT(A1,20A4//5X,8HELEMENTS//3X,7HELEMENT,2X,8HMATERIAL,       PME 108
     1   14(I3,5H NODE)/(20X,14(I3,5H NODE)))                          PME 109
2002  FORMAT(2I10,14I8/(20X,14I8))                                     PME 110
2003  FORMAT(/5X,12HMATERIAL SET,I3,17H FOR ELEMENT TYPE,I2,5X,17A4/1X)  PME 111
2004  FORMAT(A1,20A4//5X,19HMATERIAL PROPERTIES)                       PME 112
2005  FORMAT(A1,20A4//5X,17HNODAL FORCE/DISPL//6X,4HNODE,9(I7,A4,A2))  PME 113
2006  FORMAT(I10,9E13.3)                                               PME 114
2007  FORMAT(I10,9I13)                                                 PME 115
3001  FORMAT(5X,20H**ERROR 03** ELEMENT,I5,22H APPEARS AFTER ELEMENT,I5)  PME 116
      END                                                              PME 117

      SUBROUTINE SETMEM(J)                                             SET   1
C                                                                      SET   2
C.... MONITOR AVAILABLE MEMORY IN BLANK COMMON                          SET   3
C                                                                      SET   4
      COMMON M(1)                                                      SET   5
      COMMON /PSIZE/ MAX                                               SET   6
      K = J                                                            SET   7
      IF(K.LE.MAX) RETURN                                              SET   8
      WRITE(6,1000) K,MAX                                              SET   9
      STOP                                                             SET  10
1000  FORMAT(5X,49H**ERROR 01** INSUFFICIENT STORAGE IN BLANK COMMON/  SET  11
     1   17X,11HREQUIRED  =,I8/17X,11HAVAILABLE =,I8/)                 SET  12
      END                                                              SET  13
```

除了 PMACR 之外,以下的子程序清单按程序名的字母顺序排列.

```
      SUBROUTINE PMACR (UL,XL,TL,LD,P,S,IE,D,ID,X,IX,F,T,JDIAG,B,DR,CT   PMA   1
     1,NDF,NDM,NEN1,NST,NEND)                                             PMA   2
C                                                                         PMA   3
C.... MACRO INSTRUCTION SUBPROGRAM                                        PMA   4
C                                                                         PMA   5
C.... CONTROLS PROBLEM SOLUTION AND OUTPUT ALGORITHMS BY                  PMA   6
C.... ORDER OF SPECIFYING MACRO COMMANDS IN ARRAY WD.                     PMA   7
C                                                                         PMA   8
      LOGICAL AFR,BFR,CFR,AFL,BFL,CFL,DFL,EFL,FFL,GFL,PCOMP               PMA   9
      COMMON M(1)                                                         PMA  10
      COMMON /CDATA/ O,HEAD(20),NUMNP,NUMEL,NUMMAT,NEN,NEQ,IPR            PMA  11
      COMMON /LABEL/ PDIS(6),Z(6),BC(2),DI(6),CD(3),TE(3),FD(3)           PMA  12
      COMMON /PRLOD/ PROP                                                 PMA  13
      COMMON /TDATA/ TIME,DT,C1,C2,C3,C4,C5                               PMA  14
      DIMENSION WD(21),CT(4,1),CTL(4),LVS(9),LVE(9),JDIAG(1),             PMA  15
     1   UL(1),XL(1),TL(1),LD(1),P(1),S(1),IE(1),D(1),ID(1),X(1),         PMA  16
     2   IX(1),F(1),T(1),B(1),DR(1)                                       PMA  17
      DATA WD/4HTOL ,4HDT  ,4HSTRE,4HDISP,4HTANG,4HFORM,4HLOOP,4HNEXT,   PMA  18
     1        4HPROP,4HDATA,4HTIME,4HCONV,4HSOLV,4HLMAS,4HCMAS,4HMESH,   PMA  19
     2        4HEIGE,4HEXCD,4HUTAN,4HREAC,4HCHEC/                         PMA  20
      DATA NWD/21/,ENDM/4HEND /,NV,NC/1,1/                                PMA  21
C.... SET INITIAL VALUES OF PARAMETERS                                    PMA  22
      DT = 0.0                                                            PMA  23
      PROP = 1.0                                                          PMA  24
      RNMAX = 0.0                                                         PMA  25
      TIME = 0.0                                                          PMA  26
      TOL = 1.E-9                                                         PMA  27
      UN = 0.0                                                            PMA  28
      AFL = .TRUE.                                                        PMA  29
      AFR = .FALSE.                                                       PMA  30
      BFL = .TRUE.                                                        PMA  31
      BFR = .FALSE.                                                       PMA  32
      CFL = .TRUE.                                                        PMA  33
      CFR = .FALSE.                                                       PMA  34
      DFL = .TRUE.                                                        PMA  35
      EFL = .TRUE.                                                        PMA  36
      FFL = .FALSE.                                                       PMA  37
      GFL = .TRUE.                                                        PMA  38
      NE = NEND                                                           PMA  39
      NNEQ = NDF*NUMNP                                                    PMA  40
      NPLD = 0                                                            PMA  41
      WRITE(6,2001) O,HEAD                                                PMA  42
C.... READ MACRO CARDS                                                    PMA  43
      LL = 1                                                              PMA  44
      LMAX = 16                                                           PMA  45
      CALL SETMEM(NE+LMAX*4*IPR)                                          PMA  46
      CT(1,1) = WD(7)                                                     PMA  47
      CT(3,1) = 1.0                                                       PMA  48
100   LL = LL + 1                                                         PMA  49
      IF(LL.LT.LMAX) GO TO 110                                            PMA  50
      LMAX = LMAX + 16                                                    PMA  51
      CALL SETMEM(NE+LMAX*4*IPR)                                          PMA  52
110   READ(5,1000)  (CT(J,LL),J=1,4)                                      PMA  53
      WRITE(6,2000) (CT(J,LL),J=1,4)                                      PMA  54
      IF(.NOT.PCOMP(CT(1,LL),ENDM)) GO TO 100                             PMA  55
200   CT(1,LL)= WD(8)                                                     PMA  56
C.... SET LOOP MARKERS                                                    PMA  57
      NE = NE + LMAX*4*IPR                                                PMA  58
      LX = LL - 1                                                         PMA  59
      DO 230 L = 1,LX                                                     PMA  60
```

```
      IF(.NOT.PCOMP(CT(1,L),WD(7))) GO TO 230                           PMA  61
      J = 1                                                             PMA  62
      K = L + 1                                                         PMA  63
      DO 210 I = K,LL                                                   PMA  64
      IF(PCOMP(CT(1,I),WD(7))) J = J + 1                                PMA  65
      IF(J.GT.9) GO TO 401                                              PMA  66
      IF(PCOMP(CT(1,I),WD(8))) J = J - 1                                PMA  67
210   IF(J.EQ.0) GO TO 220                                              PMA  68
      GO TO 400                                                         PMA  69
220   CT(4,I) = L                                                       PMA  70
      CT(4,L) = I                                                       PMA  71
230   CONTINUE                                                          PMA  72
      J = 0                                                             PMA  73
      DO 240 L = 1,LL                                                   PMA  74
      IF(PCOMP(CT(1,L),WD(7))) J = J + 1                                PMA  75
      IF(PCOMP(CT(1,L),WD(8))) J = J - 1                                PMA  76
      IF(J.NE.0) GO TO 400                                              PMA  77
C.... EXECUTE MACRO INSTRUCTION PROGRAM                                  PMA  78
      LV = 0                                                            PMA  79
      L = 1                                                             PMA  80
299   DO 300 J = 1,NWD                                                  PMA  81
300   IF(PCOMP(CT(1,L),WD(J))) GO TO 310                                PMA  82
      GO TO 330                                                         PMA  83
310   I = L - 1                                                         PMA  84
      IF(L.NE.1.AND.L.NE.LL)                                            PMA  85
     1WRITE(6,2010) I,(CT(K,L),K = 1,4)                                 PMA  86
      GO TO (1,2,3,4,5,6,7,8,9,10,11,12,13,14,15,16,17,18,19,20,21),J   PMA  87
C.... SET SOLUTION TOLERANCE                                             PMA  88
1     TOL = CT(3,L)                                                     PMA  89
      GO TO 330                                                         PMA  90
C.... SET TIME INCREMENT                                                 PMA  91
2     DT = CT(3,L)                                                      PMA  92
      GO TO 330                                                         PMA  93
C.... PRINT STRESS VALUES                                                PMA  94
3     LX = LVE(LV)                                                      PMA  95
      IF(AMOD(CT(3,LX),AMAX1(CT(3,L),1.)).EQ.0.0)                       PMA  96
     1 CALL PFORM(UL,XL,TL,LD,P,S,IE,D,ID,X,IX,F,T,JDIAG,DR,DR,DR,      PMA  97
     2   NDF,NDM,NEN1,NST,4,B,M(NV),.FALSE.,.FALSE.,.FALSE.,.FALSE.)    PMA  98
      GO TO 330                                                         PMA  99
C.... PRINT DISPLACEMENTS                                                PMA 100
4     LX = LVE(LV)                                                      PMA 101
      IF(AMOD(CT(3,LX),AMAX1(CT(3,L),1.)).NE.0.0) GO TO 330             PMA 102
      WRITE(6,2003) O,HEAD,TIME,PROP                                    PMA 103
      CALL PRTDIS(ID,X,B,F,NDM,NDF)                                     PMA 104
      GO TO 330                                                         PMA 105
C.... FORM TANGENT STIFFNESS                                             PMA 106
19    IF(CFL) CALL PSETM(NC,NE,JDIAG(NEQ)*IPR,CFL)                      PMA 107
      CALL PZERO(M(NC),JDIAG(NEQ))                                      PMA 108
      CFR = .TRUE.                                                      PMA 109
5     IF(J.EQ.5) CFR = .FALSE.                                          PMA 110
      IF(GFL) CALL PSETM(NA,NE,JDIAG(NEQ)*IPR,GFL)                      PMA 111
      IF(NPLD.GT.0) PROP = PROPLD(TIME,0)                               PMA 112
      CALL PZERO(M(NA),JDIAG(NEQ))                                      PMA 113
      CALL PFORM(UL,XL,TL,LD,P,S,IE,D,ID,X,IX,F,T,JDIAG,DR,M(NA),M(NC), PMA 114
     2   NDF,NDM,NEN1,NST,3,B,M(NV),.TRUE.,.FALSE.,CFR,.FALSE.)         PMA 115
      AFR = .TRUE.                                                      PMA 116
      GO TO 330                                                         PMA 117
C.... FORM OUT OF BALANCE FORCE FOR TIME STEP/ITERATION                  PMA 118
6     IF(NPLD.GT.0) PROP = PROPLD(TIME,0)                               PMA 119
      CALL PLOAD(ID,F,DR,NNEQ,PROP)                                     PMA 120
      CALL PFORM(UL,XL,TL,LD,P,S,IE,D,ID,X,IX,F,T,JDIAG,DR,DR,DR,       PMA 121
     2   NDF,NDM,NEN1,NST,6,B,M(NV),.FALSE.,.TRUE.,.FALSE.,.FALSE.)     PMA 122
      BFR = .TRUE.                                                      PMA 123
      RN = 0.                                                           PMA 124
      DO 61 N = 1,NEQ                                                   PMA 125
      RN = RN + DR(N)**2                                                PMA 126
      RN = SQRT(RN)                                                     PMA 127
      RNMAX = AMAX1(RNMAX,RN)                                           PMA 128
      WRITE(6,2005) RNMAX,RN,TOL                                        PMA 129
      IF(RN.GE.RNMAX*TOL) GO TO 330                                     PMA 130
      LX = LVE(LV)                                                      PMA 131
      LD = LVS(LV)                                                      PMA 132
```

```
      CT(3,LX) = CT(3,IU)                                               PMA 133
      L = LX - 1                                                        PMA 134
      GO TO 330                                                         PMA 135
C.... SET LOOP START INDICATORS                                         PMA 136
7     LV = LV + 1                                                       PMA 137
      LX = CT(4,L)                                                      PMA 138
      LVS(LV) = L                                                       PMA 139
      LVE(LV) = LX                                                      PMA 140
      CT(3,LX) = 1.                                                     PMA 141
      GO TO 330                                                         PMA 142
C.... LOOP TERMINATOR CONTROL                                           PMA 143
8     N = CT(4,L)                                                       PMA 144
      CT(3,L) = CT(3,L) + 1.0                                           PMA 145
      IF(CT(3,L).GT.CT(3,N)) LV = LV - 1                                PMA 146
      IF(CT(3,L).LE.CT(3,N)) L = N                                      PMA 147
      GO TO 330                                                         PMA 148
C.... INPUT PROPORTIONAL LOAD TABLE                                     PMA 149
9     NPLD = CT(3,L)                                                    PMA 150
      PROP = PROPLD(0.,NPLD)                                            PMA 151
      GO TO 330                                                         PMA 152
C.... READ COMMAND                                                      PMA 153
10    READ(5,1000) (CTL(I),I=1,4)                                       PMA 154
      IF(.NOT.PCOMP(CT(2,L),CTL(1))) GO TO 402                          PMA 155
      IF(PCOMP(CTL(1),WD(1))) TOL = CTL(3)                              PMA 156
      IF(PCOMP(CTL(1),WD(2))) DT = CTL(3)                               PMA 157
      GO TO 330                                                         PMA 158
C.... INCREMENT TIME                                                    PMA 159
11    TIME = TIME + DT                                                  PMA 160
      RNMAX = 0.0                                                       PMA 161
      UN = 0.0                                                          PMA 162
      GO TO 330                                                         PMA 163
C.... COMPUTE CONVERGENCE TEST                                          PMA 164
12    RN = 0.0                                                          PMA 165
      DO 121 N = 1,NEQ                                                  PMA 166
      UN = UN + B(N)**2                                                 PMA 167
121   RN = RN + DR(N)**                                                 PMA 168
      UN = AMAX1(UN,RN)                                                 PMA 169
      CN = SQRT(UN)                                                     PMA 170
      RN = SQRT(RN)                                                     PMA 171
      WRITE(6,2002) CN,RN,TOL                                           PMA 172
      LX = LVE(LV)                                                      PMA 173
      LO = LVS(LV)                                                      PMA 174
      IF(RN.LT.CN*TOL) CT(3,LX) = CT(3,LO)                              PMA 175
      GO TO 330                                                         PMA 176
C.... SOLVE THE EQUATIONS                                               PMA 177
13    IF(CFR) GO TO 131                                                 PMA 178
      CALL ACTCOL(M(NA),DR,JDIAG,NEQ,AFR,BFR)                           PMA 179
      GO TO 132                                                         PMA 180
131   CALL UACTCL(M(NA),M(NC),DR,JDIAG,NEQ,AFR,BFR)                     PMA 181
132   AFR = .FALSE.                                                     PMA 182
      IF(.NOT.BFR) GO TO 330                                            PMA 183
      BFR = .FALSE.                                                     PMA 184
      DO 133 N = 1,NEQ                                                  PMA 185
133   B(N) = B(N) + DR(N)                                               PMA 186
      GO TO 330                                                         PMA 187
C.... FORM A LUMPED MASS APPROXIMATION                                  PMA 188
14    AFL = .FALSE.                                                     PMA 189
      BFL = .TRUE.                                                      PMA 190
      IF(EFL) CALL PSETM(NN,NE,NEQ*IPR,EFL)                             PMA 191
139   CALL PZERO(M(NN),NEQ)                                             PMA 192
      GO TO 140                                                         PMA 193
C.... FORM A CONSISTENT MASS APPROXIMATION                              PMA 194
15    AFL = .TRUE.                                                      PMA 195
      BFL = .FALSE.                                                     PMA 196
      IF(DFL) CALL PSETM(NM,NE,JDIAG(NEQ)*IPR,DFL)                      PMA 197
152   CALL PZERO (M(NM),JDIAG(NEQ))                                     PMA 198
140   CALL PFORM(UL,XL,TL,LD,P,S,IE,D,ID,X,IX,F,T,JDIAG,M(NN),M(NM),    PMA 199
     1  M(NM),NDF,NDM,NEN1,NST,S,B,M(NV),AFL,BFL,.FALSE.,.FALSE.)       PMA 200
      GO TO 330                                                         PMA 201
16    I = -1                                                            PMA 202
      CALL PMESH(LD,IE,D,ID,X,IX,F,T,NDF,NDM,NEN1,I)                    PMA 203
      IF(I.GT.0) GO TO 404                                              PMA 204
```

```
      GO TO 330                                                         PMA 205
17    J = NM                                                            PMA 206
      IF(DFL) J = NN                                                    PMA 207
      CALL PEIGS(M(NA),M(J),F,X,B,DR,ID,IX,JDIAG,NDF,NDM,NEN1,DFL)      PMA 208
      GO TO 330                                                         PMA 209
18    IF(FFL) GO TO 181                                                 PMA 210
C.... MACRO *EXCD* EXPLICIT INTEGRATION OF EQUATIONS OF MOTION          PMA 211
      NQ = NE                                                           PMA 212
      NV = NQ + NEQ*IPR                                                 PMA 213
      NR = NV + NDF*NUMNP*IPR                                           PMA 214
      NE = NR + NEQ*IPR                                                 PMA 215
      CALL SETMEM(NE+1)                                                 PMA 216
      CALL PZERO(M(NQ),NE-NQ)                                           PMA 217
      FFL = .TRUE.                                                      PMA 218
      GO TO 330                                                         PMA 219
181   IF(.NOT.BFR.OR.EFL) GO TO 403                                     PMA 220
      CALL EUPDAT(DR,B,M(NQ),M(NR),M(NN),DT,NEQ)                        PMA 221
      GO TO 330                                                         PMA 222
C.... COMPUTE REACTIONS AND PRINT                                       PMA 223
20    CALL PZERO(DR,NNEQ)                                               PMA 224
      CALL PFORM(UL,XL,TL,LD,P,S,IE,D,ID,X,IX,F,T,JDIAG,DR,DR,DR,       PMA 225
     1   NDF,NDM,NEN1,NST,6,B,M(NV),.FALSE.,.TRUE.,.FALSE.,.TRUE.)      PMA 226
      CALL PRTREA(DR,NDF)                                               PMA 227
      GO TO 330                                                         PMA 228
21    CALL PFORM(UL,XL,TL,LD,P,S,IE,D,ID,X,IX,F,T,JDIAG,DR,DR,DR        PMA 229
     1   NDF,NDM,NEN1,NST,2,B,F,.FALSE.,.FALSE.,.FALSE.,.FALSE.)        PMA 230
330   L = L + 1                                                         PMA 231
      IF(L.GT.LL) RETURN                                                PMA 232
      GO TO 299                                                         PMA 233
400   WRITE(6,4000)                                                     PMA 234
      RETURN                                                            PMA 235
401   WRITE(6,4001)                                                     PMA 236
      RETURN                                                            PMA 237
402   WRITE(6,4002)                                                     PMA 238
      RETURN                                                            PMA 239
403   WRITE(6,4003)                                                     PMA 240
404   WRITE(6,4004)                                                     PMA 241
      RETURN                                                            PMA 242
1000  FORMAT(A4,1X,A4,1X,2F5.0)                                         PMA 243
2000  FORMAT(10X,A4,1X,A4,1X,2G15.5)                                    PMA 244
2001  FORMAT(A1,20A4//5X,18HMACRO INSTRUCTIONS//5X,15HMACRO STATEMENT,5X PMA 245
     1,10HVARIABLE 1,5X,10HVARIABLE 2)                                  PMA 246
2002  FORMAT(5X,29HDISPLACEMENT CONVERGENCE TEST/10X,7HUNNMAX =,G15.5,5X, PMA 247
     1   7HUN    =,G15.5,5X,7HTOL    =,G15.5)                           PMA 248
2003  FORMAT(A1,20A4,10X,4HTIME,G13.5//5X,17HPROPORTIONAL LOAD,G13.5)   PMA 249
2004  FORMAT(5X,4HCN =,G12.5,5X,4HDN =,G12.5,5X,4HUN =,G12.5,5X,4HAG =  PMA 250
     1   ,G12.5,5X,4HAC =,G12.5)                                        PMA 251
2005  FORMAT(5X,22HFORCE CONVERGENCE TEST/10X,7HRNMAX =,G15.5,5X,       PMA 252
     1   7HRN    =,G15.5,5X,7HTOL    =,G15.5)                           PMA 253
2010  FORMAT(2X,19H**MACRO INSTRUCTION,I4,13H EXECUTED**  ,2(A4,2X), 6H PMA 254
     1V1 = ,G13.4, 8H , V2 = ,G13.4)                                    PMA 255
4000  FORMAT(5X,46H**FATAL ERROR 10** UNBALANCED LOOP/NEXT MACROS )     PMA 256
4001  FORMAT(5X,45H**FATAL ERROR 11** LOOPS NESTED DEEPER THAN 8)       PMA 257
4002  FORMAT(5X,57H**FATAL ERROR 12** MACRO LABEL MISMATCH ON A READ COM PMA 258
     1MAND)                                                             PMA 259
4003  FORMAT(5X,63H**FATAL ERROR 13** MACRO EXCD MUST BE PRECEDED BY LMA PMA 260
     1S AND FORM)                                                       PMA 261
4004  FORMAT(5X,84H**FATAL ERROR 14** ATTEMPT TO CHANGE BOUNDARY RESTRAI PMA 262
     1NT CODES DURING MACRO EXECUTION )                                 PMA 263
      END                                                               PMA 264
      SUBROUTINE ACTCOL(A,B,JDIAG,NEQ,AFAC,BACK)                        ACT   1
      LOGICAL AFAC,BACK                                                 ACT   2
      COMMON/ENGYS/ AENGY                                               ACT   3
      DIMENSION A(1),B(1),JDIAG(1)                                      ACT   4
C                                                                       ACT   5
C.... ACTIVE COLUMN PROFILE SYMMETRIC EQUATION SOLVER                   ACT   6
C                                                                       ACT   7
C.... FACTOR A TO UT*D*U, REDUCE B                                      ACT   8
      AENGY = 0.0                                                       ACT   9
      JR = 0                                                            ACT  10
      DO 600 J = 1,NEQ                                                  ACT  11
```

```
      JD = JDIAG(J)                                                     ACT  12
      JH = JD - JR                                                      ACT  13
      IS = J - JH + 2                                                   ACT  14
      IF(JH-2) 600,300,100                                              ACT  15
100   IF(.NOT.AFAC) GO TO 500                                           ACT  16
      IE = J - 1                                                        ACT  17
      K = JR + 2                                                        ACT  18
      ID = JDIAG(IS - 1)                                                ACT  19
C.... REDUCE ALL EQUATIONS EXCEPT DIAGONAL                               ACT  20
      DO 200 I = IS,IE                                                  ACT  21
      IR = ID                                                           ACT  22
      ID = JDIAG(I)                                                     ACT  23
      IH = MINO(ID-IR-1,I-IS+1)                                         ACT  24
      IF(IH.GT.0) A(K) = A(K) - DOT(A(K-IH),A(ID-IH),IH)                ACT  25
200   K = K + 1                                                         ACT  26
C.... REDUCE DIAGONAL TERM                                               ACT  27
300   IF(.NOT.AFAC) GO TO 500                                           ACT  28
      IR = JR + 1                                                       ACT  29
      IE = JD - 1                                                       ACT  30
      K = J - JD                                                        ACT  31
      DO 400 I = IR,IE                                                  ACT  32
      ID = JDIAG(K+I)                                                   ACT  33
      IF(A(ID).EQ.0.0) GO TO 400                                        ACT  34
      D = A(I)                                                          ACT  35
      A(I) = A(I)/A(ID)                                                 ACT  36
      A(JD) = A(JD) - D*A(I)                                            ACT  37
400   CONTINUE                                                          ACT  38
C.... REDUCE RHS                                                         ACT  39
500   IF(BACK) B(J) = B(J) - DOT(A(JR+1),B(IS-1),JH-1)                  ACT  40
600   JR = JD                                                           ACT  41
      IF(.NOT.BACK) RETURN                                              ACT  42
C.... DIVIDE BY DIAGONAL PIVOTS                                          ACT  43
      DO 700 I = 1,NEQ                                                  ACT  44
      ID = JDIAG(I)                                                     ACT  45
      IF(A(ID).NE.0.0) B(I) = B(I)/A(ID)                                ACT  46
700   AENGY = AENGY + B(I)*B(I)*A(ID)                                   ACT  47
C.... BACKSUBSTITUTE                                                     ACT  48
      J = NEQ                                                           ACT  49
      JD = JDIAG(J)                                                     ACT  50
800   D = B(J)                                                          ACT  51
      J = J - 1                                                         ACT  52
      IF(J.LE.0) RETURN                                                 ACT  53
      JR = JDIAG(J)                                                     ACT  54
      IF(JD-JR.LE.1) GO TO 1000                                         ACT  55
      IS = J - JD + JR + 2                                              ACT  56
      K = JR - IS + 1                                                   ACT  57
      DO 900 I = IS,J                                                   ACT  58
900   B(I) = B(I) - A(I+K)*D                                            ACT  59
1000  JD = JR                                                           ACT  60
      GO TO 800                                                         ACT  61
      END                                                               ACT  62
      SUBROUTINE ADDSTF(A,B,C,S,P,JDIAG,LD,NST,NEL,AFL,BFL,CFL)         ADD   1
C                                                                       ADD   2
C.... ASSEMBLE GLOBAL ARRAYS                                             ADD   3
C                                                                       ADD   4
      LOGICAL AFL,BFL,CFL                                               ADD   5
      DIMENSION A(1),B(1),JDIAG(1),P(1),S(NST,1),LD(1) ,C(1)            ADD   6
      DO 200 J = 1,NEL                                                  ADD   7
      K = LD(J)                                                         ADD   8
      IF(K.EQ.0) GO TO 200                                              ADD   9
      IF(BFL) B(K) = B(K) + P(J)                                        ADD  10
      IF(.NOT.AFL.AND..NOT.CFL) GO TO 200                               ADD  11
      L = JDIAG(K) - K                                                  ADD  12
      DO 100 I = 1,NEL                                                  ADD  13
      M = LD(I)                                                         ADD  14
      IF(M.GT.K.OR.M.EQ.0) GO TO 100                                    ADD  15
      M = L + M                                                         ADD  16
      IF(AFL) A(M) = A(M) + S(I,J)                                      ADD  17
      IF(CFL) C(M) = C(M) + S(J,I)                                      ADD  18
100   CONTINUE                                                          ADD  19
200   CONTINUE                                                          ADD  20
      RETURN                                                            ADD  21
      END                                                               ADD  22
```

```
      FUNCTION   DOT(A,B,N)                                         DOT    1
C                                                                   DOT    2
C.... VECTOR DOT PRODUCT                                            DOT    3
C                                                                   DOT    4
      DIMENSION A(1),B(1)                                           DOT    5
      DOT = 0.0                                                     DOT    6
      DO 100 I = 1,N                                                DOT    7
100   DOT = DOT + A(I)*B(I)                                         DOT    8
      RETURN                                                        DOT    9
      END                                                           DOT   10

      SUBROUTINE ELMLIB(D,U,X,IX,T,S,P,I,J,K,ISW)                   ELM    1
C                                                                   ELM    2
C.... ELEMENT LIBRARY                                               ELM    3
C                                                                   ELM    4
      COMMON /ELDATA/ DM,N,MA,MCT,IEL,NEL                           ELM    5
      DIMENSION P(K),S(K,K),D(1),U(1),X(1),IX(1),T(1)               ELM    6
      IF(IEL.LE.0.OR.IEL.GT.4) GO TO 400                            ELM    7
      IF(ISW.LT.3) GO TO 30                                         ELM    8
      DO 20 L = 1,K                                                 ELM    9
      P(L) = 0.0                                                    ELM   10
      DO 20 M = 1,K                                                 ELM   11
20    S(L,M) = 0.0                                                  ELM   12
30    GO TO (1,2,3,4),IEL                                           ELM   13
1     CALL ELMT01(D,U,X,IX,T,S,P,I,J,K,ISW)                         ELM   14
      GO TO 10                                                      ELM   15
2     CALL ELMT02(D,U,X,IX,T,S,P,I,J,K,ISW)                         ELM   16
      GO TO 10                                                      ELM   17
3     CALL ELMT03(D,U,X,IX,T,S,P,I,J,K,ISW)                         ELM   18
      GO TO 10                                                      ELM   19
4     CALL ELMT04(D,U,X,IX,T,S,P,I,J,K,ISW)                         ELM   20
10    RETURN                                                        ELM   21
400   WRITE(6,4000) IEL                                             ELM   22
      STOP                                                          ELM   23
4000  FORMAT(5X,39H**FATAL ERROR 04** ELEMENT CLASS NUMBER,I3,6H INPUT)  ELM   24
      END                                                           ELM   25

      SUBROUTINE EUPDAT(DR,U,V,A,XM,DT,NEQ)                         EUP    1
      DIMENSION U(1),V(1),A(1),DR(1),XM(1)                          EUP    2
C.... UPDATE SOLUTION USING EXPLICIT CENTRAL DIFFERENCES            EUP    3
      DATA DTHP/0.0/                                                EUP    4
      DTH = DT/2.                                                   EUP    5
      DTAV = DTH + DTHP                                             EUP    6
      DTHP = DTH                                                    EUP    7
      DO 100 N = 1,NEQ                                              EUP    8
      A(N) = DR(N)/XM(N)                                            EUP    9
      V(N) = V(N) + DTAV*A(N)                                       EUP   10
100   U(N) = U(N) + DT*V(N)                                         EUP   11
      RETURN                                                        EUP   12
      END                                                           EUP   13

      SUBROUTINE NORM(X,Y,N)                                        NOR    1
C                                                                   NOR    2
C.... NORMALIZE VECTOR Y TO UNIT VECTOR X                           NOR    3
C                                                                   NOR    4
      DIMENSION X(1),Y(1)                                           NOR    5
      SCALE = SQRT(DOT(Y,Y,N))                                      NOR    6
      DO 100 I = 1,N                                                NOR    7
100   X(I) = Y(I)/SCALE                                             NOR    8
      RETURN                                                        NOR    9
      END                                                           NOR   10

      LOGICAL FUNCTION PCOMP(A,B)                                   NCTI   1
      PCOMP = .FALSE.                                               NCTI   2
C.... IT MAY BE NECESSARY TO REPLACE THE FOLLOWING ALPHANUMERIC     NCTI   3
C.... COMPARISON STATEMENT IF COMPUTER PRODUCES AN OVERFLOW         NCTI   4
      IF(A.EQ.B) PCOMP = .TRUE.                                     NCTI   5
      RETURN                                                        NCTI   6
      END                                                           NCTI   7
```

```
      SUBROUTINE PEIGS(A,B,F,X,Y,Z,ID,IX,JDIAG,NDF,NDM,NEN1,DFL)          PEI   1
C                                                                         PEI   2
C.... COMPUTE DOMINANT EIGENVALUE BY INVERSE ITERATION                    PEI   3
C                                                                         PEI   4
      LOGICAL DFL                                                         PEI   5
      COMMON /CDATA/ O,HEAD(20),NUMNP,NUMEL,NUMMAT,NEN,NEQ,IPR            PEI   6
      COMMON/ENGYS/ AENGY                                                 PEI   7
      DIMENSION A(1),B(1),F(1),X(1),Y(1),Z(1),ID(1),IX(1),JDIAG(1)        PEI   8
      DATA ITS/100/,TOL/1.E-9/                                            PEI   9
C.... GET START VECTOR FROM DIAGONAL OF MASS MATRIX                       PEI  10
      DO 100 I = 1,NEQ                                                    PEI  11
      J = JDIAG(I)                                                        PEI  12
      IF(DFL) J = I                                                       PEI  13
100   Y(I) = B(J)                                                         PEI  14
      EIGP = 0.                                                           PEI  15
      CALL ACTCOL(A,Z,JDIAG,NEQ,.TRUE.,.FALSE.)                           PEI  16
      DO 200 I = 1,ITS                                                    PEI  17
      CALL PZERO(Z,NEQ)                                                   PEI  18
      CALL PROMUL(B,Y,Z,JDIAG,NEQ)                                        PEI  19
C.... RAYLEIGH QUOTIENT                                                   PEI  20
      EIG = AENGY/DOT(Y,Z,NEQ)                                            PEI  21
      IF(ABS(EIG-EIGP).LT.TOL*ABS(EIG)) GO TO 300                         PEI  22
      CALL NORM(Y,Z,NEQ)                                                  PEI  23
      EIGP = EIG                                                          PEI  24
C.... INVERSE ITERATION                                                   PEI  25
200   CALL ACTCOL(A,Y,JDIAG,NEQ,.FALSE.,.TRUE.)                           PEI  26
      WRITE(6,2001) ITS                                                   PEI  27
      RETURN                                                              PEI  28
300   WRITE(6,2000) O,HEAD,EIG,I                                          PEI  29
      CALL NORM(Z,Y,NEQ)                                                  PEI  30
      CALL PRTDIS(ID,X,Z,F,NDM,NDF)                                       PEI  31
      RETURN                                                              PEI  32
2000  FORMAT(A1,20A4//5X,14HEIGENVALUE =  ,G13.4/5X,14HITERATIONS =  ,    PEI  33
     1   I9/)                                                             PEI  34
2001  FORMAT(5X,57H**FATAL ERROR 09** NO CONVERGENCE IN EIGENVALUES, ITS  PEI  35
     1 =  ,I5)                                                            PEI  36
      END                                                                 PEI  37

      SUBROUTINE PFORM(UL,XL,TL,LD,P,S,IE,D,ID,X,IX,F,T,JDIAG,B,A,C,NDF,  PFO   1
     1   NDM,NEN1,NST,ISW,U,UD,AFL,BFL,CFL,DFL)                           PFO   2
C                                                                         PFO   3
C.... COMPUTE ELEMENT ARRAYS AND ASSEMBLE GLOBAL ARRAYS                   PFO   4
C                                                                         PFO   5
      LOGICAL AFL,BFL,CFL,DFL                                             PFO   6
      COMMON /CDATA/ O,HEAD(20),NUMNP,NUMEL,NUMMAT,NEN,NEQ,IPR            PFO   7
      COMMON /ELDATA/ DM,N,MA,MCT,IEL,NEL                                 PFO   8
      COMMON/PRLOD/ PROP                                                  PFO   9
      DIMENSION XL(NDM,1),LD(NDF,1),P(1),S(NST,1),IE(1),D(10,1),ID(NDF,1  PFO  10
     1),X(NDM,1),IX(NEN1,1),F(NDF,1),JDIAG(1),B(1),A(1),C(1),UL(NDF,1)   PFO  11
     2   ,TL(1),T(1),U(1),UD(NDF,1)                                       PFO  12
C.... LOOP ON ELEMENTS                                                    PFO  13
      IEL = 0                                                             PFO  14
      DO 110 N = 1,NUMEL                                                  PFO  15
C.... SET UP LOCAL ARRAYS                                                 PFO  16
      DO 108 I = 1,NEN                                                    PFO  17
      II = IX(I,N)                                                        PFO  18
      IF(II.NE.0) GO TO 105                                               PFO  19
      TL(I) = 0.                                                          PFO  20
      DO 103 J = 1,NDM                                                    PFO  21
103   XL(J,I) = 0.                                                        PFO  22
      DO 104 J = 1,NDF                                                    PFO  23
      UL(J,I) = 0.                                                        PFO  24
      UL(J,I+NEN)=0.                                                      PFO  25
104   LD(J,I) = 0                                                         PFO  26
      GO TO 108                                                           PFO  27
105   IID = II*NDF - NDF                                                  PFO  28
      NEL = I                                                             PFO  29
      TL(I) = T(II)                                                       PFO  30
      DO 106 J = 1,NDM                                                    PFO  31
106   XL(J,I) = X(J,II)                                                   PFO  32
      DO 107 J = 1,NDF                                                    PFO  33
      K = IABS(ID(J,II))                                                  PFO  34
```

```
      UL(J,I) = F(J,II)*PROP                                            PFO  35
      UL(J,I+NEN)=UD(J,II)                                              PFO  36
      IF(K.GT.0) UL(J,I) = U(K)                                         PFO  37
      IF(DFL) K = IID + J                                               PFO  38
107   LD(J,I) = K                                                       PFO  39
108   CONTINUE                                                          PFO  40
C.... FORM ELEMENT ARRAY                                                PFO  41
      MA = IX(NEN1,N)                                                   PFO  42
      IF(IE(MA).NE.IEL) MCT = 0                                         PFO  43
      IEL = IE(MA)                                                      PFO  44
      CALL ELMLIB(D(1,MA),UL,XL,IX(1,N),TL,S,P,NDF,NDM,NST,ISW)         PFO  45
C.... ADD TO TOTAL ARRAY                                                PFO  46
      IF(AFL.OR.BFL.OR.CFL) CALL ADDSTF(A,B,C,S,P,JDIAG,LD,NST,NEL*NDF, PFO  47
     1   AFL,BFL,CFL)                                                   PFO  48
110   CONTINUE                                                          PFO  49
      RETURN                                                            PFO  50
      END                                                               PFO  51

      SUBROUTINE PLOAD(ID,F,B,NN,P)                                     PLO   1
C                                                                       PLO   2
C.... FOM LOAD VECTOR IN COMPACT FORM                                   PLO   3
C                                                                       PLO   4
      DIMENSION ID(1),F(1),B(1)                                         PLO   5
      DO 100 N = 1,NN                                                   PLO   6
      J = ID(N)                                                         PLO   7
100   IF(J.GT.0) B(J) = F(N)*P                                          PLO   8
      RETURN                                                            PLO   9
      END                                                               PLO  10

      SUBROUTINE PROFIL (JDIAG,ID,IX,NDF,NEN1,NAD)                      PRO   1
C                                                                       PRO   2
C.... COMPUTE PROFILE OF GLOBAL ARRAYS                                  PRO   3
C                                                                       PRO   4
      COMMON /CDATA/ O,HEAD(20),NUMNP,NUMEL,NUMMAT,NEN,NEQ,IPR          PRO   5
      DIMENSION JDIAG(1),ID(NDF,1),IX(NEN1,1)                           PRO   6
C.... SET UP THE EQUATION NUMBERS                                       PRO   7
      NEQ = 0                                                           PRO   8
      DO 50 N = 1,NUMNP                                                 PRO   9
      DO 40 I = 1,NDF                                                   PRO  10
      J = ID(I,N)                                                       PRO  11
      IF(J) 30,20,30                                                    PRO  12
20    NEQ = NEQ + 1                                                     PRO  13
      ID(I,N) = NEQ                                                     PRO  14
      JDIAG(NEQ) = 0                                                    PRO  15
      GO TO 40                                                          PRO  16
30    ID(I,N) = 0                                                       PRO  17
40    CONTINUE                                                          PRO  18
50    CONTINUE                                                          PRO  19
C.... COMPUTE COLUMN HEIGHTS                                            PRO  20
      DO 500 N = 1,NUMEL                                                PRO  21
      DO 400 I = 1,NEN                                                  PRO  22
      II = IX(I,N)                                                      PRO  23
      IF(II.EQ.0) GO TO 400                                             PRO  24
      DO 300 K = 1,NDF                                                  PRO  25
      KK = ID(K,II)                                                     PRO  26
      IF(KK.EQ.0) GO TO 300                                             PRO  27
      DO 200 J = I,NEN                                                  PRO  28
      JJ = IX(J,N)                                                      PRO  29
      IF(JJ.EQ.0) GO TO 200                                             PRO  30
      DO 100 L = 1,NDF                                                  PRO  31
      LL = ID(L,JJ)                                                     PRO  32
      IF(LL.EQ.0) GO TO 100                                             PRO  33
      M = MAX0(KK,LL)                                                   PRO  34
      JDIAG(M) = MAX0(JDIAG(M),IABS(KK-LL))                             PRO  35
100   CONTINUE                                                          PRO  36
200   CONTINUE                                                          PRO  37
300   CONTINUE                                                          PRO  38
400   CONTINUE                                                          PRO  39
500   CONTINUE                                                          PRO  40
C.... COMPUTE DIAGONAL POINTERS FOR PROFILE                             PRO  41
      NAD = 1                                                           PRO  42
      JDIAG(1) = 1                                                      PRO  43
```

```
      IF(NEQ.EQ.1) RETURN                                                PRO  44
      DO 600 N = 2,NEQ                                                   PRO  45
600   JDIAG(N) = JDIAG(N) + JDIAG(N-1) + 1                               PRO  46
      NAD = JDIAG(NEQ)                                                   PRO  47
      RETURN                                                             PRO  48
      END                                                                PRO  49

      SUBROUTINE PROMUL(A,B,C,JDIAG,NEQ)                                 PRO   1
      DIMENSION A(1),B(1),C(1),JDIAG(1)                                  PRO   2
C                                                                        PRO   3
C.... ROUTINE TO FORM C = C + A*B WHERE A IS A SYMMETRIC SQUARE MATRIX    PRO   4
C.... STORED IN PROFILE FORM, B,C ARE VECTORS, AND JDIAG LOCATES THE     PRO   5
C.... DIAGONALS IN A.                                                    PRO   6
C                                                                        PRO   7
      JS = 1                                                             PRO   8
      DO 200 J = 1,NEQ                                                   PRO   9
      JD = JDIAG(J)                                                      PRO  10
      IF(JS.GT.JD) GO TO 200                                             PRO  11
      BJ = B(J)                                                          PRO  12
      AB = A(JD)*BJ                                                      PRO  13
      IF(JS.EQ.JD) GO TO 150                                             PRO  14
      JB = J - JD                                                        PRO  15
      JE = JD - 1                                                        PRO  16
      DO 100 JJ = JS,JE                                                  PRO  17
      AB = AB + A(JJ)*B(JJ+JB)                                           PRO  18
100   C(JJ+JB) = C(JJ+JB) + A(JJ)*BJ                                     PRO  19
150   C(J) = C(J) + AB                                                   PRO  20
200   JS = JD + 1                                                        PRO  21
      RETURN                                                             PRO  22
      END                                                                PRO  23

      FUNCTION PROPLD(T,J)                                               ROPL  1
C                                                                        ROPL  2
C.... PROPORTIONAL LOAD TABLE (ONE LOAD CARD ONLY)                       ROPL  3
C                                                                        ROPL  4
      DIMENSION A(5)                                                     ROPL  5
      IF(J.GT.0) GO TO 200                                               ROPL  6
C.... COMPUTE VALUE AT TIME T                                            ROPL  7
      PROPLD = 0.0                                                       ROPL  8
      IF(T.LT.TMIN.OR.T.GT.TMAX) RETURN                                  ROPL  9
      L = MAX0(L,1)                                                      ROPL 10
      PROPLD = A(1) + A(2)*T + A(3)*(SIN(A(4)*T+A(5)))**L                ROPL 11
      RETURN                                                             ROPL 12
C.... INPUT TABLE OF PROPORTIONAL LOADS                                  ROPL 13
200   I = 1                                                              ROPL 14
      READ(5,1000)   K,L,TMIN,TMAX,A                                     ROPL 15
      WRITE(6,2000) I,K,L,TMIN,TMAX,A                                    ROPL 16
      RETURN                                                             ROPL 17
1000  FORMAT(2I5,7F10.0)                                                 ROPL 18
2000  FORMAT(5X,23HPROPORTIONAL LOAD TABLE//24H  NUMBER    TYPE    EXP., ROPL 19
     1 14H  MINIMUM TIME,15H   MAXIMUM TIME, 5X,2HA1,13X,2HA2,13X,2HA3,  ROPL 20
     2   13X,2HA4,13X,2HA5/(3I8,7G15.5))                                 ROPL 21
      END                                                                ROPL 22

      SUBROUTINE PRTDIS(ID,X,B,F,NDM,NDF)                                PRT   1
C                                                                        PRT   2
C.... OUTPUT NODAL VALUES                                                PRT   3
C                                                                        PRT   4
      LOGICAL PCOMP                                                      PRT   5
      COMMON/PRLOD/ PROP                                                 PRT   6
      COMMON /CDATA/ O,HEAD(20),NUMNP,NUMEL,NUMMAT,NEN,NEQ,IPR           PRT   7
      COMMON /LABEL/ PDIS(6),A(6),BC(2),DI(6),CD(3),TE(3),FD(3)          PRT   8
      COMMON /TDATA/ TIME,DT,C1,C2,C3,C4,C5                              PRT   9
      DIMENSION X(NDM,1),B(1),UL(6),ID(NDF,1),F(NDF,1)                   PRT  10
      DATA BL/4HBLAN/                                                    PRT  11
      DO 102 II = 1,NUMNP,50                                             PRT  12
      WRITE(6,2000) O,HEAD,TIME,(I,CD(1),CD(2),I=1,NDM),(I,DI(1)         PRT  13
     1   ,DI(2),I=1,NDF)                                                 PRT  14
      JJ = MIN0(NUMNP,II+49)                                             PRT  15
      DO 102 N = II,JJ                                                   PRT  16
      IF(PCOMP(X(1,N),BL)) GO TO 101                                     PRT  17
      DO 100 I = 1,NDF                                                   PRT  18
```

```
      UL(I) = F(I,N)*PROP                                               PRT  19
      K = IABS(ID(I,N))                                                 PRT  20
100   IF(K.GT.0) UL(I) = B(K)                                           PRT  21
      WRITE(6,PDIS) N,(X(I,N),I=1,NDM),(UL(I),I=1,NDF)                  PRT  22
101   CONTINUE                                                          PRT  23
102   CONTINUE                                                          PRT  24
      RETURN                                                            PRT  25
2000  FORMAT(A1,20A4//5X,19HNODAL DISPLACEMENTS,5X,4HTIME,E13.5//       PRT  26
     1   6X,4HNODF,9(I7,A4,A2))                                         PRT  27
      END                                                               PRT  28

      SUBROUTINE PRTREA(R,NDF)                                          PRT   1
                                                                        PRT   2
C.... PRINT NODAL REACTIONS                                             PRT   3
C                                                                       PRT   4
      DIMENSION R(NDF,1),RSUM(6),ASUM(6)                                PRT   5
      COMMON /CDATA/ O,HEAD(20),NUMNP,NUMEL,NUMMAT,NEN,NEQ,IPR          PRT   6
      DO 50 K = 1,NDF                                                   PRT   7
      RSUM(K) = 0.                                                      PRT   8
50    ASUM(K) = 0.                                                      PRT   9
      DO 100 N = 1,NUMNP,50                                             PRT  10
      J = MIN0(NUMNP,N+49)                                              PRT  11
      WRITE(6,2000) O,HEAD,(K,K=1,NDF)                                  PRT  12
      DO 100 I = N,J                                                    PRT  13
      DO 75 K = 1,NDF                                                   PRT  14
      R(K,I) = -R(K,I)                                                  PRT  15
      RSUM(K) = RSUM(K) + R(K,I)                                        PRT  16
75    ASUM(K) = ASUM(K) + ABS(R(K,I))                                   PRT  17
100   WRITE(6,2001) I,(R(K,I),K=1,NDF)                                  PRT  18
C.... PRINT STATICS CHECK                                               PRT  19
      WRITE(6,2002) (RSUM(K),K=1,NDF)                                   PRT  20
      WRITE(6,2003) (ASUM(K),K=1,NDF)                                   PRT  21
      RETURN                                                            PRT  22
2000  FORMAT(A1,20A4//5X,15HNODAL REACTIONS//6X,4HNODE,                 PRT  23
     1  6(I9,4H DOF))                                                   PRT  24
2001  FORMAT(I10,6E13.4)                                                PRT  25
2002  FORMAT(/7X,3HSUM,6E13.4)                                          PRT  26
2003  FORMAT(/3X,7HABS SUM,6E13.4)                                      PRT  27
      END                                                               PRT  28

      SUBROUTINE PSETM(NA,NE,NJ,AFL)                                    PSE   1
C                                                                       PSE   2
C.... SET POINTER FOR ARRAYS                                            PSE   3
C                                                                       PSE   4
      LOGICAL AFL                                                       PSE   5
      NA = NE                                                           PSE   6
      NE = NE + NJ                                                      PSE   7
      AFL = .FALSE.                                                     PSE   8
      CALL SETMEM(NE)                                                   PSE   9
      RETURN                                                            PSE  10
      END                                                               PSE  11

      SUBROUTINE PZERO(V,NN)                                            PZE   1
C                                                                       PZE   2
C.... ZERO REAL ARRAY                                                   PZE   3
C                                                                       PZE   4
      DIMENSION V(NN)                                                   PZE   5
      DO 100 N = 1,NN                                                   PZE   6
100   V(N) = 0.0                                                        PZE   7
      RETURN                                                            PZE   8
      END                                                               PZE   9

      SUBROUTINE UACTCL(A,C,B,JDIAG,NEQ,AFAC,BACK)                      UAC   1
      LOGICAL AFAC,BACK                                                 UAC   2
      DIMENSION A(1),B(1),JDIAG(1),C(1)                                 UAC   3
C                                                                       UAC   4
C.... UNSYMMETRIC, ACTIVE COLUMN PROFILE EQUATION SOLVER                UAC   5
C                                                                       UAC   6
C.... FACTOR A TO UT*D*U, REDUCE B TO Y                                 UAC   7
      JR = 0                                                            UAC   8
      DO 300 J = 1,NEQ                                                  UAC   9
      JD = JDIAG(J)                                                     UAC  10
```

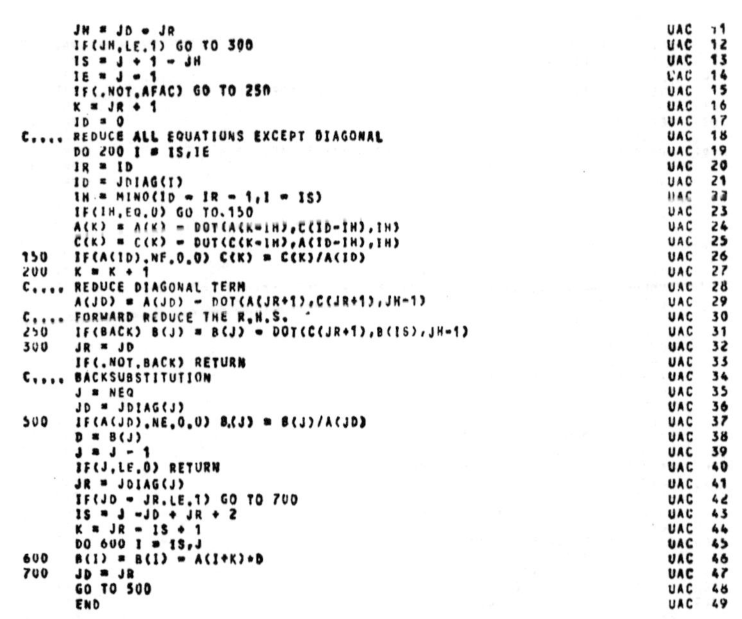

```
      JH = JD - JR                                                      UAC  11
      IF(JH.LE.1) GO TO 300                                             UAC  12
      IS = J + 1 - JH                                                   UAC  13
      IE = J - 1                                                        UAC  14
      IF(.NOT.AFAC) GO TO 250                                           UAC  15
      K = JR + 1                                                        UAC  16
      ID = 0                                                            UAC  17
C.... REDUCE ALL EQUATIONS EXCEPT DIAGONAL                               UAC  18
      DO 200 I = IS,IE                                                  UAC  19
      IR = ID                                                           UAC  20
      ID = JDIAG(I)                                                     UAC  21
      IH = MINO(ID - IR - 1,I - IS)                                     UAC  22
      IF(IH.EQ.0) GO TO 150                                             UAC  23
      A(K) = A(K) - DOT(A(K-IH),C(ID-IH),IH)                            UAC  24
      C(K) = C(K) - DOT(C(K-IH),A(ID-IH),IH)                            UAC  25
150   IF(A(ID).NE.0.0) C(K) = C(K)/A(ID)                                UAC  26
200   K = K + 1                                                         UAC  27
C.... REDUCE DIAGONAL TERM                                              UAC  28
      A(JD) = A(JD) - DOT(A(JR+1),C(JR+1),JH-1)                         UAC  29
C.... FORWARD REDUCE THE R.H.S.                                         UAC  30
250   IF(BACK) B(J) = B(J) - DOT(C(JR+1),B(IS),JH-1)                    UAC  31
300   JR = JD                                                           UAC  32
      IF(.NOT.BACK) RETURN                                              UAC  33
C.... BACKSUBSTITUTION                                                  UAC  34
      J = NEQ                                                           UAC  35
      JD = JDIAG(J)                                                     UAC  36
500   IF(A(JD).NE.0.0) B(J) = B(J)/A(JD)                                UAC  37
      D = B(J)                                                          UAC  38
      J = J - 1                                                         UAC  39
      IF(J.LE.0) RETURN                                                 UAC  40
      JR = JDIAG(J)                                                     UAC  41
      IF(JD - JR.LE.1) GO TO 700                                        UAC  42
      IS = J -JD + JR + 2                                               UAC  43
      K = JR - IS + 1                                                   UAC  44
      DO 600 I = IS,J                                                   UAC  45
600   B(I) = B(I) - A(I+K)*D                                            UAC  46
700   JD = JR                                                           UAC  47
      GO TO 500                                                         UAC  48
      END                                                               UAC  49
```

24.8.3 单元模块 本小节给出计算如下分析中所需各数组的单元模块清单:

(a) 二维各向同性线性弹性力学问题,

(b) 二维线性热传导问题,

(c) 非线性稳态纳维-斯托克斯问题.

所有这些单元都应用同样的形状函数例行程序 SHAPE 及 SHAP2,它们是 24.5 节中给出的例行程序的扩充.这两个例行程序能够构成三节点三角形单元、四节点线性四边形单元、八节点二次 Serendipity 四边形单元、九节点二次拉格朗日四边形单元及它们之间的组合单元的二维形状函数.九节点二次拉格朗日四边形单元的局部节点编号示于图 24.25.如果略去第九个节点编号(数据卡片穿零或不穿孔),则得到八节点 Serendipity 单元.如果仅头四个节点的联络性信息为非零值,则算出的是四节点四边形单元的形状函数;如果仅头三个节点的联络性信息为非零值,则算出的是三节点三角形单元的形状函数.最后,如果略去某一边中节点的联络性信息,则该边是线性的;因此,用这样的方法可以构成从线性单元到二次单元的过渡单元.

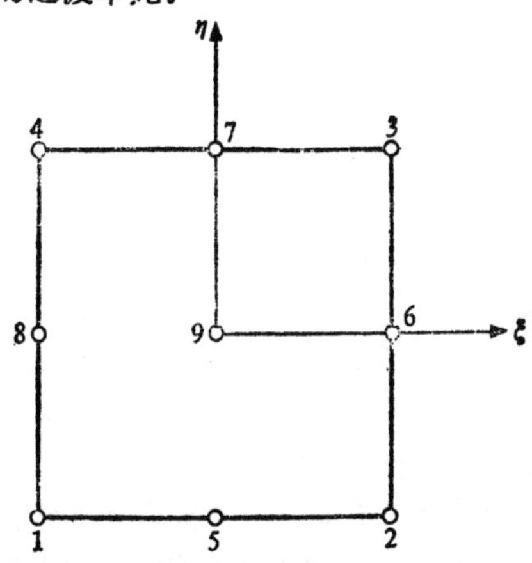

图 24.25 二次拉格朗日单元的局部节点编号顺序

所有单元的控制信息都是相似的，以下就讨论这一点. 既然都是二维单元，问题的空间维数 NDM 就肯定为 2. 每个单元的最大节点数目取决于各分析中所用单元的类型，可取从 3 至 9 的任意值.

解弹性力学问题及流体力学问题的单元，每个节点有两个自由度(即 u, v). 因此使用者必须规定每个节点的自由度数 NDF≥2. 如果 NDF > 2，上述两类单元都仍能应用，但使多余的自由度为零位移，这要浪费中心存储单元. 仅当这类单元和其它具有更多自由度的单元混合使用时，才需要用到这种附加自由度. 例如，每个节点具有三个自由度的典型框架单元和作为剪切板的平面单元共同使用时就是这种情况.

对于求解热传导问题的单元，每个节点仅要求一个自由度，虽然必要时也可采用更多的自由度.

其余的信息取决于具体问题，必须相应设置.

各向同性线性弹性单元 (ELMT01) 这种求解弹性力学问题的单元被称为 ELMT01 (单元库中的例行子程序名)，要用这种单元时，每张材料编号卡片第十列的数据必须是 1. 每一材料数据组的第二张数据卡片提供材料性质数据及数值积分信息，它按如下方式准备：

列号	说明
1—10	E，杨氏模量
11—20	ν，泊松比
21—30	ρ，质量密度
31—35	L，各方向的高斯积分点数(1，2 或 3)
36—40	平面应变问题置零，平面应力问题置非零值

高斯积分点的总数等于 L^2；积分点的坐标存储在 SG 及 TG 中，而对应的权系数值则存储在 WG 中.

这种弹性力学单元既可用于平面应力问题，也可用于平面应变问题，只要如上所示地规定数据即可. 假设单元中的材料性质数据为常数，刚度矩阵按图 24.8(b) 计算.

这种单元可用于

(a) 任何一种稳态分析(线性或非线性)，

(b) 计算主特征值，

(c) 按显式逐步积分法求解瞬态问题.

使用者可以很容易地增加一些宏指令，以进行第二十一章中所讨论的隐式逐步积分.

```
      SUBROUTINE ELMT0[illegible]L,IX,TL,S,P,NDF,NDM,NST,ISW)          ELM   1
C                                                                        ELM   2
C.... PLANE LINEAR ELASTIC ELEMENT ROUTINE                               ELM   3
C                                                                        ELM   4
      COMMON /CDATA/ O,HEAD(20),NUMNP,NUMEL,NUMMAT,NEN,NEQ,IPR           ELM   5
      COMMON /ELDATA/ DM,N,MA,MCT,IEL,NEL                                ELM   6
      DIMENSION D(1),UL(NDF,1),XL(NDM,1),IX(1),TL(1),S(NST,1),P(1)       ELM   7
     1  ,SHP(3,9),SG(9),TG(9),WG(9),SIG(6),EPS(3),WD(2)                  ELM   8
      DATA WD/4HRESS,4HRAIN/                                             ELM   9
C.... GO TO CORRECT ARRAY PROCESSOR                                      ELM  10
      GO TO(1,2,3,4,5,4), ISW                                            ELM  11
C.... INPUT MATERIAL PROPERTIES                                          ELM  12
1     READ(5,1000) E,XNU,D(4),L,K,I                                      ELM  13
      IF(I.NE.0) I = 1                                                   ELM  14
      IF(I.EQ.0) I = 2                                                   ELM  15
      D(1) = E*(1.+(1-I)*XNU)/(1.+XNU)/(1.-I*XNU)                        ELM  16
      D(2) = XNU*D(1)/(1.+(1-I)*XNU)                                     ELM  17
      D(3) = E/2./(1.+XNU)                                               ELM  18
      L = MIN0(3,MAX0(1,L))                                              ELM  19
      D(5) = L                                                           ELM  20
      K = MIN0(3,MAX0(1,K))                                              ELM  21
      D(6) = K                                                           ELM  22
      LINT = 0                                                           ELM  23
      WRITE(6,2000) WD(I),E,XNU,D(4),L,K                                 ELM  24
      RETURN                                                             ELM  25
2     RETURN                                                             ELM  26
3     L = D(5)                                                           ELM  27
      IF(L*L.NE.LINT) CALL PGAUSS(L,LINT,SG,TG,WG)                       ELM  28
C.... FAST STIFFNESS COMPUTATION, COMPUTE INTEGRALS OF SHAPE FUNCTIONS   ELM  29
      DO 320 L = 1,LINT                                                  ELM  30
```

```
      CALL SHAPE(SG(L),TG(L),XL,SHP,XSJ,NDM,NEL,IX,.FALSE.)               ELM  31
      XSJ = XSJ*WG(L)                                                     ELM  32
C.... LOOP OVER ROWS                                                      ELM  33
      J1 = 1                                                              ELM  34
      DO 320 J = 1,NEL                                                    ELM  35
      W11 = SHP(1,J)*XSJ                                                  ELM  36
      W12 = SHP(2,J)*XSJ                                                  ELM  37
C.... LOOP OVER COLUMNS (SYMMETRY NOTED)                                  ELM  38
      K1 = J1                                                             ELM  39
      DO 310 K = J,NEL                                                    ELM  40
      S(J1  ,K1  ) = S(J1  ,K1  ) + W11*SHP(1,K)                          ELM  41
      S(J1  ,K1+1) = S(J1  ,K1+1) + W11*SHP(2,K)                          ELM  42
      S(J1+1,K1  ) = S(J1+1,K1  ) + W12*SHP(1,K)                          ELM  43
      S(J1+1,K1+1) = S(J1+1,K1+1) + W12*SHP(2,K)                          ELM  44
310   K1 = K1 + NDF                                                       ELM  45
320   J1 = J1 + NDF                                                       ELM  46
C.... ASSEMBLE THE STIFFNESS MATRIX FROM INTEGRALS AND MATERIAL PROPS.     ELM  47
      NSL = NEL*NDF                                                       ELM  48
      DO 330 J = 1,NSL,NDF                                                ELM  49
      DO 330 K = J,NSL,NDF                                                ELM  50
      W11 = S(J,K)                                                        ELM  51
      W12 = S(J,K+1)                                                      ELM  52
      W21 = S(J+1,K)                                                      ELM  53
      W22 = S(J+1,K+1)                                                    ELM  54
      S(J  ,K  ) = D(1)*W11 + D(3)*W22                                    ELM  55
      S(J  ,K+1) = D(2)*W12 + D(3)*W21                                    ELM  56
      S(J+1,K  ) = D(2)*W21 + D(3)*W12                                    ELM  57
      S(J+1,K+1) = D(1)*W22 + D(3)*W11                                    ELM  58
C.... FORM LOWER PART BY SYMMETRY                                         ELM  59
      S(K,J) = S(J,K)                                                     ELM  60
      S(K,J+1) = S(J+1,K)                                                 ELM  61
      S(K+1,J) = S(J,K+1)                                                 ELM  62
330   S(K+1,J+1) = S(J+1,K+1)                                             ELM  63
      RETURN                                                              ELM  64
4     L = D(5)                                                            ELM  65
      IF(ISW.EQ.4) L = D(6)                                               ELM  66
      IF(L*L.NE.LINT) CALL PGAUSS(L,LINT,SG,TG,WG)                        ELM  67
C.... COMPUTE ELEMENT STRESSFS, STRAINS, AND FORCES                        ELM  68
      DO 600 L = 1,LINT                                                   ELM  69
C.... COMPUTE ELEMENT SHAPE FUNCTIONS                                     ELM  70
      CALL SHAPE(SG(L),TG(L),XL,SHP,XSJ,NDM,NEL,IX,.FALSE.)               ELM  71
C.... COMPUTE STRAINS AND COORDINATES                                     ELM  72
      DO 410 I = 1,3                                                      ELM  73
410   EPS(I) = 0.0                                                        ELM  74
      XX = 0.0                                                            ELM  75
      YY = 0.0                                                            ELM  76
      DO 420 J = 1,NEL                                                    ELM  77
      XX = XX + SHP(3,J)*XL(1,J)                                          ELM  78
      YY = YY + SHP(3,J)*XL(2,J)                                          ELM  79
      EPS(1) = EPS(1) + SHP(1,J)*UL(1,J)                                  ELM  80
      EPS(3) = EPS(3) + SHP(2,J)*UL(2,J)                                  ELM  81
420   EPS(2) = EPS(2) + SHP(1,J)*UL(2,J) + SHP(2,J)*UL(1,J)               ELM  82
C.... COMPUTE STRESSES                                                    ELM  83
      SIG(1) = D(1)*EPS(1) + D(2)*EPS(3)                                  ELM  84
      SIG(3) = D(2)*EPS(1) + D(1)*EPS(3)                                  ELM  85
      SIG(2) = D(3)*EPS(2)                                                ELM  86
      IF(ISW.EQ.6) GO TO 620                                              ELM  87
      CALL PSTRES(SIG,SIG(4),SIG(5),SIG(6))                               ELM  88
C.... OUTPUT STRESSES AND STRAINS                                         ELM  89
      MCT = MCT - 2                                                       ELM  90
      IF(MCT.GT.0) GO TO 430                                              ELM  91
      WRITE(6,2001) O,HEAD                                                ELM  92
      MCT = 50                                                            ELM  93
430   WRITE(6,2002) N,MA,XX,YY,SIG,EPS                                    ELM  94
      GO TO 600                                                           ELM  95
C.... COMPUTE INTERNAL FORCES                                             ELM  96
620   DV = XSJ*WG(L)                                                      ELM  97
      J1 = 1                                                              ELM  98
      DO 610 J = 1,NEL                                                    ELM  99
      P(J1) = P(J1) - (SHP(1,J)*SIG(1) + SHP(2,J)*SIG(2))*DV              ELM 100
      P(J1+1) = P(J1+1) - (SHP(1,J)*SIG(2) + SHP(2,J)*SIG(3))*DV          ELM 101
610   J1 = J1 + NDF                                                       ELM 102
```

```
600     CONTINUE                                                           ELM 103
        RETURN                                                             ELM 104
C.....  COMPUTE CONSISTENT MASS MATRIX                                     ELM 105
5       L = D(5)                                                           ELM 106
        IF(L*L.NE.LINT) CALL PGAUSS(L,LINT,SG,TG,WG)                       ELM 107
        DO 500 L = 1,LINT                                                  ELM 108
C.....  COMPUTE SHAPE FUNCTIONS                                            ELM 109
        CALL SHAPE(SG(L),TG(L),XL,SHP,XSJ,NDM,NEL,IX,.FALSE.)              ELM 110
        DV = WG(L)*XSJ*D(4)                                                ELM 111
C.....  FOR EACH NODE J COMPUTE DB = RHO*SHAPE*DV                          ELM 112
        J1 = 1                                                             ELM 113
        DO 500 J = 1,NEL                                                   ELM 114
        W11 = SHP(3,J)*DV                                                  ELM 115
C.....  FOR EACH NODE K COMPUTE MASS MATRIX (UPPER TRIANGULAR PART)        ELM 116
        K1 = J1                                                            ELM 117
        DO 510 K = J,NEL                                                   ELM 118
        S(J1,K1) = S(J1,K1) + SHP(3,K)*W11                                 ELM 119
510     K1 = K1 + NDF                                                      ELM 120
500     J1 = J1 + NDF                                                      ELM 121
C.....  COMPUTE MISSING PARTS AND LOWER PART BY SYMMETRIES                  ELM 122
        NSL = NEL*NDF                                                      ELM 123
        DO 520 J = 1,NSL,NDF                                               ELM 124
        DO 520 K = J,NSL,NDF                                               ELM 125
        S(J+1,K+1) = S(J,K)                                                ELM 126
        S(K,J) = S(J,K)                                                    ELM 127
520     S(K+1,J+1) = S(J,K)                                                ELM 128
C.....  FORMATS FOR INPUT-OUTPUT                                           ELM 129
        RETURN                                                             ELM 130
1000    FORMAT(3F10.0,3I5)                                                 ELM 131
2000    FORMAT(/5X,8HPLANE ST,A4,23H LINEAR ELASTIC ELEMENT//              ELM 132
      1 10X,7HMODULUS,E18.5/10X,13HPOISSON RATIO,F8.5/10X,                 ELM 133
      2 7HDENSITY,E18.5/10X,13HGAUSS PTS/DIR,I3/10X,10HSTRESS PTS,I6)      ELM 134
2001    FORMAT(A1,20A4//5X,16HELEMENT STRESSES//20H   ELEMENT  MATERIAL    ELM 135
     1    ,6X,7H1-COORD,6X,7H2-COORD,4X,9H11-STRESS,4X,9H12-STRESS,4X,     ELM 136
     2    9H22-STRESS,5X,8H1-STRESS,5X,8H2-STRESS,3X,5HANGLE/50X,          ELM 137
     3   9H11-STRAIN,4X,9H12-STRAIN,4X,9H22-STRAIN)                        ELM 138
2002    FORMAT(2I10,2F13.4,5E13.4,F8.2/46X,3E13.4)                         ELM 139
        END                                                                ELM 140

        SUBROUTINE PGAUSS(L,LINT,R,Z,W)                                    PGA   1
C                                                                          PGA   2
C.....  GAUSS POINTS AND WEIGHTS FOR TWO DIMENSIONS                         PGA   3
C                                                                          PGA   4
        DIMENSION LR(9),LZ(9),LW(9),R(1),Z(1),W(1)                         PGA   5
        DATA LR/-1,1,1,-1,0,1,0,-1,0/,LZ/-1,-1,1,1,-1,0,1,0,0/             PGA   6
        DATA LW/4*25,4*40,64/                                              PGA   7
        LINT = L*L                                                         PGA   8
        GO TO (1,2,3),L                                                    PGA   9
C.....  1X1 INTEGRATION                                                    PGA  10
1       R(1) = 0.                                                          PGA  11
        Z(1) = 0.                                                          PGA  12
        W(1) = 4.                                                          PGA  13
        RETURN                                                             PGA  14
C.....  2X2 INTEGRATIOI                                                    PGA  15
2       G = 1./SQRT(3.)                                                    PGA  16
        DO 21 I = 1,4                                                      PGA  17
        R(I) = G*LR(I)                                                     PGA  18
        Z(I) = G*LZ(I)                                                     PGA  19
21      W(I) = 1.                                                          PGA  20
        RETURN                                                             PGA  21
C.....  3X3 INTEGRATION                                                    PGA  22
3       G = SQRT(0.6)                                                      PGA  23
        H = 1./81.                                                         PGA  24
        DO 31 I = 1,9                                                      PGA  25
        R(I) = G*LR(I)                                                     PGA  26
        Z(I) = G*LZ(I)                                                     PGA  27
31      W(I) = H*LW(I)                                                     PGA  28
        RETURN                                                             PGA  29
        END                                                                PGA  30
```

```
      SUBROUTINE PSTRES(SIG,P1,P2,P3)                                    PST   1
C                                                                        PST   2
C.... COMPUTE PRINCIPAL STRESSES (2 DIMENSIONS)                          PST   3
C                                                                        PST   4
      DIMENSION SIG(3)                                                   PST   5
C.... STRESSES MUST BE STORED IN ARRAY SIG(3) IN THE ORDER               PST   6
C           TAU-XX,TAU-XY,TAU-YY                                         PST   7
      XI1 = (SIG(1) + SIG(3))/2.                                         PST   8
      XI2 = (SIG(1) - SIG(3))/2.                                         PST   9
      RHO = SQRT(XI2*XI2 + SIG(2)*SIG(2))                                PST  10
      P1 = XI1 + RHO                                                     PST  11
      P2 = XI1 - RHO                                                     PST  12
      P3 = 45.0                                                          PST  13
      IF(XI2.NE.0.0) P3 = 22.5*ATAN2(SIG(2),XI2)/ATAN(1.0)               PST  14
      RETURN                                                             PST  15
      END                                                                PST  16

      SUBROUTINE SHAPE(SS,TT,X,SHP,XSJ,NDM,NEL,IX,FLG)                   SHA   1
C                                                                        SHA   2
C.... SHAPE FUNCTION ROUTINE FOR TWO DIMENSIONAL ELEMENTS                SHA   3
C                                                                        SHA   4
      LOGICAL FLG                                                        SHA   5
      DIMENSION SHP(3,1),X(NDM,1),S(4),T(4),XS(2,2),SX(2,2),IX(1)        SHA   6
      DATA S/-0.5,0.5,0.5,-0.5/,T/-0.5,-0.5,0.5,0.5/                     SHA   7
C.... FORM 4-NODE QUADRILATERAL SHAPE FUNCTIONS                          SHA   8
      DO 100 I = 1,4                                                     SHA   9
      SHP(3,I) = (0.5+S(I)*SS)*(0.5+T(I)*TT)                             SHA  10
      SHP(1,I) = S(I)*(0.5+T(I)*TT)                                      SHA  11
100   SHP(2,I) = T(I)*(0.5+S(I)*SS)                                      SHA  12
      IF(NEL.GE.4) GO TO 120                                             SHA  13
C.... FORM TRIANGLE BY ADDING THIRD AND FOURTH TOGETHER                  SHA  14
      DO 110 I = 1,3                                                     SHA  15
110   SHP(I,3) = SHP(I,3)+SHP(I,4)                                       SHA  16
C.... ADD QUADRATIC TERMS IF NECESSARY                                   SHA  17
120   IF(NEL.GT.4) CALL SHAP2(SS,TT,SHP,IX,NEL)                          SHA  18
C.... CONSTRUCT JACOBIAN AND ITS INVERSE                                 SHA  19
      DO 130 I = 1,NDM                                                   SHA  20
      DO 130 J = 1,2                                                     SHA  21
      XS(I,J) = 0.0                                                      SHA  22
      DO 130 K = 1,NEL                                                   SHA  23
130   XS(I,J) = XS(I,J) + X(I,K)*SHP(J,K)                                SHA  24
      XSJ = XS(1,1)*XS(2,2)-XS(1,2)*XS(2,1)                              SHA  25
      IF(FLG) RETURN                                                     SHA  26
      SX(1,1) = XS(2,2)/XSJ                                              SHA  27
      SX(2,2) = XS(1,1)/XSJ                                              SHA  28
      SX(1,2) =-XS(1,2)/XSJ                                              SHA  29
      SX(2,1) =-XS(2,1)/XSJ                                              SHA  30
C.... FORM GLOBAL DERIVATIVES                                            SHA  31
      DO 140 I = 1,NEL                                                   SHA  32
      TP        = SHP(1,I)*SX(1,1)+SHP(2,I)*SX(2,1)                      SHA  33
      SHP(2,I)  = SHP(1,I)*SX(1,2)+SHP(2,I)*SX(2,2)                      SHA  34
140   SHP(1,I) = TP                                                      SHA  35
      RETURN                                                             SHA  36
      END                                                                SHA  37

      SUBROUTINE SHAP2(S,T,SHP,IX,NEL)                                   SHA   1
C                                                                        SHA   2
C.... ADD QUADRATIC FUNCTIONS AS NECESSARY                               SHA   3
C                                                                        SHA   4
      DIMENSION IX(1),SHP(3,1)                                           SHA   5
      S2 = (1.-S*S)/2.                                                   SHA   6
      T2 = (1.-T*T)/2.                                                   SHA   7
      DO 100 I = 5,NEL                                                   SHA   8
      DO 100 J = 1,3                                                     SHA   9
100   SHP(J,I) = 0.0                                                     SHA  10
C.... MIDSIDE NODES (SERENDIPITY)                                        SHA  11
      IF(IX(5).EQ.0) GO TO 101                                           SHA  12
      SHP(1,5) = -S*(1.-T)                                               SHA  13
      SHP(2,5) = -S2                                                     SHA  14
      SHP(3,5) = S2*(1.-T)                                               SHA  15
101   IF(NEL.LT.6) GO TO 107                                             SHA  16
      IF(IX(6).EQ.0) GO TO 102                                           SHA  17
```

```
      SHP(1,6) = T2                                               SHA  18
      SHP(2,6) = -T*(1.+S)                                        SHA  19
      SHP(3,6) = T2*(1.+S)                                        SHA  20
102   IF(NEL.LT.7) GO TO 107                                      SHA  21
      IF(IX(7).EQ.0) GO TO 103                                    SHA  22
      SHP(1,7) = -S*(1.+T)                                        SHA  23
      SHP(2,7) = S2                                               SHA  24
      SHP(3,7) = S2*(1.+T)                                        SHA  25
103   IF(NEL.LT.8) GO TO 107                                      SHA  26
      IF(IX(8).EQ.0) GO TO 104                                    SHA  27
      SHP(1,8) = -T2                                              SHA  28
      SHP(2,8) = -T*(1.-S)                                        SHA  29
      SHP(3,8) = T2*(1.-S)                                        SHA  30
C.... INTERIOR NODE (LAGRANGIAN)                                   SHA  31
104   IF(NEL.LT.9) GO TO 107                                      SHA  32
      IF(IX(9).EQ.0) GO TO 107                                    SHA  33
      SHP(1,9) = -S*T2                                            SHA  34
      SHP(2,9) = -T*S2                                            SHA  35
      SHP(3,9) = 4.*S2*T2                                         SHA  36
C.... CORRECT EDGE NODES FOR INTERIOR NODE (LAGRANGIAN)            SHA  37
      DO 106 J= 1,3                                               SHA  38
      DO 105 I = 1,4                                              SHA  39
105   SHP(J,I) = SHP(J,I) - 0.25*SHP(J,9)                         SHA  40
      DO 106 I = 5,8                                              SHA  41
106   IF(IX(I).NE.0) SHP(J,I) = SHP(J,I) - .5*SHP(J,9)            SHA  42
C.... CORRECT CORNER NODES FOR PRESENSE OF MIDSIDE NODES           SHA  43
107   K = 8                                                       SHA  44
      DO 109 I = 1,4                                              SHA  45
      L = I + 4                                                   SHA  46
      DO 108 J = 1,3                                              SHA  47
108   SHP(J,I) = SHP(J,I) - 0.5*(SHP(J,K)+SHP(J,L))               SHA  48
109   K = L                                                       SHA  49
      RETURN                                                      SHA  50
      END                                                         SHA  51
```

线性热传导单元（ELMT02）这种热传导元素被称为 ELMT-02，要用这种元素时，每张材料编号卡片第十列的数据必须是 2。每一材料数据组的第二张卡片规定材料的性质数据和问题的几何形式，其格式为

列号	说明
1—10	k，热传导系数
11—20	c，热容量
21—30	ρ，质量密度
31—35	KAT = 2，对于轴对称问题， ≠2，对于平面问题

在规定这些数据时，采用的单位必须一致。

稳态纳维-斯托克斯流动问题的流体单元（ELMT03）这种流体单元被称为 ELMT03，要采用这种元素时，每张材料编号卡片第十列的数据必须是 3。材料性质及数值积分信息按如下方式

```
      SUBROUTINE ELMT02(D,UL,XL,IX,TL,S,P,NDF,NDM,NST,ISW)               ELM   1
C                                                                        ELM   2
C.... TWO DIMENSIONAL HEAT TRANSFER ELEMENT                              ELM   3
C                                                                        ELM   4
      COMMON /CDATA/ O,HEAD(20),NUMNP,NUMEL,NUMMAT,NEN,NEQ,IPR           ELM   5
      COMMON/ELDATA/ DM,N,MA,MCT,IEL,NEL                                 ELM   6
      DIMENSION D(1),UL(1) ,XL(NDM,1),IX(1),TL(1),S(NST,1),P(1),         ELM   7
     1SHP(3,9),SG(4),TG(4) ,WLAB(2)                                      ELM   8
      DATA  SG/1.,1.,-1.,-1./,TG/-1.,1.,1.,-1./                          ELM   9
      DATA WLAB/6H PLANE,6HAXISYM/                                       ELM  10
C.... TRANSFER TOCORRECT PROCESSOR                                       ELM  11
      GO TO (1,2,3,2,5,6),ISW                                            ELM  12
C.... INPUT MATERIAL PROPERTIES                                          ELM  13
1     READ(5,1000) D(1),D(2),D(3),KAT                                    ELM  14
      WRITE(6,2000) D(1),D(2),D(3)                                       ELM  15
      G=1./SQRT(3.)                                                      ELM  16
      D(2)=D(2)*D(3)                                                     ELM  17
      IF(KAT,NE.2) KAT=1                                                 ELM  18
      WRITE(6,2001) WLAB(KAT)                                            ELM  19
      RETURN                                                             ELM  20
C.... INSERT CHECK OF MESH IF DESIRED                                    ELM  21
2     RETURN                                                             ELM  22
C.... COMPUTE CONDUCTIVITY (STIFFNESS) MATRIX                            ELM  23
3     DO 102 L=1,4                                                       ELM  24
      CALL SHAPE(SG(L)*G,TG(L)*G,X,SHP,XSJ,NDM,NEL,IX,.FALSE.)           ELM  25
      IF(KAT.NE.2) GO TO 101                                             ELM  26
      RR=0.                                                              ELM  27
      DO 100 I=1,NEL                                                     ELM  28
100   RR=RR+SHP(3,I)*X(1,I)                                              ELM  29
      XSJ=XSJ*RR                                                         ELM  30
101   DO 102 J=1,NEL                                                     ELM  31
      SHJ=SHP(3,J)*XSJ                                                   ELM  32
      A1=D(1)*SHP(1,J)*XSJ                                               ELM  33
      A2=D(1)*SHP(2,J)*XSJ                                               ELM  34
      DO 102 I=1,NEL                                                     ELM  35
102   S(I,J)=S(I,J)+A1*SHP(1,I)+A2*SHP(2,I)                              ELM  36
      RETURN                                                             ELM  37
C.... COMPUTE HEAT CAPACITY (MASS) MATRIX                                ELM  38
5     DO 105 L=1,4                                                       ELM  39
      CALL SHAPE(SG(L)*G,TG(L)*G,X,SHP,XSJ,NDM,NEL,IX,.FALSE.)           ELM  40
      IF(KAT.NE.2) GO TO 104                                             ELM  41
      RR=0.                                                              ELM  42
      DO 103 I=1,NEL                                                     ELM  43
103   RR=RR+SHP(3,I)*X(1,I)                                              ELM  44
      XSJ=XSJ*RR                                                         ELM  45
104   DO 105 J=1,NEL                                                     ELM  46
      SHJ=D(2)*SHP(3,J)*XSJ                                              ELM  47
      P(J) = P(J) + SHJ                                                  ELM  48
      DO 105 I=1,NEL                                                     ELM  49
105   S(I,J)=S(I,J)+SHJ*SHP(3,I)                                         ELM  50
      RETURN                                                             ELM  51
6     RETURN                                                             ELM  52
C.... FORMATS                                                            ELM  53
1000  FORMAT(3F10.0,I5)                                                  ELM  54
2000  FORMAT(5X,30HLINEAR HEAT CONDUCTION ELEMENT   // 5X,               ELM  55
     1  12HCONDUCTIVITY ,E12.5, 5X,15HSPECIFIC HEAT   ,E12.5, 5X,        ELM  56
     2  12H  DENSITY         ,E12.5  )                                   ELM  57
2001  FORMAT(10X,A6,9H ANALYSIS )                                        ELM  58
      END                                                                ELM  59
```

准备:

列　号	说　　明
1—10	μ，粘滞系数
11—20	λ，罚系数
21—30	ρ，质量密度
31—35	L，各方向高斯数值积分点数(1，2 或 3)

节点自由度是坐标(x, y)方向的速度，因此 NDF 应取2. 我们仅推荐采用 2 × 2 高斯求积的八节点或九节点的单元（降阶积分是在第十一章 11.6 节中已讨论过的).

在密度不等于零时，对于稳态非线性纳维-斯托克斯方程，这种单元产生不对称的切线刚度矩阵，因此应使用宏指令 UTAN，并进行循环，以获得收敛的结果. 当密度可假设为零时，问题是线性的(斯托克斯流动)，刚度矩阵是对称的. 在这种情况下，用宏指令 TANG 替代 UTAN，计算效率会大大提高.

```
      SUBROUTINE ELMT03(D,UL,XL,IX,TL,S,P,NDF,NDM,NST,ISW)              ELM   1
C                                                                        ELM   2
C.... TWO DIMENSIONAL FLUID FLEMENT FOR NAVIER-STOKES EQUATIONS          ELM   3
C                                                                        ELM   4
      DIMENSION XL(NDM,1),UL(NDF,1),P(NDF,1),S(NST,1),D(1),V(2),DV(2,2)  ELM   5
     1,SHP(3,9),IX(1)                                                    ELM   6
      GO 10 (1,2,3,4,5,3), ISW                                           ELM   7
C.... INPUT/OUTPUT FLUID PROPERTIES                                      ELM   8
1     READ(5,1000) D(1),D(2),D(3),L                                      ELM   9
      WRITE(6,2000) D(1),D(2),D(3),L                                     ELM  10
      D(4) = L                                                           ELM  11
      LINT = 0                                                           ELM  12
      RETURN                                                             ELM  13
2     RETURN                                                             ELM  14
C.... COMPUTE UNSYMMETRIC TANGENT STIFFNFSS OR OUT OF BALANCE FORCES     ELM  15
3     L = D(4)                                                           ELM  16
      IF(L*L.NE.LINT) CALL PGAUSS(L,LINT,SG,TG,WG)                       ELM  17
      DO 65 L = 1,LINT                                                   ELM  18
      CALL SHAPE(SG(L),TG(L),XL,SHP,XSJ,NDM,NEL,IX,.FALSE.)              ELM  19
      XLAM = D(2)*XSJ*WG(L)                                              ELM  20
      XMU  = D(1)*XSJ*WG(L)                                              ELM  21
      XRHO = D(3)*XSJ*WG(L)                                              ELM  22
C.... COMPUTE VELOCITIES AND GRADIENTS                                   ELM  23
      DO 32 I = 1,2                                                      ELM  24
      V(I) = 0.                                                          ELM  25
      DO 31 K = 1,NEL                                                    ELM  26
31    V(I) = V(I) + SHP(3,K)*UL(I,K)                                     ELM  27
      DO 32 J = 1,2                                                      ELM  28
      DV(I,J) = 0.0                                                      ELM  29
      DO 32 K = 1,NEL                                                    ELM  30
32    DV(I,J) + DV(I,J) + SHP(J,K)*UL(I,K)                               ELM  31
      IF(ISW.EQ.6) GO TO 60                                              ELM  32
```

```
C...., COMPUTE TANGENT, LOOP OVER COLUMNS OF S                                ELM  33
       K1 = 1                                                                  ELM  34
       DO 34 K = 1,NEL                                                         ELM  35
       A1 = XMU*SHP(1,K)                                                       ELM  36
       A2 = XMU*SHP(2,K)                                                       ELM  37
       A3 = XRHO*(DV(1,1)*SHP(3,K)+V(1)*SHP(1,K)+V(2)*SHP(2,K))                ELM  38
       A4 = XRHO*(DV(2,2)*SHP(3,K)+V(1)*SHP(1,K)+V(2)*SHP(2,K))                ELM  39
       A5 = XRHO*DV(1,2)*SHP(3,K)                                              ELM  40
       A6 = XRHO*DV(2,1)*SHP(3,K)                                              ELM  41
       B1 = XLAM*SHP(1,K)                                                      ELM  42
       B2 = XLAM*SHP(2,K)                                                      ELM  43
C..... LOOP OVER ROWS OF S                                                      ELM  44
       J1 = 1                                                                  ELM  45
       DO 33 J = 1,NEL                                                         ELM  46
       S(J1  ,K1  ) + S(J1  ,K1  ) + SHP(1,J)*(A1+A1+B1)+SHP(2,J)*A2           ELM  47
       S(J1  ,K1+1) + S(J1  ,K1+1) + SHP(1,J)*B2+SHP(2,J)*A1                   ELM  48
       S(J1+1,K1  ) + S(J1+1,K1  ) + SHP(1,J)*A2+SHP(2,J)*B1                   ELM  49
       S(J1+1,K1+1) + S(J1+1,K1+1) + SHP(1,J)*A1+SHP(2,J)*(A2+A2+B2)           ELM  50
33     J1 = J1 + NDF                                                           ELM  51
34     K1 = K1 + NDF                                                           ELM  52
       GO 10 65                                                                ELM  53
C..... COMPUTE DIVERGENCE TERM                                                  ELM  54
60     XDIV = (DV(1,1)+DV(2,2))*XLAM                                           ELM  55
C..... COMPUTE INTERNAL FORCES                                                  ELM  56
       DO 64 K = 1,NEL                                                         ELM  57
       DO 64 J = 1,2                                                           ELM  58
       SUM = XDIV*SHP(J,K)                                                     ELM  59
       DO 63 I = 1,2                                                           ELM  60
63     SUM = SUM + XMU*(DV(J,I)+DV(I,J))*SHP(I,K) +                            ELM  61
     1   XRHO*V(I)*DV(J,I)*SHP(3,K)                                            ELM  62
64     P(J,K) = P(J,K) - SUM                                                   ELM  63
65     CONTINUE                                                                ELM  64
       RETURN                                                                  ELM  65
C..... COMPUTE STRESSES AND VELOCITY GRADIENTS                                  ELM  66
4      RETURN                                                                  ELM  67
C..... COMPUTE MASS MATRIX                                                      ELM  68
5       RETURN                                                                 ELM  69
C..... FORMATS                                                                  ELM  70
1000   FORMAT(3F10.0,I5)                                                       ELM  71
2000   FORMAT(5X,29HTWO DIMENSIONAL FLUID ELEMENT//10X,12HVISCOSITY  =,        ELM  72
     1  E12.5/10X,12HCONSTRAINT =,E12.5/10X,12HDENSITY    =,E12.5/             ELM  73
     2   10X,12HGAUSS PT/DIR,I5/)                                              ELM  74
       END                                                                     ELM  75
```

参 考 文 献

[1] O. C. Zienkiewicz and D. V. Phillips, 'An automatic mesh generation scheme for plane and curved surfaces by isoparametric coordinates', *Int. J. Num. Meth. Eng.*, 3, 519—28, 1971.

[2] O. C. Zienkiewicz, *The Finite Element Method in Engineering Science*, McGraw-Hill, 1971.

[3] W. Pilkey, K. Saczalski and H. Schaeffer (eds.), *Structural Mechanics Computer Programs*, Univ. Press of Virginia, Charlottesville, 1974.

[4] B. M. Irons, 'A technique for degenerating brick type isoparametric elements using hierarchical midside nodes', *Int. J. Num. Meth. Eng.*, **8**, 209—11, 1973.

[5] N. E. Gibbs, W. G. Poole, Jr., and P. K. Stockmeyer, 'An algorithm for reducing the bandwidth and profile of a sparse matrix', *SIAM J. Num. Anal.*, **13**, 236—50, 1976.

[6] W.-H. Liu and A. H. Sherman, 'Comparative analysis of the Cuthill-McKee and the reversed Cuthill-McKee ordering algorithms for sparse matrices', *SIAM J. Num. Anal.*, **13**, 198—213, 1976.

[7] K. J. Bathe and E. L. Wilson, *Numerical Methods in Finite Element Analyses,* Prentice-Hall, 1976.
[8] J. H. Wilkinson and C. Reinscc, *Linear Algebra. Handbook for Automatic Computation, II,* Springer-Verlag, 1971.
[9] A. K. Gupta and B. Mohraz, 'A method of computing numerically integrated stiffness matrices', *Int. J. Num. Meth. Eng.,* **5,** 83—9, 1972.
[10] E. L. Wilson, 'SAP—A general structural analysis program for linear systems', *Nucl. Engr. Des.,* **25,** 257—74, 1973.
[11] E. Hinton and J. S. Campbell, 'Local and global smoothing of discontinuous element functions using a least square method', *Int. J. Num. Meth. Eng.,* **8,** 461—80, 1974.
[12] E. Hinton, F. C. Scott and R. E. Ricketts, 'Local least square stress smoothing for parabolic isoparametric elements', *Int. J. Num. Meth. Eng.,* **9,** 235—56, 1975.
[13] A. Ralston, *A First Course in Numerical Analyses,* McGraw-Hill, 1965.
[14] L. Fox, *An Introduction to Numerical Linear Algebra,* Oxford Univ. Press, 1965.
[15] C. Meyer, 'Solution of equations; state-of-the-art', *J. Struct. Div. A. S. C. E.,* **99** (7), 1507—26, 1973.
[16] C. Meyer, 'Special problems related to linear equation solvers', *J. Struct. Div. A. S. C. E.,* **101** (4), 869—90, 1975.
[17] A. Jennings, 'A compact storage scheme for the solution of symmetric simultaneous equations', *Comp. J.,* **9,** 281—5, 1966.
[18] D. P. Mondkar and G. H. Powell, 'Towards optimal in-core equation solving', *Comp. Struct.,* 4, 531—48, 1974.
[19] C. A. Felippa, 'Solution of linear equations with skyline-stored symmetric matrix', *Comp. Struct.,* **5,** 13—30, 1975.
[20] G. Strang and G. J. Fix, *An Analysis of the Finite Element Method,* Prentice-Hall, 1973.
[21] D. P. Mondkar and G. H. Powell, 'Large capacity equation solver for structural analysis', *Comp. Struct.,* **4,** 699—728, 1974.
[22] R. J. Melosh and R. M. Bamford, 'Efficient solution of load-deflection equations', *J. Struct. Div. A. S. C. E.,* **95,** 661—76, 1969.
[23] B. M. Irons, 'A frontal solution program', *Int. J. Num. Meth. Eng.,* **2,** 5—32, 1970.
[24] E. Hinton and D. R. J. Owen, *Finite Element Programming,* Academic Press, 1977.
[25] P. Hood, 'Frontal solution program for unsymmetric matrices', *Int. J. Num. Metc .Eng.,* **10,** 379—400, 1976.

附 录 1

矩 阵 代 数

关于矩阵代数的神秘性，大概是由于这方面的教科书一下子向学生“灌输太多”而造成的．将会发现，为了阅读本书和进行必要的计算，仅需要关于少数基本定义的有限知识．

矩阵的定义

一组变量 x 及 b 之间的线性关系

$$\begin{aligned} a_{11}x_1 + a_{12}x_2 + a_{13}x_3 + a_{14}x_4 &= b_1, \\ a_{21}x_1 + a_{22}x_2 + a_{23}x_3 + a_{24}x_4 &= b_2, \\ a_{31}x_1 + a_{32}x_2 + a_{33}x_3 + a_{34}x_4 &= b_3 \end{aligned} \tag{A.1.1}$$

可以简写成

$$[A]\{x\} = \{b\}$$

或

$$\mathbf{Ax} = \mathbf{b}, \tag{A.1.1a}$$

式中

$$\mathbf{A} \equiv [A] = \begin{bmatrix} a_{11}, & a_{12}, & a_{13}, & a_{14} \\ a_{21}, & a_{22}, & a_{23}, & a_{24} \\ a_{31}, & a_{32}, & a_{33}, & a_{34} \end{bmatrix}, \tag{A.1.2}$$

$$\mathbf{X} \equiv \{x\} = \begin{Bmatrix} x_1 \\ x_2 \\ x_3 \\ x_4 \end{Bmatrix}, \quad \mathbf{b} \equiv \{b\} = \begin{Bmatrix} b_1 \\ b_2 \\ b_3 \end{Bmatrix}.$$

上述符号表示法中既包含着矩阵的定义，又包含着矩阵乘法的定义．矩阵被定义为式(A.1.2)所示那种“数字阵列”． 仅列出一列数字的那种特殊形式常被称为向量或列矩阵. 通过式(A.1.1)左端与式(A.1.1a)左端的等价来定义一个矩阵与一个向量相乘.

本书始终用黑体字母来表示向量及矩阵——一般用小写字母表示向量,用大写字母表示矩阵.

如果有常数相同但变量 $\boldsymbol{x}$ 及 $\boldsymbol{b}$ 不同的另外一个关系存在,并把它写成

$$\begin{aligned} a_{11}x_1' + a_{12}x_2' + a_{13}x_3' + a_{14}x_4' &= b_1', \\ a_{21}x_1' + a_{22}x_2' + a_{23}x_3' + a_{24}x_4' &= b_2' \\ a_{31}x_1' + a_{32}x_2' + a_{33}x_3' + a_{34}x_4' &= b_3', \end{aligned} \tag{A.1.3}$$

则我们可以写出

$$[A][X] = [B]$$

或

$$\mathbf{AX} = \mathbf{B}, \tag{A.1.4}$$

式中

$$\mathbf{X} \equiv [X] = \begin{bmatrix} x_1, & x_1' \\ x_2, & x_2' \\ x_3, & x_3' \\ x_4, & x_4' \end{bmatrix}, \qquad \mathbf{B} \equiv [B] = \begin{bmatrix} b_1, & b_1' \\ b_2, & b_2' \\ b_3, & b_3' \end{bmatrix}. \tag{A.1.5}$$

式(A.1.4)就是按如下方式联立的式(A.1.1)及(A.1.3):

$$\begin{bmatrix} a_{11}x_1 + \cdots, & a_{11}x_1' + \cdots \\ a_{21}x_1 + \cdots, & a_{21}x_1' + \cdots \\ a_{31}x_1 + \cdots, & a_{31}x_1' + \cdots \end{bmatrix} = \begin{bmatrix} b_1, & b_1' \\ b_2, & b_2' \\ b_3, & b_3' \end{bmatrix}. \tag{A.1.4a}$$

由此附带看出,仅当两个矩阵的每一项对应相等时,两个矩阵才相等.

上面定义了两个矩阵相乘;显然,对于(A.1.4)那种关系式,仅当 $\mathbf{A}$ 的列数等于 $\mathbf{X}$ 的行数时,两个矩阵的相乘才有意义. 表示矩阵乘法特点的一个性质是,在一般情况下,

$$\mathbf{AX} \neq \mathbf{XA},$$

即矩阵的相乘不能象普通代数中那样进行交换.

矩阵的加法及减法

如果把式(A.1.1)及(A.1.3)那种形式的关系式相加，则有

$$a_{11}(x_1+x_1')+a_{12}(x_2+x_2')+a_{13}(x_3+x_3')+a_{14}(x_4+x_4')=b_1+b_1',$$
$$a_{21}(x_1+x_1')+a_{22}(x_2+x_2')+a_{23}(x_3+x_3')+a_{24}(x_4+x_4')=b_2+b_2',$$
$$a_{31}(x_1+x_1')+a_{32}(x_2+x_2')+a_{33}(x_3+x_3')+a_{34}(x_4+x_4')=b_3+b_3'. \quad (A.1.6)$$

如果我们把矩阵相加定义为对应项简单相加，则式(A.1.6)也可如下得到：

$$\mathbf{Ax}+\mathbf{Ax}'=\mathbf{A}(\mathbf{x}+\mathbf{x}')=\mathbf{b}+\mathbf{b}'=\mathbf{b}'+\mathbf{b}.$$

显然，仅当矩阵的规模一样时，矩阵才能相加. 例如

$$\begin{bmatrix} a_{11}, & a_{12}, & a_{13} \\ a_{21}, & a_{22}, & a_{23} \end{bmatrix} + \begin{bmatrix} b_{11}, & b_{12}, & b_{13} \\ b_{21}, & b_{22}, & b_{23} \end{bmatrix} =$$
$$\begin{bmatrix} a_{11}+b_{11}, & a_{12}+b_{12}, & a_{13}+b_{13} \\ a_{21}+b_{21}, & a_{22}+b_{22}, & a_{23}+b_{23} \end{bmatrix}$$

或

$$\mathbf{A}+\mathbf{B}=\mathbf{C} \quad (A.1.7)$$

意味着：**C** 的每一项等于 **A** 及 **B** 的对应项之和.

减法显然服从类似的规则.

矩阵转置

矩阵转置的定义就是按如下方式重新排列矩阵中的数字：

$$\begin{bmatrix} a_{11} & a_{12} & a_{13} \\ a_{21} & a_{22} & a_{23} \\ a_{31} & a_{32} & a_{33} \end{bmatrix}^{\mathrm{T}} = \begin{bmatrix} a_{11} & a_{21} & a_{31} \\ a_{12} & a_{22} & a_{32} \\ a_{13} & a_{23} & a_{33} \end{bmatrix}. \quad (A.1.8)$$

如式(A.1.8)所示，用符号T来表示矩阵转置.

它的应用不是十分显而易见的，但以后会表现出来，这里可把它作为一种简单的规定运算来对待.

矩阵的逆

如果关系式(A.1.1a)中的矩阵 **A** 是“方的”，即它表示式

(A.1.1)那种联立方程的系数,而方程的数目等于未知量 $\mathbf{x}$ 的分量数目,那末在一般情况下,可以根据已知系数 $\mathbf{b}$ 解出未知量 $\mathbf{x}$. 这个解答可以写成

$$\mathbf{x}=\mathbf{A}^{-1}\mathbf{b}, \tag{A.1.9}$$

式中矩阵 $\mathbf{A}^{-1}$ 被称为方阵 $\mathbf{A}$ 的逆. 显然,$\mathbf{A}^{-1}$ 也是方阵,并与 $\mathbf{A}$ 规模相同.

我们可以通过在式(A.1.1a)两边前乘 $\mathbf{A}^{-1}$而得到式(A.1.9),因此有

$$\mathbf{A}\mathbf{A}^{-1}=\mathbf{A}^{-1}\mathbf{A}=\mathbf{I}, \tag{A.1.10}$$

式中 $\mathbf{I}$ 是一个单位矩阵,它的所有"非对角"位置上的项均为零,而每一个对角位置上的项均为 1.

如果方程是奇异的,并且没有解,则显然其矩阵 $\mathbf{A}$ 没有逆.

乘积之和

在力学问题中,我们经常遇到许多象力这样可以列成矩阵"向量"的量:

$$\mathbf{f}=\begin{Bmatrix} f_1 \\ f_2 \\ \vdots \\ f_n \end{Bmatrix}. \tag{A.1.11}$$

这些量常常依次与另一个向量所给出的同样数目的位移分量有联系,比如说与如下的 $\mathbf{u}$ 的分量有联系:

$$\mathbf{u}=\begin{Bmatrix} u_1 \\ u_2 \\ \vdots \\ u_n \end{Bmatrix}. \tag{A.1.12}$$

我们已经知道,功被表示成力与位移的乘积之和:

$$W=\Sigma f_n u_n.$$

显然,矩阵转置在这里很有用,因为我们可以利用矩阵乘法的第一个规则写出

$$
W=[f_1,f_2,\cdots,f_n]\begin{Bmatrix} a_1\\ a_2\\ \vdots\\ a_n \end{Bmatrix}=\mathbf{f}^{\mathrm{T}}\mathbf{a}=\mathbf{a}^{\mathrm{T}}\mathbf{f}. \qquad (A.1.13)
$$

在本书中常常利用这一事实.

乘积的转置

有时出现对矩阵乘积进行转置这样的运算. 读者由前面的定义可以证明

$$
(\mathbf{AB})^{\mathrm{T}}=\mathbf{B}^{\mathrm{T}}\mathbf{A}^{\mathrm{T}}. \qquad (A.1.14)
$$

对称矩阵

在结构力学中经常遇到对称矩阵. 如果规定矩阵 $\mathbf{A}$ 的任一项为 a_{ij}, 则对于对称矩阵有

$$
a_{ij}=a_{ji}.
$$

可以证明,对称矩阵的逆总是对称的.

矩阵的分块

容易验证, 如虚线所示地把矩阵 $\mathbf{A}$ 及 $\mathbf{B}$ 分成子矩阵(也可按别的方式分),例如

$$
\mathbf{A}=\left[\begin{array}{ccc:cc} a_{11} & a_{12} & a_{13} & a_{14} & a_{15}\\ a_{21} & a_{22} & a_{23} & a_{24} & a_{25}\\ \cdots & \cdots & \cdots & \cdots & \cdots\\ a_{31} & a_{32} & a_{33} & a_{34} & a_{35} \end{array}\right],
$$

$$
\mathbf{B}=\begin{bmatrix} b_{11} & b_{12}\\ b_{21} & b_{22}\\ b_{31} & b_{32}\\ \cdots & \cdots\\ b_{41} & b_{42}\\ b_{51} & b_{52} \end{bmatrix},
$$

先把每个子矩阵看成标量应用矩阵乘法规则，然后按通常方式进一步做乘法，这样就能得到矩阵乘积

$$\mathbf{AB}.$$

因此，如果我们写出

$$\mathbf{A} = \begin{bmatrix} \mathbf{A}_{11} & \mathbf{A}_{12} \\ \mathbf{A}_{21} & \mathbf{A}_{22} \end{bmatrix}, \quad \mathbf{B} = \begin{bmatrix} \mathbf{B}_1 \\ \mathbf{B}_2 \end{bmatrix},$$

则可验证，通过进一步的乘法，

$$\mathbf{AB} = \begin{bmatrix} \mathbf{A}_{11}\mathbf{B}_1 + \mathbf{A}_{12}\mathbf{B}_2 \\ \mathbf{A}_{21}\mathbf{B}_1 + \mathbf{A}_{22}\mathbf{B}_2 \end{bmatrix}$$

表示最终的乘积.

矩阵分块的基本特点在于，分块时必须使 $\mathbf{A}_{11}\mathbf{B}_1$ 这类乘积有定义，即 $\mathbf{A}_{11}$ 的列数必须等于 $\mathbf{B}_1$ 的行数，如此等等. 如果遵守以上规定，则可把各分块看成标量，对分块矩阵进行所有进一步的运算.

应当注意，可以用一个标量(数字)乘任一矩阵. 显然，相应的行数与列数相等这一要求这时不再适用.

如果把一个对称矩阵分成一些行数与列数相等的子矩阵 $\mathbf{A}_{ij}$，则有

$$\mathbf{A}_{ij} = \mathbf{A}_{ji}^{\mathrm{T}}.$$

附 录 2

位移分析(第二章)的基本方程

位移

$$\mathbf{u} \approx \hat{\mathbf{u}} = \Sigma \mathbf{N}_i \mathbf{a}_i = \mathbf{N}\mathbf{a}. \tag{2.1}$$

应变

$$\boldsymbol{\varepsilon} = \mathbf{L}\mathbf{u} \approx \Sigma \mathbf{B}_i \mathbf{a}_i = \mathbf{B}\mathbf{a}, \tag{2.2—2.3}$$

$$\mathbf{B}_i = \mathbf{L}_i \mathbf{N}_i;\ \mathbf{B} = \mathbf{L}\mathbf{N}. \tag{2.4}$$

线性弹性力学的应力-应变本构关系

$$\boldsymbol{\sigma} = \mathbf{D}(\boldsymbol{\varepsilon} - \boldsymbol{\varepsilon}_0) + \boldsymbol{\sigma}_0. \tag{2.5}$$

近似的平衡方程

$$\mathbf{K}\mathbf{a} + \mathbf{f} = \mathbf{r}, \tag{2.23}$$

$$\mathbf{K}_{ij} = \int_V \mathbf{B}_i^{\mathrm{T}} \mathbf{D} \mathbf{B}_j \mathrm{d}V, \tag{2.24}$$

$$\mathbf{f}_i = -\int_V \mathbf{N}_i^{\mathrm{T}} \mathbf{b} \mathrm{d}V - \int_A \mathbf{N}_i^{\mathrm{T}} \bar{\mathbf{t}} \mathrm{d}A$$
$$- \int_V \mathbf{B}_i^{\mathrm{T}} \mathbf{D} \boldsymbol{\varepsilon}_0 \mathrm{d}V - \int_V \mathbf{B}_i^{\mathrm{T}} \mathbf{D}_0 \mathrm{d}V.$$

附 录 3

二维及三维分部积分公式(格林定理)

考虑如下二维表达式的分部积分:

$$\iint_{\Omega} \phi \frac{\partial \psi}{\partial x} \mathrm{d}x\mathrm{d}y. \tag{A.3.1}$$

先对 x 进行积分,并利用如下熟知的分部积分关系:

$$\int_{x_L}^{x_R} u\mathrm{d}v = -\int_{x_L}^{x_R} v\mathrm{d}u + (uv)_{x=x_R} - (uv)_{x=x_L}, \tag{A.3.2}$$

在采用图 A.3.1 所示符号的情况下,我们有

$$\iint_{\Omega} \phi \frac{\partial \psi}{\partial x} \mathrm{d}x\mathrm{d}y = -\iint_{\Omega} \frac{\partial \phi}{\partial x} \psi \mathrm{d}x\mathrm{d}y + \int_{y=y_B}^{y=y_T} [(\phi\psi)_{x=x_R} - (\phi\psi)_{x=x_L}]\mathrm{d}y. \tag{A.3.3}$$

如果我们现在考察右边界上一定向线段,则有

$$\mathrm{d}y = \mathrm{d}\Gamma n_x, \tag{A.3.4}$$

式中 n_x 是法线与 x 方向之间的方向余弦. 类似地,对于左边界有

$$\mathrm{d}y = -\mathrm{d}\Gamma n_x. \tag{A.3.5}$$

于是, 式(A.3.3)的最后一项可表示成沿反时针方向进行的如下积分:

$$\oint_{\Gamma} \phi\psi \mathrm{d}\Gamma n_x. \tag{A.3.6}$$

如果遇到几条封闭围线,必须沿每一条围线进行这种积分.在所有情况下,一般表达式是

$$\iint_{\Omega} \phi \frac{\partial \psi}{\partial x} \mathrm{d}x\mathrm{d}y \equiv -\iint_{\Omega} \frac{\partial \phi}{\partial x} \psi \mathrm{d}x\mathrm{d}y + \oint_{\Gamma} \phi\psi n_x \mathrm{d}\Gamma. \tag{A.3.7}$$

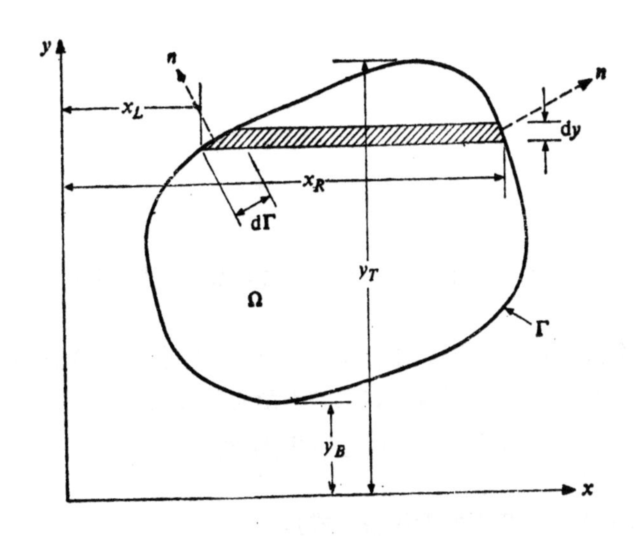

图 A.3.1

类似地，如果出现 y 方向的微分，则可写出

$$\iint_{\Omega}\phi\frac{\partial\psi}{\partial y}\,\mathrm{d}x\mathrm{d}y\equiv-\iint_{\Omega}\frac{\partial\phi}{\partial y}\,\psi\mathrm{d}x\mathrm{d}y+\oint_{\Gamma}\phi\psi n_y\mathrm{d}\Gamma,\tag{A.3.8}$$

式中 n_y 是外法线与 y 轴的方向余弦.

在三维情况下，可按同样的方法写出

$$\iiint_{\Omega}\phi\frac{\partial\psi}{\partial x}\,\mathrm{d}x\mathrm{d}y\mathrm{d}z=-\iiint_{\Omega}\frac{\partial\phi}{\partial x}\,\psi\mathrm{d}x\mathrm{d}y\mathrm{d}z+\oint_{\Gamma}\phi\psi n_x\mathrm{d}\Gamma,\tag{A.3.9}$$

式中 $\mathrm{d}\Gamma$ 现在是表面积微元，而最后一项积分沿整个表面进行.

附 录 4

关于三角形的一些积分公式(图4.1)

我们在 x-y 平面内用 (x_i, y_i), (x_j, y_j), (x_m, y_m) 三点确定一个三角形,坐标原点取在该三角形形心处,即有

$$\frac{x_i + x_j + x_m}{3} = \frac{y_i + y_j + y_m}{3} = 0.$$

于是,关于该三角形的面积分公式是

$$\int x\mathrm{d}x\mathrm{d}y = \int y\mathrm{d}x\mathrm{d}y = 0,$$

$$\int \mathrm{d}x\mathrm{d}y = \frac{1}{2}\begin{vmatrix} 1 & x_i & y_i \\ 1 & x_j & y_j \\ 1 & x_m & y_m \end{vmatrix} = \Delta = \text{三角形的面积},$$

$$\int x^2\mathrm{d}x\mathrm{d}y = \frac{\Delta}{12}(x_i^2 + x_j^2 + x_m^2),$$

$$\int y^2\mathrm{d}x\mathrm{d}y = \frac{\Delta}{12}(y_i^2 + y_j^2 + y_m^2),$$

$$\int xy\mathrm{d}x\mathrm{d}y = \frac{\Delta}{12}(x_iy_i + x_jy_j + x_my_m).$$

附 录 5

关于四面体的一些积分公式(图6.1)

我们在 (x, y, z) 坐标系中用 (x_i, y_i, z_i), (x_j, y_j, z_j), (x_m, y_m, z_m), (x_p, y_p, z_p)四点确定一个四面体，坐标原点取在该四面体的形心处，即有

$$\frac{x_i + x_j + x_m + x_p}{4} = \frac{y_i + y_j + y_m + y_p}{4} = \frac{z_i + z_j + z_m + z_p}{4} = 0.$$

于是，我们有

$$\int \mathrm{d}x\mathrm{d}y\mathrm{d}z = \frac{1}{6}\begin{vmatrix} 1 & x_i & y_i & z_i \\ 1 & x_j & y_j & z_j \\ 1 & x_m & y_m & z_m \\ 1 & x_p & y_p & z_p \end{vmatrix} = V = \text{四面体的体积}.$$

如果顶点编号次序如图 6.1 所示，则还有

$$\int x\mathrm{d}x\mathrm{d}y\mathrm{d}z = \int y\mathrm{d}x\mathrm{d}y\mathrm{d}z = \int z\mathrm{d}x\mathrm{d}y\mathrm{d}z = 0,$$

$$\int x^2\mathrm{d}x\mathrm{d}y\mathrm{d}z = \frac{V}{20}(x_i^2 + x_j^2 + x_m^2 + x_p^2),$$

$$\int y^2\mathrm{d}x\mathrm{d}y\mathrm{d}z = \frac{V}{20}(y_i^2 + y_j^2 + y_m^2 + y_p^2),$$

$$\int z^2\mathrm{d}x\mathrm{d}y\mathrm{d}z = \frac{V}{20}(z_i^2 + z_j^2 + z_m^2 + z_p^2),$$

$$\int xy\mathrm{d}x\mathrm{d}y\mathrm{d}z = \frac{V}{20}(x_iy_i + x_jy_j + x_my_m + x_py_p),$$

$$\int xz\mathrm{d}x\mathrm{d}y\mathrm{d}z = \frac{V}{20}(x_i z_i + x_j z_j + x_m z_m + x_p z_p),$$

$$\int yz\mathrm{d}x\mathrm{d}y\mathrm{d}z = \frac{V}{20}(y_i z_i + y_j z_j + y_m z_m + y_p z_p).$$

附　录　6

向量代数的一些基本知识

在壳体等问题中出现空间中的单元，处理这些复杂的单元时需要有向量代数的一些基本知识．这里归纳了向量代数中的一些基本运算．

向量(在几何意义上)可以用其沿 x，y，z 轴方向的分量来描述．

因此，图 A.6.1 所示向量 $\mathbf{V}_{01}$ 可以写成

$$\mathbf{V}_{01}=\mathbf{i}x_1+\mathbf{j}y_1+\mathbf{k}z_1, \tag{A.6.1}$$

式中 $\mathbf{i}$, $\mathbf{j}$, $\mathbf{k}$ 是 x，y，z 轴方向的单位向量．

另外，这同一个向量可被写成(现在是矩阵意义上的“向量”)

$$\mathbf{V}_{01}=\begin{Bmatrix} x_1 \\ y_1 \\ z_1 \end{Bmatrix}, \tag{A.6.2}$$

在上式中，各分量按其在列向量中的位置来区分．

向量相加及相减　向量的相加及相减被定义为其对应分量的相加及相减．例如，

$$\mathbf{V}_{02}-\mathbf{V}_{01}=\mathbf{V}_{12}=\mathbf{i}(x_2-x_1)+\mathbf{j}(y_2-y_1)+\mathbf{k}(z_2-z_1). \tag{A.6.3}$$

同样的结果可以按照矩阵代数的定义得到，因此有

$$\mathbf{V}_{02}-\mathbf{V}_{01}=\mathbf{V}_{12}=\begin{Bmatrix} x_2-x_1 \\ y_2-y_1 \\ z_2-z_1 \end{Bmatrix}. \tag{A.6.4}$$

向量的长度　纯粹从几何上来看，向量 $\mathbf{V}_{12}$ 的长度可给出如下：

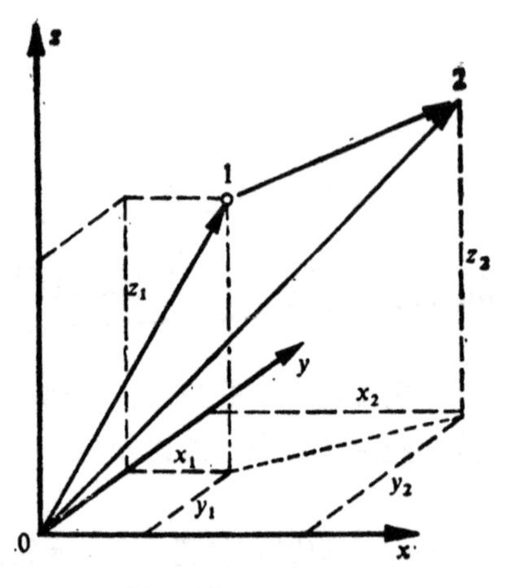

图 A.6.1 向量相加

$$l_{12} = \sqrt{(x_2 - x_1)^2 + (y_2 - y_1)^2 + (z_2 - z_1)^2}, \quad (A.6.5)$$

或者是由矩阵代数得到

$$l_{12} = \sqrt{\mathbf{V}_{12}^{\mathrm{T}}\mathbf{V}_{12}}. \quad (A.6.6)$$

方向余弦 一个向量的方向余弦，可简单地由投影分量长度的定义得到：

$$\cos\alpha_x = \lambda_{vx} = \frac{x_2 - x_1}{l_{12}}, \text{ 等等}, \quad (A.6.7)$$

式中 α_x 是该向量与 x 轴的夹角.

“标量”积 两个向量的标量积被定义为一个向量的长度与另一个向量在它上面的标量投影的积. 或者这样定义：如果 γ 是 $\mathbf{A}$ 与 $\mathbf{B}$ 这两个向量的夹角，并且 $\mathbf{A}$ 及 $\mathbf{B}$ 的长度分别是 l_a 及 l_b，则有

$$\mathbf{A}\cdot\mathbf{B} = l_a l_b \cos\gamma = \mathbf{B}\cdot\mathbf{A}. \quad (A.6.8)$$

按照上述定义，我们注意到

$$\mathbf{i}\cdot\mathbf{i} = \mathbf{j}\cdot\mathbf{j} = \mathbf{k}\cdot\mathbf{k} = 1,$$

$$\mathbf{i}\cdot\mathbf{j} = \mathbf{j}\cdot\mathbf{k} = \mathbf{k}\cdot\mathbf{i} = 0.$$

因此，如果

$$
\begin{aligned}
\mathbf{A} &= \mathbf{i}a_x + \mathbf{j}a_y + \mathbf{k}a_z, \\
\mathbf{B} &= \mathbf{i}b_x + \mathbf{j}b_y + \mathbf{k}b_z,
\end{aligned} \tag{A.6.9}
$$

则有

$$
\mathbf{A} \cdot \mathbf{B} = a_x b_x + a_y b_y + a_z b_z. \tag{A.6.10}
$$

利用矩阵表示法,则有

$$
\mathbf{A} = \begin{Bmatrix} a_x \\ a_y \\ a_z \end{Bmatrix}, \quad \mathbf{B} = \begin{Bmatrix} b_x \\ b_y \\ b_z \end{Bmatrix}, \tag{A.6.11}
$$

$$
\mathbf{A} \cdot \mathbf{B} = \mathbf{A}^{\mathrm{T}}\mathbf{B} = \mathbf{B}^{\mathrm{T}}\mathbf{A}. \tag{A.6.12}
$$

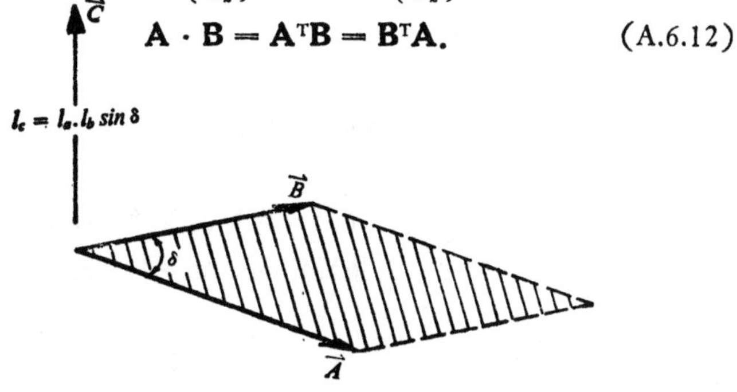

图 A.6.2　向量相乘(叉乘积)

"向量"积或叉乘积　另一种向量乘积被定义为一个垂直于原来两个向量所在平面的向量，该向量的大小等于原来两个向量的长度及它们所成夹角的正弦这三者之积．另外，乘积向量的方向服从图 A.6.2 所示右手定则,该图中示出的是

$$
\mathbf{A} \times \mathbf{B} = \mathbf{C}. \tag{A.6.13}
$$

于是,我们有

$$
\mathbf{A} \times \mathbf{B} = -\mathbf{B} \times \mathbf{A}. \tag{A.6.14}
$$

值得注意，**C** 的大小(或长度）等于图 A.6.2 中所示平行四边形的面积.

利用式(A.6.9)的定义,并注意到

$$
\begin{aligned}
&\mathbf{i} \times \mathbf{i} = \mathbf{j} \times \mathbf{j} = \mathbf{k} \times \mathbf{k} = 0, \\
&\mathbf{i} \times \mathbf{j} = \mathbf{k}, \mathbf{j} \times \mathbf{k} = \mathbf{i}, \mathbf{k} \times \mathbf{i} = \mathbf{j},
\end{aligned} \tag{A.6.15}
$$

我们有

$$\mathbf{A}\times\mathbf{B}=\det\begin{vmatrix}\mathbf{i}&\mathbf{j}&\mathbf{k}\\a_x&a_y&a_z\\b_x&b_y&b_z\end{vmatrix}$$

$$=(a_yb_z-a_zb_y)\mathbf{i}+(a_zb_x-a_xb_z)\mathbf{j}+(a_xb_y-a_yb_x)\mathbf{k}. \tag{A.6.16}$$

上式在矩阵代数中没有简单的对应形式，但我们可以利用它把向量 $\mathbf{C}$ 定义成[1]

$$\mathbf{C}=\mathbf{A}\times\mathbf{B}=\begin{Bmatrix}a_yb_z-a_zb_y\\a_zb_x-a_xb_z\\a_xb_y-a_yb_x\end{Bmatrix}. \tag{A.6.17}$$

将会看到,在考虑建立表面法向的问题时(见第十一章),向量积特别有用.

面积微分及体积微分　如果 ξ 及 η 是某种曲线坐标，则由笛卡儿坐标与曲线坐标之间关系确定的二维平面中的向量

$$\mathrm{d}\boldsymbol{\xi}=\begin{Bmatrix}\partial x/\partial\xi\\\partial y/\partial\xi\end{Bmatrix}\mathrm{d}\xi,\qquad \mathrm{d}\boldsymbol{\eta}=\begin{Bmatrix}\partial x/\partial\eta\\\partial y/\partial\eta\end{Bmatrix}\mathrm{d}\eta \tag{A.6.18}$$

分别与等值线 $\xi=$ 常数及 $\eta=$ 常数相切．由叉乘积 $\mathrm{d}\boldsymbol{\xi}\times\mathrm{d}\boldsymbol{\eta}$ 产生的向量,其长度等于平行四边形微元的面积 $\mathrm{d}A$，所以我们可以利用式(A.6.17)写出

$$\mathrm{d}A=\det\begin{vmatrix}\dfrac{\partial x}{\partial\xi}&\dfrac{\partial x}{\partial\eta}\\\dfrac{\partial y}{\partial\xi}&\dfrac{\partial y}{\partial\eta}\end{vmatrix}. \tag{A.6.19}$$

类似地,如果我们在笛卡儿空间中有三个曲线坐标 ξ,η,ζ,则三重纯量积确定了微元的体积:

---

1) 如果我们把 $\mathbf{A}$ 改写成斜对称矩阵

$$\hat{\mathbf{A}}=\begin{bmatrix}0, & -a_z, & a_y\\a_z, & 0, & -a_x\\-a_y, & a_x, & 0\end{bmatrix},$$

则读者可以验证,向量积的另一种矩阵表示法是(克劳奇 (T. Crouch),私人通信)

$$\mathbf{C}=\hat{\mathbf{A}}\mathbf{B}.$$

$$dV = d\boldsymbol{\xi} \cdot (d\boldsymbol{\eta} \times d\boldsymbol{\zeta}) = \det \begin{vmatrix} \frac{\partial x}{\partial \xi} & \frac{\partial x}{\partial \eta} & \frac{\partial x}{\partial \zeta} \\ \frac{\partial y}{\partial \xi} & \frac{\partial y}{\partial \eta} & \frac{\partial y}{\partial \zeta} \\ \frac{\partial z}{\partial \xi} & \frac{\partial z}{\partial \eta} & \frac{\partial z}{\partial \zeta} \end{vmatrix} d\xi d\eta d\zeta. \quad (A.6.20)$$

这是简单地由几何学得到的．按照定义，括号内的叉乘积形成一个向量，其长度等于各边与坐标曲线 $\boldsymbol{\eta}$，$\boldsymbol{\zeta}$ 相切的那个平行四边形的面积．这个向量垂直于该平行四边形所在的平面，由这个向量的长度、向量 $d\boldsymbol{\xi}$ 的长度以及两个向量间夹角余弦三者相乘得到的标量积，就确定了微元的体积．

内 容 索 引

五 画

六 画

七 画

八　画

九　画

十 画

十一画

十二画

十 三 画

十 四 画

十 五 画

十 六 画

十 七 画

二十画